Ellen Berg
Ich küss
dich tot

D1225398

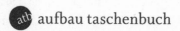
aufbau taschenbuch

ELLEN BERG, geboren 1969, studierte Germanistik und arbeitete als Reise-leiterin und in der Gastronomie. Heute schreibt und lebt sie mit ihrer Tochter auf einem kleinen Bauernhof im Allgäu. Ihre beruflichen Erleb-nisse in Hotels und die Liebe zu ihrer Wahlheimat inspirierten sie zu die-sem wahrlich mörderischen Roman.

Mehr zur Autorin unter www.ellen-berg.de

Immer die Familie! Hotelmanagerin Annabelle will gerade die ganz große Karriere in einem Luxushotel in Singapur starten, da macht ihr der schwer erkrankte Vater einen Strich durch die Rechnung. Sie muss heim, tief in die bayerische Provinz, und ihren Eltern mit dem Familienhotel in den Alpen helfen. Eigentlich will sie den maroden kleinen Betrieb bloß schnell verkaufen, doch dann durchkreuzt ein rätselhafter Toter ihre Pläne. Ge-hört er wie der smarte Fabian zu den Investoren, die aus dem idyllischen Örtchen ein Touristenparadies machen wollen? Welche Rolle spielt die alte Familienfehde mit dem Nachbarbauern – und ihrem attraktiven Sohn Andi? Schon bald muss Annabelle sich wohl oder übel mit ihrer eigensin-nigen Sippschaft und den nicht minder sturen Dorfbewohnern zusam-menraufen, um das Problem aus der Welt zu schaffen …

Ellen Berg

Ich küss dich tot

(K)ein
Familien-Roman

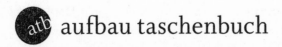 aufbau taschenbuch

MIX
Papier aus verantwor-
tungsvollen Quellen
FSC® C083411

ISBN 978-3-7466-3438-8

Aufbau Taschenbuch ist eine Marke
der Aufbau Verlag GmbH & Co. KG

1. Auflage 2018
© Aufbau Verlag GmbH & Co. KG, Berlin 2018
Umschlaggestaltung U1 berlin, Patrizia Di Stefano
unter Verwendung einer Illustration von © Gerhard Glück
Gesetzt in der Adobe Garamond Pro durch LVD GmbH, Berlin
Druck und Binden CPI books GmbH, Leck, Germany
Printed in Germany

www.aufbau-verlag.de

Prolog

19. Dezember, noch fünf Tage bis Heiligabend

»Über-raaaa-schung!«, schallte es Annabelle entgegen.

Schock. Ihr Puls schnellte in schwindelerregende Höhen. Mit einer Hand umklammerte sie die Klinke der Wohnungstür, mit der anderen raffte sie ihr feuchtes Badetuch vor der Brust zusammen. Gut, jeder mochte Überraschungen, zumal in Gestalt fröhlicher Menschen, die Luftballons und bunt verpackte Flaschen schwenkten. Dumm nur, wenn man gerade aus der Dusche kam, tropfnass, notdürftig in ein schlappes Stück Frottee gewickelt, und die Wohnung aussah, als hätte ein übereifriges FBI-Team jeden Schrank, jede Schublade, jedes Wäschefach durchwühlt.

Aber das war längst nicht alles. Am nächsten Morgen um sieben würde ihr Flieger nach Singapur abheben. Annabelle musste noch packen, das Appartement auf Vordermann bringen, ihren Pass suchen (nein, das hatte sie schon getan, ausgiebig, sie musste ihn *finden*), dringend mit Simon telefonieren (ja, es gab einen Mann in ihrem hektischen Leben, fragte sich nur, wie lange noch). Und, hm, erst mal was anziehen vielleicht?

Ratlos starrte sie in die Gesichter ihrer Freunde, die sich auf dem Treppenabsatz drängelten. Durch das kleine Loch des Spions hatte sie lediglich Sommersprossen und jadegrüne Augen erspäht: ihre beste Freundin Mary-Jo. Dass dahinter eine unternehmungslustige Partytruppe stehen würde, wild entschlossen, jede Menge guter Laune über ihr auszukippen, darauf wäre sie nicht im Traum gekommen. Und doch bestand kein Zweifel: Sämtliche New Yorker Freunde, hauptsächlich Kollegen aus dem Hotel Imperial Ambassador, standen Schlange, um ihr Lebewohl zu sagen.

Du lieber Himmel, was sollte sie bloß tun?

Für die Schildkrötentaktik (ich bin gar nicht zu Hause, haha) war es nun zu spät, für einen kurzen, schmerzlosen Abschied definitiv zu früh. Zehn Uhr abends. In New York, der Stadt, die niemals schlief, bedeutete das quasi Nachmittag.

»Du sagst ja gar nichts«, schmollte Mary-Jo.

Sie sah so herzzerreißend enttäuscht aus, dass Annabelle sich zu einem Lächeln durchrang.

»Äh – jaha, also, ich freu mich schon irgendwie …«

»Jippiiee«, rief Marcus, seines Zeichens Barkeeper im Imperial Ambassador und Annabelles bester Kumpel. »Leute, es geht lo-hooos!«

Die anderen johlten begeistert. Bevor Annabelle noch irgendwelche Bedenken hervorstammeln konnte, stürmten auch schon alle an ihr vorbei in das winzige, hoffnungslos verkramte Appartement mit der atemberaubenden Aussicht auf die Skyline Manhattans. Annabelle liebte diesen Blick, vor allem nachts – ein Gebirge aus Wolkenkratzern, deren hell erleuchtete Fenster wie würfelförmige Sterne auf dem samtschwarzen Himmel glitzerten. Auch ihre Gäste waren hingerissen, dem vielstimmigen »Wow!« nach zu schließen. Die peinliche Unordnung schien niemanden zu stören. Irgendwer stellte Musik an, Gelächter flutete die Wohnung, aus der Küche hörte Annabelle Gläserklirren und das Rumpeln des Eiswürfelautomaten. Yo. Das nannte man wohl, vor vollendete Tatsachen gestellt zu werden.

»Hey, alles in Ordnung?« Mary-Jo hielt eine hübsch verpackte Schachtel hoch, deren blaue Schleife perfekt auf ihr kobaltblaues Strickkleid abgestimmt war. »Entschuldige bitte den kleinen Überfall. Wir dachten halt, dein neuer Job muss gefeiert werden. Und wer weiß, wann wir uns wiedersehen, wenn du demnächst in Singapur durchstartest. Apropos«, sie musterte die ringsum verstreuten Kleidungsstücke und Schuhe, »das sieht nicht gerade nach einer strukturierten Reisevorbereitung aus. Kommen wir ungelegen?«

Annabelle schloss erst die Wohnungstür, dann die Augen, vor denen leuchtende Punkte tanzten wie beschwipste Glühwürmchen. Kein Wunder, wenn man einen leeren Magen und den Kopf randvoll hatte. Komm runter, redete sie sich gut zu. Das Ganze ist schließlich total nett gemeint. Da darf man kein Spielverderber sein, da freut man sich, basta.

»Also, nein, das ist, hm, wirklich, eine, äh, tolle Idee«, wechselte sie ins Deutsche.

Ihre Freundin, deren Vater aus Wien stammte, war zweisprachig aufgewachsen, und Annabelle genoss es, wenn sie sich hier in Amerika in ihrer Muttersprache unterhalten konnte.

»Bist ein bisschen hibbelig, was?«, erkundigte sich Mary-Jo mitfühlend.

»Ich bin nicht hibbelig, ich bin kurz vorm Durchdrehen«, hauchte Annabelle.

»Wegen deiner Aviaphobie?«

Ja, Annabelle litt unter Flugangst, immer schon, doch das war es nicht. Sie schüttelte den Kopf.

»Wegen des neuen Jobs?« Mary-Jo ließ nicht locker. »Ist es das? Komm schon, erzähl.«

Annabelle wand sich innerlich. Niederschmetternde Neuigkeiten zu erhalten war das eine. Sie laut auszusprechen machte hingegen irgendwie, nun ja, unumstößliche Tatsachen daraus. Aber es half ja nichts.

»Simon kommt nicht mit nach Singapur«, platzte sie heraus.

Na, super. Jetzt war es eine Tatsache. Eine sehr beunruhigende, wie sie Mary-Jos Miene entnehmen konnte.

»Alles war perfekt mit Simon, wirklich perfekt«, beteuerte sie. »Und dann? Als ob du einen Ikea-Schrank fast fertig aufgebaut hast, dann fehlt die letzte Schraube, und das Ding kracht in sich zusammen.«

»Die letzte Schraube«, wiederholte Mary-Jo mit hochgezogenen Augenbrauen. »So siehst du Simon also?«

»Wie soll ich ihn denn sonst sehen? Als den ganzen Werkzeugkasten? Er ist ein sehr, sehr wichtiger Teil meines Lebens, aber er ist nicht mein Leben. Keine Frau sollte sich ausschließlich über einen Mann definieren – mit freundlichen Grüßen, Ihre Emanzipationsbeauftragte.«

»Ladys? Braucht ihr Hilfe?«, ging Marcus dazwischen. Er war Berliner und wie Annabelle nach New York gezogen, um hier sein Glück zu machen. Lachend hielt er ein Glas mit einer bläulichen Flüssigkeit hoch, in der Eiswürfel klimperten. »Hier kommt was Kaltes, Belle, sexy auf der Zunge, frech im Abgang. Mary-Jo, möchtest du auch einen Drink?«

»Später, ich ermittle gerade an einer emotionalen Unfallstelle«, winkte Annabelles Freundin ab.

»Typisch Psychorette«, grinste Marcus.

»Na hör mal, ich bin staatlich geprüfte Therapeutin!«, hielt Mary-Jo dagegen.

»Ja, genau, deine Klienten bauen Luftschlösser, und du kassierst die Miete dafür.«

Annabelle nutzte die kleine Kabbelei, um ins Bad zu huschen, wo sie Slip und BH anzog und einen hüftlangen buntbedruckten Seidenkimono darüberwarf. Die schwarze Lederleggings, die noch über dem Badewannenrand hing, komplettierte ihr Outfit. Während sie ihr kurzes hellblondes Haar frottierte, beschloss sie beim Blick in den Spiegel, auf zeitraubende Verschönerungsaktionen zu verzichten. Ein bisschen Wimperntusche musste reichen, für ihre fünfunddreißig war sie schließlich noch ganz gut erhalten. Ihr zarter Porzellanteint zeigte kaum eine Falte, ihre hellbraunen, fast bernsteinfarbenen Augen leuchteten auch ohne großes Make-up. Nur das mit dem Lächeln sollte sie besser mal üben. Nach wie vor stand ihr der Schock deutlich ins Gesicht geschrieben. Und der Depri wegen Simon.

Gedankenverloren strich sie eine vorwitzige blonde Strähne aus ihrer Stirn. Seit zwei Jahren war sie mit dem Chefkoch des Imperial Ambassador zusammen. Eine Liebe, die buchstäblich durch den Magen gegangen war, denn der magische Moment hatte sich ereignet, als Simon ihr während einer Nachtschicht das beste Bœuf bourguignon aller Zeiten ins Büro gebracht hatte. Dekoriert mit einer roten Rose und seinem verführerischsten Lächeln. Das köstliche Essen war nicht die einzige Sünde dieser Nacht geblieben …

Vorbei. Da hatte sie gedacht, sie wüsste, wie der Hase läuft, und nun hoppelte die Realität ganz woandershin.

Als Annabelle wenige Minuten später aus dem Badezimmer trat, wurde sie mit großem Hallo empfangen. Jeder wollte ihr persönlich Glück wünschen, und es verstand sich von selbst, dass jeder mit ihr anstoßen wollte. Generalmanagerin des Mandalay Bay Hotels in Singapur zu werden war schließlich nicht irgendwas. Da sollte man es ordentlich krachen lassen, so die einhellige Meinung.

Sie gab sich einen Ruck. Man muss die Feste feiern, wie sie fallen, hatte ihre lebenskluge Oma immer gesagt. Zwar hatte Oma Martha dabei an runde Geburtstage, Kindstaufen und Schützenfeste gedacht – was halt so anstand in einem winzigen bayerischen Bergbauerndorf. Doch es stimmte schon: Man konnte nicht alles perfekt planen. Obwohl Annabelle ein echtes Organisationstalent war (einer der Gründe, warum sie als Hotelmanagerin eine beachtliche Karriere hingelegt hatte), gehörte Improvisation eben auch zum Leben. Und war sie nicht die geborene Gastgeberin, aus Überzeugung und aus Leidenschaft? Na los, dann improvisier mal schön!

In der proppenvollen Küche, wo Marcus Cocktails in den unglaublichsten Farben fabrizierte, checkte sie blitzschnell die Bestände von Kühlschrank und Kühltruhe. Der Rest war ein Kinderspiel. Unter den Augen ihrer staunenden Freunde mixte sie aus mehreren Packungen passierter Tomaten, zwei Salatgurken, vier Knoblauchzehen, etwas Instant-Rinderbrühe sowie zwei Handvoll tiefgefrorener Kräuter eine Gazpacho. Dazu gab es Cracker mit Frischkäse und dem Inhalt mehrerer Gläschen Lachskaviar. Danach verwandelte sie Tortilla-Chips mit Hilfe von Käse und tiefgefrorenen Shrimps in überbackene Leckereien. Erst als sie eine Nudeltüte aufriss, wurde sie von Mary-Jo gestoppt.

»Liebes, es ist wirklich phantastisch, was du hier im Handumdrehen zauberst, ehrlich, ich kenne niemanden, der sich so rührend um seine Gäste kümmert. Doch jetzt genieß einfach den Abend. Wir können ja Pizza bestellen, falls jemand ohnmächtig wird. Apropos: Du siehst aus, als ob du dich mal setzen müsstest. Was ist eigentlich passiert?«

Annabelle ließ die Nudeltüte sinken und lehnte sich an die Spüle. Wo anfangen, wo aufhören? Simon war ja nur das schmerzliche Tüpfelchen auf einem wackeligen i. Die letzten fünfzehn Jahre hatten ihr einiges abverlangt. Seit der Lehre als Hotelkauffrau in einem Münchner Nobelhotel war ihr Leben ein atemloses Stakkato stetiger Beförderungen und Umzüge gewesen. Nach Stationen in Düsseldorf, Dubai, London und Rom hatte sie in New York Quartier bezogen, nun stand der nächste Ortswechsel bevor. Doch neuerdings bezweifelte sie, ob dieses Höher-Schneller-Weiter wirklich das Gelbe vom Ei war. Schön, sie hatte unfassbar viel erreicht. Beruflich. Privat lief es eher mau. Sie wusste nicht mehr, wo sie hingehörte. Langsam stellte sich auch die Frage, wie eigentlich ihre Zukunft aussah. Beziehungstechnisch zum Beispiel.

»Na ja, ich hab ganz schön Fracksausen«, gab sie zu.

»Normal.« Mary-Jo legte ihre sommersprossige Stirn unter dem rötlichen Pony in Falten. »Es sei denn, das sind erste Anzeichen einer Cainophobie.«

Du lieber Himmel. Mary-Jo und ihre Phobien. Annabelle musste sich manchmal das Lachen verkneifen, wenn ihre Freundin mit diesem komischen Fachvokabular um die Ecke kam.

»Ist das was Tödliches, oder kann man damit alt werden?«, gluckste sie.

»Das ist die Furcht vor Neuem, eine sehr verbreitete Angststörung«, erläuterte Mary-Jo todernst. »Übrigens nicht zu verwechseln mit der Canophobie, der Angst vor Hunden.«

Manchmal fragte sich Annabelle ernsthaft, von welchem Stern Mary-Jo gefallen war. Ihre diplomierte Psychofreundin hatte ein goldenes Herz (und sogar in aller Eile Annabelles Wohnung aufgeräumt), war immer für sie da und für jeden Unsinn zu haben. Allerdings hatte sie auch die Manie, in jedem Menschen Sollbruchstellen zu wittern. Bei Annabelle hatte sie bereits eine Cheimaphobie diagnostiziert (die Angst vor Kälte, weil Annabelle bereits im Frühherbst mit Schal und Mütze herumlief). Außerdem eine Atelophobie (die Angst vor Unvollkommenheit, wegen Annabelles unübersehbaren Perfektionsdrangs). Beim letzten gemeinsamen Spaziergang im Central Park war dann noch eine Anatidaephobie hinzugekommen (die Angst, von Enten beobachtet zu werden, ein unsäglicher Quatsch).

»Ich habe mich auf Singapur gefreut, ehrlich«, beteuerte Annabelle. »Unbändig gefreut, so wie Simon.«

»Aha. Und warum kommt er dann nicht mit?«

Schulterzuckend betrachtete sie das Cocktailglas, das ihr Marcus im Vorbeigehen in die Hand gedrückt hatte.

»Eigentlich wollte Simon mir zuliebe einen schlechteren Job akzeptieren, in der Küchencrew des Mandalay Bay Hotels. Jetzt hat er sich's im letzten Moment anders überlegt.«

Nachdenklich zupfte Mary-Jo an ihrem kobaltblauen Strickkleid herum. Sie hatte sich einen respektablen Namen als Paartherapeutin gemacht und fühlte sich deshalb auch in professioneller Hinsicht bemüßigt, ein Auge auf Annabelles Herzensangelegenheiten zu haben.

»Aha. Verstehe. Das Ganze entwickelt sich also in Richtung Fernbeziehung.«

»Fern – ja. Beziehung? Wohl kaum.«

»Ach Schatz. Heutzutage läuft das anders als früher. Schon mal von coevolutionärer Partnerschaft gehört?«

»Nee, was soll das nun wieder sein?«, fragte Annabelle skeptisch.

»Dabei entwickeln sich beide Partner stetig weiter und akzeptieren die Veränderung des anderen jeweils.«

»Klingt genial.« Annabelle zog einen Flunsch. »Und was ist, wenn man sich auseinanderentwickelt? Ganz ohne co, nur mit go?«

Mary-Jo fixierte irgendeinen Punkt zwischen Annabelles Augenbrauen. Das tat sie immer, wenn sie nicht weiterwusste. Was im Übrigen selten vorkam.

»Apropos go, lass uns rübergehen, ja?«

»Gern«, willigte Annabelle ein. »Und danke, dass du aufgeräumt hast.«

»Viel lieber würde ich deine Seele aufräumen. Es gibt da so einige dunkle Ecken, befürchte ich, die man mal entrümpeln müsste. Vor allem, was deine Beziehungen betrifft.«

»Nein, danke.« Annabelle versteifte sich unwillkürlich. Dieser ganze Psychokrempel war ihr noch nie geheuer gewesen. »Vielleicht im nächsten Leben.«

Sie hakte Mary-Jo unter und führte sie in das gepackt volle winzige Wohnzimmer, das als Arbeitszimmer und Schlafzimmer zugleich diente. Annabelle hatte das Appartement günstig möbliert gemietet (ein Glücksgriff, denn bezahlbare Wohnungen, die die Größe einer Flugzeugtoilette überschritten, bildeten in New York die Ausnahme). Doch so sah das Appartement halt auch aus: möbliert. Nicht gerade das warme Nest für Menschen wie Annabelle, die in einem urgemütlichen bayerischen Landhotel aufgewachsen waren. Richtig heimisch konnte man nicht werden in dem formatierten Allerweltsstil von weißer Schlafcouch, beigefarbenem Teppichboden und weißen Schleiflackmöbeln. Die Wohnung war eine Wartezone bis zum nächsten Job gewesen, mehr nicht. Ein Zuhause mit eingebautem Abschied. Dennoch erfasste Annabelle tiefe Melancholie. Sie war die Abschiede leid. Dieser fiel ihr besonders schwer, weil er die Trennung von Simon bedeutete.

Nun, wenigstens amüsierten sich ihre Gäste prächtig. Stimmengewirr erfüllte den Raum, fetzige Swingklänge ließen die Wände vibrieren, überall wurde geredet und gelacht. Eine aufgekratzte Stimmung lag in der Luft, eine quirlige, elektrisierende Aufbruchsstimmung.

Zu schade aber auch, dachte Annabelle. Alle freuen sich für mich, nur ich blase Trübsal, weil es nun ganz anders kommt als gedacht. Womit mal wieder bewiesen wäre, dass selbstgemachte Prognosen so verlässlich sind wie Wettervorhersagen und Horoskope.

Mit dem Handballen rieb sie sich über die Stirn, etwas durcheinander, vor allem aber wehmütig. Das hier war zwei Jahre lang ihr Leben gewesen. Nicht

das winzige Ein-Zimmer-Appartement, nein, dieser bunt zusammengewürfelte liebenswürdige Haufen, die meisten von ihnen Kollegen. Alle waren sie
Annabelle ans Herz gewachsen, und das nicht von ungefähr. Jedes Hotel
bildete einen speziellen Mikrokosmos, bevölkert von den außergewöhn-
lichsten Menschen, die sich für die Gäste abrackerten. Um wirklich gut zu
sein, musste man allerdings fachliche *und* charakterliche Qualitäten mitbringen. So wie Marcus, der auch noch morgens um fünf ein Ohr für einsame Barbesucher hatte, wenn sie ihm nach viel zu vielen Drinks ihre Sorgen
aufdrängten. Oder wie Simon, der selbst den verwöhntesten und mit den
eigenartigsten Allergien ausgestatteten Restaurantbesuchern eine Haute-
Cuisine-Extrawurst nach der anderen briet. Annabelle wurde ganz
schwummrig bei dem Gedanken, dass sie all das hinter sich lassen würde.
Und Mary-Jo, ihre herzenswarme, teilverrückte Freundin.

Die Musik wechselte zu den Disco-Hits der Achtziger. *You're the first, the
last, my everything,* gurrte Barry White mit seiner kehligen Samtstimme. Ein
Paar stand von der Couch auf, um zu tanzen, und Annabelle ließ sich mit
Mary-Jo auf die frei gewordenen Plätze fallen. Du bist die Erste, die Letzte,
mein Ein und Alles. Wo waren sie geblieben, die Männer, die einer Frau so
was Wunderbares ins Ohr raunten? Wo blieb Simon?

»Ihr könnt telefonieren, skypen, whatsappen, Mails schreiben oder Fotos posten, es gibt so viele Möglichkeiten«, plapperte Mary-Jo drauflos, als
hätte sie Annabelles Gedanken erraten.

»Ja, wir leben in interessanten Zeiten.«

Es klang resigniert, was Mary-Jo nicht entging. Beschwörend formte sie
mit Daumen und Zeigefingern ein Herz.

»Erstens steht Simon gleich vor der Tür, weil ich ihn natürlich eingeladen habe. Zweitens: Ein paar tausend Kilometer sind heutzutage gar nichts.
Liebe überwindet alles.«

Annabelle hätte so gern daran geglaubt. Ihr reicher Erfahrungsschatz
legte jedoch das Gegenteil nahe. Sie arbeitete zu lange in der Hotelbranche,
um sich noch irgendwelchen Illusionen hinzugeben. Unmögliche Arbeits-
zeiten, Dauerstress und häufige Jobwechsel waren sowieso schon die ultima-
tiven Beziehungskiller. Eine Liebe auf Distanz obendrauf hielt so lange wie
ein Eiswürfel in der Hölle. Nämlich gar nicht. Hätte sie auf Singapur verzichten sollen? Einen Rückzieher machen, Simon zuliebe?

»Hier kommt der staatlich diplomierte Depressionsbetreuer!« Hüftwackelnd tänzelte Marcus heran und zog sie von der Couch hoch. »Los, Belle, jetzt wird abgehottet!«

Seine gutgelaunte Entschlossenheit wirkte ansteckend. Im Grunde war Annabelle ihm sogar dankbar. Wird schon irgendwie, sagte sie sich. Wenn es keine guten Antworten gibt, ergeben sich vielleicht demnächst bessere Fragen.

Etwas ungelenk zunächst, dann immer lockerer, überließ sie sich dem Rhythmus der Musik, zumal Marcus ein begnadeter Tänzer war, der es einfach draufhatte, seine Partnerin zu den aberwitzigsten Moves zu motivieren.

»You're the first, the last …«, trällerte sie.

»Darling, bitteeee«, lachend drehte Marcus sie an einem Finger im Kreis. »Du kannst fast alles. Nur nicht singen!«

»Ja, deine Stimme hat das gewisse Kreissägen-Etwas«, kicherte Mary-Jo, die sich ebenfalls unter die Tanzenden gemischt hatte.

Auch gut. Annabelle tanzte, Annabelle lachte, Annabelle versuchte, sich in den Moment fallen zu lassen (ein Tipp von Mary-Jo, was sonst). Hauptsache, sie erwischte am nächsten Morgen ihren Flieger. Und fand vorher ihren Pass. Was allerdings ihr Liebesleben betraf, war sie weder *the first, the last* noch *the everything* von irgendwem. Nur Anna Elisabeth Maria Stadlmair, die in irgendetwas reingescheitert war, das sie immer noch nicht ganz verstand.

*

Es war halb drei Uhr morgens, als die letzten Gäste sich trollten und Annabelle zurück auf die Couch sank, todmüde und innerlich leer. Wieder und wieder hatte sie ihr Handy gecheckt, doch Simon war weder erschienen, noch hatte er auf ihre Anrufe reagiert. Auch jetzt griff sie wieder zu ihrem Smartphone. Nichts. Simon hüllte sich in verletzendes Schweigen.

»Das ist übrigens kein Handy, das ist ein legales Suchtmittel«, erklärte Mary-Jo, die geblieben war, um beim Aufräumen zu helfen, und gerade einen Rotweinfleck aus dem hochflorigen hellbeigen Teppichboden rieb.

»Er hat gesagt, dass er mich liebt. Für immer und ewig, das war die Ansage.« Annabelle seufzte tief. »Hab ich da irgendwas verpasst? Bedeutet *für immer und ewig* neuerdings *bis Probleme auftauchen*?«

»In unseren schnelllebigen Zeiten ist die Ewigkeit womöglich kürzer als früher«, philosophierte Mary-Jo.

Deprimiert schaute Annabelle durchs Fenster in den dunklen Nachthimmel hinaus. So schnelllebig konnte keine Epoche sein, dass zwei popelige Jahre als Ewigkeit durchgingen. Nanu? Warum verschwammen die leuchtenden Rechtecke in den Wolkenkratzern auf einmal? Weil es regnete? Oder weil sich ihre Augen mit Tränen füllten?

»Alle sagen: Veränderungen sind super, man sollte immer neue Herausforderungen annehmen«, schniefte sie. »Aber mittlerweile beschleicht mich der Verdacht, dass Veränderungen nicht automatisch was Positives bringen.«

Mary-Jo hörte auf, mit dem Lappen auf dem Teppich herumzureiben. Langsam erhob sie sich und richtete ihre Augen forschend auf Annabelle.

»Was möchtest du? Mann, Kind, trautes Heim? Die große weite Welt, attraktive Jobs? Oder alles auf einmal?«

»Wenn ich das wüsste …«

»Dann freu dich auf die Reise.« Ein verschmitzter Ausdruck trat in Mary-Jos Züge. »Fliegen ist ein Traum für Entscheidungsschwache, auch Menschen mit Dezidophobie genannt: Du musst lediglich zwischen zwei Menüs wählen und hast selten mehr als zwei halbwegs vernünftige Filme zur Auswahl.«

Ein gutgemeinter Aufheiterungsversuch, der Annabelles Stimmung nicht wesentlich heben konnte.

»Hm, ja.« Sie warf einen verstohlenen Blick auf das Handydisplay. »Das ist mal eine echt positive Perspektive.«

Mit einer sanften Geste nahm Mary-Jo ihr das Smartphone aus der Hand und setzte sich ebenfalls auf die Couch.

»Seit fünf Stunden hat Simon Feierabend. Aber nicht genügend Mumm, seinen hübschen Po hierherzubewegen, um dir persönlich die Zweifel wegzuküssen? Und da wartest du noch auf Messages?«

Annabelle starrte wieder nach draußen.

»Ja, ich weiß, das ist so doof, wie dem Weihnachtsbaum beim Nadeln zuzusehen.«

»Apropos: Fliegst du Weihnachten nach Hause?«

Mary-Jo und ihre »Apropos«. Der abrupte Themenwechsel stimmte Annabelle auch nicht froher.

»Keine Chance. Weihnachten und Silvester sind der absolute Extremsport in der Hotellerie. Heute ist der neunzehnte Dezember. Übermorgen trete ich den neuen Job an, danach muss ich erst mal zwei, drei Monate durchziehen, bevor ich mir so was wie ein paar Urlaubstage erlauben kann. Möglicherweise schaffe ich es irgendwann nach Ostern.«

Verständnislos schaute Mary-Jo in ihr Gesicht.

»Und deine Eltern? Nehmen das einfach so hin? Weihnachten ganz ohne ihre über alles geliebte Tochter?«

»Die sind doch selber Hoteliers«, erklärte Annabelle. »Die wissen, wie das läuft.«

»Ja, aber was ist mit dem Empty-Nest-Syndrom?« Mary-Jo wiegte bedenklich ihren Kopf hin und her. »Du bist das einzige Kind, trotzdem mussten sie dich gehen lassen. So was hinterlässt bei Eltern eine empfindliche emotionale Lücke, die an Weihnachten leicht zum Abgrund werden kann.«

Jetzt war es Annabelle, die ihre Freundin verständnislos anschaute. Gut, Mary-Jo galt als ebenso versierte wie erfolgreiche Psychologin, halb New York gab sich bei ihr die Klinke in die Hand. Andererseits lag es außerhalb von Annabelles Vorstellungskraft, dass ihre bodenständigen Eltern je über solche Dinge nachdachten.

»Empty – Nest?«, wiederholte sie gedehnt, als wäre das etwas Unanständiges. »Bei dem Trubel? Nein, das Nest ist keineswegs leer. Die beiden führen ein gutgehendes Hotel in den Alpen, und jetzt im Winter ist Hochsaison. Jedes Zimmer, jedes Bett, sogar Keller und Dachboden sind ausgebucht. Da gibt's auch keine besinnlichen Weihnachten. Nur mit etwas Glück nette Gäste, die den zünftigen Weihnachtszauber zu schätzen wissen, statt sturzbetrunken im Tiefschnee zu landen. Alles schon vorgekommen. Du glaubst gar nicht, was Weihnachten abgeht im Hotel. Paare zerstreiten sich, Singles kriegen einen Moralischen, Kinder drehen durch, weil das Christkind die falschen Geschenke bringt. Und das alles musst du servicemäßig auffangen.«

»Hört sich an, als bräuchte man nicht nur Schulpsychologen, sondern auch Hotelpsychologen«, kicherte Mary-Jo.

»Ich hätte eindeutig Bedarf.« Annabelle stützte ihr Kinn auf die gefalteten Hände. »Diese Weihnachten verbringe ich nämlich als Leider-Single-und-das-bleibt-auch-so.«

Wieder schielte sie auf das Handydisplay, und Mary-Jo folgte ihrem Blick.

»Wahrscheinlich war Simon nicht der heißersehnte Mann fürs Leben, Belle, nur eine exquisite kulinarische Erfahrung«, sagte sie leise.

»Du meinst, er war das Sahnehäubchen, nicht der Kuchen?«

»Ja, aber der Richtige kommt noch. Ganz bestimmt. Ich wünsche dir von Herzen, dass du bald einen Mann triffst, bei dem du dich öffnen kannst.«

»Simon sagte immer: Öffne mal dein Herz, ich möchte meinen Drink kalt stellen.«

Mary-Jo kicherte wie ein Schulmädchen.

»Dann war's eben nicht der Richtige. Du bist nicht unterkühlt, Belle, du bist der warmherzigste Mensch, den ich kenne. Doch den meisten Männern fällt es vermutlich schwer, hinter deine toughe Fassade zu schauen. Du wirkst selbstbewusst, eigenständig. Das schüchtert Männer ein. Wart's ab. Eines Tages steht einer vor dir, der das alles durchschaut und unbeirrt dein liebendes Herz erobert.«

»Sag jetzt bloß nicht, für jeden Topf gibt es einen Deckel«, brummte Annabelle. »Bei mir funktioniert das nicht. Bin wohl eine Pfanne.«

Jetzt lachte Mary-Jo lauthals, Annabelle nagte an ihrer Unterlippe. Falls ihr der Mann fürs Leben vorherbestimmt war, machte er sich ganz schön rar. Sie war fünfunddreißig. Was, wenn sie ihn verpasste? Was, wenn sie frohgemut an ihm vorbeirannte und er aus lauter Verzweiflung eine andere heiratete? Simon hatte sich jedenfalls als der Falsche entpuppt. Oder lag es doch an ihr? An ihrer toughen Art? War ihr womöglich gerade der Mann fürs Leben durch die Lappen gegangen? Ruf mich an, bat sie stumm. Ruf mich bitte, bitte an.

»Im Imperial Ambassador erzählt man sich, Simon hätte vielleicht eine andere«, seufzte sie.

»Ach, auf den Hotelklatsch würde ich nichts geben«, winkte Mary-Jo ab. »Die Leute hören die Hälfte, verstehen ein Viertel und reden das Doppelte.«

»Soll ich ihn einfach anrufen? Vielleicht ist ja etwas passiert?«

»Wenn ein Mann dich ignoriert, solltest du ihn auf keinen Fall dabei stören!«, widersprach Mary-Jo. »In neunundneunzig Prozent aller Fälle ist das Absicht. Also kein defektes Handy, kein Autounfall und ein Erdbeben schon gar nicht.« Sie legte einen Arm um Annabelle. »Ich weiß, es tut höllisch weh, wenn eine Beziehung endet.«

»Oder er kann sich nicht entscheiden. Dezimalphobie, oder wie du das nennst.«

»Dezidophobie. Dazu muss ich aufgrund meiner jahrelangen Erfahrung leider sagen: Wenn sich jemand nicht für dich entscheiden kann, hat er sich bereits gegen dich entschieden. Grausam, aber wahr. Dein Handy zu hypnotisieren ist jedenfalls keine Lösung. Lass uns lieber die Partyfotos anschauen, ja?«

Mary-Jo tippte den Fotospeicher an, und die beiden Freundinnen beugten sich übers Display. Lauter schräge Selfies von Annabelle mit ihren Überraschungsgästen erschienen. Momentaufnahmen, die einiges über die cocktailselige Atmosphäre des Abends und über ein ungeschminktes Gesicht im Ausnahmezustand erzählten.

»Ich sehe ja furchtbar aus!«, entfuhr es ihr.

»Tja, du denkst, das Handy ist dein bester Freund, doch in Wahrheit hasst es dich«, stöhnte Mary-Jo. »Liegt auf dem Frühstückstisch und nervt, bis der Kaffee kalt wird. Starrt dich vorwurfsvoll an, wenn du arbeiten willst. Stört dich beim Mittagessen, vermasselt deine Dates und quengelt nachts so lange rum, bis es mit ins Bett darf.«

»Redet ihr von Kindern?«, fragte Marcus, der mit einem Handtuch über dem Arm aus der Küche geschlendert kam.

Herrje. Auch so ein neuralgisches Thema. Abgesehen davon, dass Langzeitbeziehungen in der Hotelbranche so wahrscheinlich waren wie ortskundige Taxifahrer in New York, gehörten Kinder eindeutig zu den karrierefeindlichen Komplikationen. Wer wie Annabelle im Schichtdienst arbeitete und allzeit bereit sein musste, konnte sich kein Baby leisten. Es sei denn, sie nahm eine Auszeit. Komplett. Ach ja, und ein Vater gehörte wohl auch dazu.

»Ladys, ich warne euch«, brummte Marcus. »Kinder – zehn Sekunden Spaß, dreißig Jahre Ärger. Nein. Blödsinn. Hab ja selber zwei, und die sind Zucker.«

»Gut, dass dir das noch eingefallen ist«, erwiderte Mary-Jo mit deutlichem Tadel in der Stimme.

Um von seinem Ausrutscher abzulenken, wirbelte Marcus das feuchte Geschirrtuch durch die Luft.

»In der Küche ist klar Schiff. Alles gespült und weggeräumt.« Er schaute von Mary-Jo zu Annabelle. »Störe ich? Habt ihr gerade so was wie ein ... äh, Frauengespräch?«

Mary-Jo schlug die Beine übereinander. Sehr abgezirkelt, sehr kontrolliert, so wie sie es vermutlich auch bei ihren Klienten tat, um selbst angesichts der größten Dramen Ruhe und Gelassenheit auszustrahlen.

»Unsere Freundin zeigt deutliche Symptome einer beginnenden Anuptaphobie.«

Annabelle riss die Augen auf.

»Anup... – bitte, was?«

»Anuptaphobie. Die Angst, für immer Single zu bleiben. Und das bloß, weil Simon dich im Stich lässt.«

»So eine naturtrübe Untertasse!« Missbilligend verzog Marcus den Mund. »Wusstet ihr, dass Menschen in festen Beziehungen eine höhere Lebenserwartung haben als Singles? Also ist dieser Mistkerl so was wie ein fieser Lebensverkürzer. Es sei denn, Annabelle verliebt sich ganz schnell neu, für immer und ewig. Belle? Botschaft angekommen?«

Sie seufzte so vernehmlich, als würde ihr jemand die Luft rauslassen.

»Gegenfrage: Glaubst du an die ewige Liebe?«

Marcus ließ sich neben sie auf die Couchlehne sinken.

»Natürlich gibt es sie, die ewige Liebe. Die Frage ist nur: Wie weit ist sie von unserem Sonnensystem entfernt, und hat sie überhaupt durchgehend geöffnet?«

Annabelle schlang ihre Finger ineinander. Das war ja nur ein typischer Marcus-Spruch. In Wirklichkeit hatte er die Liebe seines Lebens längst gefunden und ging ganz selbstverständlich davon aus, dass erst der vielzitierte Tod diese Bilderbuchehe scheiden würde.

»Warum hat Simon überhaupt gesagt, dass er sich eine gemeinsame Zukunft vorstellen kann?«, dachte sie laut nach.

»Es gibt eine Menge, was Männer sagen und nicht so meinen«, entgegnete Marcus. »Zum Beispiel: Eine Frau wie dich habe ich noch nie getroffen, es war wunderschön, ich ruf dich an.«

»Das ist alles andere als zielführend«, wurde er von Mary-Jo gerügt.

Marcus biss sich schuldbewusst auf die Lippen, dann stupste er Annabelle an.

»Was kann ich dir anbieten, damit deine Lebensgeister zurückkehren? Einen Moscow Mule? Ein Glas Champagner? Eine Bloody Mary?«

»Nein, danke. Ich hatte schon fünf Drinks, das sollte reichen.«

»Sieben, aber ich würde natürlich niemals mitzählen.« Schmunzelnd legte sich Marcus das Handtuch um den Hals. »Weißt du, was dich wirklich aufbaut? Sende jeden Morgen die Nachricht *Du bist eine wunderbare Frau* an dein Handy, auf diese Weise bekommst du täglich ein Gratiskompliment.«

»Kannst du bitte mal ernst bleiben?«, fauchte Mary-Jo ihn an. »Annabelle braucht keine albernen Sprüche, sie ist eine gestandene Frau. Und wahnsinnig erfolgreich. Warum hat man sie denn nach Singapur abgeworben? Na? Weil sie die Beste ist. Sie hat dem Imperial Ambassador einen neuen zeitgemäßen Look gegeben, die organisatorischen Abläufe gestrafft, die Internetpräsenz perfektioniert, das kulinarische Angebot verfeinert, Erlebnispakete erfunden, die Übernachtungszahlen verdreifacht. Das muss ihr erst mal jemand nachmachen.«

Marcus hob zustimmend einen Daumen.

»Vergiss nicht die Single hour zwischen sieben und acht, mit einem Drink aufs Haus für jeden Beziehungsversehrten. Das hat eingeschlagen wie Bombe.«

»Annabelle ist unglaublich«, schwärmte Mary-Jo.

»Sag ich doch: eine Knallerfrau«, nickte Marcus.

Warum konnte sie sich nicht über die Komplimente freuen? Leicht abwesend zog Annabelle ihren Glücksbringer aus der Spalte zwischen den Rückenpolstern der Couch: einen kleinen Teddybären in bayerischer Tracht, stilecht mit Lederhose, kariertem Hemd und Gamsbarthut im Miniaturformat. Sie nannte ihn Herrn Huber. Seit sie ihr Heimatdorf verlassen hatte, war Herr Huber immer dabei gewesen. Er hatte so einiges mitgemacht, und das sah man ihm auch an. Sein braunes Fell hatte sich stark gelichtet, die einst schwarzglänzende Stupsnase wies ein stumpfes Grau auf. Dennoch hätte sich Annabelle niemals von ihm getrennt. Herr Huber war ein äußerst geduldiger Zuhörer. Ihm konnte sie alles anvertrauen. Auch jetzt sprach sie eher zu dem Teddybären als zu ihren Freunden.

»Mein Leben lang habe ich Gästeseifen abgezählt, Abflüsse auf Haare kontrolliert, Betthupferl auf Kopfkissen gelegt. Ich habe Einstellungsgespräche geführt, Mitarbeiter gecoacht und abends an originellen Konzepten gebastelt, um Hotels attraktiver zu machen. Aber die Gäste kommen und gehen. So wie meine Lover. Was bleibt am Ende des Tages?«

Als keine Antwort kam (Herr Huber enthielt sich jedes Kommentars), sah sie zur Uhr. Kurz vor drei. Für tiefschürfende Grübeleien war jetzt absolut der falsche Zeitpunkt. Koch dir einen starken Kaffee, sagte sie sich, und dann erledige alles, was noch auf deiner To-do-Liste steht.

»Was ist das eigentlich für ein komisches Klopfen?«, fragte Marcus in die Stille hinein, die entstanden war.

»Das Pochen meines einsamen Herzens«, scherzte Annabelle düster.

»Nee, ein Anruf.« Mary-Jo deutete auf das Handy, das rhythmische Klopfzeichen von sich gab. »Mitten in der Nacht? Willst du trotzdem rangehen?«

Annabelles Herz vollführte einen doppelten Salto bei dem Gedanken, dass es Simon sein könnte. Vielleicht hatte er sich ja doch noch dazu durchgerungen, die Liebe siegen zu lassen. Oder kam wenigstens für eine Abschiedsvorstellung mit romantischen Treueschwüren vorbei. Behutsam legte sie Herrn Huber beiseite und schnappte sich das Handy. Ihre Augen weiteten sich, als sie die vertraute Nummer auf dem Display erkannte. Nicht Simons, nein, eine deutsche Nummer.

»Kind?« Die Stimme ihrer Mutter klang ungewohnt zittrig. »Es ist was Schreckliches passiert.«

Mit einem Schlag war Annabelle hellwach – so wach, wie man frühmorgens nach einer ausgelassenen Party und fünf, nein, sieben Drinks eben sein konnte. Ein eiskalter Schauer überlief ihren Rücken.

»Was denn, Mama? Was ist passiert?«

»Papa hatte einen Schlaganfall. Er liegt im Koma, wir befürchten das Schlimmste. Du musst sofort herkommen, Kind, bitte, ich weiß nicht, wie ich das sonst schaffen soll.«

Großer Gott, Papa? Im Koma? Wie betäubt saß Annabelle auf der Couch, hin und her gerissen zwischen widersprüchlichsten Gefühlen, die sich einfach selbständig machten und einen wahren Höllentanz aufführten. Erschütterung, Panik, Entsetzen, Mitgefühl, aber auch Bedauern und eine winzige Spur Abwehr rangen miteinander und kämpften erbittert um Aufmerksamkeit.

»Oje, Mama, ich fliege in wenigen Stunden nach Singapur, deshalb ...«

»Kind, ich sage das nur ungern«, fiel ihre Mutter ihr ins Wort, »doch ich bin völlig am Ende. Du wirst hier gebraucht. Dringend.«

Annabelles Herz krampfte sich zusammen. Vor ihrem geistigen Auge erschien das »Edelweiß«, jenes urgemütliche kleine Hotel in Puxdorf, Oberbayern, das sich seit Generationen in Familienbesitz befand. Dort hatte sie gelernt, was gastgeberische Qualitäten bedeuteten – und der eiserne Zusammenhalt einer Familie, die gemeinsam durch dick und dünn ging. Andere Bilder schoben sich dazwischen. Das *Mandalay Bay Hotel* in Singapur, ein gigantischer Glaskasten im Hochglanzdesign, mondän, luxuriös, mit der Verheißung auf einen Traumjob.

»Du bist ja weiß wie die Wand, was ist denn?«, fragte Mary-Jo besorgt.

Annabelle legte eine Hand auf das Smartphone.

»Mein Vater hatte einen Schlaganfall«, flüsterte sie. »Daheim bricht gerade alles zusammen.«

Moment mal – daheim? Hatte sie wirklich *daheim* gesagt? Seit vielen Jahren antwortete sie auf die Frage, wo sie zu Hause sei: »Da, wo mein Bett steht und wo sich mein Handy automatisch mit dem WLAN verbindet.« Aber jetzt hatte sie dieses Wort ausgesprochen, das etwas in ihr berührte, etwas Halbvergessenes zum Klingen brachte, ganz, ganz tief in ihrer Herzgrube: *daheim*. Im selben Augenblick wusste sie, was zu tun war.

Kapitel 1

20. Dezember, noch vier Tage bis Heiligabend

Hundemüde und beladen mit einem schweren Rucksack, zog Annabelle ihren riesigen Rollkoffer durch die Gepäckhalle des Münchner Flughafens. Währenddessen überlegte sie beklommen, was sie wohl in Puxdorf erwartete. Chaos? Dramen? Katastrophen? Sie fürchtete sich ein wenig vor diesem Besuch. Ihr Vater, ein baumstarker Hüne, war nie ernstlich krank gewesen, ihre äußerst patente Mutter hatte noch nie so furchtbar kläglich geklungen wie gestern am Telefon. Dunkel schwante Annabelle, dass die Kindheit endgültig vorbei war, wenn die Eltern Hilfe brauchten.

Na, wenigstens hast du eine ganze Woche eingeplant, mehr als sonst, beruhigte sie sich. Das sollte reichen, um Trost zu spenden, Unterstützung zu organisieren und mit dem guten Gefühl abzureisen, dass du deine Tochterpflichten erfüllt hast. Anständig. Wie es sich gehört.

Jemand schob sich grob an ihr vorbei und warf sie dabei fast um. Frechheit. Ohnehin ging es in der Gepäckhalle zu wie beim Oktoberfest. Überall wurde munter ausgeteilt: ein Rempeln hier, ein Drängeln dort, hinzu kam der beherzte Einsatz von Gepäckstücken, denen Annabelle gar nicht so schnell ausweichen konnte, wie die Dinger auftauchten. Zack, und schon wieder hatte sie eine Reisetasche in den Kniekehlen. Der dazugehörige Mann, Typ arroganter Anzugträger, entschuldigte sich nicht einmal, sondern eilte zielstrebig davon.

Na toll. Kopfschüttelnd bahnte sich Annabelle weiter einen Weg durchs Gewühl, hielt jedoch im Gegensatz zu ihren lieben Mitmenschen die Regeln der Höflichkeit ein. Für ihr wiederholtes »Excuse me« erntete sie allerdings verwunderte Blicke. Ach so. Sie hatte fast vergessen, wie es war, wenn alle ihre Muttersprache beherrschten. Um ein Haar hätte sie sogar den uniformierten Beamten auf Englisch begrüßt, der sie mit einer knappen Geste aufforderte stehen zu bleiben.

»Grüß Gott, junge Frau. Haben Sie zollpflichtige Waren im Gepäck?«

»Nein, nur Dinge für den persönlichen Gebrauch.«

»Bitte den Koffer öffnen«, befahl der Zollbeamte.

Mit dem Kinn deutete er auf einen länglichen Stahltisch. Ächzend hievte Annabelle ihr Ungetüm von Koffer darauf und ließ die Verschlüsse aufschnappen. Die Reise in die heimatlichen Gefilde ging ja super los. Erst das Gedrängel, und nun auch noch eine hochoffizielle Durchsuchungsaktion.

Als sie sich wieder aufrichtete, schwankte sie leicht. Im Grunde konnte sie sich kaum noch auf den Beinen halten nach den Strapazen, die hinter ihr lagen. Beim Mandalay Bay um eine Woche Aufschub zu ersuchen (*Wie bitte? Sie kommen erst an Silvester? Das ist nicht Ihr Ernst!*), den Flug nach Singapur zu canceln (eine Entscheidung, die Unsummen verbrannt hatte) und einen Last-Minute-Flug nach München zu ergattern (eine nicht minder teure, dazu äußerst aufreibende Sache) waren noch die einfacheren Herausforderungen gewesen. Schwerer wog, dass sie emotional auf der letzten Rille surfte.

Während des gesamten Flugs hatte sie kein Auge zugetan. Liebend gern hätte sie ihre Aviaphobie, diese höchst lästige Flugangst, gegen das Ding mit den Enten eingetauscht. So hatte sie nur zitternd in ihrem Sitz gekauert, Herrn Huber durchgeknetet und für ihren Vater ein Stoßgebet nach dem anderen himmelwärts geschickt. Neben der Sorge wegen seines Schlaganfalls belasteten sie Schuldgefühle. Seit zwei Jahren war sie nicht mehr in Puxdorf gewesen. Zwei lange Jahre, die dennoch irrwitzig schnell vorübergeflogen waren, angefüllt mit Arbeit, nochmals Arbeit, neuen Freunden und, tja, mit Simon.

Kurz vor dem Boarding hatte er sich dann doch noch gemeldet. Per WhatsApp, mit einem komplett unromantischen *Gute Reise, viel Erfolg*. Annabelle war keine Antwort eingefallen. Zu distanziert hatte das geklungen, zu endgültig. Simon war Geschichte. Und nun musste sie sich auch noch eingestehen, dass es keine nachvollziehbare Begründung gab, warum sie ihrer Familie nicht eher einen Besuch abgestattet hatte. Was war nur mit ihr los gewesen? Aus dem Auge, aus dem Sinn? Nein, sie liebte ihre Eltern, und ganz besonders liebte sie Oma Martha, die immer für sie dagewesen war, wenn ihre vielbeschäftigten Eltern keine Zeit gehabt hatten.

»Was ist das da?«, fragte der Zollbeamte, womit er Annabelle unsanft in die Gegenwart zurückholte.

»Excuse me? Ich meine: Wie bitte?«

Einigermaßen verdattert schaute sie in den geöffneten Koffer. Zwischen Pullovern, Strümpfen und Schuhsäckchen lag eine XXL-Packung ihres Lieblingsparfums. Vor einiger Zeit hatte sie den kleinen Laden in Soho entdeckt, wo man für jeden Kunden einen individuellen Duft mixte. Ihrer hieß *Night Fever*, mit warmen, würzigen Kopfnoten und einer spritzigen Spur Orange. Ob Mary-Jo das Parfum in den Koffer geschmuggelt hatte? Als Abschiedsgeschenk? Es war alles so schnell gegangen: online nach Flügen fahnden, hektisches Packen, Passsuche, zum Flughafen rasen. Annabelle spürte einen dicken Kloß im Hals.

»Das ist Night Fever, mein ganz persönliches Parfum aus New York, wissen Sie ...«

»Persönlich oder nicht – was hat das gekostet?«

»Hm, da muss ich mal nachdenken ...«

Sie schämte sich ein bisschen, ihm den schwindelerregenden Preis zu nennen. Ohnehin war es ein teurer Duft, und hier handelte es sich um die Luxusversion in einem aufwendig geschliffenen dunkelvioletten Kristallflakon, der unter Zellophanfolie auf einem weißseidenen Kissen ruhte. Mary-Jo war vollkommen verrückt. Nein, unglaublich lieb und großzügig. Die beste Freundin, die man sich wünschen konnte.

Der Kloß in Annabelles Hals wurde stetig dicker. Wie konntest du nur alles in New York aufgeben? Für einen besseren Job deine Freunde zurücklassen, richtig gute Freunde, und sogar deine Beziehung auf dem Altar der heiligen Karriere opfern? All das erschien ihr auf einmal so absurd wie die Tatsache, dass sie seit zwei Jahren nicht bei ihren Eltern gewesen war. Als hätte sie unter Drogen gestanden. Ja, vermutlich war Ehrgeiz eine Art Droge.

»Ich brauche den Preis«, knurrte der Beamte.

»Nur ein paar Dollar«, schwindelte sie, weil ihr allmählich aufging, dass dieses Präsent finanziell heftig zu Buche schlagen könnte.

»Die Quittung, bitte.«

Verflixt, auch das noch. Annabelle stützte sich mit beiden Händen auf den Stahltisch. Sofern dieser gestrenge Beamte sie nicht vom Fleck weg verhaftete (eine realistische Option, so unerbittlich, wie der rüberkam), würde sie entweder umkippen oder im Stehen einschlafen, was so ziemlich aufs Selbe hinauslief.

»Sehr geehrter Herr Zolloberkommissar«, murmelte sie mit letzter Kraft, »ich habe neuneinhalb Stunden Flug hinter mir, seit sechsunddreißig Stunden nicht geschlafen, mein Vater liegt im Koma, mein Freund hat mich verlassen, und meine beste Freundin …«

Der Rest ging in einem halb erstickten Schluchzen unter.

»Dies ist eine intakte Verpackung ohne erkennbare Gebrauchsspuren, kann also prinzipiell weiterveräußert werden«, spulte der Beamte seinen offenkundig auswendig gelernten Text ab. »Deshalb müssen Sie das Parfum – es sieht kostspielig aus, nebenbei gesagt – bei der Einfuhr unter Vorlage einer korrekten Quittung verzollen. Ausnahmen sind nicht gestattet.«

»Ach nein?«, ertönte plötzlich eine sonore Männerstimme.

Annabelle fuhr herum. Hinter ihr stand der schnöselige Anzugträger. Genau der, der ihr seine Reisetasche in die Kniekehlen gerammt hatte.

»Ich habe meiner Freundin das Parfum gekauft, am New Yorker Flughafen«, behauptete er, fischte einen Kassenzettel aus seiner Anzugjacke und hielt ihn dem Beamten vor die Nase. »Bitte sehr, hier ist die Quittung. Es war übrigens ein Geschenk und muss daher nicht verzollt werden.«

Der Beamte studierte eine Weile den Zettel, bevor er sich wieder Annabelle zuwandte.

»Dann nehmen Sie in Gottes Namen Ihr Gepäck, und gehen Sie weiter.«

Hui. Das war ja gerade noch mal gutgegangen. Mit klammen Fingern schloss sie den Koffer und wuchtete ihn herunter vom Tisch. Furchtsam spielte sie mit dem Gurt des Rucksacks, in dem Weihnachtsgeschenke für ihre Familie lagerten, gut bewacht von Herrn Huber: eine Armbanduhr mit Freiheitsstatue für ihren Vater, ein edles Seidentuch für ihre Mutter, eine bestickte Bluse für Oma Martha. Falls jetzt auch noch der Rucksack gefilzt wurde, musste sie sich auf weitere nervtötende Diskussionen einstellen.

Nichts dergleichen geschah. Der Beamte beschäftigte sich bereits mit dem Herrn hinter ihr, und so konnte sie unbehelligt in Richtung Ankunftshalle trotten. Sie näherte sich schon den Glastüren, die nach draußen führten, als der Anzugträger sie einholte.

»Gern geschehen – auch wenn ich wohl ewig auf ein Dankeschön warten muss.«

Wie bitte? Annabelle blieb stehen und musterte das sonnenbankgetoastete Gesicht unter dem akkurat gestutzten dunklen Haar. Gut, es stimmte, der Typ hatte sie am Zoll aus einer misslichen Lage befreit. Andererseits konnte sie so gar nichts mit dieser Sorte Mann anfangen. In den Nobelherbergen, in denen sie arbeitete, wimmelte es von derartigen Alphatieren, die mit teuren Maßanzügen auftrumpften, elastisch in den Knien wippten und ein forderndes Selbstbewusstsein zur Schau trugen, als gehörte ihnen der ganze Bumms.

»Was sind Sie?«, fragte sie stirnrunzelnd. »Eine Art Schutzengel im Nadelstreifen?«

Lässig fingerte er ein Stückchen elfenbeinfarbener Pappe aus seinem Jackett.

»Peter McDormand Enterprises, New York, München, Kapstadt. Sie sind mir schon beim Abflug in New York aufgefallen. Hier, meine Karte. Falls Sie mal wieder in Schwierigkeiten stecken.«

»Ach, und dann schnallen Sie Ihre Flügel um und kommen einfach so angeflogen?«

»Probieren Sie's aus«, grinste er. »Wer mich erst einmal näher kennt, hält mich für unentbehrlich.«

Ja, dachte Annabelle, so unentbehrlich wie ein Moskitonetz am Nordpol.

»Für Sie würde ich sogar einen Helikopter mieten«, trumpfte er weiter auf. »Oder einen Privatjet. Hab gerade meinen Pilotenschein gemacht, damit ich jederzeit nach Südafrika fliegen kann, wo ich ein komfortables Strandhaus mein Eigen nenne.«

Herr im Himmel, musste der Typ so angeben? Was versprach er sich davon? Dass sie in Ohnmacht fiel, nur weil er einen auf dicke Hose machte? Ist doch immer dasselbe, stöhnte Annabelle innerlich. Männer, die betrunken sind, denken, sie könnten super tanzen, Männer, die ein fettes Bankkonto haben, sind überzeugt, sie hätten damit zugleich die Don-Juan-Lizenz erworben.

»Tut mir leid«, erwiderte sie, »ich bin nicht käuflich.«

Wieder grinste er, auf diese siegesgewisse Art eines Mannes, der sich für unwiderstehlich hielt.

»Mal unter uns: Wer sagt, er sei nicht käuflich, den hat nur noch keiner gewollt.«

Unverschämtheit. Was nahm sich dieser Kerl heraus? Annabelle stopfte seine Visitenkarte derart achtlos in ihre Daunenjacke, dass noch dem Begriffsstutzigsten klarwerden musste, wo das blöde Ding landen würde: im nächsten Papierkorb.

»Viel Glück noch beim Menschenshopping«, nuschelte sie unter Aufbietung ihrer gesamten Contenance, um naheliegende Kraftausdrücke zu vermeiden.

»Sie kann man wohl nur ironiefrei bespaßen«, grummelte er verstimmt.

»Könnte es sein, dass Sie gerade sehr uncharmant auftreten?«

Annabelle blies die Backen auf.

»Da täuschen Sie sich. Heutzutage ist es schwer, richtig uncharmant zu sein. Die männliche Konkurrenz ist zu groß.«

Damit ließ sie ihren aufdringlichen Retter stehen und machte sich auf den Weg nach draußen. Sie hatte wahrlich keine Zeit zu verlieren. Vor ihr lag eine längere Zugfahrt in die Berge, danach würde sie einen Bus nehmen müssen, der sie in die Nähe von Puxdorf brachte. Der Ort selbst war so winzig und lag so abgeschieden hoch im Gebirge, dass es keine öffentlichen Verkehrsmittel dorthin gab. Deshalb hoffte sie auf Max, den langjährigen Hoteldiener, ein Puxdorfer Urgestein und dem »Edelweiß« trotz seines fortgeschrittenen Alters immer noch mit Leib und Seele verbunden. Ja, ganz sicher würde er sie abholen. So sicher, wie ein klappriger alter Mercedes sein konnte, der von einem ebenso klapprigen alten Herrn gesteuert wurde.

»Vergessen Sie mich nicht!«, rief ihr der Anzugträger hinterher. »Wie heißen Sie überhaupt?«

Anna Elisabeth Maria Stadlmair, hätte sie antworten können. Belle für meine guten Freunde, Anna bei meinen Eltern, Anni bei Oma Martha. Annabelle ist der Name, den ich mir selbst gegeben habe, weil er am besten zu mir passt. Sie unterließ es jedoch wohlweislich, ihm all das auf die Nase zu binden. Und er? Setzte noch eins drauf.

»Kleiner Tipp, junge Dame: Sie müssen langsam mal nett werden, Sie bleiben nämlich nicht ewig hübsch.«

So'n Zäpfchen. Falls er hoffte, sie würde sich daraufhin doch noch einmal umdrehen, irrte er sich gewaltig. Warum sollte sie sich auch weiter mit einem Mann abgeben, der die soziale Intelligenz eines rabaukigen Drittklässlers aufwies? Annabelle beschleunigte ihren Schritt. Sie brauchte dringend frische Luft.

Draußen wirbelte ihr Schneegestöber entgegen. Der Boden war mit einer gefrorenen matschig weißen Schicht bedeckt, die unter ihren Lederstiefeletten knirschte. Offenbar hatte es der bayerische Winter ziemlich eilig in diesem Jahr. Viel zu eilig für Annabelles Geschmack. Fröstelnd schloss sie ihre beigefarbene Daunenjacke und fischte eine Wollmütze, zwei dicke Schals sowie geringelte Fausthandschuhe aus ihrem Rucksack (ja, zwei Schals, sie fror nun einmal leicht, litt aber definitiv nicht unter diesem Dings, dieser Cheimaphobie).

In New York hatten noch recht milde Temperaturen geherrscht … Was Mary-Jo wohl in diesem Moment machte? Beglückte sie gerade einen Klienten mit ihren »Apropos«? Annabelle vermisste sie jetzt schon. Rasch schrieb sie ihrer Freundin eine Nachricht, in der sie sich für das Parfum bedankte. Danach rief sie ihre Mutter an.

»Mama? Ja, ich bin gut gelandet. Wie geht es Papa?«

»Ach Kind, wir freuen uns alle so auf dich!« Therese Stadlmairs Stimme rutschte eine halbe Oktave höher. »Bist du auch warm genug angezogen?«

Mütter. Mit fünfunddreißig war man natürlich viel zu jung und unbedarft, um sich witterungsgerecht zu kleiden.

»Eingepackt bis Unterkante Oberlippe, Mama. Was ist denn nun mit Papa?«

»Stell dir vor, er ist heute Morgen aus dem Koma erwacht! Und völlig aus dem Häuschen, dass du kommst!«

Endlich gute Nachrichten. Annabelle fiel ein Stein vom Herzen.

»Gott sei Dank, dass es Papa bessergeht. Offen gestanden würde ich ihn gern als Erstes besuchen. In welchem Krankenhaus liegt er denn? In Tannstadt?«

»Krankenhaus?«, kam es entrüstet aus dem Handy. »Jessas, ich würde meinen Alois doch niemals in eine Klinik abschieben! Er ist hier. Bei uns.«

»Mama.« Annabelle schluckte. »So ein Schlaganfall ist keine harmlose Magenverstimmung. Papa muss ständig unter ärztlicher Kontrolle bleiben, sonst kann es mordsgefährlich werden.«

»Keine Sorge, Doktor Mergentheimer schaut jeden Tag vorbei. Morgens und abends.«

Wie vom Donner gerührt starrte Annabelle in das Schneegestöber. Ja, sie lebte im einundzwanzigsten Jahrhundert. Nein, die moderne Zivilisation war noch nicht bis Puxdorf vorgedrungen. Mit den behandschuhten Fingern trommelte sie gegen ihren Koffer.

»Herrje, Mama! Doktor Mergentheimer weiß, wie man Hunde von Flöhen befreit und Kälber auf die Welt bringt, aber …«

»Hunger ist der beste Koch, Erfahrung macht einen guten Arzt«, befand ihre Mutter derart resolut, dass jeder weitere Widerspruch zwecklos schien. »Und Krankenhäuser heißen so, weil man da erst richtig krank wird. Hier bei uns ist Papa bestens aufgehoben. Du siehst ja, er hat sich schon recht gut erholt.«

Herrschaftszeiten. Annabelle umklammerte das Handy, aus dem nun ein wahrer Redeschwall über die Wunderkräfte von Blutegeln, Pferdesalbe und Brennnesseltee quoll. Allerhöchste Zeit, dass sie eingriff. Vor ihrer Abreise hatte sie ein paar Fakten über Schlaganfälle gegoogelt, deshalb wusste sie, welche Risiken so etwas mit sich brachte: Sehstörungen, Taubheit, Lähmungen, die Liste war erschreckend lang. Und da legte ihre Mutter das Leben ihres Mannes in die Hände des örtlichen Tierarztes?

»Also, dann spute dich, damit du pünktlich zum Abendessen hier bist«, schloss Therese Stadlmair ihren kleinen medizinischen Vortrag. »Bring ordentlich Hunger mit. Oma Martha wird dir dein Leibgericht auftischen: knusprige Schweinshaxe mit Semmelknödeln.«

»Oh, äh …«, stotterte Annabelle.

»Und zum Nachtisch macht sie dir Kaiserschmarrn mit Zwetschgenkompott«, ergänzte ihre Mutter den kulinarischen Ausblick. »Mit viel Butter und gerösteten Mandeln, so wie du es gern hast. Bis später!«

Puh. Nachdem Annabelle das Gespräch beendet hatte, atmete sie einmal tief durch. Schweinshaxe? Kaiserschmarrn? Einst waren das tatsächlich ihre Leibgerichte gewesen, damals, zu Kinderzeiten. Seither hatten sich ihre Geschmacksknospen allerdings beträchtlich weiterentwickelt. Fünfzehn Jahre in den besten Hotels, das bedeutete auch, dass man die Freuden der gehobenen Küche schätzen lernte. Nicht zuletzt durch Simons exquisite Kochkünste war ihr Gaumen an leichte, raffinierte Genüsse gewöhnt statt an die fettreiche bayerische Kost. Ach Simon.

Zaudernd drehte sie das Smartphone in den Händen. Tu's nicht. Und wenn doch? Wie von einem geheimen Sog gesteuert, wählte sie Simons Nummer. Die Mailbox sprang an. Ohne groß zu überlegen, sprudelte Annabelle los, betont munter, um bloß nicht den Eindruck zu erwecken, dies sei ein Bettelanruf.

»Hi, wollte dir nur sagen, dass ich richtig super ohne dich klarkomme. Echt jetzt. Mir geht's total super. Ich bin auch gar nicht in Singapur, sondern bei meinen Eltern in Bayern, da bekomme ich zünftige Schweinshaxen, superlecker, und die paar Kilo mehr auf den Rippen werden mir super stehen. Du musst mich auch gar nicht zurückrufen, weil ich jetzt sowieso mein Handy ausstelle. Na ja, so in zehn Minuten.«

Als sie fertig war, fühlte sie sich auf einmal nur noch elend. Hatte sie wirklich viermal *super* gesagt? Und von Schweinshaxen geschwärmt? Neuneinhalb Minuten wartete sie auf eine Reaktion. Vergeblich. Simon würde nicht anrufen. Nie mehr. Es tat verdammt weh.

Tapfer stiefelte Annabelle weiter durch den knisternden Matsch, die Augen blind vor Schneeflocken. Oder waren es Tränen? Wenn du dein Schicksal nicht ändern kannst, dann mach es zu deinem besten Freund, sagte Mary-Jo immer. Annabelle straffte ihre Schultern unter dem schweren Rucksack. Schon geschehen, Mary-Jo. Keine störenden Sentimentalitäten mehr. Jetzt konzentriere ich mich voll und ganz auf meinen neuen Job. Ich werde das Ding in Singapur rocken, aber so was von! Und mich nie wieder in einen Mann verlieben, der mich hängenlässt, jawohl!

Kapitel 2

Dummerweise war Annabelle nicht gerade mit einem brillanten Orientierungssinn gesegnet. Erst nach einigem Umherirren im heftigen Schneetreiben fiel ihr wieder ein, dass der S-Bahnhof im Untergeschoss des Flughafengebäudes lag. Immerhin hatte sie Glück mit der S-Bahn-Fahrt. Ein gütiges Schicksal bescherte ihr ein leeres Abteil, wo sie sogleich die Beine ausstreckte und in bleiernen Tiefschlaf fiel. Leider träumte sie von Simon. Als er in einen riesigen Kochtopf hüpfte, wachte sie schweißgebadet auf. Was um Gottes willen hatte das zu bedeuten? Mary-Jo hätte es ihr sagen können. Aber Mary-Jo war weit, weit weg, und Herr Huber, den Annabelle aus dem Rucksack holte, hörte sich zwar alles bereitwillig an, fühlte sich jedoch für ein komplexes Thema wie Traumdeutung nicht zuständig.

Am Münchner Hauptbahnhof musste Annabelle umsteigen, ein ziemlich schweißtreibendes Unterfangen mit schwerem Gepäck. Die Regionalbahn erwies sich als gepackt voll und roch nach feuchten Klamotten sowie weiteren Duftphänomenen, die Annabelle lieber nicht genauer ergründen wollte. Trotz äußerst lebhafter Unterhaltungen ringsum, untermalt von den zischenden Sounds diverser Handys, schlief sie sofort wieder ein, an ihren unförmigen Rucksack gelehnt. Fast hätte sie sogar ihre Station verschlafen. Erst im letzten Moment registrierte sie, dass der Zug quietschend abbremste, und raffte eilig ihr Gepäck zusammen.

Als sie auf den Bahnsteig von Tannstadt, Oberbayern, trat, stellte sie fest, dass der Schnee hier um einiges höher lag als in München. Noch immer schneite es dicke Flocken. Alles versank in endloser Weiße, nicht einmal die Berge konnte man erkennen. Von der eisigen Kälte ganz zu schweigen, die gnadenlos unter Annabelles Daunenjacke kroch und ihre Zehen binnen Sekunden in Eiswürfel verwandelte. Wie sehr sehnte sie sich nach der tropischen Wärme Singapurs, nach Sonne auf der Haut und Palmwedeln, die sich im warmen Wind bewegten. Eine Woche noch. Dann würde sie die bayerische Kältekammer mit dem Zauber Asiens vertauschen und ihr wundes Herz heilen lassen.

Als sie wenig später ihren Koffer durch die verschneiten Straßen der kleinen Kreisstadt zuppelte, machte sie die eigenartige Erfahrung, dass alles viel kleiner aussah als in ihrer Erinnerung. Die niedrigen, bunt gestrichenen Häuser mit den blitzblank geputzten Butzenscheiben wirkten nahezu puppenstubenhaft. Kaum zu glauben, dass sie dieses Städtchen einst für die große Welt gehalten hatte. Hier war sie zum Gymnasium gegangen (mit passablen Erfolgen), hier hatte sie auf einer Teenagerparty die ersten Alkoholexperimente angestellt (mit desaströsen Folgen). Gerührt schlurfte sie am Eiscafé Venezia vorbei, wo sie im zarten Alter von vierzehn ihre ersten heißen Tränen wegen Liebeskummers gekühlt hatte (Vanille, Schokolade, Pistazie, zwei Kleidergrößen mehr in einem einzigen Sommer).

So ist das wohl mit der Heimat, dachte Annabelle. Eine Zeitreise ins Ungewisse, mit bekannten Bildern und gemischten Gefühlen. Seltsam vertraut und doch so fern wie Timbuktu. In jedem Fall war es für sie komplett unvorstellbar, jemals wieder hier zu leben. Sie wusste ja, wie engstirnig es manchmal zuging, trotz der gemütvollen Freundlichkeit, von der die Feriengäste schwärmten. In Wahrheit schaute jeder hochnotpeinlich genau hin, was der andere machte. Und wer sich nicht anpasste, wurde leicht zum Außenseiter abgestempelt.

Auch Annabelle hatte sich gelegentlich als Außenseiterin gefühlt. Der Storch hat sich wohl verflogen, als er dich brachte, hatte ihr Vater oft gelacht. Dann war sie auf das Dach des Heuschobers gestiegen, um sich in ferne Länder zu träumen – nach Italien oder Indien oder Kanada, nur weit, weit weg. Einmal, als sie sich über die Enge des Dorfes beklagt hatte, war ihr der Nachbarssohn Andi Oberleitner über den Mund gefahren: »Unser Dorf soll schöner werden? Dann zieh doch weg!« Was Annabelle schlussendlich und konsequenterweise ja auch getan hatte.

Glücklicherweise gab es aber auch gute Erinnerungen. Sie rankten sich um das »Puxdorfer Sixpack«, ihre Clique von einst: Betty, Fanny, Mitzi, Toni und Ferdi waren Annabelles engste Freunde gewesen. Mit ihnen konnte sie damals die sprichwörtlichen Pferde stehlen (und heimlich das eine oder andere Sixpack wegzischen). Nach dem Motto *Gemeinsam sind wir unausstehlich* hatten sie so sinnreiche Aktionen gestartet, wie den Wetterhahn der kleinen Puxdorfer Kapelle mit Klopapier zu umwickeln oder einen Zettel mit der Aufschrift *Heute nur Blödchen* an die Tür der Dorfbäckerei zu kleben. Was man eben so anstellte, wenn man jung war und mehr Flausen im Kopf als Synapsen im Hirn hatte.

Für Annabelle war das alles weit, weit weg. Auch jetzt kehrte sie nur als Zaungast in die fremdvertraute Welt ihrer Heimat zurück. Sie war gespannt, auch ein bisschen aufgeregt. Eine ganze Woche, so lange hatte sie es seit ihrem Auszug aus Puxdorf nur selten daheim ausgehalten. Und das Puxdorfer Sixpack war nie wieder vollzählig zusammengekommen. Ob ihre Freunde überhaupt noch dort lebten?

Im Bus, den sie eine halbe Stunde später völlig durchfroren bestieg, saßen schwatzende Einheimische mit vollen Einkaufstüten und Touristen in bunten Daunenanzügen nebst ihrer gesamten Skiausrüstung. Annabelle wurde fast von einem Skistock aufgespießt, als sie ihren Koffer durch den Gang schleifte. Müde drückte sie sich auf eine freie Sitzbank, wo sie auch Platz für ihr Gepäck fand. Uff. Sie fühlte sich wie Akku alle. Und Puxdorf war noch weit, weit entfernt.

Der Bus setzte sich schaukelnd in Bewegung. Bald ließ er Tannstadt mit seinen schmucken Häusern hinter sich. Höher und höher ging es ins Gebirge, über schmale gewundene Straßen, vorbei an verschneiten Gehöften und malerisch überzuckerten Tannenwäldern. Während Annabelle aus dem Fenster schaute, stiegen Kindheitserinnerungen in ihr hoch. Lustige Rodelpartien mit viel Gebrüll und Gekreisch, ausgedehnte Schneeballschlachten, halsbrecherische Abfahrten auf eisglatten Skipisten, und danach der heiße Holundertee bei Oma Martha. Sie tastete nach ihrem Handy.

»Mama? Ja, ich sitze schon im Bus. Könnte mich der Max vielleicht von der Endstation abholen?«

»Das wird schwierig«, antwortete ihre Mutter bedauernd. »Wir sind vollkommen eingeschneit. Die Räumfahrzeuge schaffen es nicht über die kleine Brücke, unsere Straßen sind quasi unpassierbar.«

Die kleine Brücke. Seit Jahrzehnten wurde darüber debattiert, ob man die schmale Holzkonstruktion durch eine solide asphaltierte Version ersetzen sollte. Ergebnislos. Weder der Landkreis noch der bayerische Staat wollten die Kosten übernehmen, deshalb blieb es dabei: Sobald der Winter hereinbrach, war Puxdorf quasi von der Außenwelt abgeschnitten. Als Kind hatte

Annabelle diese Isolation geliebt, weil sie dann nicht zur Schule musste und nach Herzenslust Winterfreuden genießen durfte. Jetzt hielt sich ihre Begeisterung in Grenzen.

»Oha. Na ja, ich schaff das schon irgendwie zu euch«, versicherte sie, während sie zweifelnd ihre Stiefeletten musterte – schicke Ankleboots aus hauchdünnem schokobraunem Leder, denkbar ungeeignet fürs Herumstapfen im Tiefschnee. Schon der kleine Spaziergang zur Bushaltestelle hatte die Dinger fast ruiniert und ihre Füße brutal tiefgekühlt.

»Mal sehen, was wir tun können«, fügte ihre Mutter hinzu. »Bis später!«

Hm. Annabelle seufzte. Was hatte sie erwartet? Kutsche, Blasmusik, Konfettiparade? Nein, bei Familie Stadlmair ging es bodenständig zu.

»Wohin wollen Sie denn?«, fragte ein Mann ihres Alters, der auf der anderen Seite des Ganges saß. »Entschuldigung, aber ich konnte nicht umhin zuzuhören.«

Dem ersten flüchtigen Eindruck nach wirkte er durchaus sympathisch, fand Annabelle: offenes Gesicht mit warmen olivfarbenen Augen, die interessiert, aber nicht indiskret auf ihr ruhten, dunkelblondes Strubbelhaar, gewinnendes Lächeln. Er trug eine dicke cognacfarbene Lederjacke mit Fellbesatz zu seinen Jeans sowie schicke Schnürstiefel im selben Farbton. Ihr Leben in großen Städten hatte Annabelle allerdings gelehrt, nicht zu offenherzig zu sein. Man konnte nie wissen, wen man vor sich hatte. Deshalb war sie gewohnt, sich bei Wildfremden bedeckt zu halten.

»Ist nur ein kleines Kaff, total abgelegen im Hochgebirge, das kennen Sie bestimmt nicht«, erwiderte sie vage.

»Aha. Ach so.« Sein Lächeln gefror zu einer unverbindlichen Miene. Offenbar hatte er begriffen, dass sie nichts preisgeben wollte. »Na, dann gute Reise.«

»Danke schön«, erwiderte sie schmallippig.

»Bitte schön. Hoffentlich gibt's einen anständigen Kaffee in Ihrem Kaff. Sie sehen ziemlich mitgenommen aus, wenn ich mir die Bemerkung erlauben darf.«

»Jetlag.«

»Dann passen Sie gut auf sich auf. Unbetreute, koffeinunterversorgte Frauen sind leichte Beute für Männer, die ja eigentlich nur höflich sein wollten.«

Schwang da etwa Amüsement in seiner Stimme mit? Sie schaute noch einmal genauer hin. Ja, in seinen Augenwinkeln lauerte eine vergnügte Schalkhaftigkeit, ein Wesenszug, der Annabelle immer schon an Männern gefallen hatte.

»Danke für den Tipp«, lächelte sie. »Ebenfalls gute Reise. Ein Navi brauchen Sie ja nicht mehr – Sie haben Ihr Ziel erreicht.«

»Wie meinen Sie das?«

»Das Ziel, meine Aufmerksamkeit zu erregen.«

»Oh, tut mir leid, dass ich Sie sympathisch finde.« Auch er lächelte jetzt, aus funkensprühenden Augen. »Nun, dann will ich Ihre Aufmerksamkeit nicht länger strapazieren.«

Auf einmal bedauerte Annabelle fast, dass sie ihn anfangs so cool abgebügelt hatte. Aber jetzt war es zu spät. Demonstrativ steckte er sich die Earphones seines Handys in die Ohrmuscheln, schloss die Augen und stellte sich quasi tot. Auch gut, dachte sie. Warum mit jemandem flirten, den ich nie wiedersehen werde, wenn ich erst mal in Singapur bin?

Zwei Stunden später saß sie in einem Taxi, das sie nach Puxdorf bringen sollte. Soweit der Plan. Der Fahrer, ein untersetzter Herr mit Seehundschnauzer, hatte seine liebe Not auf der eisglatten Straße – trotz der Hybridschneeketten mit textilen Seitenteilen, die er nach wenigen Kilometern aufmontierte und deren Vorteile er so verzückt in den Himmel hob, als hätte er sie dem Herrgott persönlich abgekauft. In Wirklichkeit waren die Dinger wenig hilfreich. Der Wagen bewegte sich allenfalls mit der Geschwindigkeit einer Wanderdüne vorwärts, immer wieder drehten die Räder durch, immer wieder schlitterte das Taxi gefährlich nah auf die steil abfallende Schlucht zu, die sich rechts der Straße auftat.

Kurz vor Puxdorf hielt der Fahrer an, direkt vor einer hohen Schneewehe, die die Weiterfahrt versperrte. Er zwinkerte Annabelle im Rückspiegel zu.

»So, junge Frau, macht achtzehn fünfzig.«

Vollkommen entgeistert schaute sie in das gutmütige Gesicht mit dem Seehundschnauzer.

»Sie wollen mich hier aussetzen? Mitten im Nirgendwo?«

Der Fahrer kratzte sich am Ohr.

»Ja mei, Sie sehen doch selbst, dass man nicht durchkommt.«

»Aber wie soll ich denn … Hallo? Sie können mich doch nicht einfach abladen wie einen Sack Mehl!«

Ohne weiter auf Annabelles Lamento zu achten, stieg der gute Mann aus, öffnete die Heckklappe und schmiss sie wieder zu, dass es schepperte. Also so was. Annabelle stieg ebenfalls aus und sank schon beim ersten Schritt bis zu den Hüften im Schnee ein. Ungerührt pflanzte sich der Fahrer vor ihr auf, die schwielige rechte Hand ausgestreckt.

»Wär schön, wenn Sie's passend hätten.«

Annabelle betrachtete ihr Gepäck, das er am Straßenrand in den Schnee gestellt hatte, den weißen Wall, der sich vor dem Wagen auftürmte, dann den zu bizarren Zapfen gefrorenen Wasserfall, der bei wärmeren Temperaturen in jenen Bach mündete, der Puxdorf vom Rest der Welt trennte.

»Aber es muss doch eine Lösung geben … Bitte, was soll ich denn jetzt tun?«

»Nur Geduld, vielleicht nimmt Sie jemand anderes mit.«

»Ich soll hier einfach rumstehen? Ernsthaft? Das ist so clever, wie am Flughafen auf ein Kreuzfahrtschiff zu warten.«

Sinn für Annabelles Galgenhumor hatte der Fahrer offensichtlich nicht. Sein Mund formte sich zu etwas, was einem umgedrehten U sehr nahe kam.

»Achtzehn fünfzig, wie gesagt.«

Es hatte einfach keinen Zweck, weiterzudiskutieren. Der Typ hatte sie bereits abgeschrieben. Ließ sie, ohne mit der Wimper zu zucken, in diesem Schneeflockeninferno zurück, ganz auf sich gestellt, samt Rucksack, Koffer und denkbar unpassendem Schuhwerk. Resigniert kramte Annabelle einen Zwanziger aus ihrer Daunenjacke und legte ihn in die schwielige Hand.

»Stimmt so.«

»Viel Glück.« Der Taxifahrer steckte das Geld ein. »Sie wissen ja, was man macht, wenn eine Lawine anrollt?«

»Sterben«, brummte sie.

Wenigstens damit konnte sie den Mann erheitern. Breit grienend verzog er sich in sein Taxi, wendete mit aufheulendem Motor und schlingerte fröhlich hupend davon. Ziemlich aufgeschmissen sah Annabelle ihm hinterher. Es war ihr ein Rätsel, wie sie samt Gepäck diese Schneewüste bezwingen sollte. Okay, ganz ruhig bleiben, befal sie sich, du kriegst das schon irgendwie hin. Weit ist es ja nicht mehr. Hauptsache, du bewegst dich, sonst frierst du dir hier noch sonst was ab.

Moment mal. Hatte sie vielleicht doch dieses … Cheimodingens, von dem Mary-Jo immer sprach? Die Angst vor Kälte? Nein, ich habe keine Kältephobie, es ist einfach nur lausig kalt hier, sagte sie sich und zerrte ihren Koffer aus dem Schnee. Auf geht's.

Und dann sah sie es. Etwas Großes, Blaues, Längliches im Straßengraben. Sie ging näher heran. Presste die Fäuste vor den Mund und unterdrückte einen Schrei. Halb unter den Schneemassen begraben lag eine menschliche Gestalt. Eigentümlich verrenkt. Auffallend leblos. Und zweifelsfrei tot, wie sich bei näherem Hinsehen herausstellte.

Kapitel 3

Inzwischen hatte sich Dunkelheit über die Landschaft gelegt. Unaufhaltsam war das schneegrelle Weiß einem düsteren Grau gewichen, das der Szenerie einen noch unheimlicheren Touch verlieh. Überall lauerten Schatten, in denen finstere Geheimnisse zu nisten schienen. Das Finsterste lag direkt zu Annabelles Füßen: ein Toter. Wie schockgefroren stand sie neben dem Straßengraben, am ganzen Körper zitternd und dennoch unfähig, auch nur einen kleinen Finger zu rühren.

Schließ die Augen und stell dir vor, das ist ein Alptraum, dann ist es halb so schlimm, sagte Mary-Jo immer.

Annabelle schloss die Augen. Ohne nennenswerte Resultate. Nach wie vor ließ ihr blankes Entsetzen das Blut in den Adern stocken. Was um Gottes willen war hier passiert?

Es dauerte eine gefühlte Ewigkeit, bis sie einen klaren Gedanken fassen und ihr Handy aus der Jackentasche holen konnte. Panisch hämmerte sie auf das Display ein. Kein Netz. War ja klar. Sie probierte es auf der Straße, neben der Straße, im Stehen und in der Hocke. Danach stieg sie mit hoch erhobener Hand auf ihren Koffer und schließlich aus lauter Verzweiflung auf eine kräftige Tanne, von deren Ästen sogleich Schneekaskaden auf sie herabrieselten. Nichts. Kein Netz. Also konnte sie nicht einmal die Polizei verständigen. Und nun?

Kaum wagte sie einen Blick zu dem steifgefrorenen Herrn, der ein Stück tiefer in den Straßengraben gerutscht war, als sie ihn an der Schulter berührt hatte – in der Hoffnung, es gäbe noch was zu retten. Gab es nicht. Der Mann war tot. Mausetot. Sie hatte sogar ihren Handspiegel unter seine Nase gehalten, um zu testen, ob er eventuell noch atmete. Fehlanzeige. Er hatte sein Leben ausgehaucht. In einem eleganten dunkelblauen Anzug, unter dessen Ärmeln blütenweiße Manschetten mit extravaganten goldenen Manschettenknöpfen in Würfelform hervorlugten. Ganz so, als sei er unterwegs zu einer glamourösen Party gewesen statt zu seiner eigenen Beerdigung. Er trug sogar eine blau-weiß gepunktete Fliege, die nun zusehends unter einer dicken Flockenschicht verschwand.

Ob es ein alkoholbetriebener Unfall war?, überlegte Annabelle. Die Gebirgsbewohner erzählten viele solcher Schauergeschichten: wie sich Betrunkene im Schnee verirrten, über ihre eigenen Füße stolperten, an Ort und Stelle einnickten und schließlich sanft entschliefen. Eine tödliche Verkettung unglücklicher Umstände. Oder gab es eine grausigere Erklärung? Mord und Totschlag in Puxdorf? Annabelle erbebte bei dem Gedanken, den sie jedoch sogleich wieder verwarf. Warum in aller Welt sollte ein beschauliches Bergbauerndorf zum Schauplatz mörderischer Ereignisse werden?

Ein Helikopter, der über ihren Kopf hinwegknatterte, riss sie aus ihren düsteren Spekulationen. Endlich nahte Hilfe! Doch bevor sie überhaupt winken konnte, war der Hubschrauber schon weitergeflogen. Das Knattern schwächte sich zu einem leisen Summen ab, bis auch das verebbte. In die Grabesstille, die folgte, mischte sich zartes Glöckchengebimmel. Annabelle horchte angestrengt. Hatte sie etwa akustische Halluzinationen? Das Gebimmel verstummte. Stattdessen hörte sie nun ein schabendes Geräusch und schrak zusammen. Was mochte das sein? Ein Tier? Ein Mensch? Ein – Mörder?

Mittlerweile fror sie erbärmlich. Der schneidende, schneeflockendurchsetzte Wind brannte auf ihrem Gesicht, ihre Füße in den Ankleboots verabschiedeten sich auch schon wieder ins ewige Eis. Sie konnte hier nicht länger rumstehen, sonst würde sie bald das Schicksal des eleganten Herrn teilen.

Ein weiteres Mal horchte sie auf das schabende Geräusch und lokalisierte es in Richtung des Dorfes. Na denn. Todesmutig näherte sie sich der Schneewehe, die die Straße versperrte. Dahinter entdeckte sie im Dämmerlicht eine grobgestrickte rot-weiße Pudelmütze, die rhythmisch auf und nieder wippte. Das Gesicht darunter kam ihr vage bekannt vor.

»Hallo?«, schrie Annabelle. »Max, bist du das?«

»Ja mei, is des die Anna?«, tönte es im kernigen Bass zurück.

»Max! Maa-haaax!«

Wie eine Ertrinkende stürzte sie sich mitten hinein in die Schneewehe, die Fäuste entschlossen geballt, die klappernden Zähne fest aufeinandergebissen. Mit rudernden Bewegungen kämpfte sie sich durch die weißen Massen, bis sie mit einem Plumps auf der anderen Seite landete. Direkt vor Max, der sie interessiert betrachtete, eine Hand auf den Stiel seiner Schneeschaufel gestützt. Zwischen seinen Lippen klemmte eine erkaltete Pfeife, die tausend kleinen Falten in seinem wettergegerbten Gesicht kräuselten sich zu einem Lächeln.

»Grüß Gott, Anna, dir pressiert's ja arg. Is auch gscheit kalt heut, geh?«

Es kostete Annabelle keinerlei Mühe, den Sinn des Gesagten zu entschlüsseln: Hallo Anna, du hast es aber eilig, ist auch ganz schön kalt heute, stimmt's? Was sie allerdings schier unüberwindliche Mühe kostete, war die Wahl der richtigen Worte für das Grauen, das sie soeben durchlebt hatte. Jetzt, wo sie auf ein vertrautes lebendes Wesen gestoßen war, erschien ihr der grässliche Fund im Straßengraben noch weit ungeheuerlicher.

»Es … es … ist was … was Schreckliches passiert, Max«, presste sie hechelnd hervor.

»Ah geh, Anna.« Der alte Herr schüttelte den Kopf. »Des is halt so mit'm Schnee, des is der bayrische Winter. Hab deshalb das fleißige Lieschen angspannt.«

Mit der freien Hand nahm er die Pfeife aus dem Mund und zeigte auf das stämmige braun-weiß gescheckte Brauereipferd, das vor einen großen Holzschlitten geschirrt war. Geduldig stand das brave Tier im Schneetreiben und spitzte die Ohren. Schon seit vielen Jahren bekam Luise, zärtlich Lieschen genannt, das Gnadenbrot bei Annabelles Eltern. Sie war mit einem derart gutmütigen Naturell gesegnet, dass sogar die Kinder der Hotelgäste auf ihr reiten durften.

»Nei-hein«, japste Annabelle, während sie sich steifbeinig erhob. »Du verstehst nicht, Max. Da hinter der Schneewehe, da liegt was …«

Der Hausdiener (er bestand eisern auf dieser altmodischen Bezeichnung) steckte die Pfeife zurück in den Mund und fegte ein paar weiße Flocken von seinem graugrünen Lodenmantel.

»Ja, mei, hast an Koffer dabei? Oder zwei? Keine Sorge, die werd i dir scho holen.«

»Nein, das heißt – ja, ich hab Gepäck, aber da drüben, schnell …«

Annabelles Stimme brach. Zu dicht lagen das Unsägliche und das Unsagbare nebeneinander.

»Wart, i werd an kleinen Weg schaufeln«, sagte Max beruhigend. »Schneller kann i's halt net in meim Alter.«

Es nützte alles nichts. Max musste die Bescherung mit eigenen Augen sehen. Wortlos nahm Annabelle ihm die Schaufel ab und räumte Schippe für Schippe den Schnee beiseite, bis sie wieder auf der anderen Seite des weißen Walls stand – ein wenig schwindelig von der Anstrengung, mehr noch vom Anblick des Toten. Dass er vollkommen friedlich dalag wie in einem frisch bezogenen weißen Bett, machte es noch weit gruseliger als sowieso schon.

»Jesus, Maria und Josef, ja, warum sagst des net gleich?«, rief Max, der ihr gefolgt war und einigermaßen perplex in den Graben spähte. »Au weh. Is hinüba, der Gschwurf. Des versteh einer, dass die Städter sich net besser vorsehen bei dem Wetter. Des glaubt mir doch kein Mensch net!«

Der Gschwurf? Das hieß so viel wie Angeber oder Snob, wie Annabelle wusste. Kannte Max den Mann? Oder nannte er ihn so, weil er einen feinen Anzug und teure Lederschuhe trug? Egal, sie wollte nur noch weg von hier.

»Was machen wir denn jetzt?«, fragte sie heiser. »Sollen wir ihn auf den Schlitten packen und mitnehmen?«

Langsam drehte sich Max zu ihr um, erstaunlich gefasst, wenn auch mit einem gewissen Vorwurf in seinen hellblauen Augen, die im Halbdunkel glühten wie angeknipst.

»Naaaa. Nix anfassn. I schau Krimis. Ce-Es-I Nujork, weißt. Des hier is a Tatort, da darf man nix verändern.«

Wäre die Situation nicht so makaber gewesen, Annabelle hätte amüsiert in sich hineingelacht. Es war aber auch eine absurde Vorstellung, dass Max gemütlich in seinem oberbayerischen Dorf saß, amerikanische Krimis à la *CSI New York* schaute und sich deshalb zum Tatortexperten berufen fühlte. Nun ja, recht hatte er, wie sie zugeben musste. Falls es Spuren gab, die zur Aufklärung eines Verbrechens führten, durften sie nicht verwischt werden. Mit dem unschätzbaren Vorteil, dass ihr die Schlittenpartie mit einem steifgefrorenen Mann erspart blieb.

»Nichts anfassen, nichts verändern«, wiederholte sie aufatmend.

»Sag i doch.«

»Dann nichts wie los.«

Nach einem letzten scheuen Blick auf den leblosen Körper half sie Max, Rucksack und Koffer durch den freigeschaufelten Pfad in der Schneewehe zu schleppen und im Schlitten zu verstauen. Der Hausdiener ließ Annabelle hinten einsteigen, wo er wärmende Felldecken ausgebreitet hatte. Sich selbst hievte er beeindruckend behände auf den Bock des Pferdeschlittens.

»Willkommen im scheena Oberbayern«, sagte er, bevor er Lieschen mit einem leichten Anheben der Zügel in die Gegenrichtung dirigierte. »I wünsch an recht zünftigen Aufenthalt.«

Sagte es, als wäre nichts gewesen. Als hätten sie nicht soeben eine waschechte Leiche im Straßengraben gesehen.

Ein leises Wiehern, und Lieschen setzte sich gemächlich in Bewegung. Annabelle lauschte auf das zarte Klingeln der Glöckchen, die am Pferdegeschirr baumelten, während sie zitternd unter die Felldecken kroch, heilfroh zwar, bald schon im warmen Heim zu sein, aber nach wie vor tief verstört. Ihr Herz schlug bis zum Hals, in ihrem Kopf überschlugen sich die Fragen. Wer war der Tote? Wie war er gestorben? Was hatte das alles zu bedeuten?

Lieber stehend sterben als kniend leben, verkündete ein großes hölzernes Schild am Straßenrand. Der Schriftzug war kaum zu sehen, weil sich eine dicke Schneeschicht darauf gesammelt hatte, doch Annabelle war Tausende Male daran vorbeigekommen, zu Fuß, auf dem Fahrrad, im Auto, so dass sie den Spruch auswendig kannte. Darin drückten sich der ganze Stolz und das sture Selbstbewusstsein der Puxdorfer aus. Man war hier weit, weit weg von der Landeshauptstadt, weit weg von Ämtern und Obrigkeiten. Es gab eigene Gesetze und Regeln in Puxdorf, viele von ihnen seit Jahrhunderten in Gebrauch. Zugezogene hatten keine Chance. Die wenigen, die versucht hatten, hier Fuß zu fassen, waren alle nach kurzer Zeit wieder verschwunden. Und nun gab es sogar einen Toten. War es ein tödlicher Streit gewesen?

Nur durch einen Nebelschleier nahm Annabelle ihr Heimatdorf wahr, das wie hingetuscht im blaugrauen Dämmer dalag. Da und dort brannte Licht hinter den Fenstern der alten Bauernhäuser. Vollkommen friedlich wirkte alles, die verschneiten Dächer, aus deren Schornsteinen es anheimelnd rauchte, die adrett restaurierten Fassaden, die kleine Kapelle mit dem weiß bemützten Zwiebelturm. Es war so beängstigend. Was Annabelle sah, war eine Bilderbuchidylle. Was sie wusste, war, dass direkt vor dem Dorf eine Leiche im Straßengraben lag. Das passte irgendwie nicht zusammen.

Sie zitterte immer noch, als Max auf das Hotel Edelweiß zusteuerte. Es war das größte Haus des Ortes, ein dreistöckiger Bau mit bunter Lüftlmalerei und handgeschnitzten Holzbalkonen, auf denen im Sommer leuchtend rote Geranien blühten, Therese Stadlmairs ganzer Stolz.

Eine Welle der Rührung überrollte Annabelle. Daheim, gleich bin ich *daheim*. Im gelblichen Lampenlicht des überdachten Eingangs erkannte sie zwei Frauen auf der Veranda, eine mittelalte blonde Dame in einem geblümten Dirndl und eine rundliche Greisin, deren graue Haare exakt die Farbe ihres Kittels besaßen. Beide winkten, und Annabelles Herz machte einen flaumigen Hüpfer. Sie erhob sich halb aus dem Schlitten.

»Mama!«, schrie sie aus Leibeskräften, »Oma Mar…!«

Die letzte Silbe blieb ihr im Halse stecken. Schlagartig wurde ihr bewusst, dass ihre Ankunft keine ungetrübte Freude verbreiten würde, wenn sie von der Leiche berichtete. Natürlich musste sie das tun. Genauso natürlich musste sie sofort die Polizei alarmieren. Das war Bürgerpflicht. Dennoch, ein dunkler Schatten würde auf dieses Wiedersehen fallen, das ihre Familie seit so langer Zeit ersehnte. Es brach ihr das Herz. Aber es ging nicht anders.

In diesem Moment wandte sich Max zu ihr um, die Augenbrauen verschwörerisch zusammengezogen.

»Kein Sterbenswörtlein, Anna. Nix von der Leich, hörst? Dei Mama und dei Oma, die sind ganz narrisch vor Freud, und dei Papa is krank, da kannst net …« Seine gletscherblauen Augen durchbohrten Annabelle förmlich. »Also gib a Ruh, und halt dei Goschn. Des Kriminelle, des kommt später.«

Mit offenem Mund starrte sie ihn an. Sie sollte den Toten verschweigen? So tun, als hätte sie ihn nie gesehen? Doch Max schaute schon wieder nach vorn und straffte die Zügel, bis Lieschen heftig schnaubend stehen blieb.

»Anna, meine Anna!«, hörte Annabelle die jubelnden Rufe ihrer Mutter.

Im Laufschritt näherte sich Therese Stadlmair dem Schlitten, die Arme weit ausgebreitet, die Wangen vor Aufregung gerötet. Jetzt gab es kein Halten mehr. Annabelle schlug die Felldecken beiseite, sprang mit einem Satz vom Schlitten und direkt in die Arme ihrer Mutter, die sie überschwänglich an sich drückte.

»Kind, Kind«, schluchzte sie. »Endlich! O Gott, du bist wirklich da, meine Kleine, meine Anna!«

Annabelle brachte keinen Ton heraus. Es waren zu viele Gefühle, die sie übermannten: Freude, Sorge, schlechtes Gewissen, Hochstimmung, Erleichterung. Und Liebe, Tonnen von Liebe.

»Lass was für mich übrig, Resi«, erklang eine feine, leicht brüchige Greisenstimme.

Zögernd löste sich Annabelle von ihrer Mutter, um sogleich Oma Martha zu umarmen. Dafür musste sie sich zu der kompakten alten Dame hinunterbeugen, denn Oma Marthas sorgfältig ondulierte graue Locken reichten Annabelle gerade mal bis zum Kinn. Wieder und wieder presste sie ihre Großmutter an sich.

»Jessas, dünn bist geworden, Maderl«, seufzte Oma Martha. »Viel zu dünn. Wusst ich's doch, dass es in diesem Amerika nix Gescheites zu essen gibt.«

Annabelles Großmutter war felsenfest davon überzeugt, jenseits von Bayern könne absolut niemand anständig kochen. Außerdem mutmaßte sie stets, das arme Kind nehme vor lauter Kummer und Heimweh in der Fremde nichts zu sich. Von Size Zero hatte Oma Martha selbstverständlich nie gehört, und selbst die solide Größe achtunddreißig, die Annabelle trug, bewegte sich in ihren Augen am Rande des Hungertods.

»Keine Sorge, Oma, ich bin gut im Futter.«

»Aber totenblass. Als hättest du einen Geist gesehen«, fügte Therese Stadlmair hinzu.

Hab ich ja auch, dachte Annabelle. Sozusagen.

»Wir werden unsere Anni schon aufpäppeln«, verkündete Oma Martha.

»Damit sie wieder rund und pumperlgesund wird«, strahlte Therese Stadlmair. »Vor allem sollten wir schnell reingehen, damit uns die Anna nicht erfriert.«

Ihre Bemerkung entlockte Annabelle ein nervöses Räuspern. Genau jetzt wäre ein Mary-Jo-Apropos angebracht gewesen: Apropos erfrieren, da liegt übrigens eine tiefgefrorene Leiche im Straßengraben vor dem Dorf, schon gewusst? Doch angesichts des gefühlvollen Empfangs brachte sie es einfach nicht fertig, gewisse mausetote Fakten zu erwähnen. Aus dem Augenwinkel gewahrte sie Max, der sich um das Gepäck kümmerte und ihr einen warnenden Seitenblick zuwarf. Der Tote musste warten. Jetzt waren die Lebenden dran.

Zu dritt näherten sie sich dem Hoteleingang, den rechts und links lichtergeschmückte Tannenbäumchen flankierten. Währenddessen redete Therese Stadlmair unaufhörlich auf Annabelle ein. Über das Wetter (der strengste Winteranfang seit Menschengedenken), das Dorfleben (der böse Nachbar Oberleitner wollte seinen Hof verscherbeln), die politische Situation (der Raffzahn von Bürgermeister ließ sich von jedem bestechen). Oma Martha assistierte ihrer Schwiegertochter mit Details zum neusten Puxdorfer Klatsch (ein Prachtzuchtbulle machte von sich reden, die nette Bäckerin hatte einen Liebhaber, Sepp, der Dorfdepp, würde demnächst an Leberzirrhose eingehen).

Annabelle hörte gar nicht richtig hin, vollauf damit beschäftigt, möglichst unbeschwert zu wirken. Beide Frauen waren derart glücklich, dass sie sich in ihrem Entschluss bestärkt fühlte, die Toten vorerst ruhen zu lassen. Dies war einfach nicht der richtige Moment, ihre Familie mit grausigen Funden zu belasten. Wobei sie es schon etwas merkwürdig fand, dass man sie mit lauter Belanglosigkeiten zuplauderte, ohne ein Wort über ihren kranken Vater zu verlieren. Ob andere Mütter und Großmütter wohl auch so drauf waren? Dass sie immer die heile Welt beschworen, fröhlich drauflosredeten und die heiklen Themen unberührt ließen?

»Wie geht es Papa?«, unterbrach sie die wasserfallartigen Redeströme. »Sicher braucht er viel Ruhe nach dem Schlaganfall. Schläft er?«

»Da kennst du aber meinen Alois schlecht«, lachte ihre Mutter. »Er wartet auf dich in der Gaststube.«

Du liebe Güte. Annabelle fasste es nicht, wie man derart verantwortungslos mit einem Schwerkranken umgehen konnte. Dass ihr Vater so unvernünftig war, das Bett zu verlassen, stand auf dem einen Blatt – ihn gewähren zu lassen, auf einem ganz anderen. Gut, dass ich hergekommen bin, dachte sie. Papa braucht dringend jemanden, der das medizinisch Notwendige in die Wege leitet, und zwar schleunigst. Ach Papa.

Die letzten Meter zum Haus begann sie zu rennen, nahm zwei Stufen auf einmal die kleine Holztreppe zur Veranda und stürmte an der Rezeption vorbei in die Gaststube, wo sie überwältigt stehen blieb.

Einst war dies das Zentrum ihres Lebens gewesen, dieser behagliche holzgetäfelte Raum mit dem großen handgemauerten Kamin. Tief sog sie den vertrauten Geruch nach Essensdüften, Scheuermilch und Brennholz ein. Alles war wie immer: das geschnitzte Mobiliar, die rot-weiß karierten Tischdecken, die alten Pendelleuchten aus bemaltem Porzellan, die farbenfrohen Ölgemälde an den Wänden, die das Hochgebirge rund um Puxdorf in allen erdenklichen Lichtstimmungen feierten. Dazwischen hingen Hirschgeweihe und ein ausgestopfter Wildschweinkopf, vor dessen gelblichen Hauern sich Annabelle als Kind immer ein wenig gefürchtet hatte. Passend zur Jahreszeit baumelten außerdem mehrere Adventskränze mit roten Kerzen von der Decke. An den Fenstern klebten Strohsterne und Lichtergirlanden, große Tannenzweige in Bodenvasen verliehen dem Raum zusätzlich eine weihnachtliche Atmosphäre.

Nach der ersten Euphorie revidierte Annabelle ihren Eindruck. Mit ihrem guttrainierten professionellen Blick sozusagen. Nein, es war nicht alles wie immer. Die Möbel wirkten abgestoßen und schäbig, die Wände hatten einen neuen Anstrich nötig, im durchgetretenen Linoleumboden bildeten sich Risse. Beim letzten Besuch (eher eine Stippvisite, die kaum vierundzwanzig Stunden gedauert hatte) war es ihr gar nicht so aufgefallen: Diese Gaststube wirkte schwer renovierungsbedürftig, worüber auch die verschwenderische Weihnachtsdekoration nicht hinwegtäuschen konnte.

»Anna! Kind!«, ertönte eine knarrende Männerstimme.

»Papa?«

Halbverborgen hinter dem grobgezimmerten Holztresen entdeckte Annabelle ihren Vater. Er saß in einem Rollstuhl, der viel zu klein für seine hünenhafte Statur schien. Auf seinen Knien lag eine graue Wolldecke, zu seinem grünen Trachtenjanker trug er einen mehrfach um den Hals geschlungenen roten Schal. Rollstuhl, Wolldecke und Schal waren aber auch schon alles, was auf eine ernste Erkrankung schließen ließ. Sein kantiges rotwangiges Gesicht unter dem schlohweißen Haar strotzte vor Gesundheit, seine Augen blitzten, die Stimme hatte so kräftig geklungen wie eh und je. Leicht irritiert eilte Annabelle auf ihn zu und hauchte ihm ein Küsschen auf die Wange.

»Du bist – wohlauf?«

»Ich komme langsam in ein Alter, in dem man beim Versuch, die Socken im Stehen anzuziehen, öfter mal umfällt. Morgens. Nüchtern.« Er lachte dröhnend. »Ansonsten geht es mir bestens, jetzt, wo du endlich da bist.«

»Aber dein – Schlaganfall?«

»Ach das, nur eine Bagatelle, nichts weiter, Kleines.«

Die wegwerfende Handbewegung, mit der er seine Worte unterstrich, konnte man so oder so interpretieren. Erstes *So*: Einen bärenstarken Kerl wie mich kann nicht mal ein Schlaganfall umhauen. Zweites *So:* Wer weiß, vielleicht war es ja auch gar keiner. Warum nur stieg in Annabelle der Verdacht auf, die zweite Version sei irgendwie wahrscheinlicher?

Alois Stadlmair schien die Verwirrung seiner Tochter bemerkt zu haben.

»Was denn? Freust du dich gar nicht, dass es mir bessergeht?«, fragte er vorwurfsvoll.

»Doch, doch … das heißt …«

Jetzt erst nahm Annabelle wahr, dass sie und ihr Vater nicht allein waren. In einem der beiden ledergepolsterten Ohrensessel vor dem Kamin hockte ein Mann. Der Allerletzte, den sie sehen wollte. Ein Bein über das andere geschlagen, lehnte er sich in dem Sessel zurück und musterte sie von oben bis unten.

»Wenn das mal nicht die kratzbürstige Lady vom Flughafen ist.«

»Wie … wie kommen Sie denn hierher?«, staunte Annabelle.

Peter McDormand grinste vergnügt.

»Helikopter?«

Sie griff sich an die Stirn. Das Knattern, als sie neben der Leiche am Straßengraben gestanden hatte, das war dieser Blödmann gewesen?

»Also sind Sie hierher geflogen«, sagte sie – überflüssigerweise, wie ihr leider zu spät auffiel.

»Check. Das nächste Mal können Sie sich gern einklinken.«

Der Typ hatte echt Nerven. Selbst wenn Annabelle gewusst hätte, dass er nach Puxdorf wollte, wäre sie lieber die gesamte Strecke barfuß durch den Schnee marschiert, als mit diesem Ekel in einen Hubschrauber zu steigen.

»Hallo? Bin ich etwa abgemeldet?«, beschwerte sich ihr Vater.

»Nein, ganz und gar nicht«, murmelte Annabelle.

Vor ihren Augen drehte sich alles. Um sich zu sammeln, nahm sie die Mütze ab, zog ihre Handschuhe sowie die beiden Schals aus und holte tief Luft. Es war aber auch eine ganze Menge auf einmal, was sie verkraften musste. Ein Schwerkranker, der bemerkenswert vital wirkte. Ein unausstehlicher Kerl, der in ihrer heimischen Gaststube saß. Und, nicht zu vergessen, eine Leiche vor den Toren Puxdorfs.

»Endlich ist die Familie wieder beisammen«, juchzte Therese Stadlmair, die in diesem Augenblick mit Oma Martha hereinkam und sogleich hinter den Tresen ging, wo sie eine Flasche und einige kleine Gläser aus dem Regal holte. »Wir werden die Weihnachtstage gemeinsam verbringen! Das muss gefeiert werden!«

»Krieg ich auch was?«, meldete sich Peter McDormand zu Wort.

Offensichtlich wollte er sich ins Gespräch drängeln, dieser Aufmerksamkeitsjunkie.

»Tut mir leid, geschlossene Gesellschaft«, wehrte Therese Stadlmair ab. »Reine Familienangelegenheit.«

Ha! Klare Kante! Für Annabelle war es ein inneres Schützenfest, dass ihre Mutter diesen Typen links liegenließ. Gleich darauf stutzte sie. Seit sie denken konnte, genossen die Gäste des Edelweiß uneingeschränkten Familienanschluss. Was die Frage aufwarf, warum ihre Mutter die Gäste neuerdings so abweisend behandelte. Ein weiteres Mal stutzte Annabelle. Welche Gäste eigentlich? Sie sah sich um. Die Gaststube war gähnend leer, bis auf ihre kleine Familie und diesen unmöglichen Peter McDormand. Dabei war Abendessenszeit, und zur Hochsaison hätten alle Tische voll besetzt sein müssen.

»Schnäpschen, Anna?«, fragte ihre Mutter bestens gelaunt.

»Einen doppelten«, ächzte sie.

»Das ist meine Anna!«, freute sich Alois Stadlmair. »Hast die guten bayerischen Sitten noch nicht verlernt. Bravo. Da heißt es mithalten, da lässt man sich nicht lumpen, nicht wahr, Resi?«

Wie selbstverständlich streckte er eine Hand aus, um sich von seiner Frau ein Schnapsglas reichen zu lassen.

»Papa! Du nimmst doch bestimmt Medikamente. Da darfst du keinen Alkohol trinken«, protestierte Annabelle.

Damit rief sie Oma Martha auf den Plan, die sich an den Stammtisch gesetzt hatte, direkt vor einen großen Messingaschenbecher, in den der Schriftzug *Dahoam is dahoam* eingraviert war.

»Geh, Anni, die paar Pillen. So ein Schnaps hat noch nie geschadet«, behauptete die alte Dame im Brustton der Überzeugung.

Alois Stadlmair schmunzelte hochzufrieden in sich hinein.

»Da hörst du's, Anna. Wenn meine eigene Mutter dafür ist, darf ich ja wohl kaum dagegen sein.«

»Stets zu Scherzen aufgelegt, mein holder Gatte«, beteiligte sich Therese Stadlmair an der allgemeinen Erheiterung. Nachdem sie fünf kleine Schnapsgläser bis zum Rand gefüllt hatte, drückte sie ihrem Mann eines davon in die Hand. »Jessas, Alois, mit sechzig bist du immer noch jung genug für Dummheiten, aber endlich so reif, dir die richtigen auszusuchen.«

Unfassbar. Annabelle war sprachlos. Wie konnte man einem Sterbenskranken Schnaps geben? Sofern er überhaupt sterbenskrank war, woran sie zunehmend zweifelte. Das hieß, nein, ihr Zweifel verfestigte sich allmählich zur Gewissheit.

»So, ihr Lieben, hier kommt Oma Marthas selbstgebrannter Ho-luuunderschna-haps«, trällerte Therese Stadlmair. Sie brachte ihrer Schwiegermutter ein Glas an den Tisch und hielt danach ihr eigenes hoch. »Auf die glückliche Heimkehr unserer Tochter!«

»Darum Prost – im Bier sind Kaloriiiien, aber Schnaps – ist reine Mediziiiin!«, gab Alois Stadlmair einen launigen Trinkspruch zum Besten.

»Sag ich doch«, lächelte Oma Martha.

Annabelle stürzte ihren Holunderschnaps auf ex hinunter. Dann stellte sie das Glas zurück auf den Tresen.

»Mama, wir müssen reden. Sofort.«

Kapitel 4

Therese Stadlmair schien wenig erbaut von dem Vorschlag ihrer Tochter, der ja auch eher eine unmissverständliche Aufforderung gewesen war. Sichtlich widerwillig verließ sie die Gaststube, gefolgt von Annabelle, die kaum noch an sich halten konnte, so geladen war sie. Was für eine miese Posse wurde hier eigentlich aufgeführt?

Unschlüssig blieb ihre Mutter im Flur stehen, als wisse sie nicht recht, wohin. Oder als warte sie auf irgendeine geniale Eingebung, wie sie dem bevorstehenden Vieraugengespräch entgehen könnte.

»Willst du nicht lieber erst einmal etwas essen, Kind?«, fragte sie honigsüß. »Die knusprige Schweinshaxe vielleicht?«

»Nein, danke. Der Appetit ist mir vergangen.«

Annabelle hatte genug von den Ablenkungsmanövern. Dieses ganze Gerede über das Essen, die Nachbarn und das Wetter sollte sie doch nur blind für das Offensichtliche machen. Fest entschlossen, sich nicht weiter mit lachhaftem Smalltalk abspeisen zu lassen, öffnete sie die Tür zur »Familienstube«, einem niedrigen Raum, den eine elektrifizierte Petroleumlampe in mildes Licht tauchte.

Sie schaute sich um. Eigentlich hätte dies ein privater Rückzugsort sein sollen. Da der Raum jedoch praktisch nie als solcher genutzt wurde, sah es ziemlich rumpelig darin aus. Einige ausgemusterte Stühle standen kreuz und quer herum, auf dem Tisch lagen Stapel gefalteter Stoffservietten, daneben angelaufene Besteckteile. Unter dem einzigen Fenster neigte sich eine altersschwache Kirschholzkommode mit mehreren Schubladen zur Seite wie ein leckgeschlagenes Schiff. Die einzige persönliche Note bestand aus verblichenen Familienfotos an den Wänden, von denen Annabelle in allen Altersstufen herablächelte: als Baby im Arm von Oma Martha, als Kleinkind auf dem Dreirad, als Sechsjährige mit Schultüte, als selbstbewusster Teenager zwischen ihren Eltern. Daneben prangte der gestickte Spruch *Rüstig schaffe, nie erschlaffe* (roter Kreuzstich auf nachgedunkeltem hellblauem Leinen), eingefasst von einem goldenen Rahmen, der allerdings etwas schief hing.

Letztlich sagt dieser Raum so einiges über den Zustand unserer Familie, dachte Annabelle innerlich kochend. Eine ungelüftete Rumpelkammer mit Relikten aus besseren Zeiten. Aber jetzt wird gründlich aufgeräumt.

Offenbar ahnte Therese Stadlmair, was ihr blühte. Umständlich strich sie ihre geblümte Dirndlschürze glatt, bevor sie sich auf einem der wackeligen Stühle am Tisch niederließ.

»War doch bis jetzt ein richtig schöner Abend, nicht wahr?«, säuselte sie.

»Bitte?« Annabelle lehnte sich mit verschränkten Armen an den Türrahmen. »Bei welchem Abend warst *du* denn?«

Schweigend griff ihre Mutter zu einem Silberputztuch und begann, ein dunkelblau verfärbtes Messer zu wienern.

»Weißt du eigentlich, was ich auf mich genommen habe, um hierherzukommen?« Annabelle stand kurz vor einer Explosion, nur mühsam bewahrte sie ihre Fassung. »Mal abgesehen davon, dass die letzte Etappe eine halbe Antarktisexpedition war, musste ich Hals über Kopf einen sündhaft teuren Flug canceln, gefährde meinen Superjob in Singapur, bin nach dem ganzen Stress total neben der Spur, und das alles, um einen mopsfidelen Herrn Papa vorzufinden?«

»Er ist ernstlich krank«, beteuerte Therese Stadlmair, den Blick fest auf ihre Silberputzaktion geheftet. »Nur zu stolz, um es zu zeigen.«

Annabelle stemmte die Hände in die Hüften.

»Ach, ist heute der Du-darfst-deiner-Tochter-das-Blaue-vom-Himmel-runterschwindeln-Tag?«

Endlich sah ihre Mutter auf. Verlegen, auch ein wenig schuldbewusst.

»Nun beruhige dich mal. Papa und ich, wir haben vielleicht etwas geflunkert, aber —«

»Wie kannst du bloß *beruhigen* und *flunkern* im selben Satz unterbringen?«, fiel Annabelle ihr ins Wort. »Ihr habt mich reingelegt!«

Sie war außer sich. Was für eine schändliche Finte, die eigene Tochter mit einem nichtexistenten Schlaganfall zu ködern. Sagte Mary-Jo nicht immer, emotionale Erpressung sei eine Todsünde in Beziehungen? Sie hatte recht, wie Annabelle voller Entrüstung feststellte. Und hier war auch noch Betrug im Spiel.

»Nicht so voreilig, Kind, es ist anders, als es aussieht«, setzte Therese Stadlmair zu einer Verteidigung an. »Wir hatten unsere Gründe.«

»Schieß los, bin ganz Ohr.«

»Es gibt Probleme.« Ihre Mutter widmete sich wieder derart verbissen dem angelaufenen Messer, als wollte sie mit dem Silber auch gleich ihre ramponierte Glaubwürdigkeit aufpolieren. »Wir sind nicht mehr die Jüngsten, das Edelweiß ist ebenfalls in die Jahre gekommen, die Gäste bleiben aus.«

»Das Hotel ist also am Ende?«

»Nein, nein, nur eine vorübergehende Flaute, das wird schon wieder.« Therese Stadlmair betrachtete das Messer, als sehe sie darin nun auch ein Sinnbild für die Zuversicht, mit der richtigen Putztechnik könne man dem gesamten Hotel zu neuem Glanz verhelfen. »Wie du vermutlich gesehen hast, befindet sich unser Haus in einem maroden Zustand. Das Personal ist weggelaufen, der neue Koch eine Katastrophe, und Max schafft es auch nicht mehr so wie früher. Derweil stehen die Gästezimmer leer, schon seit Monaten.«

»Das Hotel *ist* am Ende.«

»Na ja, kurz davor.«

»Und um mir das mitzuteilen, habt ihr mir faustdicke Lügen aufgetischt.«

Ein schiefes Lächeln huschte über das Gesicht ihrer Mutter.

»Um ehrlich zu sein: Wir dachten halt, wir locken dich her, unter einem Vorwand, der, wie soll ich sagen – nicht ganz korrekt war? Aber doch nur, weil wir dringend deinen Rat brauchen!«

»Okay«, lenkte Annabelle ein. »Das klingt schon besser.«

Therese Stadlmair fixierte sie auf einmal mit einem stahlharten Blick.

»Es wird Zeit, dass du das Edelweiß übernimmst.«

Wie war das? Annabelle meinte zunächst, sich verhört zu haben. Die zu allem entschlossene Miene ihrer Mutter gewährte allerdings wenig Interpretationsspielraum.

»Ähm, n-nein, d-das klingt doch nicht b-besser«, stammelte sie. »Wie kommst du denn darauf, Mama? Davon war doch nie die Rede!«

Ihre Mutter ließ einige Sekunden verstreichen, bevor sie sich gerade hinsetzte, eine Gabel in die Hand nahm und damit in Annabelles Richtung stach, als könnte sie ihre Tochter auf diese Weise buchstäblich auf etwas festnageln.

»Du wirst die Tradition hochhalten, indem du das Hotel aufmöbelst, ein Auge auf den Koch hast, zuverlässige Zimmermädchen einstellst und mit guten Ideen die Gäste zurückholst.«

»Ein langer Wunschzettel«, sagte Annabelle trocken. »Heb dir was für Ostern auf, dein Weihnachtskontingent hast du gerade aufgebraucht.«

Ihr Sarkasmus, so berechtigt er auch sein mochte, kam gar nicht gut an. Wie angepikst schoss Therese Stadlmair von ihrem Stuhl hoch.

»Ja, wofür haben wir dich denn in die weite Welt ziehen lassen? Vergiss nicht, Anna, wir haben dir immer alles ermöglicht: deine Ausbildung zur Hotelkauffrau, das Nomadenleben fern der Heimat, die Chance, in den besten Häusern der Welt Erfahrungen zu sammeln. Warum denn wohl? Natürlich, damit du das Edelweiß auch in der nächsten Generation zum Erfolg führst!«

So sollte das also laufen? Hammer. Oder zeigten sich hier etwa späte Symptome eines Empty-Nest-Syndroms?

Annabelle zog hörbar die Luft durch die Vorderzähne. Cool bleiben, ermahnte sie sich. Denk nach. Deine Eltern haben ein Problem. Nicht gut. Sie wollen es zu deinem Problem machen. Gar nicht gut. In solchen Situationen muss man sich abgrenzen, hat Mary-Jo dir immer eingebläut.

»Mama, zufälligerweise handelt es sich um mein Leben, und ich habe nicht die Absicht, in Puxdorf zu versauern. Singapur ist genau das, wovon ich immer geträumt habe. General Manager, verstehst du? In einem Hotel der absoluten Highend-Liga! Tausend Betten, zwanzig Restaurants, dreißig gläserne Aufzüge und eine Dachterrasse, groß wie ein Fußballfeld, mit einer palmenbestandenen Poollandschaft!«

Sie konnte förmlich sehen, wie sich die zarten Linien auf der Stirn ihrer Mutter vertieften. Besonders die Zornesfalte zwischen den Augenbrauen.

»Aha«, ein unfrohes Lachen entschlüpfte Therese Stadlmair, »mein verwöhntes Fräulein Tochter zieht es also vor, in irgendeiner schicken Großstadt zu wohnen, in einem todschicken, sündteuren Luxushotel. Wir sind dir wohl nicht mehr gut genug, was?«

O bitte. Jetzt wurde also auch noch diese Karte ausgespielt. Der Keinerliebt-mich-Joker. In Annabelles Hirn glühten die Synapsen. Deine Eltern haben dich unter Vorspiegelung falscher Tatsachen antanzen lassen. So weit, so schlecht. Aber eine emotionale Erpressung reicht. Du wirst nicht klein beigeben. Never ever.

»Ich liebe euch, das weißt du, und ich hänge genauso wie ihr am Edelweiß«, erklärte sie so sanft wie möglich. »Falls euch der Hotelbetrieb über den Kopf wächst, werden wir eben einen Pächter finden, Mama.« Nein, einen Käufer, überlegte sie, behielt es aber für sich. Besser, sie brachte ihrer Mutter das Ganze scheibchenweise bei. »So haben wir es doch schon hundertmal besprochen – ihr verpachtet das Hotel, lebenslanges Wohnrecht inbegriffen, damit ihr den wohlverdienten Ruhestand in eurer vertrauten Umgebung genießen könnt. Bestimmt gibt es genug geeignete Interessenten, die …«

»*Du* bist dafür geeignet, Anna, nur du«, wurde sie von ihrer Mutter korrigiert. »Und jetzt, wo du hier bist, lassen wir dich nicht mehr gehen!«

Das war doch – irre? Schräg? Wahnsinn? In Annabelles Kopf überstürzten sich die Gedanken. Ermattet setzte sie sich an den Tisch, stützte die Ellenbogen auf und legte ihr Gesicht in die Hände.

»Mama, in einer Woche starte ich in Singapur durch«, sagte sie dumpf.

»Darüber ist das letzte Wort noch nicht gesprochen.«

»Doch. Soeben.«

Auch ihre Mutter nahm wieder Platz. Unversöhnlich saßen sie sich gegenüber, und bei der Gelegenheit fiel Annabelle auf, wie ähnlich sie einander sahen, trotz des Altersunterschieds von gut zwanzig Jahren. Es kam ihr vor, als schaute sie in einen von feinen Rissen durchzogenen Spiegel. Der gleiche helle Teint, das gleiche Blondhaar, der gleiche entschlossene Zug um den Mund. Auch charakterlich gab es Übereinstimmungen, wie ihr jetzt klarwurde. Ihre eigene Durchsetzungsfähigkeit – manche nannten es Sturheit – hatte sie eindeutig von ihrer Mutter geerbt. Was hieß, dass sie so nicht weiterkamen. Sie brauchten eine Verschnaufpause. Einen Waffenstillstand, bevor die Schlacht weiterging.

»Was macht dieser McDormand eigentlich hier?«, wechselte Annabelle das Thema.

»Peter McDormand?« Vom einen Moment auf den anderen trat ein feindseliger Zug in das Gesicht ihrer Mutter. »Der ist Teil unseres Problems.«

Aha, jetzt wurde es so richtig interessant – obwohl sich Annabelle schwerlich vorstellen konnte, was dieser selbstgefällige Typ mit den Turbulenzen des Edelweiß zu tun haben sollte.

»Geht das etwas konkreter?«, fragte sie.

Wahllos zog Therese Stadlmair eine Serviette aus dem Stapel und faltete sie neu. Fein säuberlich, Ecke auf Ecke. Vermutlich auch so eine illusionäre Strategie wie die Silberputznummer. Als könnte sie durch exaktes Serviettenfalten Ordnung in die verfahrene Situation bringen.

»Ich habe dir doch erzählt, dass unser Nachbar seinen Hof verkaufen will.«

Annabelle versuchte, sich an die anfänglichen Reseströme zu erinnern.

»Hm. Der – *böse Nachbar*?«

»Genau. Gerhard Oberleitner.«

Seit Jahrzehnten tobte eine erbitterte Familienfehde zwischen den Stadlmairs und den Oberleitners. Wieso, wusste Annabelle nicht. Nur, dass man kein Wort miteinander und dafür umso abfälliger übereinander sprach. So war es immer gewesen, und auch Annabelle hatte so einiges abgekriegt. Andi, der Sohn des *bösen Nachbarn*, hatte sie dauernd an den Haaren gezogen, ihr Fahrrad im Heu versteckt oder, wenn er sie auf dem Schulweg erwischte, ihren Ranzen in eine stinkende Jauchegrube geworfen. Nettes Früchtchen, dieser Andi. Der Apfel fiel eben nicht weit vom Stamm, und dieser Apfel war besonders wurmstichig.

»Klär mich bitte auf, Mama. Was ist hier los?«

Stockend begann Therese Stadlmair, vom Ungemach zu berichten, das Puxdorf heimzusuchen drohte. Die solide breite Brücke, die nun doch gebaut werden sollte. Freie Fahrt für große Busse. Profitgierige Investoren, die bei den Oberleitners ein und aus gingen, um auf deren Grund und Boden ein riesiges Urlaubsresort zu errichten. Eine jüngst gegründete Bürgerinitiative, der fast ganz Puxdorf beigetreten war und die wacker gegen diese Pläne ankämpfte, bislang jedoch vergeblich.

»Unser beschaulicher Ort soll dem Massentourismus geopfert werden«, klagte sie. »Dann ist das Edelweiß endgültig erledigt, weil wir nicht gegen so ein Resort mit allen Schikanen ankommen. Tausend Betten!« Sie schnalzte bei dieser Anspielung mit der Zunge. »Wer weiß, vielleicht auch gläserne Aufzüge und ein Pool auf dem Dach!«

»Ich fasse mal zusammen«, sagte Annabelle nach der ersten Verblüffung. »Unser kleines Puxdorf soll eine Tourihölle werden?«

»Von unserem idyllischen Ort wird nichts übrigbleiben«, bestätigte Therese Stadlmair. »Sofern der Oberleitner damit durchkommt. Aber der macht gemeinsame Sache mit dem Bürgermeister, deshalb befürchte ich das Schlimmste. Dann werden wir von Touristen überrannt, die alles platttrampeln, aber nie und nimmer im Edelweiß logieren. Und das nur, weil der Oberleitner Morgenluft wittert. Er will alles verhökern, den Bauernhof, die Ländereien, den Wald. Dieser Mann hat einfach keinen Respekt. Er hasst Puxdorf! Deshalb will er es kaputtmachen! Vor allem will er uns kaputtmachen!«

Bislang hatte Annabelle wenig Lokalpatriotismus verspürt. Sicher, sie sympathisierte mit ihrem Heimatdorf, wie man sich eben mit dem Ort seiner Kindheit verbunden fühlte. Doch jetzt stellten sich ihr regelrecht die Nackenhaare auf. Puxdorf würde nicht mehr wiederzuerkennen sein, wenn dieses Megaresort Tausende von Menschen herzog. Die Grundstückspreise würden steigen, und selbst die ehrenwerten Mitglieder der Bürgerinitiative würden irgendwann dem Ruf des Geldes folgen, ihre alten Bauernhöfe verkaufen und sie allesamt dem Abriss preisgeben. Nach und nach würde das Dorf veröden, vollgerammelt mit Appartementhäusern, Ramschläden und Imbissbuden. Zwei, drei Jahre, und Puxdorf hätte das gewisse Nichts einer seelenlosen Trabantenstadt. Plötzlich ging ihr ein Licht auf.

»Peter McDormand.« Sie senkte ihre Stimme zu einem Raunen. »Er ist einer dieser Investoren, richtig?«

Therese Stadlmair nickte.

»Der hat die Taschen voller Geld, mit dem er den Oberleitner zuschütten will. Auch so ein Totengräber unseres schönen Puxdorf.«

Das Wort Totengräber löste sehr, sehr verstörende Gefühle in Annabelle aus, die sie sofort in einer weit entlegenen Ecke ihres Hirns entsorgte.

»Und ihr lasst diesen Mann auch noch hier wohnen?«, fragte sie erbittert.

»Wir wissen es ja erst seit seiner Ankunft, vorher hat er nix gesagt, und wir waren froh, dass überhaupt mal ein Gast kommt.« Ihre Mutter faltete die Hände, kreuzunglücklich und hilflos zugleich. »Es waren schon mehrere Fremde hier. Einer schleicht seit einer geschlagenen Woche durchs

Dorf. Auch so ein feiner Pinkel, ein richtiger G'schwurf. Immer wie aus dem Ei gepellt, in schicken Anzügen, doch drinnen im Herzen, da ist er ein vermaledeiter Galgenstrick, das kann ich dir schriftlich geben.«

Der G'schwurf. Annabelles Magen drehte sich einmal um sich selbst und fing an zu pumpen. Wenn etwas drin gewesen wäre, wäre es jetzt oben rausgekommen. Im Strahl.

»Wo ist dieser feine Pinkel denn jetzt?«, erkundigte sie sich, die aufsteigende Übelkeit hinunterwürgend.

»Bestimmt beim Oberleitner. Jessas, Kind, wo kommen all diese Männer her, die mit Millionen um sich schmeißen?«

Die Frage war wohl eher, wohin sie gingen. Zum Beispiel nach draußen, in den eisigen Schnee, wo sie elendig erfroren. Annabelle hielt es nicht länger aus.

»Mama«, krächzte sie, »ich glaub, der Galgenstrick weilt nicht mehr unter uns.«

Ihre Worte trafen Therese Stadlmair mit der Wucht einer detonierenden Bombe. Sie duckte sich, als müsse sie sich vor umherfliegenden Trümmern in Acht nehmen. Ungläubig starrte sie ihre Tochter an, wobei sie abwechselnd blass und rot wurde.

»Was? Wie meinst du das? *Weilt* und so weiter?«

»So, wie ich es gesagt habe. Wenn mich nicht alles täuscht, liegt er kurz vor der Dorfgrenze im Straßengraben. Tot.«

»Himmel-Sakra-Maria-und-Josef!« Ihre Mutter bekreuzigte sich. »Bist du dir sicher? Dass er – gestorben ist?«

»Sofern man einen Menschen, der nicht mehr atmet und dessen Körpertemperatur geschätzte minus zehn Grad beträgt, als gestorben bezeichnet – ja.«

»Aber woran denn?«

»Erfroren, wahrscheinlich.«

»Wie – erfroren?«

Annabelle kam sich langsam vor wie in einem dämlichen Fernsehkrimi. Dieses langatmige Pingpong von Fragen und Antworten. Dieses fortgesetzte Wundern und Nicht-wahrhaben-Wollen.

»Ich war nicht dabei, Mama«, kürzte sie die Sache ab. »Ich weiß nur, dass wir so rasch wie möglich die Polizei rufen müssen.«

Sichtlich nervös zerknüllte Therese Stadlmair die Serviette in ihren Händen. Ihre Brust in der blütenweißen Dirndlbluse hob und senkte sich schneller als sonst.

»Warte, darüber muss ich erst mal nachdenken.«

»Hallo? Das ist doch keine Denksportaufgabe! Bist du etwa der Meinung, man sollte die Leiche da draußen im Straßengraben liegenlassen, bis sie verschimmelt?«

»Kind, er war ein ganz, ganz schlechter Mensch. Ein wahrer Teufel. Du glaubst gar nicht, was …«

Ihrer Mutter lag offenbar noch irgendetwas Brisantes auf der Zunge, doch sie brach mitten im Satz ab. Der Himmel mochte wissen, was in ihr vorging. Geistesabwesend musterte sie den weißen Ball in ihren Händen, der soeben noch eine ordentlich gebügelte und gefaltete Stoffserviette gewesen war.

»Kann ich davon ausgehen, dass so gut wie niemand in Puxdorf diesen Mann vermissen wird?«, fragte Annabelle. »Dass es dem einen oder anderen Mitglied eurer Bürgerinitiative sogar ganz recht ist, wenn einer der fiesen Investoren von der Bildfläche verschwindet?«

Therese Stadlmairs Lippen blieben versiegelt. Sie legte nur die zerknautschte Serviette zurück auf den Tisch und ließ ihren Blick über die Familienfotos schweifen, als gäbe es darauf etwas sensationell Neues zu entdecken.

»Zustimmendes Schweigen reicht mir«, stöhnte Annabelle. »Großer Gott, was für eine Tragödie. Jetzt muss unbedingt die Polizei ran.«

»Die kriegt doch auch nichts raus«, entgegnete Therese Stadlmair, wobei sie sich ängstlich umsah, als stünde der Mörder leibhaftig im Zimmer. »In Puxdorf halten alle zusammen wie Pech und Schwefel.«

»Wenigstens steht fest, dass es keiner von den bösen Oberleitners war. Die beißen ja nicht in die Hand, die sie füttern soll.«

Schlagartig kam Leben in Annabelles Mutter.

»Die Oberleitners küssen diesen Investoren die Füße und zur Not auch ganz andere Körperteile!«, rief sie erbost.

»Mama! Kannst du mal beim Thema bleiben? Wir müssen die Polizei verständigen.«

Wie ein Häuflein Elend sank Therese Stadlmair in sich zusammen.

»Heieiei, das wird einen schrecklichen Skandal geben. Solche negativen Schlagzeilen können wir uns nicht leisten, Anna, davon erholt sich Puxdorf nie wieder.«

»Wie auch immer, das ist ein Fall für die Kriminalpolizei«, bekräftigte Annabelle.

»Nein, nein, hier auf dem Dorf lösen wir Probleme auf unsere Art«, widersprach ihre Mutter. »Vielleicht ist der Mann ja einfach von selbst erfroren?«

»Genauso gut könnte es Mord gewesen sein.«

So, jetzt war es raus. Wie eine tiefdunkle Gewitterwolke schwebte das Wort über dem Tisch. *Mord.* Ein scheußliches Wort. Annabelle wollte schon ihr Handy herausholen, um zu prüfen, ob das Netz funktionierte, als es klopfte. Gleich darauf steckte Oma Martha ihren sorgfältig ondulierten Kopf zur Tür herein.

»Jessas, zankt ihr euch etwa?«

»Nein, wir führen nur eine äußerst lebhafte Unterhaltung«, antwortete Annabelle augenrollend. »Über höchst anregende Themen. Zum Beispiel einen To…«

»Kind!«

Ihre Mutter schüttelte unmerklich den Kopf. Okay. Klar. Mit einem angedeuteten Nicken signalisierte Annabelle ihr Einverständnis. Oma Martha galt als lebenserfahrene Frau, die so leicht nichts erschüttern konnte, doch diese Schocknachricht wäre definitiv zu viel für ihr sanftes Gemüt. Man musste sie ja nur anschauen, um zu wissen, woran man war. Reine Güte strahlte aus ihrem Gesicht. Wohlwollen und Güte.

»Anni, ich wollte dich fragen, ob du jetzt essen könntest. Mir verbrutzelt nämlich sonst die Schweinshaxe im heißen Ofen.«

Auch Annabelle war heiß geworden, was nicht nur daran lag, dass sie immer noch ihre Daunenjacke trug. Schwitzend pellte sie sich aus dem Teil und hängte es über die Stuhllehne. Ihre Haut dampfte förmlich unter dem Sweatshirt, einem ausgetickten Secondhand-Designerteil in Neongelb mit aufgedruckten amerikanischen Nummernschildern. Wie Heißwachsstreifen klebte die schwarze Lederleggings an ihren Schenkeln. Sie war komplett fertig und wusste auch gar nicht mehr, ob sie überhaupt noch so was wie einen Magen hatte.

»Kind, das sind aber viel zu enge Hosen«, grantelte ihre Mutter.

Oma Martha betrachtete ebenfalls missbilligend Annabelles Leggings.

»Sind die etwa modern? Trägt man das jetzt in diesem – New York?«

Beide Frauen schauten so vorwurfsvoll drein, als hätte Annabelle ein Sakrileg am Heiligen Gral der Damenoberbekleidung begangen.

»Ich bevorzuge einen individuellen Stil, und den lasse ich mir auch nicht ausreden«, erklärte sie mit schwacher Stimme.

»Wir sind in Bayern«, widersprach Oma Martha. »In unserer schönen Heimat ziehen sich die jungen Frauen fesch an, damit sie den Männern gefallen. Nimm dir ein Beispiel dran. Du bist bildhübsch, Anni, du bist tüchtig – aber immer noch kein Ehemann?«

»Keine Sorge, ich hab dir schon dein Dirndl aufgebügelt«, flötete Therese Stadlmair.

Und plötzlich wusste Annabelle wieder, warum sie seit zwei Jahren nicht mehr in Puxdorf gewesen war.

Kapitel 5

Mary-Jo hyperventilierte, was sich bei ihr in etwa so anhörte, als synchronisiere sie einen Porno.

»Oh!« Röchelndes Atemholen. »My!!« Ekstatisches Keuchen. »God!!!«

Es folgte prustendes Ausatmen, das, verstärkt durch das empfindliche Mikro ihres Smartphones, wie eine tosende Orkanböe durch Annabelles Ohr fegte. Windstärke dreizehn. Mindestens. Vorsichtshalber hielt sie das Handy ein paar Zentimeter von ihrer Ohrmuschel weg. Besser, sie wartete, bis der Sturm sich legte.

Aufgewühlt von der Auseinandersetzung mit ihrer Mutter, war Annabelle auf ihr Zimmer gerannt (ihr altes Kinderzimmer mit der Blümchentapete und den bemalten Bauernmöbeln aus hellem Kirschbaumholz), um mit Mary-Jo zu telefonieren. Als psychomedizinische Maßnahme sozusagen, in der Hoffnung auf Balsam für ihr aufgescheuertes Seelenheil. Zunächst hatte sie die Ereignisse dieses denkwürdigen Abends so sachlich wie irgend möglich zusammengefasst. Je mehr Details sie ihrer Freundin allerdings hatte schildern müssen, desto abgründiger war ihr das Ganze selbst vorgekommen. Wie ein Horrorfilm, der als Feelgood-Movie begann, in herziger Puppenstubenkulisse, und sich dann ohne Vorwarnung als Gruselschocker herausstellte. Parallel dazu waren Mary-Jos Reaktionen von Entsetzen zu heller Panik aufgepoppt.

Nun saß Annabelle auf dem Bett, das Kopfkissen im Rücken, die Füße auf ihrem Rucksack, und horchte, ob Mary-Jo sich endlich beruhigte. Sie verkürzte sich die Wartezeit, indem sie stumme Zwiesprache mit Herrn Huber hielt. Unergründlich lächelnd hockte er auf Annabelles Schoß, den Gamsbarthut nach seinem Rucksackaufenthalt etwas schief auf dem Bärenkopf, aber wie stets die Ruhe selbst.

Herr Huber, was ist das für ein Zuhause, in dem nichts mehr stimmt? Ist das alles wirklich passiert? Was sagst du dazu?

Ich genieße das Leben in seiner ganzen Absurdität, schien er zu antworten.

Ein wenig hilfreicher Kommentar. Annabelle presste ihr Handy ans Ohr. Das windstoßartige Atmen war einem diffusen atmosphärischen Rauschen gewichen.

»Sag mir, was ich tun soll, Mary-Jo«, bat sie flehentlich.

»Ich? Wieso ich?«

»Na, du bist doch hier die Spezialistin für Wahnsinn.«

»Eine ausgesprochen unterkomplexe Definition meines Berufs. Zudem beruht das therapeutische Prinzip keineswegs auf simpler Beratung, sondern auf der professionellen Förderung von Erkenntnisprozessen.«

Annabelle verstand nur Bahnhof.

»Sorry, das ist mir zu theoretisch.«

»Hättest du es lieber poetisch?«, fragte Mary-Jo so verbindlich wie ein Oberkellner, der sich danach erkundigte, ob das Steak blutig, medium oder durchgebraten serviert werden sollte.

»Von mir aus auch poetisch.« Was jetzt wohl kam? Ein Poesiealben-Vierzeiler? Ein Shakespeare-Sonett? Annabelle rutschte etwas tiefer ins Bett und drückte Herrn Huber an sich. »Nur zu, bin so weit.«

»Dann hör gut zu: Ohne die Steine, die man dir in den Weg legt, würdest du nie über deine Stärken stolpern.«

Ah, ja. Viel konnte Annabelle nicht mit diesem wohlklingenden Satz anfangen. Sie war über eine Leiche gestolpert, nicht über Steine. Auch die überzogenen Erwartungen ihrer Familie empfand sie keineswegs als Stolperstein, sondern als eine lästige Bürde, die ihr aufgebrummt werden sollte und die sie unter allen Umständen loswerden musste.

»Will heißen …?«, fasste sie nach.

»Stell dich den Herausforderungen, stell dich deinen Ängsten, und dir werden ungeahnte Kräfte zuwachsen.«

Wie sollte man daraus schlau werden? Langsam wurde es Annabelle zu viel mit dieser ertüchtigenden Psychosoße.

»Mary-Jo, meine Eltern wollen mich in Geiselhaft nehmen. Und hier wurde höchstwahrscheinlich ein Mord verübt.« Ein gluckerndes Geräusch verriet, dass sich ihre Freundin mit irgendeiner Flüssigkeit beschäftigte. »Mary-Jo? Was machst du da?«

»Ich becher mich zu. Nein, Blödsinn, ich gieß mir nur einen winzigen Whisky ein. Auf den Schreck.«

Annabelle schaute zur Uhr. In Puxdorf war es halb acht Uhr abends, in New York also halb zwei Uhr mittags, wie sie blitzschnell ausrechnete. Mary-Jo schien das Ganze doch arg mitgenommen zu haben, dass sie am helllichten Tag zur Flasche griff.

»Aber nur einen Fingerbreit Whisky«, sagte Annabelle mit ihrer besten Gouvernantenstimme.

»Zu Befehl, Miss Desaster.« Mary-Jo kicherte leicht hysterisch. »Jetzt zurück zu dir. Da gibt es ja so einige Baustellen. Welche Problematik steht denn für dich im Vordergrund?«

»Ich hatte gehofft, diese Frage könntest du mir beantworten.«

Ein zartes Klirren, begleitet von dezentem Gluckern, zeigte an, dass Mary-Jo im Begriff war, sich einen zweiten Schluck zu genehmigen.

»Okay, Schnellanalyse. Punkt eins. Die unvorhergesehene Begegnung mit einer Leiche hat dich traumatisiert. Daran wirst du noch lange zu knacken haben, Belle. Richte dich schon mal auf eine massive Nekrophobie ein.«

»Die Angst vor Toten?«

»Du lernst schnell, mein Engel. Da du kein weiblicher Sherlock Holmes bist, musst du dich jedoch in keiner Weise verantwortlich für die Aufklärung dieses Todesfalls fühlen.«

Unglaublich – Mary-Jos sachliche Worte wirkten Wunder. Es schien Annabelle, als fiele eine Riesenlast von ihren Schultern, so wie früher, wenn sie den Beichtstuhl der kleinen Puxdorfer Kapelle mit der Absolution des Pfarrers verlassen hatte. Leicht und frei. Na ja, fast.

»Punkt zwei. Die Familienproblematik«, fuhr Mary-Jo mit professioneller Geschmeidigkeit fort. »Hinter strittigen Sachthemen verbergen sich zumeist verdrängte emotionale Konflikte. Nur oberflächlich betrachtet wollen dich deine Eltern als Nachfolgerin für das Hotel. In Wahrheit geht es ihnen um die Wiederherstellung einer Bindung, die du mit deiner jahrelangen Abwesenheit faktisch aufgekündigt hast.«

Boaaah. Das war ein Klopfer. Annabelle schluckte schwer. Ihr Blick wanderte durchs Zimmer, sprang vom rüschenbesetzten Puppenwagen zum Nachttisch mit der kleinen rosa Lampe, von dort zu einer bunten Kinderzeichnung an der Wand und blieb bei einem goldgerahmten Foto des Edelweiß hängen, vor dem sie mit ihren Eltern und Oma Martha in voller

Tracht posierte. Sehr stolz, sehr glücklich sahen ihre Eltern aus. Irgendwie auch voller Zuversicht, so als würde alles immer so bleiben. Mama, Papa, Oma, Kind, vereint in alle Ewigkeit.

Es muss Millionen, vielleicht sogar Milliarden erwachsener Kinder geben, die ihren Eltern dann und wann einen Pflichtbesuch abstatten, kam es Annabelle in den Sinn. Die so wie ich in ihr altes Leben eintauchen, in ihrem alten Kinderbett schlafen, das ihnen längst zu eng geworden ist, in jeder Hinsicht. Und die genauso ratlos sind, weil der Wunsch nach Unabhängigkeit stets mit dem miesen Gefühl einhergeht, die elterliche Liebe zurückzuweisen. Hatte sie eine nennenswerte Bindung zu ihren Eltern? Zu Oma Martha? Oder war das nur ein bisschen Gefühlsfolklore für zwischendurch?

»Wir waren immer in Kontakt«, rechtfertigte sie sich.

»Kontakte sind unverbindlich«, konterte Mary-Jo. »Deine Familie – jede Familie – sehnt sich nach echter Nähe. Nach Gesehenwerden, Akzeptanz. Vermutlich fremdelst du mit deinen Leuten. Vergleichst dein Dorf mit New York, findest alles furchtbar rückständig, spießig.«

Sie hatte den Nagel auf den Kopf getroffen, wie Annabelle zugeben musste.

»Ja, aber das würde ich ihnen nie sagen.«

»Musst du auch gar nicht. Sie spüren es, Belle. Und es verletzt sie, dass du dich innerlich distanzierst.«

Noch so ein Klopfer. Dieser traf Annabelle mitten ins Herz. In ihrer klugen Hellsichtigkeit hatte Mary-Jo den Finger auf eine unsichtbare Wunde gelegt. Ja, Annabelle fühlte sich ihrer Familie entwachsen, und daraus machte sie letztlich auch keinerlei Hehl.

Beklommen starrte sie das Blumenmuster auf dem Kleiderschrank an, das Therese Stadlmair vor dreißig Jahren eigenhändig aufs Holz gemalt hatte. Ich bin in einem warmen Kokon aufgewachsen, dachte Annabelle, es hat an nichts gefehlt. Wie ein flammender Blitz durchzuckte sie plötzlich eine Erkenntnis: Ihre Eltern liebten sie, Oma Martha liebte sie. Nur ausgesprochen wurde das nie, weil ihre Familie völlig ungeübt darin war, große Gefühle in Worte zu fassen. Aus diesem Grund redeten sie über das Wetter, das Essen, den Schnaps, die Schweinshaxe. Weil sie es nicht anders gelernt hatten in Puxdorf, Oberbayern. Weil sie nicht anders konnten. Und dann kam das Fräulein Tochter daher und fühlte sich insgeheim überlegen? Wusste alles besser, krittelte an allem rum? Schamesröte brannte auf Annabelles Wangen, eine Träne löste sich aus ihrem Augenwinkel.

»Du hast Schuldgefühle?«, erkundigte sich Mary-Jo so lässig, als stehe das sowieso fest.

»Und wie«, schniefte Annabelle.

»Vergiss sie. Überleg lieber, wie du deinen Eltern Liebe zeigen kannst, ohne deine Eigenständigkeit zu verlieren. Finde einen Weg. Spring über die Stolpersteine, und du wirst feststellen, dass du fliegen kannst.«

Lieben, ohne seine Eigenständigkeit aufzugeben? Ging das überhaupt? Und wenn sie es wenigstens versuchte? Ein zaghafter Optimismus breitete sich in Annabelles Herzen aus. Ja, sie würde einen Weg finden. Nie war sie dankbarer für die Freundschaft mit Mary-Jo gewesen.

»Wow.« Mit einer Hand fuhr sie sich durchs mützenplatte Haar. »Spring, damit du fliegen lernst. Das war jetzt aber *sehr* poetisch.«

»Warum so erstaunt?«, fragte ihre Freundin pikiert. »Hältst du mich etwa für eine therapeutisch programmierte Festplatte?«

»Absolut«, kicherte Annabelle, deren Laune vor lauter Erleichterung stetig stieg. »Wie hättest du denn sonst dein Psychodiplom geschafft?«

»Jetzt mal nicht so frech«, echauffierte sich Mary-Jo scherzhaft. »Haben sich die Fernsehfuzzis eigentlich schon gemeldet? Ist ja nur eine Frage der Zeit, bis man aus deinem Leben eine Daily Soap macht. Die Frau mit dem scheinkranken Vater, die Leichen im Schnee findet und dauernd mit ihrer durchgeknallten Psychorette telefoniert. Brüller.«

»Siehst du, jetzt hast du doch einen zu viel getrunken«, zog Annabelle ihre Freundin auf.

»Alkohol macht nicht albern – nur unempfindlich dafür, dass man es schon ist.« Wieder ertönte das verräterische Gluckern. »So, Belle, ich muss mich jetzt um meine Klienten kümmern. Die Rechnung maile ich dir.« Mary-Jo lachte überdreht. »Bezahlt wird mit Champagner, du kennst ja meine bevorzugte Marke.«

Ein Klicken, und das Gespräch war beendet. Eine Weile starrte Annabelle ihr Handy an. Dann den bemalten Kleiderschrank, an dessen Türgriff ihre Mutter das frisch gebügelte Dirndl gehängt hatte.

»Ich werde euch zeigen, dass ich zu euch gehöre«, flüsterte sie.

Zehn Minuten später hatte sie sturzgeduscht und schlüpfte in ihr altes

Dirndl mit dem flaschengrünen Mieder und der roten Schürze, auf der ein-gestickte grüne Hirsche um die Wette hüpften. Vor dem Spiegel kontrollierte sie anschließend den korrekten Sitz des BHs, eine delikate Angelegenheit bei einer tief dekolletierten Dirndlbluse. Nach ein bisschen Hin-und-her-Ge-schiebe saß alles perfekt.

Komisch, dachte sie, während sie die knarrenden Stufen der Treppe hin-unterging, die zur Gaststube führte. Vor einer Stunde hätte ich mich noch verkleidet gefühlt in dem Ding. Jetzt brannte sie geradezu darauf, sich ihren Eltern im vertrauten Dirndllook zu präsentieren.

Frohgemut schob sie die Tür zur Gaststube auf und lief direkt Peter Mc-Dormand in die Arme, dessen Augen sich sogleich auf die frisch gestärkte und gebügelte, aber eben auch offenherzig ausgeschnittene Bluse richteten. Völlig ungeniert beäugte er Annabelles Brustansatz, jieperig wie eine Maus auf dem Käsekongress.

»Das ist der lebende Beweis für die Verehrungswürdigkeit der Natur. Sweeter Style, so was sollten Sie öfter tragen.«

»Das ist meine Arbeitskleidung, falls Sie dem Irrtum erlegen sind, es han-dele sich um ein erotisches Statement«, raunzte sie. »Und nicht vergessen, die Bösen kommen in die Hölle.«

Noch immer starrte er in ihren Ausschnitt.

»Butterweiches Fleisch, mariniert in schlechter Laune. Einfach faszinie-rend.«

Was für ein widerlicher Kerl. Annabelle reichte es vollauf.

»Sorry«, sie schlüpfte an ihm vorbei, was nicht ganz leicht war, weil er sich ihr in den Weg stellte, »geht gar nicht, Ihre billigen Anmachsprüche.«

Selbstverständlich wollte er noch irgendetwas Saudämliches erwidern, doch Annabelles Aufmerksamkeit wurde plötzlich von einer anderen Person gefesselt. Ganz hinten in der Gaststube, die sich merklich gefüllt hatte, saß ein Mann in einer cognacfarbenen Lederjacke mit Fellbesatz. Seine Hände hatte er um einen blau-weißen Porzellanbecher gelegt, aus dem es heiß dampfte, sein dunkelblondes Haar war apart verstrubbelt. Annabelle über-legte noch, warum er ihr bekannt vorkam, als er zu ihr hinschaute. Erst aufmerksam, dann interessiert, schließlich so intensiv, dass ihr heiß wurde. Seine Augen lächelten. Es ging ihr durch und durch. So wie die vergnügte Schalkhaftigkeit in den Lachfältchen, die sie so an Männern mochte.

Kapitel 6

Wie viele wirklich magische Momente sind einem wohl vom Schicksal zugedacht?, schoss es Annabelle durch den Kopf. Einer? Oder doch vielleicht zwei? Der erste und einzige war für sie immer mit Simon verknüpft gewesen. Konnte es sein, dass sie jetzt etwas Ähnliches, nein, ungleich Stärkeres empfand? Einen von Feenstaub umflorten Moment, in dem die Zeit stillstand und alles ringsum verschwamm wie ein unscharfes Handyfoto, weil es nur noch zwei Menschen gab, deren Blicke ineinander ertranken?

Sie spürte die Magie mit jeder Faser. Als öffne sich ein Fenster zu einer anderen, nahezu märchenhaften Realität, in der ein Märchenprinz sie mit seinem Zauber bannte. Reglos stand sie da, überwältigt von purer Faszination. Mit gespitzten Lippen nippte Mr. Unbekannt an einem heißen Getränk (Tee? Kaffee? Glühwein?), während er sie über den Becherrand hinweg unverwandt anschaute. Sie mit seinen Augen förmlich ansaugte, so dass sie jeden Augenblick damit rechnete, wie von einer überirdischen Macht getragen an seinen Tisch zu schweben.

»Kind, du siehst bezaubernd aus!«, hörte sie ihre Mutter vom Tresen herüberrufen. »Sieh mal, wen wir für dich eingeladen haben! Na? Darauf ein schönes kühles Bierchen? Anna? Was ist? Träumst du?«

Zögernd löste Annabelle ihren Blick von Mr. Unbekannt, den ihre Mutter ja wohl kaum gemeint haben konnte. Vorbei. Sang- und klanglos verflüchtigte sich der Feenstaub. Die Märchenwelt verblasste, der Zauber erlosch, und sie stand wieder in der Gaststube des Hotels Edelweiß. Wie auf ein geheimes Kommando erhoben sich nun die übrigen Anwesenden von den Tischen und liefen auf sie zu.

»Na, endlich!« – »Hey, gut siehst du aus!« – »Ja, Grüß Gott, die Anna!« – »Da ist sie ja, unsere Abtrünnige!«, redeten alle durcheinander.

Im Nu war Annabelle umringt von Menschen, die den Klassentreffen-Effekt bei ihr auslösten: das Durchblenden aktueller Gesichter auf jüngere, vertrautere Versionen. Minus Falten, minus erste graue Haare, minus mehrere Kilo, minus Bärte (bei den Herren), minus Haarverlust (ebenfalls bei den Herren) erkannte sie die vertrauten Gefährten ihrer Jugendjahre. Das berühmt-berüchtigte Sixpack war wieder vereint.

Alle ihre alten Freunde trugen Tracht – die Frauen Dirndl, die Herren Lederkniebundhosen. Als Erstes fiel Annabelle ihre einstmals beste Freundin Bettina auf, Betty genannt. Die energische, recht dralle Blondine (kampfgebleichtes Weißblond mit dunklen Ansätzen, der Look der frühen Neunziger) hatte mit Annabelle das Abitur absolviert; mittlerweile führte sie die Puxdorfer Bäckerei und bildete den sagenumwobenen Gegenstand jener erotischen Gerüchte, die sogar bei Oma Martha angekommen waren.

»Wurde aber auch Zeit, dass du dich mal blicken lässt«, lachte Betty so unbefangen, als hätte man ihr nie einen heimlichen Lover angedichtet.

Toni, der Sohn des Herrgottsschnitzers, ein rotgesichtiger, etwas breitformatiger Naturbursche wie aus einem nostalgischen Heimatfilm, formulierte es deftiger.

»Sogar einem Luxusweibchen wie dir kann unser verpenntes Kuhdorf was bieten. Nächste Woche veranstalten wir einen Holzhackwettbewerb. Wie wär's? Oder bist du dir jetzt zu fein für so was?«

»Warte mal, Toni«, mischte sich Franziska ein, zart und brünett, von jeher Fanny gerufen. Man sah ihr nicht an, dass sie vier Kindern das Leben geschenkt hatte und zu Hause den Laden ganz allein schmeißen musste, weil ihr Mann dauernd auf Montage war. »Lass Anna doch erst mal ankommen.«

Schützend legte Betty einen Arm um Annabelle, eine Geste, bei der man unweigerlich Bekanntschaft mit dem üppigen Busen der Bäckerin machte.

»Wo du recht hast, hast du recht, Fanny. Immerhin hat Anna einen langen Flug hinter sich.«

Und noch so einiges andere, durchzuckte es Annabelle, womit sie unvermittelt auf dem Boden schockierender Tatsachen aufschlug. Das Gespräch mit Mary-Jo hatte sie eindeutig von ihren Bürgerpflichten abgelenkt.

»Eine Sekunde, ich muss telefonieren, dann gehöre ich euch«, murmelte sie.

»Telefonierst du mit New York?«, fragte Betty. »Mit deinem Freund?«

»Nee, mit Johnny Depp«, witzelte Toni.

Annabelle tippte bereits den Polizeinotruf ein. Um die Sache so schnell wie möglich hinter sich zu bringen, ging sie einfach hinter dem Tresen in die Hocke und schirmte ihren Mund mit einer Hand ab. Der Geräuschpegel in der Gaststube stieg zwar von Minute zu Minute, aber man konnte nicht vorsichtig genug sein.

»Hier Annabelle Stadlmair, Puxdorf«, wisperte sie. »Nein, ich kann nicht lauter sprechen. – Puxdorf, ja. Sie müssen sofort herkommen. – Ich habe einen Toten im Straßengraben gefunden, direkt vor der Ortseinfahrt. – Wie? Welche Zufahrt? Es gibt nur eine, und die ist zugeschneit. – Beschreibung? Warten Sie ... mittelgroß, mittelalt, rötliches Haar, dunkler Anzug, goldene Manschettenknöpfe in Würfelform. Und eine blau-weiß gepunktete Fliege. Bitte beeilen Sie sich, okay? – Ja, Stadlmair, Hotel Edelweiß.«

Als sie sich wieder aufrichtete, gewahrte sie den strafenden Blick ihrer Mutter, die nebenher geschäftig Ströme von Bier in genoppte Glashumpen zapfte. Alois Stadlmair, der im Rollstuhl am Kamin residierte und mit Oma Martha plauderte, sprach dem Getränk bereits mit großem Eifer zu.

»Musste sein, Mama«, sagte Annabelle mit Nachdruck.

»Du warst eben zu lange weg«, seufzte Therese Stadlmair. »Sonst wüsstest du, dass wir hier unsere eigenen Regeln haben.«

»Und Gesetze, Mama. Allgemeingültige Gesetze, von der Nordsee bis zu den Alpen.«

Die Antwort ihrer Mutter bestand darin, dass sie langsam die Unterlippe durch die Zähne zog, offenkundig ihr einziger Kommentar zum Thema Gesetzestreue. Verdrossen stellte sie zwölf volle Bierhumpen in einer schnurgeraden Linie auf den Tresen, dann läutete sie eine Messingglocke, die darüber hing.

»Lokalrunde!«

Sofort kam Bewegung in die kleine Abendgesellschaft. Alle drängten zur Theke, um sich eins der Biere zu nehmen, die sogleich unter lauten Prosit-Rufen runtergespült wurden (beim einen oder anderen gekrönt von rustikalem Rülpsen). Auch Annabelle griff zu und trank einen großen Schluck. Aah. Wunderbar. Mit dem Handrücken wischte sie sich über die feuchten Lippen. In Amerika wurde nur lauwarme labbrige Brühe ohne Schaumkrone ausgeschenkt, oder man bekam eine mäßig gekühlte Dose in die

Hand gedrückt. Sie hatte ganz vergessen, wie köstlich so ein eiskaltes, frisch gezapftes Bier schmeckte.

Leicht zerstreut lauschte sie ihren Freunden aus Kindertagen, zu denen sich weitere gesellten: Ferdi, ein Späthippie, der einen ökologisch wertvollen Bauernhof betrieb (seine neueste Errungenschaft war eine Bisonzucht). Sowie Mitzi, auf deren Armen und in deren Dekolleté bunte Tattoos prangten, deren Ohrläppchen voll gepierct waren und von der niemand so recht wusste, wovon sie eigentlich lebte, nachdem ihr Mann sie verlassen hatte (Fanny vermutete Online-Strippen, Toni eine lukrative Affäre mit dem Bürgermeister, wie sie Annabelle jeweils zuflüsterten). Und dann war da noch Xaver, ein versierter Bergführer, im Winter als Skilehrer unterwegs. Zur Ehre eines Sixpack-Mitglieds war er nie gekommen, weil er schon in jungen Jahren einen Hang zu anzüglichen Bemerkungen gezeigt hatte (inzwischen galt er als notorischer Touristinnenvernascher).

Der Dorfklatsch interessierte Annabelle allerdings herzlich wenig. Voll innerer Anspannung lehnte sie an der Theke. Was würde die Polizei herausfinden? Welche Fragen würde man ihr stellen? Handelte es sich bei dem Toten tatsächlich um einen gerissenen Investoren?

Wenigstens war Peter McDormand vorerst abgehakt. Eingeschnappt saß er neben Alois Stadlmair am Kamin, wo er auf seinen Laptop einhämmerte. Und Mr. Unbekannt? Was war mit ihm?

Die Humpen hatten sich in Rekordzeit geleert, Therese Stadlmair zapfte bereits die zweite Runde. Nur ein einziges Bier stand noch unberührt auf dem Tresen. Und wenn ich …? Darf ich? Soll ich? Annabelle nahm all ihren Mut zusammen, schnappte sich das Bier und tänzelte damit quer durch die Gaststube zu Mr. Unbekannt.

»Bitte schön.« Etwas linkisch stellte sie das gläserne Bierseidel vor ihm ab. »Durstig?«

»Und wie.«

Es war, als gehe die Sonne auf. Seine Augen leuchteten, sein lächelnder Mund entblößte zwei Reihen auffallend gepflegter weißer Zähne, zwischen denen eine rosa Zungenspitze erschien. Müsste man sofort küssen, dachte Annabelle und errötete wie ein Teenager.

»Geht aufs Haus«, erklärte sie stattdessen.

»Oh, danke schön. Ich heiße übrigens Fabian.«

»Annabelle«, hauchte sie.

Aber was war das? Das Leuchten seiner Augen verglomm, sein Lächeln wurde neutral. Ohne Lachfältchen.

»Wenn Sie vielleicht noch ein zweites Glas hätten …«

Eine Frau glitt an Annabelle vorbei an seinen Tisch. Eine Stilgöttin, wie man sie auch in der New Yorker 5th Avenue hätte antreffen können – groß, schlank, mit einer asymmetrischen blauschwarzen Kurzhaarfrisur, gewandet in ein ärmelloses anthrazitfarbenes Designerkleid mit schräg aufgenähten Volants, das die Blicke aller Anwesenden auf sich zog. Ihre funkelnden Diamantohrstecker und die teure brillantbesetzte Uhr taten ein Übriges, um sie als glamouröses Wesen von einem anderen Stern erscheinen zu lassen. Zwanglos hauchte sie Mr. Unbekannt Küsschen rechts und links auf die Wangen, bevor sie sich neben ihn setzte.

»Hübsches Hotel«, sprach sie Annabelle ohne Umschweife an. »Ich mag den Charme der alten Zeit. Alles hier atmet die bayerische Tradition, wundervoll.« Leicht theatralisch deutete sie auf die bemalten Porzellanlampen, den Kamin, den grob gezimmerten Holztresen, die Gemälde mit den Berglandschaften (den schadhaften Boden, die blätternde Wandfarbe und die abgestoßenen Möbel ließ sie aus). »Ich liiiiebe die Tradition. By the way, das zweite Bier eilt nicht, bestimmt haben Sie alle Hände voll zu tun.«

Sie war so schrecklich nett. Und aufmerksam. Und elegant. Annabelle hasste sie.

»Nein, nein, kein Problem, ich bringe Ihnen gern eins.«

Unsicher sah sie zu Mr. Unbekannt. Sein Lächeln war zu einer Maske unpersönlicher Höflichkeit erstarrt. Wie bei der ersten Begegnung im Bus, nachdem sie ihm eine Abfuhr erteilt hatte. Annabelle schluckte. Nix da, magischer Moment. Den hast du dir nur eingebildet, der Typ gehört nämlich einer anderen. Vor lauter Frust und Verwirrung wusste sie nicht, was sie sagen sollte.

»Tja, so sieht man sich wieder«, füllte Fabian die Gesprächspause.

»Ihr kennt euch?« Seine Begleiterin musterte Annabelle jetzt mit jener Mischung aus Mitleid und Herablassung, mit der sich eine Prinzessin dazu herabließ, einen Bauerntrampel in Augenschein zu nehmen. »Wie – putzig.«

Ja, überaus *putzig.* Annabelle hätte sie erwürgen können. Die Schnepfe tat ja geradezu so, als sei es völlig undenkbar, dass ihr megatoller Freund (Partner? Ehemann? O Gott, Ehemann?) und eine banale Kellnerin einander kennen könnten. Einen winzigen Augenblick lang wünschte sich Annabelle, sie hätte eines ihrer rasend verrückten Outfits aus New York an und nicht dieses kreuzbrave Dirndl. Auch eine anständig geföhnte Frisur und Highheels wären jetzt angebracht gewesen. Egal. Freu dich, wenn du unterschätzt wirst, sagte Mary-Jo immer, dann findest du nämlich wesentlich mehr heraus, als wenn man dich für smart hält.

»Wir hatten eine sehr angeregte Unterhaltung auf der Herreise«, sagte Annabelle kühl.

»Ach, stimmt ja, Fabian hat ein Faible für den öffentlichen Nahverkehr, weil er da immer so skurrile Leute trifft.« Das Lachen der inzwischen eindeutig stutenbissigen Dame klang etwas schrill. »Ich hingegen ziehe exklusivere Beförderungsmittel vor.«

»Jetzt mach mal nicht so 'n Aufriss«, grummelte er. »Helikopter sind reine Benzinverschwendung und eine unnötige Belastung für die Umwelt.«

Guter Punkt. Nein, ganz, ganz schlecht. Annabelles Hirn schaltete in den Alarmmodus. Eins und eins zusammenzuzählen fiel ihr nicht schwer. Während ihr die Galle bis zum Zäpfchen stieg, richtete sie das Wort an die stilsichere Schnepfe.

»Sie sind also mit – Peter McDormand angereist?«

Eine perfekt manikürte Hand (die Nagellackfarbe erinnerte an geronnenes Blut) schoss ihr entgegen.

»Genau. Isabel Berenson, mein Name, schön, Ihre Bekanntschaft zu machen. Kurioserweise sind Sie ja mit allen relevanten Personen mehr als vertraut. Zu Ihrer weiteren Information: Peter hat mir nicht nur eine Mitfluggelegenheit gegeben, er ist mein ältester Freund – und zugleich mein neuester Feind.«

»Konkurrent«, wurde sie von dem Mann verbessert, der Fabian hieß und noch vor einer Minute hellstes Entzücken in Annabelle hatte auslösen können.

Mit spitzen Fingern ergriff sie die Hand mit den blutrot gelackten Nägeln, unterließ es jedoch, sie länger als nötig festzuhalten.

»Annabelle Stadlmair. Freut mich. Und …«, ihre Stimme bebte verräterisch, als sie sich Mister Leider-schon-vergeben zuwandte, »Ihr werter Name ist Fabian Berenson, nehme ich an?«

»Erraten.« Ohne sie anzuschauen, zog er seine Lederjacke aus, unter der er ein ultracooles federleichtes Jeanshemd trug. »Visitenkarten hab ich keine. Die verliere ich sowieso immer. Entweder man kennt mich, oder man kennt mich nicht.«

Wäre Annabelle nicht so grenzenlos enttäuscht gewesen (Mist, verflixter, warum musste er diese grauenhafte Zicke auch gleich heiraten?), hätte sie dieses Geständnis sympathisch gefunden. Aber ihr Hirn war ohnehin mit weiteren Zählaktionen beschäftigt. Eins und eins und eins, das ergab ein niederschmetterndes Resultat.

»Sie drei sind nach Puxdorf gekommen, um den Hof vom Oberleitner zu kaufen?«, fragte sie geistesgegenwärtig.

»Ja, aber Fabian ist der Beste«, schwärmte Isabel Berenson los. »Einen kompetenteren Investor wird dieser Oberhinterwäldler nie finden. Peter ist ein armseliger Stümper, verglichen mit uns beiden. Fabian verfügt über das Know-how, ich über das Geld, zusammen sind wir ein Dreamteam!«

Elende Grütze, das wurde ja immer schlimmer. Fabian Berenson gehörte also tatsächlich zu den Aasgeiern, die Puxdorf ausschlachten wollten. Noch dazu war er einer, der sich eine reiche Frau geangelt hatte und nun nach ihrer Pfeife tanzte? Alles in Annabelle sträubte sich gegen diese Entzauberung. Sie hätte schwören können, dass er ein aufrechter Charakter sei. Dummerweise sprachen die harten Fakten dagegen. Wofür hatte sie eigentlich fünfzehn Jahre in den besten Hotels verbracht, wenn sie immer noch nicht zwischen den guten Typen und den lachhaften Nieten unterscheiden konnte?

»Wenn Sie so viel Sinn für Tradition haben, Frau Berenson«, ihr Tonfall triefte vor Ironie, »warum wollen Sie dann unser kleines Puxdorf mit einem Megaresort – na ja, beglücken? Verschandeln?«

»Das Resort ist keine Frage der Traditionspflege – das ist meine Antwort auf die Zukunft«, wurde sie von Isabel Berenson belehrt.

Annabelle verzog keine Miene, obwohl offensichtlich war, dass man sie für geistig unterbelichtet hielt. Anders ließ sich der doofe Verkäuferspruch ja wohl nicht erklären.

»Ist das Ihr kümmerlicher Ernst?«, ging sie in die Offensive.

»Wir können darüber sprechen oder uns wohl fühlen – ich bin für Plan

B«, erklärte Fabian Berenson, dem das Ganze äußerst peinlich zu sein schien.

»Anna? Wo bleibst du denn?«, flog Bettys kräftiger Sopran durch das Lokal. »Zweite Runde!«

»Wenn Sie mich dann mal … also, entschuldigen würden«, druckste Annabelle herum.

»Natürlich, gehen Sie nur«, erwiderte Isabel Berenson hoheitsvoll, »Job ist Job, und Schnaps ist Schnaps – so sagt man das in Bayern, oder?«

Der Spruch ging zwar etwas anders, doch Annabelle legte keinerlei Wert auf eine Fortsetzung dieses unerfreulichen Geplänkels. Schockschwerenot, was für ein mieses Paar. So konnten magische Blicke trügen. Und sie wäre fast darauf reingefallen.

»Ach, Frau Kellnerin«, Isabel Berenson kontrollierte aufmerksam den Lack ihrer Fingernägel und kratzte ein bisschen an ihrem Daumennagel herum, »ich möchte übrigens doch kein Bier, davon geht man so unvorteilhaft auseinander«, boshafterweise widmete sie ihren Kontrollblick jetzt Annabelles Taille, »also bequemen Sie sich doch bitte, mir ein Glas Apfelschorle zu bringen. Aber dalli.«

»Malbuch und Stifte dazu?«

»Wie?«

Ha, die Apfelschorle konnte sie knicken. Annabelle verabscheute es nun einmal, wenn ein Gast es unterließ, eine Kellnerin beim Bestellen anzuschauen (dass sie nicht wirklich eine Kellnerin war, spielte dabei keine Rolle). Vom ersten Hoteldirektor, bei dem sie als junge Frau in die Lehre gegangen war, hatte sie den klugen Satz gehört: Der Charakter eines Menschen lässt sich zuverlässig an seinem Umgang mit Servicepersonal ablesen. Genau so verhielt es sich. Es gab die Aggressiven, die herumstritten. Die Geizigen, die mit dem Trinkgeld knauserten. Die ewig Unzufriedenen, die immer das Haar in der Suppe fanden. Und es gab Gäste wie Isabel Berenson, denen es gefiel, eine Kellnerin wie ein Nichts zu behandeln. Als sei Annabelle ein Roboter ohne Gefühle. Das war unhöflich, herabsetzend und ein Zeichen absoluter Charakterlosigkeit. Deshalb ließ Annabelle sie cool abblitzen.

»Ich bediene Sie im Rahmen meines Jobs, werte Dame, bin allerdings nicht Ihre persönliche Sklavin.«

»Was? Das ist ja unerhört!«, regte sich Isabel Berenson auf.

»Tja, der Dienstleistungsberuf ist hart«, säuselte Annabelle, »dennoch kann man ihn mit Würde ausüben – sofern die Gäste ihren Part dazu beitragen.«

Klare Worte. Nötige Worte. Annabelle wäre sonst erstickt. Ihre Knie zitterten, als sie zur Theke zurückkehrte, wo sich alle auf sie stürzten, um sie mit Fragen zu löchern.

»Hast du Promis kennengelernt?« – »Wie viele Sprachen sprichst du jetzt eigentlich?« – »Was hast du mit dem Edelweiß vor?« – »Gibt's einen Freund?«

Annabelle schwirrte der Kopf.

»Erzähl mal, warst du wirklich in New York?«, übertönte Xaver das Stimmengewirr. Selbstgefällig ordnete er die haselnussbraune Tolle, die ihm kalkuliert ungeordnet ins Gesicht hing. »Und in London? Und Dubai?«

»Na ja, ich bin ziemlich rumgekommen«, hielt sie den Ball flach.

»Sagenhaft«, staunte Betty. »Aber jetzt bist du endlich wieder daheim.«

Breitbeinig stellte sich Toni vor sie hin und strich über seinen beeindruckenden Bauch.

»Dahoam is dahoam!«

»Heimat gibt's nur einmal«, fügte Xaver hinzu und streifte Annabelle mit seinem routinierten Skilehrer-Verführerblick, in dem das Versprechen (oder eher die Androhung) ausgedehnter Schäferstündchen lag. »Dich gibt's ja auch nur einmal. Hast uns gefehlt, Süße.«

»Wir brauchen dich hier für unsere Bürgerinitiative, höchste Zeit, dass du zurückgekommen bist«, sagte Fanny.

»Wirst dich schnell wieder eingewöhnen.« Ferdi, der schmächtige Ökobauer, spielte mit seinem Hippiezopf, der ihm fast bis zur Taille reichte. Er trug einen bunt gestreiften verfusselten Grobstrickpullover zur Lederhose (und gehörte offenkundig zu jenen Tierliebhabern, die meinten, ohne Katzenhaare sei man eigentlich gar nicht richtig angezogen). »Wir leben auch nicht hinterm Mond in Puxdorf. Wir haben Internet. Und eine Yogagruppe.«

Verdutzt schaute Annabelle in die Runde. Wieso gingen alle davon aus, dass sie hier wieder Wurzeln schlug? Nach einem kräftigen Schluck aus dem Bierglas, das ihre Mutter ihr hinschob, nestelte sie verlegen an ihrer Bluse.

»Ehrlich gesagt bleibe ich nur kurz, nächste Woche fliege ich nach Singapur. Das Mandala Bay Hotel hat mich angeworben. Ist ein super Upgrade, sie machen mich zur General Managerin. Traumjob.«

Plötzlich wurde es totenstill am Tresen. Alle starrten sie mit offenem Mund an.

»Wie – Singapur?«, brach Betty nach einer Weile das Schweigen.

»Einer der reichsten Stadtstaaten der Welt, wichtigster Finanzplatz Asiens, liegt südlich von Malaysia«, las Toni von seinem Smartphone ab. Offenbar hatte er Singapur in aller Eile gegoogelt. »Tropisches Klima, multikulturelle Bevölkerung, elf Millionen Touristen jährlich.«

»Krass«, stöhnte Mitzi. Ihre Finger wanderten zu den silbernen Ohrpiercings, die leise klimperten. »Voll krass.«

»Was willst du denn da?«, fragte Ferdi verblüfft.

Ja, was eigentlich? Annabelle biss sich auf die Zunge. Oje, da war sie wieder, die Sinnfrage, ob das Höher-Schneller-Weiter wirklich das Gelbe vom Ei bedeutete. Oder ob ihr atemloser Karrieremarathon darüber hinwegtrösten sollte, dass sich ihr Leben manchmal leer anfühlte. Vor allem, seit Simon sie verlassen hatte. Aber war es nicht das Beste, gerade jetzt durchzustarten? Völlig ungebunden, ohne eine Beziehung an der Hacke?

Nachdenklich musterte sie ihre Freunde. Letztlich hatte sie doch das große Los gezogen, im Gegensatz zu den Frauen hier, die sich mehr oder weniger in die konventionelle weibliche Rolle einfügten – ohne jede Perspektive, sich jemals daraus zu befreien. Wer den rechtzeitigen Absprung verpasste, hing auf Lebenszeit in Puxdorf fest. Sämtliche ehemalige Freundinnen hatten geheiratet, Kinder bekommen und vertrödelten ihr Leben in einem Bauerndorf, wo Holzhacken als spektakuläre Freizeitgestaltung galt. So wollte Annabelle nicht enden. No way.

»Ich habe eben Ambitionen«, verkündete sie selbstbewusst. »Ihr wisst ja, ich wollte immer die Welt sehen, neue Länder erkunden, mit interessanten Menschen arbeiten.«

Jetzt glaubte sie es sogar fast wieder selbst. Ihr Weg würde jedenfalls nicht in Puxdorf, Oberbayern, enden, in einer gemütlichen, pupslangweiligen Sackgasse.

»Also so was«, murrte Betty halblaut. »Das haben wir aber ganz anders gehört.«

»Kinder, jetzt wird gegessen!«, unterbrach Therese Stadlmair die Diskussion. »Die Cheeseburger sind fertig!«

Typisch. Wenn's brenzlig wurde, kam die Nummer mit dem Essen. Annabelle hatte mittlerweile begriffen, dass sie in einem Spiel ohne Grenzen gelandet war, in dem jeder nach Herzenslust betuppte. Es stand zu vermuten, dass ihre Mutter die endgültige Heimkehr der weitgereisten Tochter bereits als unumstößliche Tatsache herausposaunt hatte. Das Thema Nahrungsaufnahme war in diesem Fall kein Synonym für Liebe, sondern eine mäßig getarnte Verschleierungstaktik. Noch dazu mit einem reichlich schrägen Menüvorschlag.

»Cheeseburger.« Annabelle runzelte die Stirn. »Ist das neuerdings eine bayerische Spezialität?«

»Die Gäste wollen das so«, behauptete Therese Stadlmair.

»Welche Gäste?«

Ihre Mutter wischte nervös mit einem Lappen über den Tresen. Dabei musste es sich doch in Puxdorf herumgesprochen haben, dass das Edelweiß seit Monaten leer stand. Hier blieb nichts verborgen. Schon gar nicht der Niedergang des einzigen Hotels am Platze. Annabelle verstand es einfach nicht.

»War nicht von einer Schweinshaxe die Rede, Mama?«

»Ach, die ist längst verkohlt. Also, Kinder, setzt euch, das Essen kommt sofort.«

Wie aufs Stichwort öffnete sich die Tür der Gaststube. Herein kam allerdings weder ein Koch noch ein Kellner, und von Cheeseburgern war auch nichts zu sehen. In voller Uniform, ausgestattet mit Dienstmütze, Koppel und Pistole, betraten zwei finster dreinblickende Polizisten den Raum. Der Kleinere von ihnen warf sich in Positur, und so fuchtig, wie er sich umschaute, gab es keine guten Neuigkeiten.

»Ist eine Annabelle Stadlmair hier?«

Die Blicke sämtlicher Anwesenden richteten sich auf Annabelle. Sie räusperte sich.

»Ja, äh, das bin ich.«

»Mitkommen, sofort«, polterte der Beamte los. »Und eins können wir Ihnen versprechen, Fräulein: Das gibt Ärger, richtig Ärger.«

Kapitel 7

Annabelle war noch nie mit irgendwelchen Hütern des Gesetzes in Konflikt geraten. Absolut nie. Wie auch? Bis auf ein paar lächerliche Strafmandate wegen Falschparkens hatte sie sich nicht die leiseste Verfehlung zuschulden kommen lassen (gut, dass sie ganz am Anfang ihrer Hotelkarriere ein mikroskopisch kleines Gästeduschgel hatte mitgehen lassen, zählte ja wohl nicht). Trotzdem fühlte sie sich, als hätte man sie bei irgendetwas Schrecklichem erwischt. Als wäre sie keine pflichtbewusste Bürgerin, sondern eine üble Kriminelle. Mit trommelndem Herzen trat sie auf die beide Beamten zu.

»Wir sollten … okay. Woanders? Weiterreden?«

Noch immer war es mucksmäuschenstill im Raum. Niemand rührte sich, niemand sagte etwas. Nur am Tresen gab es Getöse. Klirrend gingen Gläser zu Bruch, dann flog Therese Stadlmair heran, hochrot im Gesicht, die Stirn übersät von Schweißperlen.

»Grüß Gott, die Herren, erst mal ein kühles Helles vielleicht? Oder ein leckeres Weizen?«

»Kein Alkohol im Dienst«, lehnten beide mit metallisch schnarrenden Stimmen ab, unisono, wie einstudiert.

Die Spannung stieg ins Unerträgliche. Sämtliche Zeugen des Vorfalls fieberten darauf, was nun geschehen würde: Annabelles Freunde, ihre Eltern, Peter McDormand, die Berensons. Sie sah es nicht, da sie mit dem Rücken zur Gaststube stand, aber sie spürte es. Die Luft knisterte. Ihre Haut brannte. Was für eine grauenvolle Situation.

»Lassen Sie uns in die Familienstube gehen«, schlug sie vor, um sich dem brennenden Interesse zu entziehen, das wie eine Feuersbrunst ihren Rücken versengte. »Dort sind wir ungestört.«

»Hach, in die Familienstube, da kommen Papa und ich natürlich mit«, juchzte Therese Stadlmair.

Einmal Kind, immer Kind. So waren Mütter eben. Annabelles Gesicht kribbelte. Ja, sie war über dreißig, nein, sie wurde immer noch nicht wie eine Erwachsene behandelt. Dabei ging es hier weder um einen Impftermin noch um eine Schulsprechstunde, es ging um einen rätselhaften Todesfall, den sie mit ihrem Anruf zu einer offiziellen Angelegenheit hochgejazzt hatte.

»Entschuldige bitte, Mama, ich denke, diese Sache sollte ich allein zu Ende bringen.«

»Selbstverständlich, wie unüberlegt von mir«, überspielte ihre Mutter die unterschwellige Zurechtweisung. »Du machst das schon, bestimmt ist das alles sowieso nur ein Missverständnis. Ja, so wird es sein, ein dummes Missverständnis.«

Die Polizisten waren offenkundig völlig anderer Meinung, doch bevor sie weitere diffuse Drohungen ausstoßen konnten, stakste Annabelle aus der Gaststube und gab ihnen durch ein aufmunterndes Nicken zu verstehen, dass sie ihr folgen sollten. Was sie auch taten, mit versteinerten Gesichtern, die nichts Gutes verhießen.

Die Tür zur Familienstube war nur angelehnt, leise Stimmen und Besteckgeklapper drangen aus dem Raum. Zu Annabelles Erstaunen saßen Max und Oma Martha inmitten des Durcheinanders am Tisch, vor sich überdimensional große Teller, auf denen Rindsrouladen und dicke Semmelknödel in dunkler Bratensauce schwammen.

»Selbst gemacht«, strahlte Oma Martha stolz. »Setz dich doch dazu, und iss mit, Anni. Ist genug da. Und zum Nachtisch gibt's deinen geliebten Kaiserschmarrn.«

Auch Max strahlte, wobei sich ein Netz unzähliger Falten über sein wettergegerbtes Gesicht legte.

»Der Koch, der alte Schlingel, der taugt gar nix. Aba die Martha, weißt, die is a Köchin mit Leib und Seele.«

»Leider keine Zeit, vielleicht später«, bereitete Annabelle ihren Rückzug vor, konnte aber nicht mehr verhindern, dass die beiden Beamten den Raum kaperten.

»Polizei?« Oma Marthas gütige Augen weiteten sich vor Schreck beim Anblick der Uniformen. »Jesus, Maria und Josef!«

»Das ist nur ein … ein dummes Missverständnis«, plapperte Annabelle die Worte ihrer Mutter nach, weil ihr partout nichts Besseres einfallen wollte, um die alte Dame zu schonen. Es war schon aufregend genug für

Oma Martha, die Polizei im Haus zu wissen, von dem grausigen Grund durfte sie unter keinen Umständen erfahren.

»Wo können wir uns denn nun endlich unterhalten?«, fragte der kleinere Polizist unwirsch (der größere hatte seinen Mund noch gar nicht aufgemacht).

Annabelle bedeutete ihm mit einer beschwichtigenden Geste, sich noch einen Moment zu gedulden.

»Guten Appetit, ihr zwei«, rief sie ihrer Großmutter und dem Hausdiener übertrieben fröhlich zu, »bin gleich bei euch!«

Nachdem sie die beiden Beamten hinaus auf den Flur komplimentiert hatte, zog sie die Tür fest zu. Herrje. Wohin jetzt? Viele Möglichkeiten blieben nicht mehr übrig. Die Familienwohnung im ersten Stock fiel flach, weil Therese Stadlmair unangemeldeten Besuch in ihren Privaträumen aufs Strengste untersagte. Stets war sie besorgt, es könnte eventuell nicht aufgeräumt genug sein, und ganz Puxdorf würde sie dann für eine schlechte Hausfrau halten. Über den Zustand der leerstehenden Gästezimmer konnte Annabelle nur spekulieren. Doch wenn seit Monaten kein Gast dagewesen war, sah es darin bestimmt nicht gerade picobello aus.

»Frau Stadlmair, das reicht jetzt aber mal!«, schimpfte der kleinere Beamte, der recht beleibt und etwas feist im Gesicht war. Seine blaugeäderten Hängebäckchen zitterten vor Wut. »Schluss mit den Verzögerungen! Sie stehen uns auf der Stelle für ein Gespräch zur Verfügung! Sonst müssen wir Sie mit auf die Wache nehmen!«

Annabelle schrak zusammen. Bloß das nicht. Auf das Getratsche, wenn sie von zwei uniformierten Polizisten abgeführt wurde, womöglich mit Blaulicht und Trara, konnte sie bestens verzichten.

»Excuse me, ich bin ein bisschen drüber, you know, ich bin nämlich erst heute Abend aus New York angekommen«, redete sie ohne Punkt und Komma drauflos, um Zeit zu gewinnen. »New York, Amerika, das kennen Sie doch? Es war eine wahnsinnig anstrengende Reise, ich weiß gar nicht, wo mir der Kopf steht, dann der ganze Schnee, die Willkommensparty, wow, wow, wow, aber keine Sorge, jetzt geht's looohos, versprochen und nicht gebrochen, großes Indianerehrenwort.«

»Frau Stadlmair!«, blaffte der Polizist. »Wo? Reden? Wir?«

Wahllos öffnete Annabelle die nächstbeste Tür und bemerkte erst im Eintreten, dass sie die Hotelküche erwischt hatte. Wie angewurzelt blieb sie stehen. Beißende Gerüche schwappten ihr mit dem heißen Küchendunst entgegen, der Rest war Chaos. Überall stapelte sich schmutziges Geschirr, auf den Arbeitsflächen standen halbvolle Schüsseln und Töpfe mit eingebrannten Resten herum, an den gelblichen Kacheln sammelten sich fettige Kondenströpfchen.

Der Profi in ihr litt Höllenqualen. Dies war ein Saustall, in dem rigoros ausgemistet werden musste. Momentan hatte sie jedoch ein anderes Problem. Verhör in der Küche?, überlegte sie. Ob das eine gute Idee ist? Ja, war machbar, wie sie feststellte. Der Koch (es war Sepp, der Dorfdepp) rannte sowieso nur wie ein Irrer herum, um diverse Teller mit verbrannt aussehenden Cheeseburgern zu bestücken. Allenfalls würde er einzelne Silben aufschnappen. Wenn überhaupt. Besonders helle wirkte er nämlich nicht. Seine Augen stierten glasig in die Gegend, sein Mund stand halb offen, außerdem hatte er eindeutig Koordinationsschwierigkeiten. Mit wirrem Haar, ohne Kochmütze und in eine über und über befleckte Kochjacke gepresst, balancierte er torkelnd die heißen Bleche zwischen Herd und Arbeitsfläche hin und her.

Nicht nur wegen Oma Marthas Bemerkung über Sepp tippte Annabelle auf Alkohol. Mit so was kannte sie sich aus nach fünfzehn Jahren Gastronomie. In Küchen herrschte immenser Stress, dem niemand auf die Dauer standhielt. Simon bildete da keine Ausnahme. Sein Gin-Tonic-Konsum hatte sich in den vergangenen Jahren bedenklich gesteigert. Wäre es besser gewesen, mit ihm darüber zu reden? Was für eine Beziehung hatten sie eigentlich geführt?

Auch die beiden Polizisten nahmen den Koch ins Visier, ließen jedoch rasch wieder von ihm ab, um Annabelle aufs Korn zu nehmen.

»Hauptkommissar Andernach«, stellte sich der Kleinere vor, »und das hier ist mein Kollege Trampert, Polizeioberwachtmeister.«

Aha. Annabelle hegte nur vage Vorstellungen über die einschlägigen Hierarchien, wusste jedoch, dass ein Hauptkommissar den höheren Rang einnahm. Dieser Andernach war also der King im Ring und der Polizeioberwachtmeister trotz des pompösen Titels sein Untergebener. Kollege Trampert, ein großgewachsener schlaksiger Mann, dessen Uniformhosen nicht ganz für seine langen Beine reichten, zog seine Jacke stramm.

»Wir haben alles abgesucht, aber keine Leiche gefunden.«

»Was haben Sie sich nur dabei gedacht, uns bei diesem Schneesturm für nichts und wieder nichts in die Pampa zu schicken?«, übernahm Hauptkommissar Andernach wieder. »Das gibt eine Anzeige. Unsere Gesetze stellen missbräuchliches Wählen von Notrufnummern unter empfindliche Strafen. Von saftigen Geldbußen bis zu einem Jahr Gefängnis!«

Unfassbar. Das ging ja voll nach hinten los. Aber so was von voll. Eingeschüchtert zog Annabelle die Schultern hoch.

»Ich hab den Toten gesehen, ehrlich«, beteuerte sie.

»Wir nicht«, vermerkte Polizeioberwachtmeister Trampert.

»Sorry, die Herren«, Annabelle verzog ärgerlich den Mund, »ich war zu schockiert, um ein Handyfoto zu machen. Muss man das neuerdings? Und das Beweisfoto dann auch gleich auf Facebook und Instagram posten?«

Ihr Faible für sarkastische Seitenhiebe (ein Erbe der New Yorker Jahre) scheiterte einmal mehr am humorfreien Ernst eines urbayerischen Kontrahenten. Fuchsteufelswild baute sich der Hauptkommissar vor ihr auf, was trotz seiner unauffälligen Körpergröße einen ziemlich bedrohlichen Eindruck machte.

»Sie wollen uns wohl verscheißern, was? Findet man das etwa lustig in Ihrem A-me-ri-ka, solche saublöden Scherze?«

Er kam ihr so nahe, dass sie seinen säuerlichen Filterkaffeeatem riechen konnte. Instinktiv ging sie ein paar Schritte rückwärts, umrundete dabei einen Turm aus Getränkekisten und wich weiter zurück, bis sie an die große hüfthohe Kühltruhe stieß, die neben einem Geschirrspind aus Metall stand.

»Nein«, fispelte sie. »Nicht lustig.«

Die beiden Beamten berieten sich flüsternd. Danach rückte Hauptkommissar Andernach seine Schirmmütze gerade.

»Sie haben den Toten also gesehen. Sollte das stimmen, orientieren wir uns an einer alten kriminalistischen Regel: Der erste Tatverdächtige ist immer derjenige, der die Leiche«, angriffslustig schob er das Kinn vor, »in unserem Fall: die angebliche Leiche gefunden hat.«

Von dieser Regel hatte Annabelle noch nie gehört. Eine vollkommen bescheuerte Regel, wie sie fand, die jedoch durchaus verhängnisvoll klang. Prompt brach ihr der Schweiß aus. Gleichzeitig knickte ihr schwächelnder

Körper weg, so dass sie auf die Kühltruhe sank, deren Deckel eigentümlich federte.

»Ist aber nur ein Anfangsverdacht und rein theoretisch«, relativierte Kollege Trampert die ungeheuerliche Anschuldigung.

»Was … was … heißt das?«, krächzte sie.

»Bis zum Ende der Ermittlungen müssen Sie in Puxdorf bleiben«, erklärte Hauptkommissar Andernach. »So lange ist es Ihnen verboten, sich von hier zu entfernen. Ihren Pass müssen wir einkassieren.«

Annabelle verstand die Welt nicht mehr.

»Hallo? Könnten wir uns alle ganz kurz mal chillen, ja? Ich habe den Toten nur gemeldet, nicht abgemurkst! Außerdem fliege ich nächste Woche nach Singapur!«

»Sie fliegen nirgendwohin!«, bellte der Hauptkommissar.

Fassungslos schaute Annabelle in die unerbittlichen Mienen der beiden Beamten. Gleichzeitig merkte sie, wie ihre baumelnden Beine unter dem weiten Dirndlrock mit etwas Kaltem, Hartem kollidierten, das aus der Truhe hing. Menno, der schlampige Koch hatte aber auch gar nichts im Griff. Selbst in der Kühltruhe herrschte offenbar Chaos. Vorsichtig lugte sie unter ihren Rock. Das, was sie gespürt hatte, war keine Rinderlende, kein Suppenhuhn, kein Schweinerücken. Es war etwas Schreckliches. Etwas absolut Megafürchterliches.

Sie hielt den Atem an. Schaute nochmals hin und erstarrte. Aus der nachlässig geschlossenen Kühltruhe ragte ein Arm. Komplett mit Hand, Hemdmanschette und goldenem Manschettenknopf in Würfelform. Annabelle kannte diesen goldenen Knopf.

»Na, jetzt hat's Ihnen aber die Sprache verschlagen, dass Sie nicht nach Singapur dürfen«, schmunzelte Polizeioberwachtmeister Trampert.

Gelähmt vor Entsetzen versuchte Annabelle, wenigstens ihre Zunge zum Sprechen zu bewegen.

»Meine … äh, Herren, o Gott, ich … f-fürchte … ich habe … so-soeben … B-Bewei…«

Ihre Stimme versagte, während die verschiedensten Gedanken durch ihren Kopf kobolzten. Du sitzt auf einer Leiche! Auf dem Toten aus dem Straßengraben! Nur – wie zum Henker kommt er hierher? Hey, immerhin kannst du jetzt belegen, dass du dir keinen dummen Scherz erlaubt hast.

Holy shit, aber was ist mit dem Edelweiß, wenn das rauskommt? Welcher Gast wird sich denn noch in ein Hotel trauen, in dessen Küche ein tiefgekühlter Mann herumgelegen hat? Wer wird hier jemals wieder *essen* wollen?

»Gut, wenn Sie Beweise haben und bei Ihrer Aussage bleiben, rücken wir mit Suchtrupp und Hundestaffel an«, erläuterte Kommissar Andernach das weitere Procedere. »Falls wir dann tatsächlich noch einen Toten finden sollten, richten Sie sich auf längere Ermittlungen ein, etwa vier bis acht Wochen, in denen Sie uns zur Verfügung stehen müssen.«

Wie war das? Annabelle blieb die Spucke weg. Abwehrend hob sie die Hände.

»Hören Sie mir denn gar nicht zu? Ich fliege nächste Woche nach Singapur! Wenn ich dort die Silvesterparty verpasse, entgeht mir ein wichtiger Job! Ach, was sag ich – der wichtigste meines Lebens!«

»Daraus wird nichts«, erwiderte Kommissar Andernach kalt. »Es sei denn …«

»… ja?«

»Es sei denn, Sie widerrufen Ihre Aussage.«

Annabelle befand sich mittlerweile jenseits von Gut und Böse. Fix und fertig von der unerwarteten Entwicklung der Ereignisse, ging sie erneut die Konsequenzen durch. Eine Leiche in der Kühltruhe, das wäre die Schlagzeile des Jahrhunderts und das unwiderrufliche Ende des ruhmreichen Traditionshotels Edelweiß. Noch dazu würde sie ihren Job verlieren, bevor sie ihn überhaupt angetreten hatte, sofern eine Leiche auftauchte – egal wo. Was für eine schauderhafte Zwickmühle. Wie sollte man da noch eine moralisch einwandfreie Entscheidung treffen, zumal mit einer gefrorenen Hand zwischen den Beinen?

»Frau Stadlmair, jetzt mal ganz unter uns«, Polizeioberwachtmeister Trampert schlug im Gegensatz zu seinem Kollegen einen versöhnlichen, fast vertraulichen Tonfall an, »kann es sein, dass Sie nach Ihrer langen Reise ein wenig, nun ja, verdreht sind? Da gehen einem schon mal die Nerven durch, was? Da kann einem die Phantasie schon mal einen Streich spielen, wie? Da sieht man schon mal Gespenster, nicht wahr? Ich meine, wir sind hier ja nicht in Ihrem A-me-ri-ka, wo an jeder Straßenecke Leute erschossen werden. So wie bei Ce-Es-I Nu Jork.«

Abgefahren. Noch einer, der sein ermittlungstechnisches Allgemeinwissen aus Krimiserien bezog. Annabelle bemühte sich, ein hysterisches Kichern zu unterdrücken, was ihr nicht ganz gelang.

»Exakt«, gluckste sie, »in New York stolpert man dauernd über Leichen. An jeder Straßenecke, echt jetzt. Man will sich nur schnell einen Coffee to go holen, und schwupps, liegt da schon wieder ein Toter im Weg. Hab mich so dran gewöhnt, dass ich einfach drüber weg hüpfe.«

Die beiden Beamten tauschten einen enervierten Blick. Hauptkommissar Andernach legte noch eine Schippe drauf, indem er sich mit dem Zeigefinger an die Stirn tippte.

»Total plemplem, das Mädel«, raunte er laut genug, dass Annabelle es hören konnte.

»Halt zu lange in diesem Amerika gewesen, die Ärmste«, fügte Kollege Trampert entschuldigend hinzu.

Fast fing Annabelle an, diesen Trampert zu mögen. Was für ein skurriles Duo, das hier das alte Spiel *Good cop, bad cop* spielte: Andernach, die kleine bissige Bulldogge, Trampert, der treuherzige Bernhardiner. Letzterer hatte ihr soeben eine goldene Brücke gebaut. Mit Geländer. Sie musste nur darüberspazieren, und die leidige Sache wäre vergessen.

Also, was tun? Innerlich dankte Annabelle zunächst einmal der guten alten bayerischen Traditionstracht, die züchtig lange Dirndlröcke vorsah. In einem Mini oder in ihren Lederleggings hätte sie keine Chance gehabt, den verräterischen Arm zu verdecken. Vielleicht wurde ja noch alles gut. Möglicherweise verzichtete der Kommissar sogar auf eine Anzeige, wegen Unzurechnungsfähigkeit der Delinquentin: Gejetlagtes Nervenbündel schlägt falschen Alarm, Schwamm drüber, schönen Abend noch. Dieser Trampert war ein Schatz. Und unterhaltsam, irgendwie.

Annabelles Amüsement währte nicht lange. Tranig schlurfte der Koch heran, der unterdessen mehrmals die Küche verlassen hatte, um die verbrannten Cheeseburger in die Gaststube zu tragen. Mit hängenden Schultern und Schlafwandlermiene blieb er vor ihr stehen.

»Könnten S' bitte mal aufstehen? Ich brauch das Rindsfilett aus'm Kühler.«

Er sprach Filet tatsächlich Filett aus. Eine Petitesse, verglichen mit seinem verheerenden Ansinnen.

»Nein, Sepp, kein Rinderfilet heute«, widersprach Annabelle mit ihrer energischsten Ich-bin-hier-die-Autorität-Stimme, die sie im Hotelmanagement jahrelang trainiert hatte. »Anweisung vom Chef. Nur Cheeseburger. Ausschließlich Cheeseburger. Meine Eltern veranstalten nämlich einen original amerikanischen Abend, anlässlich meiner Ankunft aus New York. Ach, wir haben uns ja noch gar nicht begrüßt – ich bin's, Annabelle, also, Anna. Kennen Sie mich noch?«

Stumpf betrachtete er ihre ausgestreckte Hand.

»Jessas, nein – die Chefin will demonstrieren, was das Edelweiß draufhat, für die feine Kundschaft, das hat sie mir selber gesagt. Ich brauch das Filett.«

»So stehen Sie schon auf, Sie müssen ohnehin Ihren Pass holen«, bekräftigte Hauptkommissar Andernach.

»Nicht nötig.« Annabelle sah kleinlaut zu Boden. »Ich geb's zu, es … es könnte sein, dass ich mich geirrt habe.«

»Könnte?«, fragte der Kommissar scharf nach.

»Verzeihung, es *muss* ja ein Irrtum sein«, korrigierte sie sich. »So wie Herr Trampert – Polizeioberwachtmeister Trampert – es vermutet: Ich war müde, ich war erschöpft, ich habe halluziniert. Ansonsten hätten Sie ja was gefunden.«

»Haben wir aber nicht«, kam Brückenbauer Trampert ihr zu Hilfe.

Hauptkommissar Andernach warf ihm einen argwöhnischen Blick zu. Sonderlich begeistert schien er nicht vom Kuschelkurs seines Untergebenen zu sein.

»Das Fiiilettt«, knurrte der Koch.

»Ihren Pass!«, befahl Hauptkommissar Andernach.

So, jetzt brannte die Hütte. Annabelle wusste nicht mehr, wie sie die sich anbahnende Katastrophe noch verhindern sollte. Sobald sie aufstand, würden die Polizisten den Arm mitsamt dem traurigen Rest entdecken, und dann bräche ein Skandal los, der Puxdorf mitsamt dem Edelweiß vernichtete. Zitternd saß sie auf der Truhe wie die Henne auf dem Ei und glaubte schon, alles sei verloren, als Max in die Küche schnürte. Die Art, wie er sofort zur Kühltruhe schielte, wachsam, auch ein wenig beunruhigt, sprach Bände. Im Bruchteil einer Sekunde begriff Annabelle, dass der Hausdiener darüber im Bilde war, was für ein haarsträubendes Geheimnis diese Truhe barg.

»Max«, erkundigte sie sich heiser, »heute steht doch kein Rinderfilet auf der Karte, oder? Gefrorenes, meine ich, aus der Kühltruhe, du weißt schon.«

Ein kurzes Aufflammen seiner gletscherblauen Augen sagte ihr, dass er die hochbrisante Situation erfasste.

»Ja mei«, er schaute erst Annabelle, dann die Polizisten an, »wolln die Herrn net lieber a zünftige Brotzeit mit Speck und Radi?«

Den winzig kurzen Moment, in dem die beiden Beamten ihrerseits zu ihm hinschauten, nutzte Annabelle, um ihren Rock zu lüpfen und dem Hausdiener das Corpus Delicti zu präsentieren. Vor Schreck fiel dem alten Herrn die Kinnlade runter. Seine Stimme knarrte wie eine alte Tür, als er die Sprache wiederfand.

»Naaaaa, des Filett, des würd die Resi net wolln«, sagte er gedehnt, um sich sodann den Koch vorzunehmen. »Nix is mit Filett, hörst, Depp, damischer, kriegst mal wieder gar nix mit! Sakra, jetzt schau net so blöd, Pfingstochs, scher dich hinaus, gschwind, ja, wird's bald, schleich di!«

Wie ein begossener Pudel ließ der Koch die Schimpfkanonade über sich ergehen. Nachdem Max fertig war, hob er gleichmütig die Achseln und schlurfte zur Küchentür.

»Schöne Wirtschaft haben Sie hier«, spottete Hauptkommissar Andernach, wobei er angewidert auf das schmutzige Geschirr und die herumstehenden Töpfe wies. »Da vergeht einem ja alles.«

Auch Kollege Trampert rümpfte die Nase.

»Bei aller Sympathie – essen würde ich hier nicht.«

»Dann können Sie ja gehen«, sagte Annabelle, neue Hoffnung schöpfend. »Erledigt, vergeben und vergessen, ja?«

Für Hauptkommissar Andernach war dieser Vorfall keineswegs erledigt. Allein seine abgehackte Sprechweise ließ vermuten, dass er noch immer stinksauer auf sie war.

»Nicht ohne Ihren Pass. Vorsichtshalber. Falls es noch Nachfragen gibt. Den Pass. Jetzt. Aufstehen. Sofort.«

Vor Annabelles Augen tanzten wieder die beschwipsten Glühwürmchen. Okay, das war's. Alles würde rauskommen. Ihr durchhängender Magen schrumpfte auf die Größe einer Kinderfaust, ihre angstnassen Finger umklammerten den Deckelrand der Kühltruhe. Es musste etwas geschehen. Irgendetwas. Nur – was?

Völlig aufgelöst schaute sie zu Max, der nahezu manisch an einem Hirschhornknopf seines graubraunen Trachtenjankers drehte. Er fing ihren Blick auf, wobei eine seltsame Veränderung mit ihm vorging. Schwankend hielt er sich am Türrahmen fest, als wäre er einer Ohnmacht nahe, seine rechte Hand legte sich auf seine Herzgegend.

»Ja, mei, wie wird mir denn?«, wimmerte er kläglich. »I bin ja keine Memme, aber des ...«

Max war definitiv keine Memme, das wusste Annabelle. Also musste es ihm richtig schlechtgehen.

»Max!«, schrie sie. »O Gott, Max!«

»Mei Herz, ach, ach, ach ...«

Nach einer winzigen Schrecksekunde stoben die beiden Beamten auf ihn zu, Polizeioberwachtmeister Trampert griff ihm unter die Arme und stützte ihn, woraufhin Max endgültig die Kräfte verließen. Ächzend sank er an die Brust des Polizisten, während Hauptkommissar Andernach auf seinen gekrümmten Rücken klopfte, als hätte sich Max an einem Knödel verschluckt.

»Was ist mit Ihnen?«, rief er. »Was haben Sie denn?«

»Mit mir is's aus«, brabbelte der alte Herr. »Hol mi der Teufel, des is a Herzkaschperl, a ganz schlimmer, mei letztes Stündlein hat geschlagn, und was nach 'm Tod kommt, weiß keiner.«

Eins stand mal fest: Max hatte es faustdick hinter den Ohren. Geschickt verstand er es, seine Retter abzulenken, bis Annabelle (nie hätte sie sich träumen lassen, etwas so Abartiges zu tun) den gefrorenen Arm zum dazugehörigen Körper in die Truhe gestopft und den Deckel verschlossen hatte. Dann erst lief sie zur Spüle, füllte ein Glas mit Wasser und eilte zu den Herren.

»Hier, Max, trink!«, forderte sie ihn auf.

Zu dritt flößten sie ihm einige Schlucke Wasser ein. Die Wirkung war phänomenal. Ein tiefer Seufzer entrang sich Maxens Kehle, sein Rücken streckte sich, sein Blick wurde wieder klar.

»Vergelt's Gott, die Herrn. Jessas! Saufst, stirbst – saufst net, stirbst auch. Keiner is perfekt, gell?«

»Sollen wir den Notarzt rufen?«, fragte Kollege Trampert besorgt.

Annabelle zog die Nase kraus.

»Bloß nicht, Sie sehen doch, es geht ihm schon viel besser. Sonst kommen Sie uns am Ende wieder mit diesem missbräuchlichen Wählen von Notrufnummern, und der gute Max wandert ins Gefängnis.«

Ihr Ton gefiel Hauptkommissar Andernach überhaupt nicht. Einige Male wippte er auf seinen schneegeränderten Schuhen vor und zurück, bevor er sich dicht (wieder viel zu dicht) vor ihr aufpflanzte, mit bebenden Hängebäckchen.

»Sie riskieren eine ganz schön dicke Lippe nach allem, was Sie angerichtet haben.«

»Nun lass sie mal«, schaltete sich Kollege Trampert begütigend ein. »Die junge Dame hat es nicht bös gemeint. Dafür lege ich meine Hand ins Feuer. Ist halt nur ein wenig überspannt, das Fräulein Stadlmair. Wir sollten ihre Personalien aufnehmen, eine Verwarnung aussprechen …«

»… und ein kühles Helles trinken oder ein leckeres Weizen, als kleine Wiedergutmachung«, vollendete Annabelle den Satz.

Ich klinge schon wie meine Mutter, dachte sie. Oh. My. God.

»Na, Kollege, auf den Schreck vielleicht doch was Kaltes? Ausnahmsweise?«, fragte Polizeioberwachtmeister Trampert seinen gestrengen Vorgesetzten.

Hauptkommissar Andernach kämpfte redlich um dienstliche Korrektheit, wie seinem lebhaften Mienenspiel zu entnehmen war, entschied sich dann aber für die Getränkeoption.

»Also schön. Aber nur, bis wir den Pass haben.«

Annabelle frohlockte. Sie hätte die beiden am liebsten umarmt.

»Jaja, gehen Sie nur in die Gaststube, da ist es viel gemütlicher. Sie haben sich das Feierabendbierchen redlich verdient, und bitte«, sie legte einen Finger an ihre Lippen, »verraten Sie nichts von meiner, meiner … Halluzination. Das wäre doch zu arg für die lieben Leute. Ich hole nur rasch meinen Pass und kümmere mich danach um Max. Er sollte sich hinlegen, denke ich. Zur Vorsicht kann ich unseren Doktor Mergentheimer antelefonieren, damit er dem Patienten gründlich auf den Zahn fühlt.«

»Tun Sie das«, erwiderte Hauptkommissar Andernach, als müsse er unbedingt die Kontrolle über alles behalten, selbst über Dinge, die ihn gar nichts angingen. »Ausnahmsweise«, er funkelte seinen Kollegen an, »aber wirklich nur ausnahmsweise sehe ich von einer Anzeige ab. Wegen mildernder Umstände.«

Annabelle fiel ein Stein nach dem anderen vom Herzen.

»Danke, vielen, vielen Dank.«

»Ich warne Sie, Frau Stadlmair«, schob der Hauptkommissar nach, »Sie haben nur einen Schuss frei, beim nächsten Mal kommt's dicke.«

»Es wird kein nächstes Mal geben, Herr Kommissar.«

»Ihr Wort in Gottes Ohr.«

Gemeinsam mit seinem hocherfreut grinsenden Kollegen Trampert verließ er die Küche, nicht ohne Max ein weiteres Mal auf den Rücken zu klopfen.

Die Tür fiel zu. Einige Sekunden starrten Annabelle und Max einander an, dann brachen sie in lautloses Gelächter aus, das sogleich wieder erstarb.

»Kann nicht mehr«, keuchte Annabelle. »Zum Teufel, Max, wie kommt die Leiche in die verdammte Truhe?«

Seelenruhig verknotete er das rot-weiß gemusterte Halstüchlein neu, das er um seinen dürren Hals trug.

»Jessas, des hätt bös ins Auge gehen können. Der Gwamperte und sein depperter Doldi, i hätt ja dreinschlagen mögen, weißt, so a Packerl Watschn is schnell aufgmacht.«

Diese Ausdrücke! Wieder befiel Annabelle eine unwiderstehliche Lachlust, obwohl das natürlich schrecklich pietätlos in Gegenwart eines Toten war. *Eine Packung Watschen* bedeutete so viel wie ein Satz Ohrfeigen. Der *Gwamperte* nannte man in Bayern einen dicken Mann, und ein *depperter Doldi* war ganz einfach ein Vollidiot – was Annabelle nicht ganz gerecht fand, da Kollege Trampert ihr quasi den Popo gerettet hatte. Dennoch, sie lachte Tränen, lachte die irre Anspannung weg, von der ihr jeder Muskel am Leib weh tat, lachte das Entsetzen weg und die Heidenangst, die sie ausgestanden hatte.

»Also, Max«, mit dem Blusenärmel wischte sie sich über die lachtränennassen Wangen, »wie kommt der Tote hierher?«

»Die Resi hat's gsagt, i hab's gmacht.« Beneidenswert, wie ruhig Max blieb, ganz der souveräne Komplize eines raffinierten Komplotts. »Weißt, dei Mama hat gmeint, des is nix für Puxdorf, so a Leich, des is schlecht für's Immitsch, und da hab i den Kerl aus'm Graben rausgholt und auf mein Schlitten packt, bevor die Polizei kommen ist.«

»Aber warum hast du ihn ausgerechnet hierher gebracht? Hättest du ihn nicht irgendwo außerhalb im Schnee einbuddeln können?«

»Ja was«, er griente schlau, »und denen ihre Spürhunde? Des kenn ma doch aus dem Ce-Es-I, die hättn überall gsucht und gschnüffelt, und vergraben ging ja net, der Boden is steinhart gfrorn, da hätt i stundenlang mit am Eispickel werken müssen.«

»Die Version mit dem raushängenden Arm war aber auch nicht gerade brillant.«

»Des war net i, des muss der damische Koch gwesen sein, des depperte Rindviech. Dass ihm des net aufgfallen is … Gsuffa hat der Kerl, net zu knapp.«

»Verstehe. Und was machen wir jetzt mit dem Toten?«

Unwillkürlich sahen beide zur Kühltruhe, in der Max den eiskalten Herrn zwischengeparkt hatte. Annabelle überlief eine Gänsehaut, Max strich bekümmert über seine graustoppeligen Wangen.

»Koa Schimmer.«

»Oma Martha darf nichts erfahren«, raunte Annabelle.

»Is recht, Ehrensach.« Ein listiger Ausdruck trat in das runzelige Gesicht des betagten Hausdieners. »Aber schad is scho, dass wir die Martha nicht fragen können, die is ja a Spitzenköchin, die könnt die Leich …«

Moment mal. Annabelle wurde langsam übel.

»Was könnte sie?«

»Na, die Martha, die könnt den Gschwurf einwecken, so in kleinen Stückerln, weißt, und dann würd ihn keiner finden.«

Kapitel 8

Wer hätte gedacht, dass Anna Elisabeth Maria Stadlmair eines schönen Tages eine Leiche transportieren würde? Schaudernd zwar, doch durchaus tatkräftig? Mit beiden Händen hielt sie die teuer beschuhten Füße des Toten fest, um ihn zusammen mit Max durch die Küche zu schleppen – geradewegs zum Hinterausgang, von wo aus man zu den Stallgebäuden gelangte.

Entgegen Mary-Jos Prognose hatte die Nekrophobie jedenfalls noch kein dramatisches Stadium erreicht. Vollkommen auf ihre Aufgabe konzentriert, trippelte Annabelle mit dem Hausdiener hinaus in die Kälte und durch den hohen Schnee, heftig schnaufend von der Last des leblosen Körpers, der zwischen ihnen hin und her baumelte. Es war ein hartes Stück Arbeit. Auch für Max, der bei jedem Schritt ein pfeifendes Geräusch von sich gab, wenn er nicht gerade deftige bayerische Flüche ausstieß.

»Du Preiß, saudamischer, du windiger, nix als Ärger hat man mit dir! A gstandnes bayerisches Mannsbild stirbt und gibt a Ruh, aber du schenierst di net und machst noch als Leich die Leut narrisch!«

»Nichts Böses über die Toten«, brummte Annabelle.

»Jessas, aber des war nun mal a böser Bub, so a ganz ausgschamter! Was der angstellt hat, des glaubst ja net, a falscher Fuchzger war der!«

Ausgschamt, das hieß unverschämt, übersetzte Annabelle für sich. Und dass er ein falscher Fuffziger gewesen war, darüber hatte ja auch ihre Mutter bereits einige Andeutungen gemacht.

»Was denn genau, Max? Was hat der Typ angestellt?«

»Frag die Resi, die weiß es.«

Max mauerte genauso wie Therese Stadlmair, also musste Annabelle dem dunklen Geheimnis des Manschettenknopfmanns wohl selbst auf die Spur kommen. In jedem Fall war es ihm gelungen, sich so unbeliebt im Dorf zu machen, dass er dafür mit dem Leben hatte bezahlen müssen. An einen natürlichen Tod glaubte Annabelle längst nicht mehr. Dafür gab es offenkundig zu viele Gründe, ihn final loszuwerden.

Nachdem sie gemeinsam mit Max eine weitere vorläufige Ruhestätte im Heuschober hinter dem Pferdestall gefunden hatte (das gute Lieschen verzichtete auf jedes Wiehern, auf deren Diskretion war Verlass, nur ihre Busenfreundin, die Ziege Selma, meckerte leise vor sich hin), sauste Annabelle zurück ins Haus, die Treppen hoch und in ihr Badezimmer. Dreimal schrubbte sie sich die Hände mit Kernseife. Am liebsten hätte sie obendrein geduscht.

Nein, keine Dusche, du musst wieder runter in die Gaststube, beschwor sie ihr Spiegelbild, das ein sehr bleiches Gesicht mit dunkel geränderten Augen zeigte. Du musst diesen Abend irgendwie überstehen, ohne aus deiner Rolle der überkandidelten New Yorker Großstadtpflanze zu fallen. Streng dich an. Es geht um was. Es geht um alles.

Erschöpft schlich sie zum Bett, wo sie ihren Pass aus dem Rucksack kramte, Herrn Huber eine Kusshand zuwarf, ein wenig Rouge auf ihr totenblasses Gesicht pinselte und der Versuchung widerstand, Mary-Jo anzurufen. Was die zu dem ganzen Schlamassel sagen würde, war gar nicht auszudenken. Womöglich empfahl sie die Einweisung in eine geschlossene Anstalt? Annabelle verstand ja selbst nicht, dass sie plötzlich Dinge tat, die jedem normalen Menschen die Haare zu Berge stehen ließen. Hatte sie wirklich eine Leiche angefasst? Und im Heuschober versteckt? Waren das etwa erste Anzeichen einer geistigen Umnachtung?

Du musst hier weg, durchzuckte es sie. Dieses Dorf und seine Probleme sind zu viel für dich. Greif deinen Eltern unter die Arme, klär die wichtigsten Fragen, und dann sieh zu, dass du Land gewinnst. Singapur wartet auf dich. Es wird nicht ewig warten.

Um wenigstens eine kleine mentale Aufmunterung zu haben, packte sie Mary-Jos Geschenk aus und parfümierte sich großzügig mit Night Fever. Sofort fühlte sie sich besser. Es war, als umgebe sie der Duft mit einer Aura der Unverwundbarkeit. Night Fever war nicht einfach ein Parfum, es stand für alles, was sie erreicht und erkämpft hatte – ihre Eigenständigkeit, ihren individuellen Lebensstil, ihre Jobambitionen, vor allem aber für ihre Freundschaft mit Mary-Jo.

Innerlich gestärkt betrat Annabelle wenige Minuten später die Gaststube, die sich deutlich gefüllt hatte. Ein Zitherspieler in Hirschlederhosen hockte am Stammtisch. Geschickt entlockte er seinem Instrument eine alte

Volksweise, die Annabelle von Kind auf kannte, dazu sang er mit volltönender Stimme: »Auf den Bergen wohnt die Freiheit/Auf den Bergen ist es schön/Wo des Königs Ludwigs Zweiten/Alle seine Schlösser stehn.« Grammatikalisch fragwürdig, dennoch irgendwie nett.

»… alle seine Schlösser stehn«, sang Annabelle inbrünstig die letzte Zeile mit, was Therese Stadlmair, die unverändert hinter dem Tresen am Zapfhahn stand, zu einer raschen Intervention veranlasste.

»Anna! Sei so gut – du weißt ja, singen hast du noch nie gekonnt.«

Ja, besten Dank auch. Mütter konnten wirklich zartfühlend sein. Annabelle schaute sich um. Die meisten Gäste übertönten die Musik mit temperamentvoll geführten Gesprächen – was Alois Stadlmair und Peter McDormand einschloss, die am Kamin die Köpfe zusammensteckten. Isabel und Fabian Berenson debattierten ebenfalls recht heftig über irgendetwas. Einig schienen sie sich nicht zu sein. Mr. Leider-schon-vergeben-egal-sowieso-einaalglatter-Finanzheini klopfte mehrfach mit den Fingerknöcheln auf die Tischplatte, seine schnepfige Gattin zog ein dämliches Duckface, wie für ein Instagram-Selfie. Annabelle hätte einiges darum gegeben, die Details dieser Diskussion zu erfahren, doch ihre Clique, die geschlossen am Tresen gewartet hatte, empfing sie mit frenetischem Jubel. Daneben standen Hauptkommissar Andernach sowie Polizeioberwachtmeister Trampert, die ihr mit halbvollen Humpen zuprosteten.

»Bitte sehr«, artig händigte sie dem Kommissar ihren Pass aus. »Bin immer noch ganz schön durchgenudelt, Jetlag, total crazy, sorry. Sie können ja alles abfotografieren, und dann geben Sie mir meine Papiere zurück.«

»Sicher ist sicher«, grummelte Hauptkommissar Andernach, während er Annabelles Ticket in die Freiheit in seiner Uniformjacke verstaute.

»Du brauchst das Ding nicht, hier kennen wir dich doch schon«, witzelte Toni, der rotgesichtige Herrgottsschnitzersohn.

»Was war eigentlich los?«, wollte Betty wissen.

»Ja, erzähl, warum sind die Kriminaler hier?«, drängte auch die tätowierte Mitzi auf eine Erklärung.

»Lass mal die Polizisten reden, dann haben wir gleich die amtliche Version«, sagte Xaver und wandte sich an die Beamten. »Also, was hat das Auge des Gesetzes zu vermelden?«

»Wir kamen umsonst, doch nicht vergebens, immerhin haben wir das reizende Fräulein Stadlmair kennengelernt«, antwortete Polizeioberwachtmeister Trampert unerwartet galant. »Bei der würde jeder zwei Augen zudrücken.«

»Jetzt kriegen Sie sich mal wieder ein, Trampert«, wurde er von seinem Vorgesetzten gemaßregelt. »Wir haben eine objektive, streng faktenbasierte Entscheidung getroffen.«

»Wie auch immer, auf dem Land gackern die schärfsten Hühner«, grinste Xaver mit seinem öligen Skilehrercharme.

»Und wann kriege ich meinen Pass zurück?«, fragte Annabelle.

Hauptkommissar Andernach befühlte das Innenleben seiner Uniformjacke, äußerst zufrieden, wie es schien.

»Der wird morgen früh erkennungsdienstlich behandelt, danach können Sie ihn auf der Wache in Tannstadt abholen.«

»Tannstadt?« Annabelle pfiff leise durch die Zähne. »Das ist doch locker fünfzig Kilometer entfernt! Eine Weltreise bei dem Wetter!«

»So sind nun mal die Vorschriften«, schnarrte Hauptkommissar Andernach. »Außerdem – warum sollte es Ihnen besser ergehen als uns? Wir mussten ja auch durch Eis und Schnee, um eine angebliche Lei…«

»Sooo, die Herren, ein Kurzer gehört immer dazu!«, rief Therese Stadlmair, die mal wieder ein untrügliches Gespür für heikle Momente unter Beweis stellte. »Auf die schöne Weihnachtszeit!«

Breit lächelnd servierte sie zwei randvolle Schnapsgläser auf einem geschnitzten Holztablett. In nichts sah man der Wirtin des Edelweiß an, dass sie Gesetze für eine dehnbare Angelegenheit hielt. Selbst der gewiefteste Detektiv wäre niemals auf die Idee gekommen, diese patente Gastwirtin mit dem großen Herzen könnte kurzerhand eine Leiche verschwinden lassen, wenn sie ihr nicht in den Kram passte.

Irgendwie ist sie cool, dachte Annabelle wider Willen bewundernd. Saucool. Hätte ich ja nicht gedacht, dass ich meine eigene Mutter mal mit ganz neuen Augen sehen würde.

Therese Stadlmairs Taktik ging auf. Wortlos kippten die beiden Beamten ihre Schnäpse und verabschiedeten sich gleich darauf. Hauptkommissar Andernach mit einem knappen Nicken, Polizeioberwachtmeister Trampert mit einem Handkuss, den er (nicht ganz *comme il faut*) mit schnapsfeuchten Lippen auf Annabelles Handrücken platzierte.

»Ich würde ja auf Wiedersehen sagen, aber in Ihrem Interesse hoffe ich, dass es nicht dazu kommt. Na, vielleicht schaue ich demnächst mal auf ein Weizen vorbei.«

»Hört, hört«, griente Xaver, »Annabelle hat eine Eroberung gemacht!«

Ja, genau, das fehlte ihr ja auch noch zu ihrem Glück: ein Polizeioberwachtmeister, der ihr nachstellte und eine Leiche im Heuschober fand. Annabelle wartete, bis die Polizisten draußen waren, dann lehnte sie sich schwerfällig an die Theke. Sie fühlte sich wie gerädert. Wann hatte sie eigentlich das letzte Mal gegessen? Und geschlafen?

»Für mich auch einen Schnaps, bitte«, meldete sich Betty. »Die Cheeseburger waren gruselig. Da muss man gut nachspülen.«

»Und den Magen desinfizieren«, ergänzte Fanny.

»Mit Cheeseburgern hatte das Zeug so viel zu tun wie ein Backhuhn mit einer Wasserratte«, mäkelte nun auch Mitzi am Essen herum.

»Nichts für ungut, aber ich muss meinen Vorrednern recht geben.« Ferdi, der Ökobauer mit der Bisonzucht, schüttelte seinen bezopften Kopf. »Mit dem Fleischbelag dieser Cheeseburger könnte man Wände isolieren oder Türstopper draus machen. Zum Verzehr sind sie nicht geeignet.«

»Ja mei, unser Koch ist halt nicht der beste«, entschuldigte sich Therese Stadlmair. »Ist halt nur der Sepp.«

Betty tätschelte ihr tröstend die Wange.

»Jetzt, wo deine Tochter das Regiment im Edelweiß übernimmt, können wir uns sicher auf kulinarische Höhenflüge freuen. Sie hat ja in den schicksten Hotels der Welt Erfahrungen gesammelt. Nicht wahr, Anna? Hey, was ist? Machst du etwa schlapp?«

Ja, Annabelle hielt verstohlen ihre Hand vor den Mund, um einen Gähnanfall zu kaschieren. Verwunderlich war ihre bleierne Müdigkeit nicht, nach allem, was sie in den letzten vierundzwanzig Stunden durchgestanden hatte.

»Sieht aus, als müsste sie ein rabiates Nickerchen machen – Penne arrabiata, wie der Italiener sagt«, alberte Xaver herum.

»Sie braucht einen Schnaps«, stellte Toni mit Kennermiene fest.

»Ach was, Gähnen ist der stumme Schrei nach Kaffee«, kicherte Mitzi. »Frau Stadlmair, ich glaube, Ihre Tochter hat einen starken Espresso nötig. Als koffeinbasiertes Blutdruckmittel.«

Annabelles Blutdruck schoss bereits ganz ohne Koffein in die Höhe. Nun ja, einen Pulsbeschleuniger gab es durchaus, in Gestalt jenes Mannes, dessen Lächeln (in den besten Momenten) mit einer guten Prise Schalkhaftigkeit gewürzt war. Federnd kam er quer durch die Gaststube zum Tresen marschiert und trat direkt neben sie.

»Hi.« Unter zusammengezogenen Augenbrauen warf er ihr einen schwer zu deutenden Blick zu. »Können wir irgendwo reden?«

»Hier ist es doch perfekt, und machen Sie's bitte kurz«, fertigte Annabelle ihn ab.

Was wollte dieser Immobilienhai denn noch, nachdem seine Pissnelke sie so hässlich behandelt hatte? Sich bei ihr einschmeicheln, um seine Chancen in Puxdorf durch Hintergrundrecherchen zu verbessern? So wie sein Konkurrent Peter McDormand, der immer noch auf ihren Vater einquasselte?

Trotzdem, so ganz konnte sich Annabelle nicht mit dem Gedanken anfreunden, dass auch Fabian Berenson in dieser Haifischliga spielte. Einen schwachen Moment lang bewunderte sie sein Profil, die starke, gerade Nase, das männlich ausgeprägte Kinn, die dunklen Wimpern, dann seine Brusthaare, die aus dem aufgeknöpften Jeanshemd herauslugten. Das musste aufhören. Sofort. Sonst sagte sie noch irgendetwas, das sie später bereuen würde.

Ihre Clique scannte Fabian Berenson ebenfalls, wenn auch deutlich skeptischer. Jeder Fremde, der in Puxdorf auftauchte, so viel war inzwischen klar, hatte nur eines im Sinn: lukrative Geschäfte machen, selbst um den Preis, dass der Ort verödete.

»Wie Sie wollen.« Fabian Berenson legte den Kopf schräg. »Dann eben hier.«

»Was führen Sie im Schilde?«, nahm Annabelle ihn ins Verhör. »Soll ich Ihnen etwa behilflich sein, unser schönes Dorf zu zerstören?«

»Nein, nein!« In seinen Augen irrlichterte es. »Es geht um Sie, nur um Sie! Dürfte ich Sie eventuell mal zu einem Drink einladen? Oder zum Essen? Wäre mir eine überaus große Freude. Ich meine, es könnte ja sein, dass unsere Begegnung im Bus – Sie erinnern sich? – und unser Wiedersehen hier so was wie, na ja, Schicksal war.«

Boaaah. Annabelle fasste es nicht. Wie gewissenlos musste ein Typ sein, wenn er als verheirateter Mann andere Frauen anbaggerte, und das nur, um sich berechnend anzubiedern? Diese Unverfrorenheit brachte sie vollends auf die Palme.

»Ich würde ja gern glauben, dass Sie meinetwegen hier sind – aber offensichtlich gibt es andere Gründe«, erwiderte sie schroff. »Aus dem Essen wird nichts. Wer mit dem Teufel speisen will, muss einen langen Löffel haben, sagt man in Bayern, und bei Ihnen bräuchte ich einen kilometerlangen Löffel.«

»Wir sollten nicht streiten«, sagte er leise. »Das ist doch vergeudete Zeit.«

»Ein gutes Beispiel für vergeudete Zeit ist diese Unterhaltung.« Annabelle nahm die Kaffeetasse in Empfang, die ihre Mutter ihr reichte. »Sie wollen alles plattmachen. Mit dem Oberleitnerhof fängt es an, danach ist unser schönes Edelweiß dran. Aber das kann Ihnen ja am Sonstwas vorbeigehen.«

Die Hände in den Hosentaschen seiner Jeans vergraben, sah er sie an, zutiefst unglücklich über ihre harschen Worte, wie es schien.

»Irrtum, ich mag das Edelweiß. Und ich will den Oberleitnerhof nicht plattmachen – nur touristentauglich, unter Beibehaltung des traditionellen Charmes.«

Auf solche Märchenstunden stand Annabelle überhaupt nicht.

»Erzählen Sie das jemandem, der Ihnen die Sülze abkauft. Für Sie ist ein Hotel doch nichts weiter als ein Geldautomat. Ende der Durchsage, gute Nacht und frohe Verrichtung noch – als Kapitalist vom Dienst müssen Sie bestimmt noch Ihre Aktienkurse checken.«

»Sie haben keine Ahnung, was Sie verpassen«, murmelte er.

»Frust und Depri? Kein Bedarf.«

»Sie kennen mich doch gar nicht.«

»Ich habe genug gesehen, ich bin raus.« Missmutig schlürfte Annabelle einen Schluck Kaffee und verzog das Gesicht. »In welchem Universum ist das ein starker Espresso, Mama?«

Die Antwort blieb aus, denn nun rauschte Isabel Berenson heran, mit wehenden Volants und einem Gesichtsausdruck, als hätte man ihr soeben einen Einlauf verabreicht. Alles an ihr wirkte wie der stumme Vorwurf, sich mit irgendwelchen beschränkten Dörflern abgeben zu müssen: ihre wie mit dem Lineal gezogene asymmetrische Frisur in künstlichem Blauschwarz, ihr teurer Schmuck, die mit langen dunkelroten Fingernägeln bewaffneten Finger, die sie von sich streckte wie spitze Lanzen.

»Fabian?«, keifte sie. »Musst du dich unbedingt unters Volk mischen?«

Eine Welle der Antipathie schwappte ihr entgegen. Nur Xaver amüsierte sich königlich, lachend schlug er sich auf die lederbehosten Schenkel.

»Leute, das war schon immer mein Profitrick bei den Mädels: Wenn ein Mann will, dass eine Frau ihm zuhört, braucht er bloß mit einer anderen zu quatschen.«

Isabel Berenson tat so, als hätte sie die Bemerkung überhört.

»Das Projekt ist noch nicht ausdiskutiert, Fabian, und wir sollten unbedingt diesen Randolf Egertaler, den Bürgermeister, auftreiben, bevor Peter ihn sich krallt! Oder machst du neuerdings Geschäfte mit kleinen Kellnerinnen?«

»Herrje, was für eine quengelige Kuh«, flüsterte Betty.

Mit klirrendem Löffel rührte Annabelle in der bitteren Brühe herum, die hier unter dem Label Espresso serviert wurde.

»Auch *kleine* Kellnerinnen haben einen *großen* Bedarf an Privatsphäre, Frau Berenson. Ihre überirdische Eleganz in allen Ehren, aber es wäre traumhaft, wenn Sie den Raum woanders verschönern könnten.«

Das hatte gesessen. Isabel Berenson schnappte nach Luft.

»Wie? Wie war das? Also, also …«

»Komm, wir stören hier nur.« Fabian Berenson zeigte auf die protzige brillantbesetzte Uhr seiner Frau. »Es ist fast neun, lass uns jetzt diesen Bürgermeister suchen. Leider geht er nicht ans Telefon, und wo er wohnt, wissen wir auch noch nicht.«

»Aha, und wie wollen Sie ihn dann finden?«, erkundigte sich Annabelle. Er hatte den Nerv, ihr vorwitzig zuzuzwinkern.

»Alter Kapitalistentrick – ich frag mich einfach durch.«

Die Männer feixten, die Frauen fingen leise an zu kichern. Jeder hier wusste, dass man sich in Puxdorf keineswegs *einfach durchfragen* konnte. Nach acht Uhr abends traf man keine Menschenseele mehr draußen an, und auf Besucher, die unangemeldet an der Tür klingelten, reagierten die Dörfler entweder reserviert oder gar nicht. Außerdem lag das Gehöft des Bürgermeisters Randolf Egertaler gute vier Kilometer entfernt in einem abgelegenen Waldstück. Bei den Schneemassen war der Bauernhof allenfalls mit einem Traktor erreichbar, ein Fahrzeug, das nicht nur der Bürgermeister im Winter benutzte.

»Das können wir einfacher haben, schließlich kennen sich die Leutchen hier aus.« Isabel Berenson schaute in die Runde. »Also, wo wohnt er, euer Häuptling?«

Eine Frage, mit der sie voll vor die Wand lief. Allein die Extradosis Überheblichkeit, die in dem Wort *Häuptling* lag (als handelte es sich bei der örtlichen Bevölkerung um einen primitiven Eingeborenenstamm), reichte vollauf, um alle gegen sich aufzubringen. Niemand dachte auch nur daran, ihr irgendwelche zweckdienlichen Auskünfte zu geben.

»Von uns erfahren Sie gar nichts«, sagte Betty denn auch, womit sie die allgemeine Stimmung wiedergab. »Wir halten hier zusammen. Ist so 'n Dorfding, wissen Sie …«

»Trotzdem viel Glück«, griente Toni.

Ferdi spielte aufgebracht mit seinem Hippiezopf, während sein Blick voller Abscheu über die Eindringlinge hinwegglitt.

»Auch ein falscher Weg beginnt mit dem ersten Schritt. Das Karma erledigt dann den Rest.«

Hochnäsig studierte Isabel Berenson die Tresengesellschaft.

»Was ist das hier? Ein intellektuell limitierter Trachtenverein?«

»Ein trostloser Mangel an Feingefühl Ihrerseits, würde ich sagen.« Annabelle platzte langsam der Kragen. »Wie kann man bloß so arrogant werden?«

»Ich war jung und hatte Geld«, lächelte Isabel Berenson.

Öko-Ferdi hörte gar nicht mehr auf, seinen Kopf zu schütteln.

»Nee, wie kaputt ist das denn?«

Xaver knuffte ihn in die Seite.

»Von null auf leck mich in zwei Sekunden, das musst du der erst mal nachmachen.«

Fabian Berenson hatte der Konversation mit wachsendem Missfallen gelauscht, jetzt hielt er es offenbar für geboten, weiteren Beleidigungen einen Riegel vorzuschieben.

»Legen Sie bitte nicht alles auf die Goldwaage, was Isabel von sich gibt. Im Gegensatz zu mir war sie nur auf den besten Privatschulen, deshalb kommt manchmal so was Elitäres bei ihr durch.«

»Ach, gibt es jetzt Eliteprivatschulen für Soziopathen?«, fragte Ferdi spitz.

Die Ereignisse des Abends ließen Annabelle keine Atempause, weiter darüber nachzudenken, was Fabian Berenson in die Ehe mit der eingebildeten Zicke getrieben hatte, denn am Kamin brach in diesem Augenblick die Hölle los. Alois Stadlmair brüllte Peter McDormand an, der brüllte mit gleicher Lautstärke zurück.

»Sie armer Idiot!«

»Sie hundsföttischer Bauernfänger!« Annabelles Vater sprang von seinem Rollstuhl hoch und schleuderte die Wolldecke von sich. »Damit kommen Sie nicht durch! Das ist Erpressung! Das hat schon mal einer versucht und sich dabei die Zähne ausgebissen!«

Auch Peter McDormand stand auf. Mit geballten Fäusten fuchtelte er vor dem Gesicht seines Kontrahenten herum.

»Sie vermasseln mir nicht die Tour! Es geht hier um ein Millionengeschäft! Wer mir in die Quere kommt, schmiert ab, das verspreche ich Ihnen!«

Fast sah es aus, als wollten sie sich schlagen. Ohne lange zu überlegen, rannte Annabelle zum Kamin und warf sich zwischen die beiden Streithähne.

»Ihr benehmt euch jetzt mal!«

»Benehmen?«, schrie ihr Vater. »Der will mir die Gurgel abdrücken!«

»Unsinn, ich beschleunige nur, was ohnehin nicht mehr aufzuhalten ist!«, entgegnete Peter McDormand unvermindert feindselig, ließ aber wenigstens die Fäuste sinken. »Das Wasser steht dem Edelweiß bis zum Hals, ich drehe lediglich den Wasserhahn weiter auf.«

»Schluss mit den blumigen Umschreibungen, Sie sagen mir auf der Stelle, was hier abgeht«, verlangte Annabelle, die eine nahezu tödliche Ruhe in sich aufsteigen spürte.

Doch Peter McDormand blieb ihr eine Erklärung schuldig. Er setzte sich nur wieder hin, schlug die Beine übereinander und grinste sich eins, ganz der verschlagene Schurke, der sich bedeckt hielt, wenn es zum Schwur kam. Sie hatte es von Anfang an gewusst: Diesen Mann konnte man nur als wandelnde Pest bezeichnen. Allein wie er ihrem Vater zusetzte, grenzte an Körperverletzung. Alois Stadlmairs Gesichtsfarbe spielte ins Violette, auf seiner Stirn pulsierte eine geschwollene Ader. Wild um sich blickend, zerrte er sich den roten Schal vom Hals, bevor er zurück in seinen Rollstuhl sank.

»Das liebe Geld«, stöhnte er. »Dieser Teufel will dafür sorgen, dass uns die Bank alle Kredite sperrt. Dann rasseln wir mit Pauken und Trompeten in den Konkurs.«

Oma Martha, die am Nebentisch saß, schlug die Hände vors Gesicht, ihre Schultern bebten. Es zerriss Annabelle das Herz. Niemand hatte sie darüber aufgeklärt, wie schlimm es wirklich um das Edelweiß stand. Warum hatten ihre Eltern nicht klipp und klar gesagt, dass das Schicksal des Hotels längst am seidenen Faden hing? Weil sie immer noch das kleine Mädchen in ihr sahen? Weit katastrophaler wirkte allerdings die Androhung von Peter McDormand, er werde das Edelweiß systematisch in den Ruin treiben.

»Warum tun Sie das?«, fragte sie ihn mit tonloser Stimme.

»Ökonomische Logik.« Er fingerte an seiner edlen hellrosa Seidenkrawatte herum, die ein wenig verrutscht war. »Der Oberleitner verkauft nur, wenn ich auch das Edelweiß einsacke und ihm dann überschreibe. Das sind nun mal seine Bedingungen. Da ich über beste Kontakte zur Chefetage Ihrer Hausbank verfüge, kostet es mich ein Fingerschnippen, die Kreditlinie zu crashen, *et voilà*«, er hatte die Stirn, tatsächlich mit den Fingern zu schnippen, »dann müssen Sie mir Ihr Hotel verkaufen. Weil Ihnen gar nichts anderes übrigbleibt.«

»Erpressung, sag ich doch«, ächzte Alois Stadlmair.

»Aber, aber … es muss doch einen Weg geben, das zu verhindern!«, rief Annabelle.

Peter McDormand hob eine Augenbraue, sehr nonchalant, sehr hochmütig, sehr siegesgewiss.

»Nur über meine Leiche.«

Kapitel 9

Wer bin ich, und warum so früh? Wo bin ich überhaupt, und was soll diese Grabesstille bedeuten? Annabelle war daran gewöhnt, vom New Yorker Großstadtsound geweckt zu werden, der allgegenwärtigen Geräuschkulisse aus röhrenden Motoren und aufheulenden Polizeisirenen, begleitet vom Surren der Klimaanlage. Schlaftrunken öffnete sie die Augen. Nein, dies war nicht ihr New Yorker Appartement, sie befand sich in ihrem alten Kinderzimmer. Ein Blick zum Fenster informierte sie darüber, dass es immer noch schneite. Dicht an dicht segelten Schneeflocken vom Himmel, so beharrlich, als hätte jemand vergessen, den Schalter umzulegen.

Sie tastete nach ihrem Handy. Halb zehn Uhr morgens. Also hatte sie volle zwölf Stunden geschlafen – sofern von Schlaf die Rede sein konnte, wenn man Stunde um Stunde aus Alpträumen hochschreckte, sich schweißgebadet auf dem Laken herumwälzte und das nur, um gleich wieder in den nächsten Alptraum zu schlittern. Nun fühlte sie sich noch zerschlagener als am Tag zuvor, und ihr Nervenkostüm war mindestens so ramponiert wie das Hotel Edelweiß.

Ein Gespräch mit Mary-Jo wäre jetzt genial gewesen, doch da es in New York halb vier in der Nacht war, musste sie sich vorerst in Geduld üben. Mit einer Hand hob sie Herrn Huber auf, der irgendwann in dieser wirschen Nacht aus dem Bett gefallen sein musste. Treuherzig schaute er sie an, mit der unausgesprochenen Frage in seinen schokoladenbraunen Knopfaugen, warum Annabelle denn derart verhaltensauffällig um sich geschlagen hatte, dass er einige Stunden auf dem Teppich hatte verbringen müssen.

»Sorry, Herr Huber, war keine Absicht.« Annabelle kraulte sein schütteres Fell und ordnete den Kragen seines rot-weiß karierten Hemds. »Das Ganze hier bringt mich komplett durcheinander.«

Das Ganze? Herrn Huber reichte diese Erläuterung offenbar nicht. Schemenhaft zunächst, dann in allen Einzelheiten kehrte Annabelles Erinnerung an den vergangenen Abend zurück. Neben einigem anderen Unangenehmen, was es Herrn Huber zu beichten gab (von einem Leichentransport bis zur Entdeckung, dass Mr. Magic ein gewissenloser verheirateter Finanzheini war), drängte sich der Streit zwischen ihrem Vater und Peter McDormand in den Vordergrund.

Sie setzte sich auf, plötzlich hellwach vor Zorn. Was für ein schlimmer Finger, dieser McDormand! Flog einfach in Puxdorf ein wie Graf Koks vom Gaswerk und erdreistete sich, ihre Eltern unter Druck zu setzen! Das würde sie keinesfalls auf sich beruhen lassen. Nach einem ausgedehnten Frühstück. Oma Martha hatte ihr zwar vor dem Zubettgehen noch eine Roulade aufgewärmt, doch ihr Magen knurrte wie ein Kampfhund.

Halt, stopp. Herr Huber ließ sich nicht beirren. Ein Leichentransport?

Frag nicht, ich versuche gerade, diese ganzen Bilder aus meinem Kopf zu kriegen, entschuldigte sich Annabelle. Und jetzt muss ich wirklich frühstücken.

Nach einem aufs Minimum verkürztem Aufenthalt im Badezimmer lief sie in Jeans und einem türkisfarbenen Mohairpullover mit Kapuze hinunter in die Gaststube. Keine Menschenseele ließ sich dort blicken, weder ihre Familie noch irgendeiner der Gäste. Hatte sie ein bisschen gehofft, Fabian Berenson anzutreffen? Vorzugsweise allein (natürlich nur, um ihn von seinen infamen Plänen abzubringen)?

Auf dem Stammtisch stand ein Gedeck nebst Brötchenkorb, Buttertöpfchen, diversen Marmeladengläsern und einer altmodischen Thermoskanne, deren Inhalt sich als lauwarmer Kaffee entpuppte (eher ein kaffeeähnliches Getränk, transparent wie Tee und mit einem eigenwilligen Wurstwasseraroma). Weitere Recherchen ergaben, dass unter dem gehäkelten Mützchen daneben ein gekochtes Ei erkaltete. Das war's dann aber auch. Kein frisches Obst, kein Müsli, kein Joghurt, kein Orangensaft, kein Käse, keine Wurst, kein Schinken, kein Lachs, resümierte Annabelle. Dafür staubtrockenes Knäckebrot, das so aussah, als könnte man an den Krümeln ersticken.

Satt wurde man sicherlich von diesem Frühstück, gehobenen oder auch nur durchschnittlichen Hotelstandard hatte es keineswegs. Dabei prahlte das Edelweiß mit vier Sternen. Eine Lachnummer, allein schon wegen des heruntergekommenen Zustands der Räume. Sie sah sich um. Jetzt, bei Tageslicht, kamen die Abnutzungserscheinungen der Gaststube noch eindringlicher zum Vorschein. In den rot-weiß gewürfelten Vorhängen sah man notdürftig gestopfte Löcher, durch eines der Fenster zog sich ein Sprung, die durchgesessenen Polster der Stühle hatten wolkige Flecken, über deren Herkunft Annabelle lieber nicht spekulieren wollte. Und die laminierte Speisekarte, die auf dem Tisch lag, ein abgegriffenes, speckig glänzendes Ding, auf dem lauter kulinarische Todsünden angepriesen wurden (Toast Hawaii! Jägerschnitzel! Seniorenleber! Ähem, Seniorenleber?), hätte sie nicht mal mit der Kneifzange angefasst. Himmel noch eins! Da konnte man sich ja schon denken, wie dieser Schuppen bei den Gästen abschnitt.

Aus der Hosentasche ihrer Jeans zog sie das Handy hervor. Eine Weile war sie damit beschäftigt, *Edelweiß, Puxdorf* durch die wichtigsten Hotelportale zu jagen. Mit niederschmetternden Ergebnissen. *Grauenhaft!* und *Nie wieder!* lauteten noch die netteren Kommentare. Auch die Website des Edelweiß machte einen kümmerlichen Eindruck. Verblasste Fotos im Ansichtskartenlook vergangener Zeiten, holperig formulierte Texte und die fehlende Möglichkeit, online zu buchen, vervollständigten das Gesamtbild eines Hotels, das den Anschluss an die Gegenwart komplett verpasst hatte.

Seufzend bestrich Annabelle eine Brötchenhälfte mit Marmelade. Diesen verkommenen Laden aufzupeppen, würde vollen Einsatz und viel, viel Geld kosten. Renovierung, Neupositionierung sowie Online-Marketing und clevere Werbung waren nicht mit ein paar schlappen Euro zu bewerkstelligen. Hinzu kamen die Rekrutierung und Schulung geeigneten Personals. Und der Zeitfaktor. Vor allem der. Sie hatte nur eine Woche zur Verfügung, da musste schon ein Wunder geschehen, wenn sie das alles schaffen wollte.

Annabelle hatte kaum das Marmeladenbrötchen verdrückt, als Oma Martha in der Gaststube auftauchte. Wie immer trug sie einen grauen Kittel. Über ihre ondulierte Frisur hatte sie ein durchsichtiges Haarnetz gezogen, auch so eine Angewohnheit, die Annabelle noch von früher kannte. Nur der schleppende Gang war neu. Unmerklich zog Oma Martha ein Bein nach, was sie mit rudernden Bewegungen ihrer Arme auszugleichen versuchte.

»Ja, grüß Gott, Anni, meine Kleine«, lächelte sie. »Ausgeschlafen? Bist wieder frisch?«

Frisch wie eine müffelnde Socke, wäre die aufrichtige Antwort gewesen, doch nichts lag Annabelle ferner, als ihre Großmutter zu beunruhigen.

»Ja, alles wunderbar. Und danke für die Roulade, die hat mich gestern Abend gerettet.«

»Essen hält Leib und Seele zusammen, Kindchen. Es macht auch nicht dick, es zieht nur die Falten glatt.«

Das stimmte. Ohnehin gehörte Oma Martha zu jenen älteren Damen, denen es einfach gut stand, etwas fülliger zu sein. Ihre kompakte Figur wirkte wie ein weicher Schutzpanzer, mit dem sie ihr gemütvolles Naturell gegen die böse Welt draußen abschirmte, und ihr rundes kleines Gesicht zeigte in der Tat kaum Runzeln. Die zweiundachtzig sah man ihr jedenfalls nicht an. Ein wenig schwerfällig setzte sie sich an den Tisch, und der altvertraute Duft wehte Annabelle an: ein Mix aus Lavendel, Frisiercreme und liebevoller Fürsorge.

Sofort wurde ihr wohlig warm ums Herz. Wie viele Nachmittage hatte sie als Kind mit ihrer Oma verbracht, ihr beim Kochen zugeschaut, beim Stricken, beim Ziegenfüttern (ihre Großmutter schwor auf Ziegenmilch, »ein wahrer Jungbrunnen«). Überhaupt konnte Oma Martha gut mit Tieren. Noch die widerspenstigste Ziege ließ sich brav von ihr melken, noch das störrischste Rindvieh ließ sich gut zureden, wenn der Almauftrieb anstand und die Kuhherden bei ihrem Weg durchs Dorf nichts Besseres zu tun hatten, als an den Blumen der Vorgärten zu knabbern oder ihre breiigen braunen Haufen abzusondern, wo man sie nun gerade gar nicht gebrauchen konnte. Alois Stadlmair nannte Oma Martha eine »Kuhflüsterin«.

Ja, so war Annabelles Großmutter, eine wie keine.

Abends, im Dämmerlicht des zur Neige gehenden Tages, waren dann die alten Schauergeschichten dran gewesen, die Oma Martha stets mit geheimnisvoll grollender Stimme erzählte. Über Tonis Vater, der nach dem frühen Tod seiner Frau eine splitternackte Madonna geschnitzt und auf dem Dorfplatz verbrannt hatte – eine unerhörte Blasphemie, die vom Herrgott mit seinem baldigen Ableben bestraft worden war (Oma Martha ging davon aus, ihn hätte der Teufel geholt). Eine andere Geschichte handelte von der Reliquie in der kleinen Kapelle, ein Fingerknöchel vom Herrn Jesus, besetzt mit kostbaren Rubinen. Eines Tages, so Oma Martha, sei das heilige Kleinod von einem raffgierigen Schmied gestohlen worden, den flugs der Teufel geholt hatte (diesmal ganz ohne Zweifel). Ähnlich schaurig konnte sie von den Seelen der Toten berichten, die in Sturmnächten heulend um die Häuser strichen, um in den Träumen der Lebenden ihr Unwesen zu treiben.

Obendrein hatte Annabelle viel Praktisches von Oma Martha gelernt. Dass man aus Seife und Kaffeesatz die beste Scheuermilch der Welt herstellte; dass die feuchten Seiten von Kartoffelschalen eine durchschlagende Reinigungswirkung auf Möbeln aller Art entfalteten (*Aber immer mit Wasser nachwischen, Anni!*) und dass die Schnittflächen eines zerteilten Apfels nicht braun wurden, wenn man die Stücke mit Hilfe zweier Gummibänder wieder zusammensetzte (ein super Lifehack für Schulkinder). Auch die Idee, verfilzte Klettverschlüsse mit ausrangierten Zahnbürsten zu reinigen, stammte von Oma Martha.

Damit nicht genug – überdies war sie ein wahrer *Mensch-ärgere-dich-nicht*-Champion, gewieft, ausdauernd und von buchstäblich umwerfender Spielfreude. Manchmal waren aus den Spielabenden mit Oma Martha Nächte geworden, weil keiner von ihnen aufgeben mochte. Dann hatten sie einander dumpf brütend gegenübergehockt, im nächsten Moment lachend und vergnügt, aber immer erbittert kämpfend. Manchmal hatte sich auch Max dazugesellt, bis Annabelle am Spielbrett einschlief, die Würfel noch im Traum umklammernd.

Voller Liebe und Zärtlichkeit schaute sie ihre Großmutter an.

»Wie geht es dir gesundheitlich? Mir ist aufgefallen, dass du Probleme beim Laufen hast – was macht die Hüfte?«

»Ah geh, darüber red i net«, verfiel Oma Martha kurz in Dialekt. »Ich spring zwar nicht mehr wie ein junges Haserl durchs Gelände, aber fürs Gröbste reicht es allemal. Jessas, hier gibt's viel zu tun, die Zimmermädchen sind ja alle fort, und die Resi ist oft müde.«

Annabelle legte das Messer beiseite, mit dem sie ein weiteres Brötchen auseinandergesäbelt hatte.

»Sag mal, was liegt hier eigentlich im Argen? Wie konnte es passieren, dass ihr das Edelweiß in den Sand gesetzt habt?«

»Frag nicht …« Oma Martha bedeckte die gesenkten Augen mit einer Hand. »Das ist der Fluch.«

Oha. Eine neue Schauergeschichte? Annabelle kniff die Lider zusammen.

»Oma, Flüche sind Legenden aus grauer Vorzeit. Wir leben im einundzwanzigsten Jahrhundert. Die Hexen sind ausgestorben, und auch der Teufel ist längst in Rente.«

»Das glaubst du doch selbst nicht.« Oma Martha schaute sich ängstlich um, so wie schon Annabelles Mutter bei dem Gespräch in der Familienstube. »Der Teufel ist nie fort gewesen, er zeigt sich mal so, mal so, in wechselnder Gestalt«, flüsterte sie weiter. »Und er hat Gehilfen. Nimm dich in Acht vor den Fremden. Gerade letzte Woche kam so ein Satansbraten hierher, der uns den Garaus machen wollte. So ein ganz Feiner, im Anzug. Geheuer war er mir von Anfang an nicht, aber zum Glück hat er Reißaus genommen.«

Nein, den Löffel abgegeben, dachte Annabelle beklommen. Ich muss unbedingt mit Max beratschlagen, was mit der Leiche geschehen soll, ging es ihr durch den Kopf, ewig kann der Tote ja nicht im Heuschober überwintern. Hieß es nicht: Was du heute kannst entsorgen, das verschiebe nicht auf morgen?

»Okay, der Satansbraten ist, na ja, weg«, hüstelte sie.

»Nicht mal bezahlt hat der!«, entrüstete sich Oma Martha. »Dafür sind gestern zwei neue Abgesandte des Teufels gekommen, einer im feinen Zwirn, der andere in einer feschen Lederjoppe. Sogar eine Hexe hat der mitgebracht.«

»Isabel Berenson.« Annabelle gefiel der Gedanke, sie eine Hexe zu nennen, auch wenn die Bezeichnung Satansbraten ebenfalls etwas für sich hatte. »Ja, die ist wirklich gruselig.«

»Hüte dich vor ihrem bösen Blick«, raunte Oma Martha, wobei sie sich mehrmals bekreuzigte.

Puh. Das alles war natürlich finsterster Aberglaube, diese Furcht vor Teufeln, Flüchen, schwarzer Magie. Für Annabelle existierten solche Dinge allenfalls in Fantasyfilmen. Leider wusste sie, dass Oma Martha zu den Menschen gehörte, die derartige Phänomene für überprüfbare Realität hielten. So wie manche Leute eben an Voodoozauber, Abnehmen mit Schokoladenkuchen oder den unmittelbar bevorstehenden Weltuntergang glaubten.

»Der Fluch, der Fluch«, wisperte die alte Dame.

Annabelle schaufelte zwei Löffel Kirschmarmelade auf eine Brötchenhälfte und biss ein Stück ab. Über möglichen Lösungen brütend, kaute sie auf dem Brötchen herum.

»Oma, ernsthaft, das hilft uns nicht weiter. Fluch oder nicht, wir müssen das Edelweiß retten – erst vor dem Verfall, dann vor dem Verkauf. Ich denke, ich sollte mal mit dem Oberleitner reden.«

»Gottbewahre!« Die Gesichtsfarbe von Oma Martha spielte auf einmal ins Aschfahle. Ganz so, als hätte Annabelle ein Rendezvous mit dem Oberteufel höchstpersönlich angekündigt. »Jesus, Maria und Josef, Anni! Der Oberleitner Gerhard ist der Schlimmste von allen! Wir reden nicht mit dem, seit …«

»… seit wann? Was ist denn überhaupt zwischen euch vorgefallen?«

Zerstreut fegte Oma Martha ein paar Brötchenkrümel von der Tischplatte. In ihrem kleinen runden Gesicht arbeitete es, ihre fast durchsichtigen Wimpern flatterten.

»Das sind alte Geschichten, Anni, daran darf man nicht rühren, die muss man ruhen lassen.«

Zu gern hätte Annabelle versucht, noch mehr aus Oma Martha herauszubringen. Die Gelegenheit war günstig, denn die einstige Vertrautheit begann wieder aufzublühen, dieses besondere Verhältnis von Großmutter und Enkelin, das damals einen innigen Bund zwischen ihnen geschmiedet hatte. Zwei, drei gezielte Nachfragen, und sie würde das Rätsel lösen, da war Annabelle sicher.

Ein hübscher Plan, den jedoch ihre Mutter vereitelte. Mit einem Stapel Tischdecken unter dem Arm betrat Therese Stadlmair den Raum, abgehetzt und mit verweinten Augen. Dennoch schlug sie sofort ihren trällernden Alles-in-Butter-Tonfall an.

»Anna! Da bist du ja! Schön, schön, schön! Lass es dir schmecken, guten Appetit!«

»Du musst mir keine Komödie vorspielen, Mama«, entgegnete Annabelle sanft. »Entspann dich. Du bist total am Ende, das sieht doch ein Blinder mit Krückstock. Lass uns ganz offen reden. Ich habe schon ein bisschen nachgedacht, wie ich euch helfen kann.«

Ihre Mutter legte die Tischdecken auf den Tresen und klatschte in die Hände wie ein Kindergartenkind, dem man einen Extranachtisch versprochen hatte.

»Du bleibst also hier? Für immer? Anna! Kind, ich freu mich ja so! Das ist unser Glückstag!«

Es fiel Annabelle nicht leicht, der Euphorie ihrer Mutter einen Dämpfer zu verpassen.

»Sorry, es bleibt dabei: Meine Anwesenheit in Puxdorf ist nur ein Gastspiel. Aber ich unterstütze euch nach bestem Wissen und Gewissen, bevor ich nach Singapur fliege – damit Ihr schnell einen Pächter findet. Bitte setz dich zu uns, wir müssen einiges besprechen.«

Therese Stadlmair ließ die Hände sinken. Nachdem sie Oma Martha einen resignierten Blick zugeworfen hatte, nahm sie mit hängendem Kopf neben ihrer Tochter Platz.

»Was gibt es da noch zu besprechen? Du willst uns wieder verlassen ...«

»Ja, aber wir werden jede gemeinsame Minute nutzen, um das Edelweiß zu einer Erfolgsstory umzuschreiben.« Annabelle hielt inne. Handle zunächst integrativ, nicht konfrontativ, wenn du ein Team bilden willst, lautete ihre goldene Regel, deshalb machte sie mit einer Frage weiter. »Was meinst du, warum stehen die Hotelzimmer leer?«

Auch im Gesicht ihrer Mutter breitete sich auf einmal eine seltsame Leere aus, gepaart mit abgrundtiefer Hoffnungslosigkeit.

»Ist mir schleierhaft, wieso keine Gäste kommen. Sag du's mir, Kind, du bist doch die geschulte Hotelfachfrau.«

Eine Steilvorlage für klare Worte. Ohne die ging's nicht, wenn man Transformationsprozesse einleiten wollte, das wusste Annabelle aus langer Erfahrung. Also switch jetzt auf konfrontativ, ermahnte sie sich, auch wenn's verdammt weh tun wird. Halte ihnen einen Spiegel vor.

»Ihr seid in den Achtzigern stehengeblieben«, fasste sie ihre Einschätzung zusammen. »Damals reichte es, uraltes Mobiliar, grottige Bäder und fettiges Essen als authentisch zu verkaufen. Heute sind die Ansprüche immens gestiegen. Ein Landhotel muss immer noch authentisch wirken – allerdings auf internationalem Standard.«

»International? Wir?«, echote ihre Mutter erschrocken.

Ihren Ekel unterdrückend, nahm Annabelle die laminierte Speisekarte in die Hand.

»Das da«, sie wedelte mit der Karte in Richtung ihrer Mutter, »das ist vorbei. Die Leute kommen rum in der Welt, sie vergleichen, sie schauen sehr genau hin, was ihnen geboten wird. So eine abgeratzte Bude will keiner mehr, und auch beim Essen sind die Gäste kritischer als früher. Sie möchten frisch zubereitete regionale Gerichte mit besten Zutaten. Vor allem muss das gastronomische Konzept mit dem Ambiente harmonieren.«

Therese Stadlmair rieb sich die verweinten Augen.

»Sepp, unser Koch – ich habe seine Zeugnisse gesehen, Anna, er ist nicht gar so schlecht, er hat seinen Beruf erlernt …«

»… ja, vermutlich in einer Frittenbude. Der passt in ein bayerisches Hotel wie Ketchup auf die Auster. Cheeseburger! Mama! In dieser Gegend, die so viele kulinarische Besonderheiten zu bieten hat! Noch dazu ein tiefgekühltes Fertigprodukt, so scheußlich, wie das roch, außerdem waren die Dinger total verbrannt. Damit könnt ihr nun wirklich nichts reißen.«

Oma Martha nickte betrübt, Therese Stadlmair schob beleidigt die Unterlippe vor.

»Trotzdem, das Edelweiß hat doch – wie sagst du immer? Potential?«

»Ein großes Wort für das, was ich hier vorfinde«, erwiderte Annabelle. »Wusstest du, dass immer mehr Leute vegane Kost verlangen? Dass Laktoseintoleranz weit verbreitet ist? Dass glutenfreies Brot auf jedes Frühstücksbuffet gehören sollte? Seid ihr darauf vorbereitet?«

Ein missbilligendes Grunzen war zu hören, das aus den Tiefen von Oma Marthas üppiger Brust heraufstieg.

»Jessas, wie soll das mit diesen Vegetariern weitergehen? Müssen die Fleischesser demnächst mit ihrem Leberkäs draußen bei den Rauchern stehen?«

»Ach Oma«, kichernd drückte Annabelle ihr die Hand, »du bist ein Schatz.«

Ihre Mutter dagegen vermied stoisch jedes Zeichen von Heiterkeit. Ernst schaute sie ihre Tochter an, als sei die nicht ganz dicht, angesichts der angespannten Lage auch noch zu gackern wie ein Teenager.

»Vegetarisch, vegan, glutenfrei«, sie spie die Worte aus wie etwas Vergiftetes, »nein, man muss nicht jeden Unsinn mitmachen. Solche Sachen sind modischer Firlefanz. Wir bauen auf die Tradition. Wer mit dem Strom schwimmt, geht leicht unter.«

Tolle Einstellung. Womit sich die alte Regel bewahrheitete, dass man ganz ohne Laktose intolerant sein konnte. Allmählich verstand Annabelle, was Mary-Jo mit der Cainophobie meinte, der Angst vor Neuem. Therese Stadlmair offenbarte jedenfalls eindeutige Symptome. Wie konnte sie ihr nur begreiflich machen, dass Traditionspflege kein Synonym für irgendwie weiterwurschteln war?

»Mama, man kann mit dem Strom schwimmen oder gegen den Strom, aber ihr wisst noch nicht einmal, wo der Fluss ist. Vor allem fehlt die eine Idee, die euch unverwechselbar macht. Das individuelle Konzept, das euch aus dem Einerlei anderer Hotels heraushebt.«

Mit sorgenvoll umwölkter Stirn betrachtete Therese Stadlmair die fettige Speisekarte, dann hellte sich ihre Miene auf.

»Gut, gut, Ideen habe ich durchaus. Zum Beispiel können wir Abreißzettel mit Foto und Telefonnummer vom Edelweiß basteln, und du fährst dann nach München und hängst sie …«

Och nee. Annabelle hatte sich zwar vorgenommen, auf keinen Fall besserwisserisch rüberzukommen, doch was professionelles Hotelmanagement betraf, kannte sie kein Pardon.

»Da kannst du die Gäste auch gleich mit dem Pferdeschlitten einsammeln.« Sie zeigte auf ihr Smartphone, das neben der Kaffeekanne auf dem Tisch lag. »Wo finde ich euch auf Facebook? Auf Instagram? Twitter? Genau – gar nicht. Man mag es bedauern, doch ohne eine vernünftige Internetpräsenz existiert das Edelweiß quasi gar nicht.«

»Wir haben eine Website«, sagte ihre Mutter trotzig.

»Ja, von zweitausendsechs. Die ist wenig mehr als eine bessere Ansichtskarte.«

»Also müssen wir ganz von vorn anfangen«, stöhnte Therese Stadlmair.

»Warte bitte.« Annabelle stand auf, lief hinter den Tresen und kehrte mit dem Bestellblock nebst einem Kugelschreiber zurück an den Tisch. »Wir machen jetzt eine To-do-Liste, einverstanden?«

»Tu *du*?«, fragte Oma Martha. »Oder tun *wir*?«

»Ähm, eine, na ja, Erledigungsliste, Oma.«

Annabelle setzte den Kugelschreiber an. Unter energischem Gekritzel ihrer rechten Hand entstanden mehrere Spiegelstriche, die sie mit Stichworten versah. Dann las sie vor.

»Renovieren: Gaststube, Küche, Zimmer, Bäder. Und die Fassade.«

»Zu teuer«, ächzte ihre Mutter.

Oma Martha, die sich bislang zurückgehalten hatte, legte eine Hand auf den Arm ihrer Schwiegertochter.

»Komm, Resi, und wenn die Nachbarn mit anfassen?«

»Nachbarschaftshilfe, guter Punkt, ich kläre das.« Annabelle sprang gedanklich schon zum nächsten Spiegelstrich. »Essen. Es wird nur noch auf mittlerem Feinschmeckerstandard gekocht, leicht, frisch, mit vegetarischen Varianten. – Oma Martha, was sind deine Dauerbrenner? Also Gerichte, die ortstypisch sind und allen schmecken?«

Nachdenklich legte ihre Großmutter die glatte Stirn in Falten.

»Ja, mei – meinen deftigen Weißwurstsalat, den mögen alle. Die Rindssuppen mit Pfannkuchenstreifen geht immer, der Saibling aus dem Puxdorfer Bach auch. Wart: Dann noch die gekochte Rinderlende. Und den Kaiserschmarrn, den lässt keiner stehen.«

Annabelle hatte alles mitgeschrieben.

»Perfekt. Ich werde das mit Sepp üben.«

»Du kannst kochen?«, fragte ihre Mutter baff.

»Ich kann jemandem sagen, was und wie er zu kochen hat«, schmunzelte Annabelle.

Das war reichlich tiefgestapelt. Durch ihre langjährige Hotelerfahrung hatte sie sich immer tiefer in die Geheimnisse der guten Küche hineingearbeitet, so dass sie selbst eine ziemlich gute Köchin geworden war. Was sie natürlich nur privat auslebte, denn im Job gab sie lediglich Anweisungen im Rahmen neuer kulinarischer Konzepte. So war es auch mit Simon gewesen – sie hatte ihn gebrieft, ihm diverse Besuche in der Küche abgestattet und dann … ach, Simon. Gleich wieder vergessen, ermahnte sie sich. Du bist Single, gewöhn dich dran.

Nachdenklich tippte sie mit dem Kugelschreiber auf dem Block herum.

»Apropos Single, wir könnten neue Zielgruppen ins Auge fassen. Was haltet ihr davon, wenn wir Single-Kochkurse anbieten?«

»Kochen und singen? Ich weiß nicht, Anni …«, winkte Oma Martha ab.

»Nein, nein, ich meine Gäste ohne Partner. Allein reisen ist ein Riesenthema in der Hotellerie. Wir starten eine Aktion für einsame Herzen. Wie könnte man sich zwangloser nahekommen, als wenn man gemeinsam Gemüse schnippelt? Sinn und Sinnlichkeit, versteht ihr? Heiße Blicke über dampfenden Töpfen, Hände, die sich beim Knödelrollen berühren …«

Beim Eventmanaging kannte sich Annabelle aus, das war ihre Domäne. In den Hotels, in denen sie gearbeitet hatte, waren es gerade die Erlebnispakete gewesen, die den Erfolg gebracht hatten – warum sollte nicht auch das Edelweiß davon profitieren? Sie war schon voll im Film, im Gegensatz zu den beiden Frauen, die ihr mit wachsender Entgeisterung zuhörten.

»Singlemarketing, das wird laufen wie verrückt. Nächster Punkt. Die Positionierung. Oh, ich empfange gerade eine weitere Inspiration! – Oma Martha?«

»Hier!« Die alte Dame streckte ihren rechten Zeigefinger in die Luft wie eine Erstklässlerin. »Am Platz!«

»Du repräsentierst die neue Marke Hotel Edelweiß Supérieur«, erklärte Annabelle feierlich. »Mit deinem Namen, deinem Gesicht und ab jetzt nur noch im Dirndl.« Je länger sie über ihre Eingebung nachdachte, desto mehr kam sie in Fahrt. »Hach, ich sehe das schon vor mir: ›Im Hotel Edelweiß Superieur erwartet Sie Oma Martha mit original bayerischen Köstlichkeiten. Planen Sie einen urigen Urlaub in atemberaubender alpiner Kulisse, genießen Sie den authentischen Charme einer liebenswerten Traditionslocation.«

Schweigen. Therese Stadlmair und Oma Martha tauschten einen bedepperten Blick, dann beugte sich Annabelles Großmutter vor und sagte mit Grabesstimme: »Naa, I trag kein Dirndl net.«

»Aber Oma, du …«

Das Erscheinen von Peter McDormand beendete die Debatte. Oder vielmehr das Erscheinen einer völlig abgewrackten Version von Peter McDormand. Er trug noch Anzug, Hemd und die rosafarbene Krawatte vom Vorabend. Sein Blick war trübe, der Gang unsicher. Kreidebleich unter seiner getoasteten Bräune wankte er zu einem Barhocker, auf dem er sich mit einigem Geruckel und Geschubber niederließ.

»Der Alois hat ihn gestern Abend unter den Tisch getrunken«, flüsterte Oma Martha mit kindischem Stolz.

»Ja, aber unser Alois schläft noch, und der da ist schon wach«, stichelte Therese Stadlmair.

Im angestrengten Bemühen, das Gleichgewicht zu halten, richtete McDormand seine trüben Augen auf die drei Damen.

»Kaffeeklatsch?«

»Merken Sie sich eins: Wenn Frauen ohne Kuchen zusammen Kaffee trinken, ist das ein Meeting«, flötete Annabelle.

»Könnte auch was mit Koffein vertragen«, er hielt sich mit einer Hand am Tresen fest, um nicht vom Hocker zu fallen, »hab mir gestern Abend ziemlich das Licht ausgeblasen.«

Er wollte das Edelweiß in den Bankrott treiben *und* einen Kaffee obendrauf? Eins stand mal fest: Als die Empathiegene verteilt wurden, hatte dieser Typ in einer Kneipe rumgehangen. Annabelle empfand schon allein seine Anwesenheit als Zumutung.

»Sie glauben doch nicht im Ernst, dass Sie von uns noch irgendetwas bekommen. Und nur zu Ihrer Information: Wenn man hier in Bayern einen Raum betritt, sagt man erst einmal ›Grüß Gott‹.«

Glasigen Blicks stierte er sie an.

»Ich bin Atheist.«

»In welchem Zirkus?«, fragte Oma Martha erstaunt.

Annabelle musste lächeln.

»Atheist, Oma, nicht Artist.«

Peter McDormand dagegen hörte gar nicht mehr zu. Ohne zu fragen, stolperte er hinter die Theke, holte die Flasche mit Oma Marthas Holunderschnaps aus dem Regal und setzte sie an. Seine Impertinenz kannte wirklich keine Grenzen. Außer sich vor Zorn stand Annabelle auf, entschlossen, gleich an Ort und Stelle ein allerletztes Hühnchen mit diesem Scheusal zu rupfen. Und zwar auf die herablassende Tour.

»Okay, ich geh dann mal nach Hause«, sagte sie.

»Wieso – *Sie* wohnen doch, hicks, hier«, lallte er zwischen zwei Schlucken.

»Ach ja? So wie Sie sich an unserer Bar bedienen, könnte man glatt denken, *Sie* wären hier zu Hause. Und das vorm Frühstück! Schon mal von Alkoholismus gehört?«

»Ein Alkoholproblem entsteht erst, hicks, wenn die Flasche leer ist.« Er grinste sie herausfordernd an. »Was wollen Sie? Einen Guten-Morgen-Kuss?«

»Nee, ich steh nicht auf Männer, die riechen, als hätte man einen Aschenbecher mit Schnaps ausgewischt«, fuhr Annabelle ihm über den Mund. »Ich will, dass Sie verschwinden. Auf Nimmerwiedersehen.«

Mit einem vernehmlichen Knall stellte er die Flasche auf den Tresen.

»So springen Sie nicht mit mir um! Wer das Geld hat, hat die Macht, verstanden? Und ich habe viel, hicks, ich betone: sehr viel Geld! Außerdem habe ich ein Zimmer in Ihrem Hotel, schon vergessen?«

»Bedaure, wir sind ausgebucht.«

»Hä?«

»Raus«, zischte Annabelle. »Nehmen Sie Ihre Sachen, und lassen Sie sich nie wieder blicken. Die Rechnung geht aufs Haus. Von mir aus können Sie an Ihrem vielen Geld ersticken, ich will es jedenfalls nicht.«

Aus blutunterlaufenen Augen starrte ihr der pure Hass entgegen.

»Ihre miese kleine Klitsche ist sowieso Geschichte! Wenn ich mit Ihnen fertig bin, hicks, werden Sie um Gnade winseln, aber dann wird es zu spät sein, Sie, Sie ... Bitch!«

»Eine Bitch wäre eine Frau mit Ihren Eigenschaften: Geldgier und Verschlagenheit«, erwiderte Annabelle kühl. »Doch Sie irren sich: Wir beide haben nichts, aber auch gar nichts gemeinsam.«

Für Sekunden rang er nach Fassung, dann holte er einen zerknüllten Geldschein aus seinem Jackett, den er achtlos auf den Tresen warf.

»Kleiner hab ich's nicht, stimmt so.«

Es war ein Fünfhunderter, Annabelle sah es sofort. Sie lächelte zuckersüß.

»Das ist der Fluch des Reichtums – Kohle ohne Ende, aber kein Kleingeld. Ich werde den Schein einer gemeinnützigen Organisation zukommen lassen.«

»Ach, machen Sie doch, was Sie wollen.«

Nachdem er sich die Flasche unter den Arm geklemmt hatte, als wäre die völlig selbstverständlich im Preis inbegriffen, torkelte er schwankend hinaus. Annabelle war sprachlos. Gut, es gab Gäste, die bei ihrer Abreise Aschenbecher, Handtücher oder Bademäntel mitgehen ließen, allerdings heimlich, mit schlechtem Gewissen. Sie erinnerte sich nur an einen einzigen frecheren Gast in ihrem gesamten Hotelleben: Der hatte sich mit seinem Stuhl direkt ans Frühstücksbuffet gesetzt und seelenruhig alles in sich hineingefuttert, was er erreichen konnte. Aber das hier war einfach zu dreist, so wie alles, was dieser Mann sagte und tat. Ja, er war ein Teufel. Zur Hölle mit ihm!

Oma Martha bekreuzigte sich, Therese Stadlmair schaute lange die Tür an, die Peter McDormand hinter sich zugeschlagen hatte.

»Schade, dass Alkohol so langsam tötet«, murmelte sie nachdenklich.

»Mama!«, rief Annabelle.

»Wart's ab«, sagte Oma Martha mit ihrer dunkelsten Stimme. »Den wird noch früh genug der Teufel holen.«

Kapitel 10

Die klare eisige Höhenluft draußen tat Annabelle unendlich gut. Nach weiteren strategischen Diskussionen mit ihrer Mutter (diesmal unter vier Augen, um Oma Martha nicht zu viel zuzumuten) ging es mittlerweile auf Mittag zu, und Annabelle genoss ihren kleinen Spaziergang zur Höhle des Löwen. Es hatte aufgehört zu schneien. Da und dort sah man sogar ein Stückchen blauen Himmel zwischen den Wolken. Hoch über den verschneiten Gehöften ragte der Puxdorfer Hausberg auf, Drachenspitze genannt, weil er von abenteuerlich gezacktem Felsgestein gekrönt wurde, das jetzt freilich eine Schneekappe verdeckte. Dahinter erstreckten sich weitere weiß leuchtende Gebirgsmassive, deren Konturen sich gestaffelt in der Ferne verloren. Ein grandioses Panorama.

Annabelle konnte nicht widerstehen und schoss ein Handyfoto, bevor sie sich auf ihre Mission begab, trotz aller Warnungen ihrer Großmutter. Ausstaffiert mit ihrer Daunenjacke, den bunt geringelten Strickfäustlingen, ihrer hellblauen Wollmütze, zwei Schals (einer reichte nun mal nicht bei diesen Minustemperaturen) und ihren uralten Moonboots (museumsreife Dinger, späte Neunziger), folgte sie einem schmalen Trampelpfad, der von der notdürftig freigeschaufelten Dorfstraße zum Nachbarhof abzweigte.

Verrückt genug – noch nie hatte sie das Haus des *bösen Nachbarn* betreten. Die Oberleitners waren eben tabu für die Stadlmairs. Doch Annabelle pfiff auf die alte Fehde. Wenn es überhaupt noch was zu retten gab, dann ging kein Weg an Gerhard Oberleitner vorbei. Er war es schließlich, der mit seinen Verkaufsplänen Unfrieden stiftete, er war es, um den die Investoren herumschlichen wie hungrige Katzen um einen Fischverkäufer.

Nach einem Fußmarsch von wenigen Minuten kam das Nachbaranwesen in Sicht. Denn ein veritables Anwesen war dieser Bauernhof, zwar nicht so hübsch bemalt wie das Edelweiß und nur zweistöckig, dafür aber von beeindruckenden Dimensionen. Eine Fülle von Anbauten und niedrigen Ställen gruppierte sich um das Hauptgebäude – vermutlich Schweineställe, dem scharfen Güllegestank nach zu urteilen. Neugierig stapfte Annabelle an dem mit Stacheldraht gesicherten Holzzaun entlang, der das Grundstück umgab, bis sie schließlich auf eine klingellose Pforte stieß. Sie suchte alles ab. Keine Klingel. Passte irgendwie zu den menschenscheuen Oberleitners, fand sie. Die verbarrikadierten sich in ihrem Haus und verhinderten jeden direkten Kontakt, seit sie mit ihren Verkaufsabsichten das gesamte Dorf gegen sich aufgebracht hatten.

Auch schon vorher waren sie unbeliebt gewesen, weil sie als eigenbrötlerisch und geizig galten. Weder sah man sie beim Schützenfest noch beim Maibaumtanz, und wenn Geld für ein Geburtstagsgeschenk gesammelt wurde (ab siebzig bekamen betagte Puxdorfer ein Sammelgeschenk der Dorfgemeinschaft), hielten sie sich unfein zurück. Ging gar nicht. Nicht in Puxdorf.

Tja. Keine Klingel, das macht Sinn, überlegte sie. Was nun? Umkehren? Kam das überhaupt in Frage angesichts der brennenden Probleme? Nach kurzem Zögern kletterte Annabelle einfach auf die Pforte. Irgendwie musste sie ja schließlich zum Hausherrn vordringen, oder?

Als sie mit einem nicht gerade eleganten Sprung auf der anderen Seite landete, begannen in mehreren Zwingern Hunde zu bellen. Ihr Jaulen und Geifern ging Annabelle durch Mark und Bein. Ohnehin hatte sie Angst vor Hunden (jaja, Mary-Jo hätte von einer Canophobie gesprochen), und vor Dorfhunden fürchtete sie sich ganz besonders. Zweifellos waren diese Bestien darauf abgerichtet, jeden Eindringling gnadenlos zu zerfleischen. Glückwunsch. Dies versprach ein unterhaltsamer Tag zu werden.

Annabelle Stadlmair, du machst schon wieder komische Sachen, flüsterte ihre innere Stimme, die auf einmal derjenigen von Mary-Jo ähnelte. Sogar absolut unangemessene Sachen! Das ist Hausfriedensbruch! Was, wenn dich jemand erwischt?

Die Frage ist ja wohl eher, ob mir der Teufel Audienz gewährt, antwortete sie der vorwurfsvollen Stimme im Stillen. Oder würde der Oberleitner womöglich die Polizei rufen, wenn er einen Fremden entdeckte? Auf eine neuerliche Begegnung mit dem polizeilichen Ermittlerduo war Annabelle nun gar nicht erpicht. Vorsichtig nach allen Seiten Ausschau haltend, überquerte sie im Laufschritt den rechteckigen Vorplatz, der zwar von Schnee befreit war, jedoch wie ausgestorben dalag. Nur das Gebell wurde immer lauter. Einzelne Tiere warfen sich gegen die Gitter, so mordsmäßig wütend waren sie auf die Frau in der beigefarbenen Daunenjacke, die wie eine Einbrecherin über den Hof huschte.

Mit pochendem Herzen steuerte sie die wuchtige Holztür des Hauptgebäudes an und hob bereits eine Hand, um anzuklopfen, als die Tür von innen aufgerissen wurde.

»Wer sind Sie, und was wollen Sie?«, krähte eine dünne Greisenstimme.

Sprachlos stand Annabelle vor einem winzigen älteren Herrn, der eine graue Strickweste und braune Filzpantoffeln zu ausgebeulten Jogginghosen von undefinierbarer Farbgebung trug. Sein kahler Schädel glänzte fleckig, ein altmodisches Brillengestell mit millimeterdicken Gläsern umrahmte seine stechenden Augen. So weit, so unspektakulär für einen Mann, den Oma Martha mit allerlei dämonischen Eigenschaften ausgestattet hatte. Bis auf ein keineswegs unspektakuläres Detail: In seinen Händen hielt er ein Jagdgewehr, dessen stählerne Mündung genau zwischen Annabelles Augen zielte.

»Ich, ich … o Gott, nehmen Sie b-bitte d-die Knarre runter«, stotterte sie.

Ein leises Klicken verriet, dass er die Waffe entsicherte. Als Kind war Annabelle oft genug auf Schützenfesten gewesen, um die fatale Bedeutung des feinen Geräuschs decodieren zu können. Alle Nackenhaare stellten sich ihr auf (sogar trotz ihrer Mütze). Dieser Schuss, falls er denn abgefeuert wurde, würde garantiert nicht nach hinten losgehen.

»Sie haben unbefugt meinen Grund und Boden betreten!«, kreischte Gerhard Oberleitner in seiner Paraderolle als oberfieser Bösewicht. »Ich könnte Sie erschießen! Ginge glatt als Notwehr durch! Also, was wollen Sie?«

Annabelle zog den Bauch ein und die Pobacken zusammen. Volle Konzentration, schärfte sie sich ein. Ein falsches Wort, und der Alte flippt so richtig aus. Dann ist das Letzte, was du von dieser Welt siehst, das Aufflammen des Mündungsfeuers. Den traurigen Rest wirst du nicht mehr erleben.

»Ich heiße Anna Elisabeth Maria Stadlmair, bin die Tochter von Therese und Alois Stadlmair, folglich die Enkelin von Martha Stadlmair«, schnurrte sie den Text herunter, den sie sich auf dem Herweg zurechtgelegt hatte.

»Entschuldigen Sie bitte vielmals, dass ich hier einfach eingedrungen bin, aber es gibt ja keine Klingel an der Pforte. Ich möchte mit Ihnen reden. Ohne vorgehaltene Waffe, wenn's recht ist.«

Sie legte eine kleine Pause ein, um den Effekt ihrer Worte zu studieren. Leider schien sie den Rambo in Jogginghosen nicht gerade besänftigt zu haben.

»Hör ich recht? Stadlmair?«, krakeelte er los. »Fangen Sie schon mal an zu beten, bevor ich Ihnen das Hirn aus dem …«

»Vater! Was ist hier los?« Ein blonder Hüne in Annabelles Alter erschien an der Tür. »Sofort runter mit der Waffe!«

»Du hast mir gar nichts zu sagen!«, herrschte Gerhard Oberleitner ihn an.

Annabelle wagte kaum zu atmen. Es stimmte also: Der alte Oberleitner war ein Psychopath, der möglicherweise mir nichts, dir nichts Menschen über den Haufen schoss, wenn es ihm gerade so einfiel. Krass. Und der jüngere Mann, das musste Andi sein, sein nichtsnutziger Sohn. Der wurmstichige Apfel. Ein Schweinebauer wie sein Vater vermutlich und wahrscheinlich genauso simpel gestrickt, wenn auch weniger schießwütig. Er streifte Annabelle mit einem wachsamen Blick, dann legte er behutsam eine Hand auf den Gewehrlauf und drückte ihn langsam, ganz langsam zu Boden.

»Lass gut sein, Vater.«

Immer schön positiv denken, jetzt können nur noch deine Füße zerfetzt werden, keine lebenswichtigen Körperteile mehr, sagte sich Annabelle. Hurra. Doch was war das? Warum überlief eine seltsame Wärme ihre Haut? Okay, Andi. Wow. Breite Schultern, lässiges Auftreten, offener Blick aus sprühenden Augen. Fünfzehn Jahre hatte sie ihn nicht mehr gesehen. War das wirklich die unsägliche Pfeife, die damals ihr Fahrrad versteckt und ihren Ranzen in die Jauchegrube geworfen hatte?

Er schien mindestens so verblüfft zu sein wie sie. Nachdem er seinem Vater die Waffe entwunden und sie gesichert hatte, runzelte er die Stirn.

»Anna? Bist du das?«

»Äh, ja?«

»Also, die Überraschung ist dir gelungen.«

»Wirklich? Okay …«

»Schön, dass du dich mal wieder in der alten Heimat blicken lässt.« Er zwinkerte ihr zu. »Keine Sorge, die Zeiten, in denen ich an deinen Zöpfen gezogen habe, sind vorbei.«

Irgendetwas Merkwürdiges ging zwischen ihnen vor. Annabelle konnte sich nicht recht zusammenreimen, was es war. Oh, bitte, du findest ihn doch wohl nicht etwa sympathisch, zeterte ihre innere Stimme. Quatsch, das ist keine Sympathie, das ist … doch bloß Andi, der Schwachkopf von damals, nur halt ein ganz anderer Andi als in meiner Erinnerung. Er wirkte stark und selbstbewusst, wie er so aufrecht neben seinem Vater stand, in gutgeschnittenen Jeans und einem blau-grün karierten Flanellhemd. Und er hatte ein Kinngrübchen. Annabelle mochte Kinngrübchen. Wenn sie ehrlich war, fand sie ihn tatsächlich sympathisch. Nicht auf die prickelnde Art, nur als Mensch, der mit seiner warmen, offenen Art beindruckte.

»Worauf wartet die denn noch?«, knurrte Gerhard Oberleitner. »Die dumme Pute soll gefälligst abziehen, sonst mach ich ihr Beine. In diesem Haus ist kein Platz für eine Stadlmair.«

»Schon gut.« Andi hob entschuldigend die Achseln. »Sorry, Anna, komm, ich bring dich raus.«

»Kein Wort redest du mit der! Die Stadlmair-Bagage lügt, sobald sie den Mund aufmacht!«, rief sein Vater empört und fixierte Annabelle mit einem Blick, der einen Diamanten hätte zerbersten lassen. »Scher dich schon fort, vermaledeite Schlampe!«

Annabelle war komplett bedient. Mission impossible, Oma Martha hatte es ihr vorhergesagt, doch sie musste natürlich alle Warnungen in den Wind schlagen. Und sich jetzt auch noch anpöbeln lassen. Frustriert marschierte sie los, vorbei an den wild bellenden Hunden, geradewegs auf die Pforte zu.

»Schlammm-peeee!«, schrie ihr Gerhard Oberleitner hinterher, als sie den Vorplatz schon zur Hälfte überquert hatte. »Miststück, ausgschamtes! Dumme Trutschn! Damische Gretel!«

Boaaah. Der Mann hatte echt Druck auf dem Stift. Und ein Frauenhasser schien er auch zu sein. Nie wieder würde sie ein Wort mit diesem primitiven Choleriker wechseln.

»Hey, warte«, hörte sie auf einmal eine keuchende Stimme neben sich. Es war Andi, der einen Spurt eingelegt hatte, um sie einzuholen. Vor seinem Mund bildeten sich Atemwolken in der eisigen Luft, sein kurzes blondes Haar schimmerte im Licht eines Sonnenstrahls, der durch die Wolken brach. »Tut mir wirklich leid, das mit meinem Dad.«

Sie blieb stehen. Er nannte seinen Vater *Dad*? Gehörte Andi etwa auch zu den Fans amerikanischer Serien? Egal, er war ein Oberleitner und damit ein Spross von Familie Fürchterlich.

»Falls du denkst, vor lauter Freude, dich zu sehen, breche ich zusammen, dann hast du dich geschnitten«, muffelte sie, obwohl der neue Andi gar nicht mal so negative Gefühle in ihr weckte. »Die Stadlmairs und die Oberleitners, das passt einfach nicht zusammen, deshalb …«

Mit einer ungeduldigen Geste brachte er sie zum Schweigen.

»Jetzt mal halblang, Anna. Das ist doch Schnee von gestern. Was wolltest du denn überhaupt von meinem Vater?«

Genervt bohrte sie ihre Hände in den bunt geringelten Fäustlingen in die Taschen ihrer Daunenjacke.

»Ihn davon abbringen, Puxdorf zu zerstören, was sonst? Na ja, vergebliche Liebesmüh. Ich bin noch nie so gedemütigt worden, ohne ausdrücklich darum gebettelt zu haben.«

»Und warum lächelst du dann?«

Ich *lächele?* Wie ertappt zuckte Annabelle zusammen.

»Wo das jetzt herkommt, kann ich mir beim besten Willen nicht erklären«, nuschelte sie.

Holla. Konnte es sein, dass der neue Andi sie gehörig aus der Kurve trug? Nein, konnte es nicht. Sie war in den aufregendsten Städten der Welt zu Hause, hatte durch ihren Job mit den aufregendsten Männern zu tun und sich völlig abgewöhnt, so was wie aufgeregt zu sein, wenn ein unbestreitbar sympathischer Mann (mit einem bestens trainierten Oberkörper unter seinem engen Holzfällerhemd) vor ihr stand.

»Komm schon, erzähl, wie geht es dir?«, fragte er ganz locker. »Hab dich ein paarmal gegoogelt, kommst ja echt rum.«

Er hat mich gegoogelt. Er hat mich gegoogelt. Ihr wurde immer unbehaglicher zumute.

»Ach nee, ist das deine Version von Bauer sucht Frau? Mich zu stalken? Ich wusste doch schon, dass du 'nen Schatten hast, zu putzig, dass du es trotzdem immer wieder demonstrieren musst.«

Ihre Worte prallten an ihm ab wie frisch aufgepumpte Fußbälle an einer Betonmauer. Unvermindert freundlich lächelte er sie an.

»Wenn du ein Problem mit mir hast, kannst du es behalten. Ist ja schließlich deins. Bis auf diese dämlichen Kinderstreiche bin ich mir keiner Schuld bewusst.«

»Ach nein? Heute ist der Tag des Mitdenkens, nur, dass du ihn leider nicht mitfeiern kannst. Wenn ihr an diesen Peter McDormand verkauft, ist nicht nur Puxdorf dem Untergang geweiht. Dein Vater will sich auch das Edelweiß unter den Nagel reißen! Also tu bloß nicht so scheinheilig!«

»Verstehe.« Mit einer Schuhspitze schob er einen Schneerest beiseite. »Nun, ich fürchte, die Würfel sind gefallen. Eigentlich wollte mein Dad schon heute Morgen unterschreiben. Nachdem der erste Interessent abgesprungen ist, ein Münchner Anwalt, möchte er den Verkauf so rasch wie möglich unter Dach und Fach bringen.«

»Aha«, erwiderte Annabelle heiser. »Abgesprungen, na so was.«

Vor lauter Schuldgefühlen wurde ihr ganz flau. Mit lausig gemimter Gleichgültigkeit zupfte sie an ihren Schals herum. Die Sache mit der Leiche ging ihr immer noch ganz schön nahe.

»Ja, genau«, bestätigte Andi. »Der Typ war total heiß auf den Deal, hat sich aber nie wieder gemeldet. Und jetzt verspätet sich auch noch dieser McDormand – unbegreiflicherweise, denn der hatte es ganz schön eilig mit dem Vertrag, damit ihm der andere, neue Interessent nicht in die Quere kommt.«

»Fabian Berenson.«

»Genau. Du kennst ihn?«

Allein seinen Namen auszusprechen hatte Annabelle das Blut in die Wangen getrieben.

»Flüchtig.«

Mist. Das absolut Peinliche am Erröten war, dass es desto schlimmer wurde, je mehr man dagegen anging. Sie brauchte keinen Spiegel, um zu wissen, dass ihr Teint in Weihnachtskerzenrot loderte. Befangen senkte sie den Kopf und musterte ihre alten Moonboots, deren äußere Plastikbeschichtung fröhlich abbröckelte.

»Anna? Was hast du denn?«

Andis Stimme klang auf einmal samtweich. Wie die Stimme eines Mannes, der aufrichtig an der Gemütslage einer Frau interessiert war.

»Was ich habe? Die Nase gestrichen voll!«, schnaubte sie, um ihre kopflose Erregung wegen Fabian Berenson zu überspielen. »Wieso seid ihr so geldgeil und rücksichtslos? Was hat Puxdorf euch getan? Was haben die Stadlmairs euch getan?«

»Musst du den Alten fragen, damit habe ich nichts zu tun.« Frierend schlang Andi die Arme um seinen Oberkörper, denn obwohl die Sonne mittlerweile strahlend hell vom Himmel schien, war die Luft so frostig wie Annabelles Tonfall. »Dieser ganze Dorfkrempel ist sowieso nicht mein Ding. Ich lebe seit vielen Jahren in München, wo ich ein Start-up in der IT-Branche leite.«

Damit hatte Annabelle nun gar nicht gerechnet. Andi war gar kein Schweinebauer? Und hatte sogar ein Start-up? Allein, dass er das Wort kannte …

»Ich besuche meine Eltern nur ab und an, weil meine Mum krank ist, sehr krank. Und zu Weihnachten ist das natürlich Ehrensache, obwohl ich dafür eine Geschäftsreise nach Hongkong unterbrechen musste.« Er atmete schwer. »Jedenfalls werde ich den Hof nicht übernehmen, auch wenn meine Eltern das gern so hätten. Ich wollte nie in diesem Kaff versauern, weißt du.«

Hey, das ist mein Text!, dachte Annabelle perplex.

»Deshalb ist mir letztlich egal, was mit dem Hof passiert«, sprach er weiter. »Meine Eltern haben seit Jahrzehnten nicht mehr richtig renoviert, hier müssten Millionen reingesteckt werden – die es leider nicht gibt. Deshalb müssen sie verkaufen, und zwar presto. Danach nehme ich meine Eltern nach München, wo meine Mum endlich anständig medizinisch versorgt werden kann. Hab schon ein Appartement in einem Seniorenwohnstift organisiert.«

Auch so viel Fürsorglichkeit hatte Annabelle nicht erwartet. Und schon gar nicht, dass sie seine Argumente bestens nachvollziehen konnte. Verwirrt stellte sie fest, dass es mehr Gemeinsamkeiten zwischen Andi und ihr gab, als jemals gedacht. Letztlich befanden sie sich in einer absurd ähnlichen Situation. Beide hatten sie ihr Heimatdorf verlassen, beide standen sie vor dem Problem eines maroden Elternhauses, beide waren sie daran interessiert, schnelle Lösungen zu finden, um wieder ihr gewohntes Leben aufnehmen zu können. Aus Andis Perspektive betrachtet, tat er das einzig

Richtige: seinem Vater helfen, meistbietend zu verkaufen, und dann aus Puxdorf verschwinden. Dennoch, das alles ging auf Kosten des Ortes und würde zum Niedergang des Edelweiß führen.

»Könntet ihr nicht wenigstens auf einen Investor warten, der achtsamer mit Puxdorf umgeht?«, beschwor sie ihn. »So mehr aus der nachhaltigen Abteilung? Jemand, der hier nur kleckert, nicht klotzt?«

Lange schaute er an ihr vorbei zu den Hundezwingern, in denen es seit seinem Erscheinen still geworden war, danach ließ er seinen Blick über die Ställe und das Hauptgebäude schweifen.

»Bis jetzt gab es drei ernstzunehmende Interessenten, und die favorisieren alle das Megaresort. Verstehe ich ja auch irgendwie. Unter uns gesagt, ist der Hof eine Bruchbude. Dass diese Finanzheinis den gesamten Gebäudekomplex abreißen werden, ist mehr als wahrscheinlich. Alles andere würde sich nicht lohnen.«

Annabelle schirmte ihre Augen mit der flachen Hand ab, weil die Sonne sie blendete, und begutachtete das alte Bauernhaus mit dem tiefgezogenen Dach und den kunstvoll geschnitzten Holzbalken.

»Steht euer Hof denn nicht unter Denkmalschutz?«

Mit einem mokanten Pfeifen zog er eine Augenbraue hoch.

»Ist den Investoren doch Banane. Der Bürgermeister gibt sowieso grünes Licht, solange jede Menge Schotter angeflogen kommt und er was davon einsacken kann. Der kungelt seit Jahren mit der Denkmalschutzbehörde, da ist kein Widerstand zu erwarten.«

»Aber die Bürgerinitiative?«

»Gut gemeint, mehr nicht.« Er hakte die Daumen in den Hosenbund seiner Jeans. »Schau dir deine alten Freunde doch an. Betty, Fanny, Ferdi, Toni, Mitzi, Xaver – die kleben halt an der Scholle, im Unterschied zu dir und mir. Die haben sich nie vom Dorfleben emanzipiert und wollen immer nur, dass alles beim Alten bleibt.«

Wahr gesprochen. Verflixt, dieser neue Andi verfrachtete sie in einen inneren Zwiespalt. Einerseits teilte Annabelle seine Einschätzung, dass ihre Freunde von damals irgendwie stehengeblieben waren, andererseits stand sie selbstverständlich auf der Seite der Bürgerinitiative.

»Tja, dann …«

Das Ende des Satzes ließ sie absichtsvoll in der Luft schweben. Warum sollte sie Andi auch verraten, dass sie bis zur letzten Sekunde ihres Aufenthalts gegen den Ausverkauf Puxdorfs kämpfen würde?

»Du bist schmaler als früher«, stellte er unvermittelt fest.

»Jetzt fang du nicht auch noch an«, grummelte sie. »Meine Familie denkt, Größe achtunddreißig sei so was wie Skelettformat, weil sie meinen, Frauen müssten drall und rund sein.«

Ein sachkundiger Männerblick scannte ihren Körper.

»Hm. Nach allem, was ich trotz deiner Vermummung erkennen kann, sind die Kilos erfolgreich an die richtigen Stellen gewandert.«

Das war ja wohl das Letzte. Andi Oberleitner machte ihr Komplimente? Sie gab ihm den Du-kannst-mich-mal-Blick.

»So, Andi, das ist der Moment, wo man sich verabschieden sollte. Ciao.«

»Ciao, alles Gute.« Er nahm die Daumen aus dem Hosenbund und streckte ihr die rechte Hand hin. »Man sieht sich.«

»Ja, vielleicht … nee, besser nicht.«

Annabelle überwand sich, seine Hand zu schütteln. Kostete es sie überhaupt Überwindung? In jedem Fall war es Zeit, zu gehen, und doch hielt sie irgendetwas davon ab. Auch er machte keinerlei Anstalten, ins Haus zurückzukehren.

»Wie lange bleibst du denn?«

»Nur eine Woche, über Weihnachten, danach fliege ich nach Singapur.« Annabelle rieb ihre Fäustlinge aneinander. »Neuer Job. General Manager des Mandalay Bay Hotels. Ziemlich große Sache.«

»Gratulation, das klingt phantastisch.« Andi nickte anerkennend. Als Erster und Einziger hier schien er ehrlich beeindruckt zu sein, statt ihr den Job ausreden zu wollen. »Asien, ja, das ist die Zukunft. Ich expandiere auch gerade in die Richtung, wir haben schon eine Dependance in Hongkong. Du machst es genau richtig, Anna. Respekt, du musst wirklich gut in dem sein, was du tust, dass man dir diese Chance bietet.«

Es lag so viel Wärme, so viel Sympathie in seinem Lob. Wieder errötete Annabelle, diesmal aus Freude, die jedoch nicht lange währte. Shit. Das Schicksal hatte wirklich einen miesen Humor. Da begegneten ihr zwei besondere Männer, und beide kamen sie nicht einmal für eine Freundschaft in Frage: Andi, weil er zur Feindessippe gehörte, Fabian, weil er ein gerissener Abzocker war. Noch dazu verheiratet mit einer veritablen Pissnelke, was ja so einiges über seinen üblen Charakter sagte. Sie schaute zu ihrem Handgelenk, obwohl sie gar keine Uhr trug.

»Huch, so spät schon? Ich muss jetzt wirklich los.«

»Klar, kein Problem.« Aus seiner Hosentasche holte Andi eine Fernbedienung, drückte auf eine kleine graue Taste, und die Pforte öffnete sich wie von Geisterhand. »Das nächste Mal musst du nicht drübersteigen. Wähl einfach die Festnetznummer meiner Eltern, der Anruf wird zurzeit auf mein Handy umgeleitet. Also, das heißt«, in seinen Augen flackerte es leicht, »falls du noch mal herkommen möchtest.«

Was redete er denn da? Annabelle bemühte sich um einen abweisenden Tonfall.

»Gebongt, ich fahr nämlich total darauf ab, erschossen zu werden.«

Ob er jetzt sauer war? Nein, unter großem Gepruste lachte er einfach los, was zweierlei bewies: zum einen, dass er ihren Sarkasmus goutierte, zum anderen, dass er gar nicht daran dachte, seinen kauzigen Knarren-Dad zu verteidigen.

»Irgendwann, Anna, wenn das alles hier vorbei ist …«, er beugte sich leicht vor, »… sollten wir einen Kaffee trinken. In Hongkong. Oder Singapur.«

Verdutzt über diesen unvermuteten Vorschlag, hielt sie den Atem an. Ob er das ernst meinte? Oder war das ein neuer Oberleitnertrick? Neuerdings schön schleimig drauf, damit man die Leute noch besser aufs Kreuz legen konnte?

»Keine Sorge, ich will dich nicht heiraten, nur ein bisschen kennenlernen«, lächelte er, wobei sich sein Kinngrübchen vertiefte. »Wie heißt es doch so schön blöd? Im Winter schneeschippe ich, im Sommer parshippe ich. Ansonsten habe ich keine Zeit für Beziehungen. Bin mehr so der Einzelkämpfer ohne Sozialgedöns. Bei mir geht die Arbeit vor.«

Was sollte man davon halten? Ohne es zu wollen, musste Annabelle an Simon denken. Die Arbeit geht vor, wie oft hatte sie ihm das entgegnet, wenn er ein romantisches Dinner oder einen Wochenendtrip vorschlug? Wir haben viel zu wenig Zeit füreinander gehabt, dachte sie. Falsch, ich habe mir viel zu wenig Zeit für diese Beziehung genommen. Und prompt die Quittung gekriegt. Auch ich bin eine Einzelkämpferin.

»Tja, jetzt weißt du das Wichtigste«, fuhr Andi fort, als sie nicht antwortete. »Mein Vater sagt immer: Das Schlechte, was sie von dir sehen, meißeln sie in Stein, das Gute, was sie in dir sehen, schreiben sie auf Wasser. Ist schon irgendwie beknackt. Als Kind war ich ein Außenseiter im Dorf, dir muss ich das wohl nicht erklären, und noch immer finden mich manche Menschen merkwürdig.«

So wie man mich wahrscheinlich merkwürdig findet, weil ich mit einer Psychorette befreundet bin, Konversation mit einem Teddybären pflege und zu Selbstgesprächen neige.

»Das Gefühl kenne ich«, murmelte Annabelle.

O Gott, warum hatte sie das denn gesagt? Erschrocken über ihre freimütige Offenheit stolperte sie rückwärts und hätte um ein Haar einen Popoklatscher auf dem glatten Boden hingelegt, wenn nicht Andi reaktionsschnell hinzugesprungen wäre. Geschickt stützte er sie ab, und für Sekunden kamen sie einander so nahe, dass Annabelle kleine goldene Sprenkel in seinen hellbraunen Augen erkennen konnte.

»Du brauchst jemanden, der auf dich aufpasst, was?«, grinste er.

»Blödsinn.« Verlegen rückte sie ihre Mütze gerade, die ein wenig verrutscht war. So was Dummes konnte auch nur ihr passieren. »Also, ich mach mich vom Acker.«

»Alles klar.«

Andi drückte erneut auf die Fernbedienung, um die Pforte zu öffnen, die sich inzwischen wieder geschlossen hatte. Ohne jeden weiteren Kommentar hielt er ihr außerdem eine kleine hellblaue Visitenkarte hin, die Annabelle ebenso kommentarlos einsteckte.

»Dann viel Spaß mit Peter McDormand«, ätzte sie, um nach ihrem Fast-Ausrutscher einen einigermaßen souveränen Abgang hinzubekommen. »Bestimmt zieht er euch über den Tisch, aber das ist nur die gerechte Strafe dafür, dass ihr Puxdorf in die Tonne tretet.«

»Zu liebenswürdig.« Andi grinste immer noch. »Hoffe ja nur, dass dieser McDormand nicht gefesselt und geknebelt in seinem Zimmer im Edelweiß liegt. Bei den Stadlmairs muss man auf alles gefasst sein.«

Kapitel 11

Unverrichteter Dinge stapfte Annabelle zurück zum Edelweiß. Diesmal nahm sie allerdings nicht den kleinen Trampelpfad zur Dorfstraße, sondern eine Abkürzung über den weitläufigen Garten ihrer Eltern, der an das Grundstück des Oberleitneranwesens grenzte. Cheimaphobie? Von wegen! Tapfer trotzte sie der Kälte, als sie bis zu den Hüften im Tiefschnee einsank und sich mühsam vorwärtsarbeitete, die Schneemassen mehr wegtretend als beiseiteschiebend. Sie brauchte diese körperliche Herausforderung, um überhaupt mal was zu bewältigen. Der Besuch bei den Oberleitners war jedenfalls gründlich danebengegangen. Der Vater hatte sich als halsstarrig und gemeingefährlich erwiesen, der Sohn – Himmel, und dem Sohn wäre sie fast auf den Leim gegangen!

Wobei ... Irgendetwas hatte sich an Annabelles Einstellung geändert. Obwohl sie wusste, dass Andi und sie mehr trennte als verband, konnte sie nicht ignorieren, dass sie einige Momente lang seiner Ausstrahlung erlegen gewesen war. Seiner sympathisch lässigen Art. Okay, der Fairness halber war hinzuzufügen, dass er einen rechtschaffenen, integren Eindruck machte. Hätten sie sich woanders getroffen, in München oder New York, wäre sie sicherlich auf sein Angebot eingegangen, einen Kaffee miteinander zu trinken. Tja. Das Leben war nicht fair ...

Sie sah hoch. Mittlerweile hatte die Sonne ihren Kampf mit den Wolken endgültig gewonnen. Der Himmel strahlte polarblau, der grell leuchtende Schnee ließ die Luft flimmern. Überwältigt von der Schönheit der Alpenlandschaft blieb Annabelle stehen. Alles wirkte so rein, so unberührt. Selbst die verschneiten Bauernhöfe schmiegten sich harmonisch in die bergige Schneelandschaft, als seien sie Teil der Natur. Linker Hand, ein Stück höher hinter dem Oberleitnergrundstück, lag die Rodelbahn, auf der sie als Kind ganze Tage verbracht hatte. In der Ferne ahnte man die Pisten, auf denen ameisengleiche Skiläufer Richtung Tal sausten, vorbei an winzigen Hüttenstationen, wo man sich an Kaiserschmarrn und Almdudler laben konnte.

Die Arbeit geht vor … Annabelle schloss die Augen, gleichermaßen aufgewühlt durch das Gespräch mit Andi Oberleitner wie vom Anblick der Skiläufer. Wann hatte sie eigentlich das letzte Mal Urlaub gemacht? Einen Skiurlaub, Strandurlaub, Tauchurlaub, Bildungsurlaub – egal, einfach zwei, drei Wochen ganz ohne Laptop, also ohne zwischendurch Mails zu checken, Auslastungsquoten zu prüfen, Hotelportale nach Bewertungen zu durchforsten?

Mutlos ließ sie die Schultern hängen. Wie oft hatte Simon sie beschworen auszuspannen, ganz cosy, nur zu zweit, wie oft hatte er um quality time gebeten, um ein paar gemeinsame freie Tage. Vergeblich. Sie hatte ihm unterstellt, er würde ihr den Erfolg übelnehmen, ihr Knüppel zwischen die Beine werfen wollen. Umso verbissener hatte sie sich an der Jobfront ins Zeug gelegt. Selbst an den wenigen Abenden mit Simon hatte sie nie richtig abschalten können, stattdessen dauernd vom Hotel geredet, von neuen Speisekarten, ausgefallenen Tischdekorationen, exquisiten Weinen. Als gäbe es nichts Wichtigeres auf der Welt als das Imperial Ambassador.

Dass Simon sie verlassen hatte, musste man daher als folgerichtige Konsequenz betrachten. Sie hatte ein meterdickes Brett vor dem Kopf gehabt, er war in den Alkohol geflüchtet.

Der Schmerz traf sie völlig unvorbereitet. Plötzlich wurde es ihr eng in der Brust, Sturzbäche von Tränen liefen über ihre Wangen, hemmungslos schluchzte sie vor sich hin, das erste Mal seit der Trennung. Alles, was sie in den letzten beiden Tagen verdrängt, alles, was sich in ihr aufgestaut hatte, brach jetzt aus ihr heraus, mit einer Urgewalt, die sie zutiefst erschütterte.

So kannst du nicht weitermachen, Annabelle. Wach auf! Du musst dein Leben ändern! Dass du Simon verloren hast, war die letzte Warnung …

Hektisch wühlte sie ihr Handy aus der Hosentasche und zog den rechten Handschuh aus. Mit klammen Fingern schrieb sie Simon eine Nachricht, eine ziemlich lange Nachricht der Zerknirschtheit und der Reue. Nicht etwa, weil sie hoffte, ihn zurückzubekommen, sondern um sich von dem Schatten zu befreien, der seit zwei Tagen auf ihrer Seele lastete, ohne dass sie es hatte wahrhaben wollen. Ganz am Ende tippte sie die Sätze ein:

Jemand hat mal gesagt: Jede Enttäuschung öffnet die Augen und verschließt das Herz. Mir sind endlich die Augen geöffnet worden, lieber Simon, doch ich wünsche mir, dass unsere Herzen nicht für immer verschlossen bleiben. Love, Belle

Danach fühlte sie sich viel besser. Mit dem Ärmel ihrer Daunenjacke wischte sie zuerst das tränennasse Display, danach ihre Wangen trocken. Seit langer Zeit war sie zum ersten Mal wieder mit sich im Reinen. Okay, sie hatte es vergurkt mit Simon, doch noch einmal würde ihr so was nicht passieren. Yo. Das hieß wohl, aus Schaden klug zu werden.

Gestärkt nahm sie ihre Wanderung wieder auf (oder eher ihren Watschelgang durch den Tiefschnee), und unversehens stiegen frühe Erinnerungen in ihr hoch. Verborgen unter der weißen Pracht lag das Paradies ihrer Kindheit. Die Wiese, auf der sie Löwenzahnketten gebastelt hatte; die Brombeersträucher, in denen man todsichere Verstecke fand, wenn man was ausgefressen hatte; das sumpfige Loch, das trotz strengster Verbote ihr Lieblingsplatz gewesen war, weil man darin so herrliche Matschepampekuchen backen konnte.

Ich habe eine Heimat, ging es ihr durch den Kopf, ich habe ein Elternhaus, und das ist alles andere als selbstverständlich.

Die Eltern der meisten ihrer Freunde in New York oder anderswo lebten in Wohnungen (viele von ihnen längst getrennt), zogen immer mal wieder um und konnten ihren Nachkommen keineswegs ein *Daheim* bieten, einen urvertrauten Ort, getränkt mit Erinnerungen, beatmet mit dem Duft der Kindheit. Zum ersten Mal wurde Annabelle bewusst, dass sie nicht nur für ihre Eltern und Oma Martha kämpfte, sondern auch für den Erhalt dieses unverwechselbaren Stücks Heimat, das ihr mehr bedeutete als bisher angenommen.

Alles nahm sie auf einmal mit neuen Augen wahr. Die kahlen Kirschbäume, aus deren Früchten Oma Martha im Sommer ihr legendäres Kirschkompott kochte; den aus Felssteinen gemauerten Brunnen, an dem sie als kleines Mädchen auf den Froschkönig gewartet hatte (nur das mit dem Küssen war ihr unheimlich gewesen); das kleine Heiligenhäuschen mit dem Kruzifix, unter dem Alois Stadlmairs geliebter Schäferhund Ajax begraben lag (neben dem Meerschweinchensarg, einem Schuhkarton, in dem Annabelle ihr erstes und einziges Haustier beerdigt hatte).

Als sie am Heuschober vorbeikam, packte sie das schlechte Gewissen. Hieß es nicht, man solle Respekt vor den Toten haben? Es mochte ja sein, dass der unsanft entschlafene Mann ein Ekelpaket von hohen Graden gewesen war, doch auch er verdiente eine letzte Ruhestätte. Merkwürdig genug, irgendwie fühlte sie sich für ihn verantwortlich. Ob sie mal nach ihm schaute?

Nachdem sie sich vergewissert hatte, dass niemand sie beobachtete, spähte sie in die Scheune. Hm. Von der Leiche war nichts zu sehen. In der Ecke stand eine große Häckselmaschine, daneben diverse Heurechen und zwei Sensen, gegenüber stapelten sich ordentlich aufeinandergeschichtete Strohballen bis zur Decke. Sie trat ein und scharrte mit ihren Moonboots in den herumliegenden Heuhalmen, fand jedoch nichts weiter als einen goldenen Manschettenknopf in Würfelform. Vorsichtshalber steckte sie ihn ein, dann verließ sie fluchtartig den Heuschober, getrieben von neuerlichem Grauen.

Wie war der Mann umgekommen? Würde er – wo auch immer er sich gerade befand – jemals entdeckt werden? Und falls es Mord gewesen war, wer hatte ihn auf dem Gewissen?

Just in diesem Moment piepste ihr Handy.

Hallo Anna, wir treffen uns alle um zwei bei mir in der Backstube. Lagebesprechung. Dringend. Bis gleich, Betty. PS Hab die Nummer von deiner Mutter ☺

Fragend blickte sie den Smiley an. Lagebesprechung? Dringend? Sie musste sich doch um das Edelweiß kümmern, den Koch briefen, das neue Marketing entwerfen, die Positionierung …

Superdringend!!!, schrie ihr eine weitere Nachricht von Betty entgegen.

Irgendwas schien da im Busche zu sein. Eine neue Strategie der Bürgerinitiative vielleicht? Waren brisante Informationen aufgetaucht? Geheime Unterlagen?

Das Geräusch knirschender Schritte im Schnee ließ sie zusammenfahren. Es war Fabian Berenson, der die wenig ansehnliche Rückfront des Hotels fotografierte. Na super. Von vorn sah das Edelweiß ja noch einigermaßen passabel aus (lediglich das *E* vom Schriftzug *Hotel Edelweiß* hing schief), von hinten jedoch tröstete keine Lüftlmalerei darüber hinweg, dass das Gebäude nur noch aus fleckig bröselndem Putz, vermoderten Holzfensterrahmen und verwitterten Dachschindeln zu bestehen schien. Plante dieser kaltherzige Gauner etwa schon den Abriss? Verdrossen ging Annabelle auf ihn zu.

»Was machen Sie da?«

Er lächelte milde.

»Ich fotografiere die Relikte einer untergehenden Zivilisation.«

»Ach, Sie machen Selfies?«

Um seine Mundwinkel zuckte es. Wie am Vortag, trug er wieder seine cognacfarbene Lederjacke mit dem Fellbesatz, dazu ein hellblaues Oberhemd sowie eine bläulich verspiegelte Pilotensonnenbrille. Alles in allem machte er den tiefenentspannten Eindruck eines ausgeschlafenen Menschen. Alpträume hatten ihn offenbar nicht geplagt.

»Ich fotografiere mich selten selbst, Frau Stadlmair.«

»Sehr gut, wozu auch? Wenn es kein anderer tut, wird das schon seinen Grund haben.«

Mit abgezirkelten Bewegungen nahm er seine Sonnenbrille ab, klappte sie zusammen und hängte einen Bügel in seinen Hemdkragen. Dann schaute er sie forschend an, als sei sie ein seltenes Insekt vom Amazonas, das sich in die Alpen verirrt hatte.

»Oh. Haben Sie geweint?«

»Ich?« Betont burschikos zog Annabelle nicht vorhandenen Schnodder hoch. »Das ist nur die Kälte. Da läuft die Nase, und die Augen tränen wie nix.«

»Ich glaube, ich sollte mich mal bei Ihnen entschuldigen«, erklärte er mit reumütiger Miene.

Aha, noch ein Wolf, der Kreide futterte – erst Andi, jetzt Fabian Berenson. Aber Annabelle war kein doofes Rotkäppchen, das sich hinters Licht führen ließ, um anschließend verspeist zu werden.

»Wieso *glauben* Sie das nur? Besteht da irgendein Zweifel? Im Übrigen bin ich nicht in der Stimmung, eine schlappe Entschuldigung zu akzeptieren. Hier geht es ums Eingemachte! Sie wollen meinen Eltern die Existenzgrundlage entziehen!«

»Wer sagt das?«

»Gerade hatte ich ein sehr spannendes Gespräch mit Oberleitner Junior.« Bockig schob Annabelle die Unterlippe vor. »Aber wieso rede ich überhaupt noch mit Ihnen?«

»Weil Sie … gern mit mir reden?«

Ach du liebes Lieschen. Jetzt wurde er auch noch keck.

»Haha, zurück zur Realität. Sie sind hier unerwünscht, Herr Berenson. Deshalb muss ich Sie bitten, Ihre Sachen zu packen und auszuchecken.«

»Oh, Sie fahren ja starkes Geschütz auf«, lächelte er, wobei sich der sattsam bekannte Schalk in seinen Augenfältchen einnistete.

Annabelle verschränkte die Arme.

»Genau, abwarten und Tee trinken reicht nicht. Bei Ihnen muss man schon mit der Kanne schmeißen.«

Statt beleidigt zu reagieren, warf er den Kopf in den Nacken, seine ebenmäßigen Zähne leuchteten in der Sonne auf, als wollten sie mit dem blendend weißen Schnee wetteifern, und er lachte so herzlich, dass seine Augenfältchen tanzten (ja, die mit dem Schalk). Dann setzte er die Sonnenbrille wieder auf.

»Okay, ich werde ein Auge auf umherfliegende Teekannen haben. Schließlich möchte ich im Edelweiß zu Mittag essen, falls Sie nichts dagegen haben.«

Gab der denn nie auf? Mit ihren Moonboots malte Annabelle kleine Kreise in den Schnee.

»Essen, soso. Davon muss ich Ihnen dringend abraten, auch wenn es mir pupsegal sein kann, ob Sie sich den Magen verderben oder nicht.«

Er fuhr sich mit der Zunge über die Lippen, und Annabelle konnte nicht umhin, fasziniert seine rosa Zungenspitze zu betrachten. Woher kam dieses unbändige Verlangen, ihn zu küssen? Was stimmte nicht mit ihr?

»Auf der Tageskarte stehen Fischstäbchen mit Kirschkompott«, grinste er. »Das muss ich unbedingt ausprobieren, bin halt ein experimentierfreudiger Mensch.«

Annabelles Magen machte eine Rolle vorwärts. Dieser Koch war wirklich ein Abgesandter der kulinarischen Hölle.

»Schmeckt wahrscheinlich noch schlechter, als es klingt«, erwiderte sie finster. »Na ja, das gehört zum Plan.«

»Dann verzichte ich eben aufs Essen. – Was für einen Plan meinen Sie?«

»Ich liebe es, wenn ein Plan funktioniert: dass Sie bereits vor dem Mittagessen auschecken.«

Schlussendlich nun doch verstimmt, kickte er einen der Eiszapfen beiseite, die vom Dach gefallen waren und wie gläserne Dolche auf dem verschneiten Boden lagen.

»Und wo soll ich bitte schön schlafen? Das Edelweiß ist das einzige Hotel weit und breit.«

Tja, Pech gehabt. War ja auch Sinn der Sache. Annabelle blies eine Haarsträhne beiseite, die sich aus der Mütze gelöst hatte.

»Von mir aus können Sie im Schnee übernachten, falls Sie unbedingt in Puxdorf bleiben wollen.«

»Oder ich nächtige in der Scheune da.« Ein schlauer, fast durchtriebener Ausdruck formte sich in seinem Gesicht. »Nettes Plätzchen, wenn auch nicht gerade komfortabel für einen Städter.«

Annabelle blieb fast das Herz stehen. Hatte er sie etwa beim Verlassen der Scheune gesehen? Oder etwas mit dem Toten zu tun? Himmel, wie sollte sie diese Anspielung parieren? War es überhaupt eine Anspielung gewesen? Jetzt bloß cool bleiben. Halt ihn auf Distanz.

»Das hier ist nicht Hipsterhausen«, brummte sie. »Lassen Sie mich in Frieden, lassen Sie Puxdorf in Frieden!«

»Jessas, was zum Teufel is denn hier los?«, erklang die knorrige Stimme von Max, der in diesem Moment mit einem leeren Eimer aus dem Pferdestall heranstiefelte.

»Der Herr hat sich daneben benommen und wollte gerade gehen«, antwortete Annabelle frostig.

»Lassen S' des Mädel in Ruh! Sie!«, brauste Max auf. »Sonst klatscht's, und zwar kein Applaus!«

Sicherlich kam es nicht alle Tage vor, dass man einem Fabian Berenson Prügel androhte, dennoch blieb er die Gelassenheit in Person. Er begrüßte Max, indem er zwei Finger an die Schläfe legte und ruckartig wieder wegzog, was man wohl als Parodie eines militärischen Grußes verstehen sollte.

»Sehr ritterlich, guter Mann, doch ich habe den Eindruck gewonnen, dass sich Frau Stadlmair erfolgreich selbst verteidigen kann, auch dann, wenn sie gar nicht angegriffen wird.« Jetzt verbeugte er sich sogar. »Habe die Ehre.«

»Damischer Gschwurf!«, schleuderte Max ihm entgegen, bevor er weiter zum Haus stiefelte und in der Küchentür verschwand.

Für Annabelle war der Fall damit erledigt. So wie die Personalie Fabian Berenson. Die Zeit drängte und war viel zu kostbar, um sich weiter mit diesem Typen abzugeben. Zu gern hätte sie ihn zwar gefragt, wie die nächtliche Exkursion zum Bürgermeister ausgegangen war, doch das hätte schon zu viel der Aufmerksamkeit bedeutet.

»Ein Penny für Ihre Gedanken«, sagte er versonnen.

»Wenn ich wollen würde, dass Sie wissen, was ich denke, würde ich es Ihnen mitteilen.« Annabelle verknotete die beiden Schals neu, das Signal für ihren Aufbruch. »Und nicht vergessen, im Edelweiß ist heute Tag der geschlossenen Tür. Also? Wann gedenken Hoheit die Heimreise anzutreten?«

Erneut nahm er die Sonnenbrille ab, und dieses Mal stopfte er sie in die Innentasche seiner Lederjacke.

»Wie alt sind Sie eigentlich?«

Was war das denn nun für eine Frage? Annabelle funkelte ihn angriffslustig an.

»Mitte dreißig, wieso?«

»Hätte Sie jünger geschätzt. So auf Mitte vier. Ihr Verhalten ist nämlich ziemlich unreif, um nicht zu sagen: kindisch.«

»Ich weiß, ich find mich auch super.« Sie lachte etwas zu laut. »Es wäre nämlich nicht gerade ein Zeichen geistiger Gesundheit, mich auf kranke Typen wie Sie einzulassen.«

»Frau Stadlmair! Sie werden ja immer kindischer!«

»Mich kindisch zu nennen, macht Sie auch nicht gerade erwachsener«, erwiderte Annabelle störrisch, aber nicht mehr ganz so unfreundlich.

Eigentlich streiten wir gar nicht, dachte sie. Es ist eher eine sportliche Kabbelei. Wir reiben uns verbal aneinander. Huh, wie kam sie denn auf so was? Weil Fabian Berenson sie auf eine rätselhafte Weise elektrisierte? Weil sie letztlich – flirteten?

»Tz, tz, immer rebellisch drauf, dabei haben Sie in mir einen echten Fan!« Mit der rechten Faust bummerte er auf seiner Brust herum wie ein Ghettokid aus der New Yorker Bronx. »Sie sind der Grund, warum ich heute aufgestanden bin!«

Das war deutlich zu viel Emphase, als dass es ihm ernst sein konnte, löste jedoch eine kleine Herzrhythmusstörung bei Annabelle aus. Dingdong, gib's zu, du stehst auf ihn, flüsterte ihre innere Stimme, die so gar nicht nach Mary-Jo klang, sondern wie die Stimme eines verschwärmten Backfischs. Ja, sie mochte ihn. Ein bisschen. Irgendwie. Und musste verdammt auf der Hut sein.

»Nein, Spaß, ich hatte ein Date mit dem Bürgermeister«, folgte denn auch gleich die kalte Dusche. »Randolf Egertaler, hübscher Name. Der kam mit seinem Trecker angefahren, um meine Schwester und mich in seinen dörflichen Amtszimmern zu empfangen. Hat sogar eine Fahne gehisst. War interessant. Wissen Sie was, Frau Stadlmair? Sie sollten allmählich darüber nachdenken, ob es nicht zielführender wäre, mit mir zu kooperieren. Ich ticke nämlich ganz anders als Peter McDormand.«

So, Schluss mit den flaumigen Gefühlen, zurück zum Thema. Peter McDormand lieferte ein hervorragendes Apropos dafür. Endlich bekam Annabelle Oberwasser.

»McDormand? Unser Troublemaker mit Alkoholhintergrund? Der hat den Vertrag mit dem alten Oberleitner doch schon so gut wie in der Tasche.« Am liebsten hätte sie Fabian Berenson triumphierend die Zunge rausgestreckt, aber das wäre nun tatsächlich kindisch gewesen. »Sie kommen zu spät. Das Ding ist für Sie gelaufen.«

Irritiert kaute er auf der Innenseite seiner Wange herum.

»Komisch. Der Bürgermeister tendierte eindeutig zu meinem Konzept. Für den ist die Hauptsache, dass reichlich Geld fließt, vor allem auf sein eigenes Konto. Im Gegenzug für die Gewährung gewisser Vorteile – zu denen die erforderliche Baugenehmigung für ein Hotelresort gehört – sollen Isabel und ich ihm ein umfangreiches Stück Wald abkaufen. Ob's dann auf dem Oberleitnergelände ein Megaresort oder was ganz anderes wird, ist ihm schnurz.«

Darüber musste Annabelle erst einmal nachdenken. Okay, Randolf Egertaler war korrupt, das wusste jeder im Dorf. Aber von was für einem Konzept sprach Fabian Berenson?

»Wow, ich kann Ihre Gedanken lesen«, lächelte er verschmitzt. »Also schön, mein Konzept setzt auf sanften Tourismus und Ökoorientierung. Auch das Edelweiß ließe sich in den Plan integrieren.«

Das hörte sich verführerisch gut an, war jedoch einfach zu schön, um wahr zu sein. Dank Andi Oberleitner wusste Annabelle schließlich, dass sämtliche Investoren ganz andere Dinge vorhatten.

»Wofür halten Sie sich? «, knurrte sie. »Für den Wohltäter von Puxdorf? Für den Juniorpartner vom lieben Gott? Sie können mir viel erzählen. Ich traue Ihnen nicht.«

»Sollten Sie aber, wenn Sie das Edelweiß retten wollen.«

Eine Pause entstand, in der er sein Handy herauszog, als müsste er jetzt unbedingt seine Mails checken, und in der Annabelle ein paar trockene Halme von ihrer Jeans schnippte, die aus dem Heuschober stammten. Hier ging es nicht mit rechten Dingen zu. Fast jeder spielte mit gezinkten Karten, alles hatte einen doppelten Boden, und auch Fabian Berenson hatte doch nur im Sinn, einen Superdeal hinzudeichseln, gleichgültig, ob auf die gerade oder die krumme Tour. Sie richtete sich zu ihrer vollen Größe auf und bog die Schultern zurück.

»Machen wir es kurz und scherzlos, ja? Vertrauen ist die Basis jeden Betrugs. Alte Bauernregel.«

»Wie kommen Sie denn darauf, dass ich Sie betrügen will?« Entrüstet schlug er den Fellkragen seiner Lederjacke hoch, als müsste er sich auch äußerlich gegen Annabelle wappnen. »Raus mit der Sprache, was haben Sie gegen mich?«

Wunderbar. Annabelle brannte förmlich darauf, ihm seine dämliche Schnepfe von Ehefrau unter die Nase zu reiben.

»Man muss sich doch nur die Dame anschauen, mit der Sie hergekommen sind. Auch so eine alte Bauernregel. Sage mir, mit wem du ins Bett steigst, und ich sage dir, wer du bist.«

Für einen Augenblick schien es, als wollte er wieder in Lachen ausbrechen, doch dann schenkte er Annabelle ein entschuldigendes Zwinkern.

»Okay, meine Schwester ist nicht gerade die gute Fee aus Elfenland. Wie gesagt, leider neigt sie zu diesem dominanten Gehabe, mit dem sie die Leute vor den Kopf stößt. Doch die Ausführung der Projekte liegt in meinen Händen.«

Wie vom Blitz getroffen starrte Annabelle ihn an.

»Könnten Sie das bitte noch mal wiederholen?«

»Was? Das mit der Ausführung?«

»Nein, das Erste. Sagten Sie – Schwester? Diese Frau ist Ihre Schwester?«

Ein amüsiertes Lächeln umspielte seinen Mund, und da war er wieder, der Schalk in den Augenwinkeln. Mit lässig schlenderndem Gang kam er näher, die Hände in den Taschen seiner Lederjacke vergraben, bis er unmittelbar vor ihr stand. Er roch gut. Nach einem herben Eau de Toilette mit grünen und holzigen Duftnoten.

»Erwähnte ich das nicht bereits? Übrigens riechen Sie phantastisch, Frau Stadlmair.«

Ach nee. Beschnupperten sie sich jetzt etwa gegenseitig? Was ging hier eigentlich vor?

»Das ist, ähm, Night Fever. Aus New York.«

»Mmmmh, das zarte Orangenaroma passt zu Ihnen. Bittersüß …«

Noch immer starrte Annabelle ihn an. Er war also keineswegs verheiratet, jedenfalls nicht mit dieser Designertorte. Änderte das was? Sicher, es halbierte seine Charakterlosigkeit. Doch auch ohne der Gatte der schrecklichen Isabel zu sein, blieb er, was er war: ein gewissenloser Investor. Oder?

»Frau Stadlmair, Annabelle …«

Eine heiße Welle überlief ihren Körper. Sein eindringlicher Blick, in dem allerlei Unwägbares lag (Zuneigung? Spott? Sympathie?), haute Annabelle genauso um wie die Tatsache, dass er sie beim Vornamen angesprochen hatte. Ihr blieb buchstäblich die Luft weg, und sie spürte, wie ein kleines Schweißrinnsal ihren Rücken hinunterkroch. Glühte ihr Gesicht? War das überhaupt eine ernsthafte Frage?

»Wissen Sie was?« Er kam noch einen Schritt näher. »Ich schaue Ihnen gern beim Leben zu.«

Ein Satz, der sich so warm und schön und prickelnd anfühlte wie ein sehr, sehr aufregendes Schaumbad.

»Sie nötigen mir Respekt ab mit Ihrem unbedingten Kampfeswillen, Frau Stadlmair. Denn ich glaube, dass sich hinter Ihrer hochfahrenden Art ein warmherziger, liebevoller Mensch verbirgt. Sie tun sehr tough, und fast hätten Sie mich damit überzeugt. Doch ich spüre die empfindsame Frau hinter der eisernen Rüstung …«

Ihre Wangen kochten. Dieses Gespräch entwickelte eine emotionale Dynamik (hätte Mary-Jo gesagt), die Annabelle völlig gefangen nahm. Sie wehrlos machte. Den innigen Wunsch in ihr weckte, ihre heißen Wangen an Fabians Schulter zu betten. Sie hatten einander umschlichen, mit Samthandschuhen angefasst, einige reinigende Gewitter durchgestanden. Jetzt hatten sie einen neuen Level erreicht.

Ich brauche eben keinen Mann, der Drachen für mich tötet, sondern einen, der mich auch dann mag, wenn ich selber ein Drache bin, dachte Annabelle. Dieser Mann tut genau das. Er ist auch nicht der abgefeimte Schurke, für den ich ihn gehalten hatte. Er ist einfühlsam und sensibel. Es muss wundervoll sein, von ihm umarmt zu werden.

»Fabian! Hier bist du also!«, zerschnitt die Stimme von Isabel Berenson die vibrierende Stille. »Ich habe dich überall gesucht! Was trödelst du hier rum? Wir müssen zum Obermair!«

Es war fast unheimlich, was für ein todsicheres Timing dieses Biest hatte. Schon zum zweiten Mal unterbrach sie eine Unterhaltung zwischen Annabelle und Fabian Berenson. Was ihren Auftritt noch dramatischer machte, war der wie gelackt glänzende knallrote Skianzug, den sie trug, ein höllenteures Luxusteil mit goldenen Reißverschlüssen und einem üppigen Nerzkragen in Silbergrau. Auf ihrer Nase schwebte eine riesige dunkle Sonnenbrille mit Strassverzierung, ihre schmalen Lippen leuchteten in hellem Blutrot.

»Ober*leitner*«, sagte Annabelle. »Der Mann heißt Oberleitner.«

Mit beiden Händen schob Isabel Berenson ihre Sonnenbrille ins nachtschwarze Haar und beäugte Annabelle voller Argwohn.

»Wer hat Sie denn gefragt?«

»Hallo Isabel«, murmelte ihr Bruder matt.

»Los, los, wir müssen uns beeilen«, fauchte sie ihn an. »Das wird ein Kopf-an-Kopf-Rennen mit Peter! Zumindest ist der Bürgermeister schon mal auf unserer Seite. Musste gerade noch was drauflegen, jetzt frisst er mir aus der Hand wie ein Zwergpinscher.« Sie wandte sich an Annabelle. »Ich will aber nicht, dass das die Runde macht – haben Sie das?«

»Ich bin doch nicht Ihre Sekretärin!«

Annabelles Empörung schien diese Hexe (Oma Martha hatte eindeutig die richtige Diagnose gestellt) nicht im Geringsten zu interessieren.

»Kindchen, davon verstehen Sie nichts«, zirpte sie. »Das Hotel-Business ist ganz großes Tennis, und wir machen immer den Matchpoint. Erst beim Bürgermeister, bald auch beim Obermüller. Zur Not müssen wir bei dem andere Saiten aufziehen. Druck ausüben. Schwachstellen finden.«

»Ober*leitner*«, sagte Fabian Berenson.

Nervös schaute Isabel Berenson zwischen ihrem Bruder und Annabelle hin und her, als würde ihr erst jetzt bewusst, dass sie eventuell in eine private Unterredung hineingeplatzt sein könnte.

»Ich weiß ja nicht, was hier gerade vorgeht, doch ich gewinne immer!«

»Manchmal ist man der Baum, manchmal der Hund«, unkte Annabelle. »So wie's aussieht, sind Sie diesmal der Baum.«

Ohne sich zu verabschieden, stampfte sie mit weit ausholenden Schritten an der konsternierten Isabel Berenson vorbei zum Kücheneingang. Dort erst stellte sie verwundert fest, wie heiß ihr geworden war. Brühheiß. Ihr Rücken unter der dicken Daunenjacke war schweißgebadet, als hätte sie Stunden in der Sauna verbracht, ihr Haar unter der Mütze klebte klitschnass an der Kopfhaut. Konnte doch nicht sein. Annabelle Stadlmair, die ewige Frostbeule, schwitzte?

Kapitel 12

Wäre dieser Tag ein Fisch gewesen, Annabelle hätte ihn im hohen Bogen zurück ins Wasser geschmissen. Zitternd stand sie im Durchgang zur Küche. Ihr Puls ratterte, ihr Herz tanzte Pirouetten, unter ihrer Daunenjacke herrschte das reine Treibhausklima. Nicht etwa wegen Isabel Berenson, nein, die ließ Annabelle relativ kalt. Heiß war ihr bereits, seit sie erfahren hatte, dass Fabian keineswegs der Schnepfengatte war. Dass er sich darüber hinaus als gefühlsbetont entpuppt hatte und eindeutig an ihr interessiert war, verwirrte Annabelle umso mehr.

Merkwürdig. Sie verstand sich selbst nicht. Gehörte das etwa zu den Nebenwirkungen einer Trennung, dass die Hormone Tango tanzten, sobald ein einigermaßen attraktives männliches Wesen auftauchte?

Eine gute Frage für Mary-Jo. In jedem Fall musste sich Annabelle schleunigst abreagieren, um ihre emotionalen Kalamitäten loszuwerden, und der Hanswurst von Koch bot ihr den willkommenen Anlass dazu.

Sie öffnete die Küchentür. Wie leider kaum anders zu erwarten, herrschte immer noch heilloses Chaos in dem gekachelten Raum. Vegetarier war Sepp offenkundig nicht, denn die Küche sah aus wie Sau. Falls er überhaupt aufgeräumt hatte, war es ihm erfolgreich gelungen, jede Spur einer ordnenden Hand zu beseitigen. Und falls er am Morgen eine frische Kochjacke angezogen hatte … nee, das war immer noch das versiffte Teil, mit dem Annabelle bereits Bekanntschaft gemacht hatte.

Genauso schlunzig wie am Vortag hantierte der Koch inmitten seines Durcheinanders herum. Allein seine trägen Bewegungen konnten jeden Profi zur Verzweiflung bringen. Das hier war live – und sah aus wie Zeitlupe. In den Händen hielt der Koch eine Packung tiefgekühlter Fischstäbchen, deren Inhalt er gerade in eine fettqualmende Pfanne plumpsen ließ. Der dazugehörige Geruch, der sich wie eine Schicht aus Übelkeit über alles legte, sprach für sich.

Die meisten Unfälle passieren in der Küche, hatte Mary-Jo mal gesagt, und damit ich sie nicht essen muss, koche ich mit dem Telefon: Ich bestelle Pizza. Herrjemine, was Sepp soeben anrichtete, kam einer ganzen Unfallserie gleich. Einer Massenkarambolage. Ach was, mit diesen Fischstäbchen wurde ein Verbrechen am Gaumen vorbereitet!

Neben dem Herd entdeckte Annabelle zwei Teller, auf denen bereits einige angekokelte Exemplare lagen. Fischstäbchen black edition, sozusagen. Ihren Ekel wegatmend, nahm sie eins und biss hinein, um sich ein fundiertes Urteil bilden zu können, bevor sie zur Kritik schritt. Das gehörte zu ihren eisernen Prinzipien: immer erst probieren, dann meckern. Erwartungsgemäß schmeckten die Dinger scheußlich, nicht nur wegen des verbrannten Äußeren. Schleimige Panade, faseriger Fischmurks, muffiger Geschmack – das alles deutete auf mindere Qualität und verfallenes Haltbarkeitsdatum hin. Angewidert spuckte sie den Bissen in einen überquellenden Mülleimer, bevor sie das Wort an den Urheber des kulinarischen Fiaskos richtete.

»Sie werden dafür bezahlt, richtig?«

»Unzureichend«, schnaufte Sepp, ohne den Blick von der qualmenden Pfanne zu heben.

»Ich könnte Ihnen jetzt mit wenigen Handgriffen zeigen, wie man alles noch schlimmer macht«, witzelte Annabelle matt. »Wie wäre es mit einem Dialog von Tiefkühlpizzen an Fertigsauce? Oder lieber Das-muss-dringend-weg an Ketchup?«

»Müsst ich erst mal drüber schlafen«, blubberte der Koch vor sich hin. »Hab ich noch nie serviert.«

Offensichtlich hörte er gar nicht richtig zu, vollauf mit seinem Pfannenwender und den abscheulichen Fischstäbchen beschäftigt.

»Hier müsste eine ganze Feuerwehrmannschaft antreten, um den Laden sauber zu bekommen!«, explodierte Annabelle. »Haben Sie eine Wischlappenallergie?«

Aus schläfrigen Augen glotzte er sie an.

»Was?«

»In dieser Küche mangelt es eindeutig an den Basics«, stöhnte Annabelle, während sie ihre Jacke auszog und die Mütze abnahm. »An allem!«

»Wie? Was fehlt Ihnen denn?«

»Organisches Material zum Beispiel.«

»Was?«

»Fleisch, Gemüse, Obst, so was gehört in eine Küche! Aber Sie haben nur einen Chemiebaukasten«, Annabelle deutete auf die vielen Tütchen mit Saucenpulver und Geschmacksverstärkern, die überall herumlagen, »außerdem einen Tiefkühlfriedhof billigster Fertigprodukte« – okay, jetzt kam Doktor Freud ins Spiel – »und einen Eimer Ketchup, mit dem ich nicht mal den Boden schrubben würde!« Erbittert nahm sie eine angebrochene Dose Erbseneintopf in die Hand, auch so eine kulinarische Todsünde. »Grundregel Nummer eins: Aus der Tüte oder Dose, das geht meistens in die Hose.«

Sie riss den Kühlschrank auf. Drinnen lief »Verdirb langsam«, Teil zehn. Als Erstes stachen ihr zwei angegammelte Würstchen ins Auge, dann ein angebrochener, von innen beschlagener Plastikbeutel mit geschälten gekochten Kartoffeln. Die musste Annabelle nicht probieren, die kannte sie noch aus der Großküche, in der sie als Schülerin ein Praktikum gemacht hatte. Kartoffelleichen sozusagen, geschwefelt oder mit anderen Zusatzstoffen vergiftet, pappig auf der Zunge, zementartig im Magen. In diesem Fall noch dazu verdorben.

»Himmel, können Sie denn nicht wenigstens die Kartoffeln selber schälen und kochen?«

»Ja, mei, das ist halt der Fortschritt«, beteuerte der Koch.

»Und das da«, Annabelle zeigte in den Kühlschrank, »ist das wirklich Tetrapak-Wein?«

»Also, wissen S', das ist echt praktisch.«

Komm soft runter, ermahnte sich Annabelle. Sepp hat keine Ahnung von nix. Und ihn plagte ein massives Alkoholproblem, so viel war klar. Man nehme zwei Gläser Wein und gebe sie in den Koch, hatte Simon immer gesagt. So ähnlich schien auch Sepp seinen Beruf aufzufassen. Zwei leere und eine halbvolle Bierflasche in Griffweite verrieten, dass er schon mächtig getankt hatte.

»Wie ich sehe, bevorzugen Sie veganes Schaumsüppchen von Hopfen, Gerste und Malz«, versuchte sie auf die humorige Art einzulenken, musste aber feststellen, dass diese Scherzeinlage völlig an ihm vorbeirauschte. »Josef, so heißen Sie doch?«

»Sepp.«

Ach ja, jetzt fiel es Annabelle wieder ein. Sepp, der Dorfdepp. Da galt es, einen Gang zurückzuschalten. Nun ja, leicht hatte Josef es in Puxdorf nie gehabt. Wie auch, in einem abgelegenen kleinen Nest, wo Psychologie ein Fremdwort war und der uneheliche Sohn einer Bauernmagd ganz unten auf der gesellschaftlichen Skala rangierte? Die Kinder hatten ihn gehänselt, die Jugendlichen grausame Späße mit ihm angestellt. Soweit Annabelle wusste, hatte Sepp nicht einmal die Schule beendet, sondern sich auf Betreiben seiner Mutter schon früh als Küchenhilfe im Nachbarort verdingt. Nicht auszudenken, was der arme Kerl durchgemacht hatte. Wahrscheinlich war er immer nur rumgeschubst worden und irgendwann im Edelweiß gestrandet, weil ihn kein anderer mehr wollte.

»Also, Sepp, warum setzen wir uns nicht?«, fragte sie freundlich.

»Wieso? Haben Sie einen Wunsch? Eine Suppe vielleicht?«

Angesichts der geöffneten Dose, auf deren Inhalt verdächtige Blasen schwammen, hatte Annabelle lediglich den dringenden Wunsch, sich zu übergeben. Sie stellte den Herd aus und zog die Pfanne von der heißen Kochplatte.

»Wir müssen reden, Sepp.«

Mit einem furchtsamen Blinzeln hob er die fettig glänzenden Hände, an denen Krusten aus Fischstäbchenpanade klebten.

»Ich darf meine Arbeit nicht verlieren! Ich hab doch nichts anderes! Meine Mutter ist alt, ich brauche das Geld!«

»Niemand will Sie entlassen, machen Sie sich keine Sorgen um Ihre Mutter«, beteuerte Annabelle. Sie befreite zwei Stühle von leeren Pappkartons, rückte sie nebeneinander und nahm auf dem einen Platz. »Kommen Sie, ich möchte Ihnen helfen.«

»Wobei?«, erkundigte er sich misstrauisch, setzte sich aber folgsam zu ihr.

»Als Erstes räumen wir auf und putzen die Küche, gleich heute Nachmittag. Dann misten wir alles aus – abgelaufene Waren, Fertiggerichte, Saucenpulver, Dosenpampe, Billigketchup.«

»Das wollen Sie doch nicht alles wegschmeißen?«

»Aber so was von«, bestätigte Annabelle. »Danach bleibt genügend Zeit, um für den Abend zwei, drei anständige Gerichte vorzubereiten. Einen Salat, eine Suppe, ein Fischgericht und eine Fleischspeise, das genügt völlig, weil ja eh kaum jemand kommt. Fürs Dessert kaufen wir ein gutes Eis. Das gibt's dann mit heißem Kirschkompott.«

»Ja, wenn Sie meinen …«

Mit allen zehn Fingern raufte sich Sepp die Haare. Mit zehn quasi panierten fetttriefenden Fingern, die tagaus, tagein Lebensmittel berührten.

»Apropos Sauberkeit: Sie gehen bitte duschen, dann ziehen Sie eine frische Kochjacke an, setzen eine Kochmütze auf«, ordnete Annabelle an. »Wir kriegen das hin. Relaxen Sie etwas, ich habe jetzt eine Verabredung. Um vier treffen wir uns hier in der Küche.«

Sein aufgedunsenes, unrasiertes Gesicht unter dem strähnigen Haar drückte größtes Erstaunen aus.

»Und das Mittagessen?«

»Fällt aus.« Annabelle stand auf. »Also, Sepp? Duschen, Beine hochlegen, um vier in der Küche?«

Er nickte zögernd. Plötzlich begann seine Unterlippe zu beben, und seine glasigen Augen schimmerten feucht.

»Wollen S' mir also wirklich helfen? Die anderen, die haben mich nicht mal mit dem Arsch angeschaut, und Sie …«

Er war unfähig, den Satz zu Ende zu bringen. Rhythmisch rieb er sich die dunklen Bartstoppeln, um nicht vollends von Rührung übermannt zu werden. Annabelle konnte nur ahnen, was in ihm vorging, was für ein elend verhunztes Leben hinter ihm lag. Wenn gelang, was sie sich vorgenommen hatte, würde er nie wieder Sepp der Dorfdepp sein. Josef, der Maître des Edelweiß, so sollte man ihn künftig nennen – auch wenn es bis dahin ein steiniger Weg sein dürfte, gesäumt mit den Anstrengungen völligen Umdenkens. Beruhigend tätschelte sie seine Schultern in der schmuddeligen Kochjacke.

»Das wird schon. Wir schaffen das. Wollen wir uns nicht duzen, Sepp?«

»Duzen?«, wiederholte er verblüfft.

»Ich bin die Anna, wir sind jetzt ein Team«, bekräftigte sie. »Aber kein Alkohol mehr, okay? Nur noch nach Feierabend.«

»Kein Al…« Den Blick zu Boden gerichtet, schien er mit sich zu ringen. Dann hob er den Kopf. »Ich versuch's. Das heißt … ein Weizen zählt doch nicht als Alkohol, oder?«

Herrje. Mit Sepp musste man wirklich bei null anfangen. Klare Anweisungen, Annabelle! Wie du es gelernt hast!

»Doch, doch, auch Bier ist Alkohol«, antwortete sie mit der Geduld eines Engels (eines schweißgebadeten, ziemlich fertigen Engels). »Du darfst Wasser trinken, Fruchtsaft, Tee, Kaffee, Cola, alles, was du willst, aber bitte keinen Tropfen Sprit, ja?«

Wieder nickte er, eifrig wie ein verschüchtertes Kind, das zum ersten Mal etwas Nettes hörte, was nun wiederum Annabelle zu Tränen rührte. Mit ausgestreckten Zeigefingern wischte sie an ihren Unterlidern entlang.

»Anna«, er lächelte schief, »da ist noch was.«

Bevor sie am Ende völlig zerfloss, sollte sie vielleicht besser ihre Jacke nehmen und aus der Küche fliehen, überlegte Annabelle, blieb jedoch vor Sepp stehen.

»Ja?«

»Ich hab mir in den letzten Wochen einige Flaschen von Oma Marthas Holunderschnaps ausgeliehen. Aber verrat es keinem.«

»Ausgeliehen? Oder ausgetrunken?«

»Beides«, bekannte er schuldbewusst. »Soll nie wieder vorkommen.«

»Ich verrate nichts«, schniefte sie. »Versprochen. Bis später, Sepp.«

»Anna? Ich bin noch nicht fertig.«

»Ja?«

»Du weißt ja, eine Hand wäscht die andere«, sagte er treuherzig. »Du verrätst keinem, dass ich die Schnapsflaschen abgezwigt habe, und ich verrate keinem den G'schwurf im Kühler.«

Heieiei. Annabelle hatte es völlig vergessen: Nach Maxens Darstellung war das Kühltruhenmalheur Sepps Werk gewesen. Nun hatte sie Gewissheit: Dieser unfassbar verschlamperte Koch war beim Herumwühlen in der Kühltruhe auf die Leiche gestoßen, hatte in seinem Tran aber nicht weiter Notiz davon genommen und sogar den gefrorenen Arm raushängen lassen. Was dem Wort cool eine ganz neue Bedeutung verlieh.

»Okay, Sepp. Abgemacht. Wir haben jetzt ein Geheimnis.«

Das hoffentlich nie, nie gelüftet wurde.

»Geht in Ordnung«, erklärte er und legte eine Hand auf seine Brust. »Ich schwör's.«

»Fein. Schwörst du mir auch, dass du die Finger vom Alkohol lässt und ein Superkoch wirst?«

»Ja, freilich!«, strahlte er. Tatsächlich schien er entschlossen zu sein, das

Blatt seines Schicksals zu wenden. »Das wollt ich schon immer. Ich wusst bloß nicht, wie.«

Sein Strahlen leuchtete immer noch auf Annabelles Netzhaut, als sie aufstand, ihre Sachen zusammensuchte und die Küche verließ. Ob das gutgeht?, fragte sie sich, während sie auf den schwach erleuchteten Hausflur mit der honigfarbenen Holzvertäfelung trat. Aber warum eigentlich nicht? Letztlich konnte man fast jeden motivieren, wenn man ihn als Menschen, nicht nur als Mitarbeiter ansprach. Diese Erfahrung hatte sie schon oft genug gemacht. Zeig jemandem, wie er sich einen Wert geben kann, dann wird er sich wertvoll fühlen, lautete ihr Wahlspruch. Sepp hatte seine Chance verdient.

Und war jetzt ein Komplize, was der Angelegenheit ein wenig von ihrem Glanz nahm.

Kapitel 13

»Anna, wo warst du denn die ganze Zeit?«, fing Therese Stadlmair ihre Tochter ab, als Annabelle leicht entkräftet an der Rezeption vorbeitrottete. »Wir haben dich überall gesucht! Betty hat auch schon angerufen und nach dir gefragt. Möchtest du was essen?«

Der Satz musste ja kommen. Beim Gedanken daran, welche unterirdischen Zustände sie in der Küche vorgefunden hatte, verflüchtigte sich Annabelles Appetit jedoch sofort.

»Danke, nein, ich esse eine Semmel bei Betty«, erwiderte sie.

Therese Stadlmair beugte sich über den Rezeptionstresen (eigentlich nur ein geschnitztes Tischchen, auf dem ein dickes staubiges Gästebuch neben einem altmodischen graubeigen Telefon lag). Ihre Aufmachung passte irgendwie dazu, denn sie hatte sich lauter kleine Lockenwickler ins Haar gedreht, wie eine Hausfrau aus einer Waschmittelreklame längst vergangener Zeiten. Aus dieser Ära musste auch der Spruch stammen, den sie in Schönschrift vorn auf das Gästebuch geschrieben hatte, um Abreisende zu einem lobenden Eintrag auf den hinteren Seiten zu motivieren: *Des Gästebuches strenger Zwang macht immer nur die Laien bang. Der Fachmann denkt sich schon zu Haus ein allerliebstes Sprüchlein aus.* Ja, so sahen Gästezufriedenheitsmanagement und Feedbackkontrolle im Hotel Edelweiß aus.

»Der Mittagstisch ist übrigens gestrichen«, erklärte Annabelle. »Ersatzlos. Fall jemand Hunger hat, gibt's Brezeln.«

»Anna! Kein Mittagstisch? Wir haben einen Ruf zu verlieren!«

»Schon geschehen, Mama. Der Ruf ist im Eimer.«

»Wenn du es sagst …«

Gravitätisch schlug Annabelles Mutter das Gästebuch auf. Es war ihr Heiligtum, auch wenn es deutlich Staub angesetzt hatte, in jedem Sinne. Mit ihrer schönen geschwungenen Schrift trug sie darin die Namen der Gäste ein, versah sie mit Schnörkeln und schrieb Notizen wie *Weiches Ei zum Frühstück* oder *Mag Gummibärchen als Betthupferl* dazu.

»Dafür mache ich heute Nachmittag klar Schiff in der Küche«, versuchte Annabelle das versickernde Gespräch in Gang zu halten, »zusammen mit Sepp.«

»Ah ja?« Ein wenig träge stand Annabelles Mutter auf und kam hinter der Rezeption hervor. Dann stutzte sie. »Kind, hast du geweint?«

Sah man es ihr so deutlich an? Auch Fabian Berenson hatte sie darauf angesprochen. Peinlich berührt zeigte Annabelle auf ihre Nase.

»Die Kälte. Da läuft die Nase, und die Augen tränen wie nix«, wiederholte sie die bereits erprobte Ausrede.

»Dann lass dir von Oma Martha Holunderbeerensaft geben, das hilft immer. Was hast du denn heute noch vor?«

»Ich werde gemeinsam mit Sepp kochen. Apropos«, herrje, sie sprach wirklich schon wie Mary-Jo, »woher bezieht ihr eigentlich eure Frischware?«

»Frischware.«

Ihre Mutter versah das Wort weder mit einem Fragezeichen noch mit einem Ausrufezeichen. Aus ihrem Mund klang der Begriff wie ein exotisches Fremdwort.

»Bedeutet das, ihr kauft gar keine frischen Produkte?«, seufzte Annabelle.

Therese Stadlmairs Hände spielten mit den Silbermünzen, die das Mieder ihres dunkelblauen Dirndls mit Rosenmuster zierten. Ihr Gesicht unter den kleinen Lockenwicklern wirkte auf einmal grau und müde.

»Alle vier Wochen macht der Sepp eine Liste, dann fährt der Papa nach Tannstadt und kauft ein.«

»Tiefkühlzeugs und Dosenfutter«, stieß Annabelle mit einem weiteren Seufzer hervor.

»Wir müssen preiswert kochen, Anna, und schnell muss es gehen. Im Sommer haben wir dann ja den Garten vor der Tür.«

In dem es selbstredend weder Kräuter wie Basilikum, Melisse oder Minze gab noch angesagte Gemüsesorten wie Süßkartoffeln, violette Karotten oder italienische Strauchtomaten. Annabelle unterdrückte den dritten Seufzer. Zu niedergeschlagen sah ihre Mutter aus, der vermutlich gerade selber aufging, dass ihr Weiterwurschteln wenig mit den Feinschmeckerstandards des einundzwanzigsten Jahrhunderts zu tun hatte.

»Entschuldige – es ist wohl so, dass ich nicht so gut mit Veränderungen klarkomme«, sagte Therese Stadlmair leise. »Für mich ist deshalb wohl auch kein Platz in deinem … Konzept.«

»Weil du so leicht zu ersetzen bist«, flachste Annabelle, registrierte jedoch, wie ihre Mutter versteinerte. »Ironie, Mama!«

»Ach Kind, manchmal denke ich, ich kenne dich gar nicht mehr …«

Annabelle warf Jacke, Mütze und Schals auf das Rezeptionstischchen, dann legte sie die Arme um ihre Mutter und drückte sie fest.

»Hab dich lieb, Mama. So lieb.«

»Kind …«

Steif wie eine Puppe ließ Therese Stadlmair die spontane Liebesbezeugung über sich ergehen. Innige Umarmungen kamen im Verhaltensrepertoire dieser Familie nicht vor, abgesehen von Begrüßungen und Verabschiedungen. Aber Annabelle kümmerte das nicht. Hier musste sich ohnehin einiges ändern, warum nicht auch der Umgang miteinander? Wenn schon ihre Eltern keine Gefühle zeigen konnten – sie hatte keinerlei Schwierigkeiten damit.

»Ich bin für euch da, ich regle alles«, flüsterte sie in die gestärkte Dirndlbluse ihrer Mutter. »Weil ich euch liebe. Weil ich das Edelweiß liebe.«

Damit vertiefte sie jedoch nur Therese Stadlmairs Skepsis, statt sie, wie beabsichtigt, mit überschwänglicher Liebe wegzukuscheln.

»Kind, ist auch alles in Ordnung mit dir? Wo warst du denn nun?«

Tja, die erste Lektion in Wir-haben-uns-alle-lieb-und-umarmen-uns war damit für beendet erklärt. Annabelles Arme erschlafften, sie gab ihre Mutter frei.

»Beim Oberleitner war ich.«

»Anna! Um Gottes willen!« Bestürzt klammerte sich Therese Stadlmair an ihre Lockenwickler, als wäre das ihr letzter Halt in höchster Not. »Beim Oberleitner, diesem, diesem – Teufel?«

»Mama, der ist doch kein Teufel, nur ein psychopathischer alter Giftzwerg«, wiegelte Annabelle ab. »Dafür ist sein Sohn eigentlich ganz okay.«

»Das ist nicht dein Ernst«, presste ihre Mutter mit tonloser Stimme hervor.

»Na ja, nicht, dass ich ihn für den Dalai Lama halte, aber er hat was in der Birne, und …«, Annabelle suchte nach der richtigen Formulierung, »… wenn er nicht Andi Oberleitner wäre, könnte ich ihn sogar sympathisch finden.«

In den Augen ihrer Mutter lag blanke Panik.

»Anna! Was redest du da?«

»Gegenfrage: Hast du ihn in den letzten Jahren überhaupt mal gesprochen?«

»Du wirst ihn nie wiedersehen, hörst du?«, beharrte Therese Stadlmair auf ihrer ablehnenden Haltung. »Die Oberleitners und die Stadlmairs …«

»O Mann, ich kann's echt nicht mehr hören!«, rief Annabelle.

Ihre Mutter schwieg gekränkt. Eine Weile erfüllte nur regelmäßiges Ticken den holzgetäfelten Flur. Annabelle schaute zur antiken Wanduhr mit den aufgemalten Hirschen, die neben der Rezeption hing. Halb eins. Also blieben ihr noch eineinhalb Stunden bis zu Bettys geheimnisvollem Meeting – oder, anders gesagt, knapp neunzig Minuten, um die verdorbene Stimmung wieder zu heben.

»Ehe ich's vergesse, Mama – ich würde gern eine kleine Familienkonferenz einberufen. Ganz gemütlich, ganz harmonisch. Wo ist Papa?«

»Macht sein Mittagsschläfchen, wie jeden Tag«, antwortete Therese Stadlmair, immer noch unüberhörbar vergrätzt.

»Und Oma Martha?«

»Ebenfalls in der Horizontalen. Danach kannst du die Uhr stellen – von halb eins bis halb drei geruhen die beiden zu ruhen.«

Irgendetwas an der Art, wie ihre Mutter es sagte, irritierte Annabelle. Ein gereizter Unterton schwang darin mit, fast so etwas wie jahrelang unterdrückter Zorn. Lag es daran, dass sie ihren Ehemann mit der Schwiegermutter teilen musste? Oder an dieser ganzen Konstruktion eines Familienbetriebs, wo man den lieben langen Tag aufeinanderhockte und nie Privatsphäre genießen konnte? Beklagt hatte sich ihre Mutter nie. Was ging wirklich in Therese Stadlmair vor?

»Mama, wenn du möchtest, können wir gern mal über dich reden. Über deine Gedanken, deine Wünsche, deine Gefühle …«

»Gefühle.« Ihre Mutter starrte konsterniert die Wanduhr an, dann tasteten ihre Finger wieder haltsuchend zu den Lockenwicklern. »Ein andermal vielleicht. Ich muss erst das Gästebuch auf den neuesten Stand bringen, den Müll rausstellen, die Zapfanlage reinigen, die Gaststube fegen, den Keller aufräumen …«

Eine äußerst durchschaubare Taktik. Annabelle hatte genug gehört. Sie kam einfach nicht an ihre Mutter heran, und das lag sicher nicht nur am drohenden Untergang des Edelweiß.

»Schon gut«, sie versuchte sacht, die Wange ihrer Mutter zu streicheln, doch Therese Stadlmair wich zurück, als fürchte sie geradezu eine neuerliche Berührung. »Du bist gestresst, Mama. Du stehst unter Druck. Ich verstehe das alles. Wer weiß, vielleicht hast du einen Burn-out?«

»Für so einen Luxus hab ich keine Zeit.«

Superreaktion. Das typische Nichtwahrhabenwollen, das Annabelle von ihrer Mutter kannte. Seit Jahrzehnten. Es wurde viel geredet, doch immer nur über Belanglosigkeiten. Sobald man aber an der Oberfläche kratzte, nahm ihre Mutter Reißaus. Jetzt wäre Mary-Jo eine Hilfe gewesen; als dilettierende Hobbypsychologin hatte Annabelle jedenfalls auf der ganzen Linie versagt.

Ihr Handy klingelte, und eine New Yorker Nummer erschien auf dem Display. Als hätte Mary-Jo den stummen Hilferuf gehört.

»Telefonier nur«, sagte Annabelles Mutter. »Ich hab sowieso zu tun.«

Während sie sich wieder hinter die Rezeption verzog (was auch immer sie dort mit dem verstaubten Gästebuch vorhatte, das in Ermangelung neuer Gäste so was wie ein Friedhof der Karteileichen war), raste Annabelle die Treppe hoch und in ihr Zimmer, wo sie auf *Annehmen* tippte.

»Hi Schatz«, schnurrte Mary-Jos morgendlich belegte Stimme aus dem Handy.

»Gott, wie ich mich freue, dass du anrufst!«, keuchte Annabelle. »Du ahnst ja gar nicht, was hier los ist …«

»Okay, ganz ruhig, ich bin bei dir, ich fühl dich.«

Wie gut es allein schon tat, Mary-Jos Stimme zu hören – ihr kehliges Timbre, ihre freundschaftliche Wärme, ihre gelassene Art. Es war wie nach Hause kommen. Vor Annabelles geistigem Auge erstand die Wohnung ihrer Freundin, ein kleines, spartanisch eingerichtetes Loft mit Blick über die Dächer Sohos, auf denen Wasserspeicher, verwitterte Blumenkübel, windschiefe Gartenbänke und anderes Gerümpel herumstanden. Sogar den Soundtrack der Stadt meinte Annabelle zu hören, diese chaotische Symphonie aus röhrenden Motoren, hektischem Gehupe und den ewigen Polizeisirenen.

Sie vermisste New York. Sie vermisste Mary-Jo. Und ja, sie vermisste auch Simon. Ich will mein Leben zurück, dachte sie beklommen. Ein Leben ohne Familienprobleme, Dorfintrigen, ohne Leichen, Polizisten, verwahrloste Küchen, ohne das Gefühl, dass ich dauernd Brände löschen muss.

»Also? Wo drückt der Schuh?«, fragte Mary-Jo.

Ein hervorragendes Apropos. Annabelle streifte die dampfenden Moonboots von den Füßen und warf sich aufs Bett, so dass Herr Huber aus seinem Nickerchen erwachte.

»Darling? Brauchst du noch einen Moment?«

»Ist okay.« Annabelle stopfte sich ein Kissen in den Rücken und klemmte Herrn Huber unter den Arm. »Musste nur kurz durchatmen.«

In groben Zügen schilderte sie, was ihr widerfahren war (wahrlich eine ganze Menge), wobei sie die erfolgreich überwundene Nekrophobie besonders herausstrich. Auf den gewohnten Kommentar von Mary-Jo wartete sie vergeblich. Nicht einmal spitze Schreie oder hollywoodreifes Stöhnen drangen aus dem Handy. War das Gespräch unterbrochen worden? Annabelle schaute aufs Display. Nein, die Verbindung stand.

»Mary-Jo? Bist du noch da?«

Akustisch kam jetzt wieder eine Flüssigkeit ins Spiel. Längeres Gluckern und Schlürfen war zu hören, gefolgt von intensiven Schluckgeräuschen. Annabelle hoffte, dass es Kaffee war.

»Hatte gerade so was wie einen Herzstillstand.« Mary-Jo atmete einen kleinen Hurrikan ins Handy, bevor sie fortfuhr. »Hab ich das richtig verstanden, Belle? Du hast eine – Leiche versteckt? Sie mit bloßen Händen – angefasst?«

»Äh, ja?«

»Wow.« Die nächste Hurrikanbö blies in Annabelles Ohr. »Das toppt alles.«

»Ich hatte Gründe, Mary-Jo. Triftige Gründe.«

»Du weißt aber schon, dass du dich damit ziemlich weit von dem wegbewegst, was man bei aller therapeutischen Toleranz als normal erachtet?«

Annabelle tauschte einen Blick mit Herrn Huber. Was war denn noch normal in diesem ganzen Schlamassel?

»Vielleicht wird ja irgendwann mal eine psychiatrische Klinik nach mir benannt«, erwiderte sie achselzuckend. »Wenn ich als extrem durchgeknallter Sonderfall in die Fachliteratur eingegangen bin.«

»Das wiederum ist eine äußerst narzisstische Phantasie. Verdammt, du machst mir Sorgen, Belle.«

»Da sind wir schon zu zweit.« Geistesabwesend untersuchte Annabelle ein kleines Loch in ihrer linken Wollsocke. »Kannst du mir wenigstens etwas zu meinem emotionalen Schleudertrauma in Bezug auf Männer sagen?«

»Das Desaster sezieren, damit du das Muster in den Einzelteilen erkennst?«

»So ungefähr. Ich meine, jeder einigermaßen attraktive Mann hier beschert mir verwirrende Gefühle, das heißt, es sind nur zwei, Moment, mit Simon wären es dann drei. Du bist doch Paartherapeutin und damit die Expertin für, nun ja, Liebe.«

Wieder erklangen Gluckern, Schlürfen und Schluckgeräusche, danach ein herzhaftes Gähnen. Nein, es war nicht Kaffee. Kaffee machte munter.

»Süße, ich bin keineswegs Expertin für Liebe«, erklärte Mary-Jo, »ich bin spezialisiert auf unglückliche Liebe, verzweifelte Liebe, fanatische Liebe, irrregeleitete Liebe, vor allem aber auf fehlende Liebe.«

»Oje.« Annabelle begann, an dem kleinen Loch in der Socke zu pulen. »Und in welche Kategorie gehöre ich?«

»In letztere. Fehlende Liebe. Wir kennen uns seit zwei Jahren. Du bist eine wunderbare Freundin, ein toller Kumpel, ein hilfsbereiter Mensch. Doch in Beziehungen fällt es dir schwer, Liebe anzunehmen und Liebe zu zeigen.«

Jetzt war Annabelle wirklich baff.

»Mir? Ich habe heute sogar meine Mutter umarmt! Was ihr übrigens ziemlich unangenehm war.«

»Ist das genetisch? Ist deine ganze Familie so?«

Das Klicken eines Feuerzeugs irritierte Annabelle. Zündete sich Mary-Jo etwa eine Zigarette an? Dabei hatte sie ihre Nikotinsucht mittels einer Hypnosetherapie überwunden. Angeblich.

»Mary-Jo? Du rauchst doch nicht etwa?«

»Lenk bitte nicht ab. Wie steht es um Gefühle in deiner Familie?«

Annabelle kam ins Grübeln. Tja, wie stand es darum? Ihre Mutter fraß irgendeinen Kummer in sich hinein, das spürte sie, ihr Vater trat kaum in Erscheinung. Als sei er nur noch ein Statist in dieser Familie. Als hätte er die Rolle des Patriarchen abgegeben, die Annabelle von ihm kannte. Auch dass er die Farce mit dem fingierten Schlaganfall mitgemacht hatte, sprach für eine merkwürdig kleinmütige Verfassung. Einzig Oma Martha war wie immer: gutartig, zugewandt, zuweilen verschmitzt. Und auf ihre Weise zeigte sie durchaus Gefühle (ihren hanebüchenen Aberglauben, bevölkert von Teufeln, Hexen und allerlei Spukigem, musste man wohl ihrem Alter und den dunklen Traditionen eines abgeschiedenen Bergbauerndorfs zuschreiben).

»Ich weiß nicht …«, Annabelle hatte das Loch in der Socke erfolgreich vergrößert, jetzt hing ein Faden heraus, an dem sie versonnen zog, »meine Eltern haben sich in ihr Schneckenhaus zurückgezogen. Sie sind natürlich deprimiert, weil das Edelweiß den Bach runtergeht, doch langsam stellt sich mir die Frage, wie es überhaupt dazu kommen konnte. Zum Beispiel verstehe ich überhaupt nicht, warum sie die katastrophalen Zustände in der Küche zugelassen haben. Irgendwie muss bei denen die Luft raus sein, schon länger.«

»Ein schleichender Prozess also, ausgelöst – durch?«

»Scheint so, als müsste ich das noch herausfinden.«

Ein ausgedehntes pustendes Ausatmen beseitigte Annabelles letzte Zweifel: Mary-Jo rauchte.

»Belle, ein Klassiker in verwandtschaftlichen Beziehungen sind Familiengeheimnisse«, erwiderte sie nach einer Weile. »Oft werden sie über Generationen weitervererbt. Alle spüren so was, auch wenn sie nichts Genaues darüber wissen. Das äußert sich dann in emotionalen Blockaden, in der Zurückweisung eigener Gefühle und der anderer. Der Bann wird erst gebrochen, wenn das Geheimnis ans Tageslicht kommt.«

So, die Socke war jetzt so weit aufgeribbelt, dass mehrere Zehen das Tageslicht erblickten. Herr Huber schaute indigniert zu, wie Annabelle die Socke auszog und in hohem Bogen gegen den Schrank warf.

»Mary-Jo, wieso rauchst du? Und warum trinkst du schon am frühen Morgen? Ist irgendwas?«

»Irgendwas ist immer.« Erneutes langanhaltendes Pusten. »Belle, Schatz, wenn du deiner Familie helfen willst, musst du die verschwiegenen Themen aufspüren. Die Leichen im Keller sozusagen.«

»Sehr taktvoll in Anbetracht der hiesigen Vorfälle. Gut, ich hab's geschnallt. Und jetzt sagst du mir bitte sofort, was dich so runterzieht.«

»Dafür müssten wir Stunden telefonieren, und ich muss gleich los. Die Klienten warten.«

Ein Klirren ertönte, so als sei ein Glas umgefallen. Annabelle hörte Mary-Jo leise fluchen. Im Grunde benahm sich ihre Freundin trotz der psychologischen Expertise wie ihre Mutter: Wenn's heikel wurde, machte sie dicht.

»Mary-Jo, bitte denk daran, ich bin immer für dich da – ja?«

»Wie ein BH?«

Damit löste Mary-Jo einen Kicheranfall aus. Kurz vor ihrer Abreise hatte Annabelle ihr eine Karte mit dem albernen Spruch geschenkt: *Eine gute Freundin ist wie ein BH. Sie hält dich hoch, lässt dich nie hängen und ist immer ganz nah an deinem Herzen.*

»Uuuhhh, ich schmeiß mich weg!«, japste sie.

»Frag mich mal«, giggelte Mary-Jo. Wieder ernst fügte sie hinzu: »Du bist viel zu weit weg, Belle.«

»Ja, und? Wir können telefonieren, skypen, whatsappen, Mails schreiben oder Fotos posten, es gibt so viele Möglichkeiten«, fuhr Annabelle eine Retourkutsche, in Erinnerung an die Abschiedsparty in New York.

»Du fehlst mir wirklich«, bekannte Mary-Jo mit ihrer morgendlichen Reibeisenstimme. »Noch ein poetischer Kommentar gefällig?«

»Nur zu.«

»Eines Tages betritt plötzlich jemand dein Universum und bringt deine Sterne zum Leuchten … Na ja, Schnickschnack, bevor ich jetzt sentimental werde – zum Schluss gibt's noch gratis einen Rat von mir: Wenn dir das alles zu viel wird in deinem Puxdorf, fang einfach an zu singen. Deine Stimme ist garantiert schlimmer als dein Problem. Ciao, Belle.«

»Ciao, Mary-Jo.«

»Ciao, Liebes. Lass dich nicht unterkriegen.«

Das Display verdunkelte sich, die mentale Reise nach New York war damit zu Ende. Eigentlich. Denn Annabelle sann weiter darüber nach, was Mary-Jo so sehr bekümmern konnte, dass sie wieder mit dem Rauchen angefangen hatte. Das war nicht die Mary-Jo, die sie kannte. Aber sagte man nicht, die Schuster hätten die schlechtesten Schuhe? Vielleicht war ihre kluge Freundin gar nicht so überreflektiert und kompetent, wenn es um das eigene Seelenheil ging?

Kapitel 14

Oje. Ojeoje. Annabelle seufzte tief, während sie einen schadhaften Vorhang beiseitezog, um das dazugehörige Hotelzimmer bei vollem Tageslicht zu inspizieren. Sie hatte beschlossen, die Zeit bis Bettys Treffen für einen informellen Rundgang durchs Hotel zu nutzen. Mit dem niederschmetternden Zwischenergebnis, dass sie schon jetzt, im dritten Zimmer, am liebsten die Abrissbirne bestellt hätte. Zwar verströmten die alten Möbel noch den ortstypischen bayerischen Charme – solide gezimmert, mit geschnitzten Verzierungen und Bauernmalereien –, doch der Rest war ein Trümmerfeld. Abblätternde Tapeten, ausgefranste Bettvorleger, mottenzerfressene Vorhänge und die tropfenden Wasserhähne der Badezimmer (mit Kacheln im farbenfrohen Blümchendesign der frühen Siebziger) konnte man nur mit sehr viel gutem Willen als pittoreske Details hinnehmen. Ab in den Urlaub? Hier hieß das Motto wohl eher: ab in die Problemzone …

Das einzig Positive bestand in der Entdeckung, dass die Zimmer wenigstens sauber genannt werden konnten. Ein schwacher Trost, wenn die Handtücher so bretthart waren, dass man damit Fußböden hätte abschmirgeln können, und die betagten Lattenroste der Betten Geräusche von sich gaben, die das nächtliche Liebesspiel der Gäste zum Entertainment der gesamten Etage machten.

Die Kriterien für die übliche Sternebewertung erfüllte das Edelweiß jedenfalls nicht einmal ansatzweise. Schon für einen einzigen Stern hätte es mindestens Farbfernseher und Telefon auf den Zimmern sowie ein sogenanntes »erweitertes Frühstücksangebot« geben müssen (nichts davon traf zu). Die vier Sterne, mit denen sich das Edelweiß brüstete, wären nur mit Hotelbademänteln, wertigen Kosmetikartikeln, Fön, Minibar, WLAN-Zugang, Room Service sowie opulentem Frühstücksbuffet drin gewesen – abgesehen davon, dass alle Zimmer erst mal hätten saniert werden müssen.

Dieses Hotel reichte kaum an Jugendherbergsstandard heran. Von Extravaganzen wie kleinen Präsenten, Obstkörben und Blumen, die den Gast in einem Fünfsternehaus erwarteten, konnten die Besucher des Edelweiß nur träumen. Stattdessen lag ein zehn Jahre alter vergilbter Prospekt von Tannstadt auf dem Nachtschrank, und im Badezimmer wurde man statt von duftenden Duschgels und Shampoos von einer grauenerregend borstigen Körperbürste empfangen, mit der sich vermutlich schon Generationen von Gästen die Haut wundgescheuert hatten.

Stöhnend fertigte Annabelle eine weitere Erledigungsliste an, wohl wissend, dass es an Zeit und Geld mangelte, auch nur einen Bruchteil der nötigen Maßnahmen umzusetzen. Doch mit irgendwas musste sie ja anfangen. Ratlos sah sie sich um. Stoffe, das wusste sie, spielten eine ganz besondere Rolle für das angestrebte Wohlfühlambiente. Deshalb mussten die flusig abgetretenen Bettvorleger ausnahmslos entsorgt werden. Die Bettwäsche aus gestärktem weißem Leinen ging als okay durch (und war für die meisten Städter wohl eine exotische Erfahrung). Doch löchrige Gardinen?

Nachdenklich befühlte sie den verschlissenen Stoff und schaute hoch zur Gardinenstange aus Messing. Im Grunde reichten gesäumte Stoffbahnen, die man einfach darüberwarf, um diese miesen Gardinen zu ersetzen. Doch woher sollte sie die Stoffe nehmen? Und womit wollte sie die bezahlen? Annabelle zog ihr Handy heraus. Hatte Oma Martha nicht von der Puxdorfer Nachbarschaftshilfe gesprochen?

Hallo Betty, schrieb sie, *könntet ihr bitte mal rumfragen, ob jemand in Puxdorf ausgemusterte Gardinen, Bettlaken oder große Tischtücher hat? Das wäre sehr lieb. Ich muss die Hotelzimmer ein bisschen aufpeppen. Danke für eure Hilfe!*

Falls das klappte, war ein erster Schritt getan. Aber wie konnte sie die Gäste gnädig stimmen, damit sie all die Mängel tolerierten? Vielleicht doch mit Präsenten? In der Vorratskammer neben der Küche lagerten Hunderte von Gläsern mit Oma Marthas selbstgekochten Marmeladen. Schleife drum rum, fertig ist das Willkommensgeschenk, überlegte Annabelle. Nein, am besten, ich bastele die Schleifen aus Stroh. So bekommt die Marmelade einen rustikal-ländlichen Touch.

Sie setzte ihre Inspektion fort und hatte sich schon bis in den dritten Stock hochgearbeitet, als ihr Max auf dem Flur entgegenkam, mit einem schweren Werkzeugkasten in der Hand.

»I hab a Duschn repariert«, verkündete er stolz.

»Danke, Max.« Annabelle dämpfte ihre Stimme zu einem verschwörerischen Flüsterton. »Sag mal, wo ist unser eiskalter Freund abgeblieben?«

»Ja, was, der Gschwurf ist in der Hochzeitssuitn«, erwiderte der Hausdiener.

Ihr wurde leicht flau.

»In der Hochzeitssuite? Da taut er doch auf, Max!«

»Ah geh – du meinst die gefrorne Leich?« Das runzlige Gesicht formte sich zu einem schuldbewussten Grienen. »Jessas, die wollt i in aller Früh verschwindn lasse, aber da is sie mir in den Häcksler hineinekomm ...«

Maxens schleppender bayerischer Singsang ließ das Gesagte so harmlos wirken, als spräche er von einem kleinen Missgeschick beim Schneeschippen.

»In den – Häcksler?«, wiederholte Annabelle entsetzt.

»War keine Absicht, Anna.«

»Willst du damit sagen«, sie unterdrückte ein Würgen, »er ist aus Versehen in den Häcksler geraten? Aus Versehen, Max?«

Er stellte seinen Werkzeugkasten ab.

»Ja mei, a dumme Sach, des weiß i selber.«

Eine zerhäckselte Leiche. Hörte dieser Wahnsinn denn nie auf?

Annabelle lehnte sich an die Wand und versuchte krampfhaft, jegliches Kopfkino zu unterbinden.

»Und nun? Was willst du denn mit d-den, ogottogottogott, den R-esten machen?«, stotterte sie.

»Schau ma mal, dann seng ma scho«, erwiderte Max in seinem gemütvollen Singsang, bevor er den Werkzeugkasten wieder hochhob. »Aber jetzat muss i erst mal nach den andren Duschn schaun.«

Annabelle wurde ganz schwummrig.

»Max«, sie zwang sich, tief und regelmäßig zu atmen, »wir müssen eine Lösung für die Leiche, äh, die Leichenteile finden.«

»Ja, freilich, Anna. I find was. Des passt scho.«

Leicht gebeugt schlurfte er davon, verschwand mit seinem scheppernden Werkzeug im nächstbesten Zimmer und ließ Annabelle verstört zurück.

Wie konnte Max nur so cool bleiben? War sein Gleichmut vielleicht der bäuerlichen Tradition geschuldet? Damit kannte Annabelle sich aus. Hier auf dem Land ging man recht emotionslos mit dem Leben und Sterben von Gottes Kreatur um. Hühner und Schweine für den Eigenbedarf schlachtete man selbst, ohne groß Aufhebens davon zu machen. Ratten und Mäuse wurden ohne jedes Mitleid vergiftet, und wer es sich leisten konnte, jagte Hirsche oder erlegte Wildschweine. Eine Leiche war eben eine Leiche.

Immer noch schaudernd wankte Annabelle weiter zur Hochzeitssuite. Von welchem Gschwurf hatte Max bloß gesprochen? Sie öffnete die Tür und blieb schon nach wenigen Schritten stehen.

Was man im Hotel Edelweiß als Hochzeitssuite anpries, waren zwei kleine holzgetäfelte Räume mit Aussicht auf die Alpen, denen ein Kamin im Wohnbereich das besondere Etwas verlieh. Davor standen zwei uralte niedrige Sessel in Eintopfbraun und ein wackliges Fünfziger-Jahre-Tischchen mit rot-weißer Mosaikeinlage. Hinter dem Durchgang zum Schlafzimmer (durch senkrechte Perlenschnüre abgetrennt, von denen die Hälfte fehlte) gewahrte Annabelle ein Doppelbett, über dem der obligatorische röhrende Hirsch in Öl die Aktivitäten Frischverheirateter begutachtete. Allerdings lag kein liebendes Paar im Bett, sondern Fabian Berenson, der in Jeans und blauem Oberhemd auf der Tagesdecke lümmelte. Ganz versunken wischte er auf seinem Handy herum, als betrachte er Fotos. Neben ihm stand eine gepackte Reisetasche auf der Tagesdecke.

Sie wollte sich schon wieder hinausschleichen, als eine Bodendiele unter ihren Füßen knarrte.

»Oh, hoher Besuch!« Sichtlich erfreut schaute er auf. »Was verschafft mir denn das Vergnügen dieses speziellen Zimmerservice?«

»Ich …«, Annabelle strich demonstrativ mit zwei Fingern über das wacklige Tischchen, »wollte nur den ordnungsgemäßen Zustand der Zimmer überprüfen.«

Einen kurzen Moment ruhten Fabian Berensons Augen auf ihrem türkisfarbenen Mohairpullover, dann legte er das Handy in die Reisetasche, stand auf und trat durch den schütteren Perlenvorhang, der leise klirrend seine Schultern streifte.

»Was halten Sie davon, wenn wir uns setzen? Auf die zauberhaften Sessel am Kamin vielleicht?«

Hilfesuchend sah Annabelle zum röhrenden Hirschen, als könne er ihr die Antwort abnehmen. Nach einem Gespräch war ihr ganz und gar nicht zumute. Erstens musste sie die haarsträubende Häckslergeschichte verdauen, zweitens war es verwirrend intim, mit einem Mann allein zu sein, der die Fähigkeit besaß, hinter ihre toughe Fassade zu schauen.

»Worauf warten Sie denn, Frau Stadlmair?«, lachte er. »Auf eine schriftliche Einladung?«

Ohne Annabelles Einverständnis abzuwarten, durchquerte er den Wohnraum und nahm auf einem der Sessel Platz, direkt vor dem Kamin, in dem einige frische Scheite glühten. Auffordernd wedelte er mit einer Hand in Richtung des freien Sessels, und aus einem unerfindlichen Grund setzte sich Annabelle zu ihm. Weil sie ihn mochte? Weil er reisefertig war und deshalb keine Gefahr mehr von ihm ausging? Aber welche Gefahr eigentlich?

Der Duft nach würzigem Birkenholz und herbem Rasierwasser kitzelte ihre Nase. Verflixt. Sie war so schrecklich befangen in Fabians Gegenwart. Mit allen Sinnen spürte sie seine körperliche Präsenz, eine kraftvoll vibrierende Energie, die an die Sprungbereitschaft eines Panthers erinnerte. Unauffällig betrachtete sie seine Hände, die locker auf den Sessellehnen lagen. Schmale, aber kräftige Hände. Obwohl es vollkommen verrückt war, sehnte sie sich danach, von diesen Händen berührt zu werden.

»Pardon.« Sein Magen grummelte ausdauernd, auch Annabelle konnte es hören. Entschuldigend zeigte er auf seinen Bauch. »Fischstäbchen mit Kirschkompott sind nicht gerade Wellness für den Verdauungstrakt.«

»Ich sagte doch, Sie sollten hier nichts essen.«

»Ja, das sagten Sie.« Er streckte die Beine von sich, so dass seine Füße (in feinen dunkelblauen Socken) seitlich auseinanderfielen. »Hätte ich ja nicht gedacht, dass wir beide so schnell in einer Hochzeitssuite landen.«

»Schon irgendwie faszinierend, was?«, sagte Annabelle und lächelte, weil sie nicht anders konnte, als lächelnd den letzten Blödsinn abzusondern.

»Und so romantisch«, fügte er hinzu.

Dann fixierte er sie mit einem Blick, der aus gespannter Aufmerksamkeit und ehrlicher Wertschätzung bestand. Ein Blick, der Annabelle im Innersten traf, ja, ihr Herz berührte, und sie bekam einen solchen Schreck, dass es ihr die Sprache verschlug.

»Ohne Rüstung gefallen Sie mir viel besser«, sagte er versonnen. »Sollte ich etwa Ihre Firewall geknackt haben?«

Verlegen schaute sie zum Fenster, vor dem grünliche Gardinen mit münzgroßen Löchern hingen. Das Bedürfnis, Fabian zu widersprechen, war mindestens so stark wie der Wunsch, mehr über ihn zu erfahren. Nach einem kurzen Scharmützel zwischen Wunsch und Bedürfnis siegte ihre Neugier (wobei die nahezu magische Anziehungskraft, die von Fabian Berenson ausging, den Ausschlag gab).

»Darf ich Sie was fragen?«

»Nur zu«, nickte er. »Das heißt, warten Sie – Sie wollen wissen, warum ich mit einer Frau wie Isabel zusammenarbeite, stimmt's?«

Konnte er tatsächlich ihre Gedanken lesen?

»Ist zumindest eine schräge Kombi.«

»Sehr diplomatisch formuliert.« Er lachte amüsiert. »Man nennt uns auch ›Der Schöne und das Biest‹, wobei ich das ›schön‹ weit von mir weise. Ist nur so ein Wortspiel.«

»Aha.«

Er drehte sich halb zu ihr, mit der arglosen Miene eines Menschen, der nichts zu verbergen hatte.

»Unsere Eltern ließen sich scheiden, als wir noch ganz klein waren. Isabel wuchs bei meinem Vater auf, ich bei meiner Mutter. Wenn Sie die Resultate der beiden Erziehungsstile vergleichen, schwant Ihnen wahrscheinlich schon, warum die Ehe meiner Eltern in die Brüche ging.«

Annabelle zog die Beine an und umschlang ihre Knie, um sich zumindest symbolisch gegen den Gefühlssturm zu wappnen, den Fabian Berenson in ihr auslöste.

»Ihre Mutter ist die warmherzige Nette, Ihr Vater der eiskalte Fiesling?«

»So in etwa.« Gedankenverloren starrte er in die glimmende Glut des Kamins. »Ich habe mich nie sonderlich gut mit meiner Schwester verstanden. Es war mein Vater, der wollte, dass wir gemeinsam das Puxdorfer Projekt entwickeln. Für den echten Erfolg fehlt es Isabel an Gespür und Empathie, sagt er immer. Die kann nur einreißen, nicht aufbauen.«

»Ihr Vater ist ein kluger Mann«, brummte Annabelle.

»Nicht klug genug.« Fabian biss die Zähne aufeinander, seine Kiefermuskeln spannten sich an. »Das Dreamteam ist gescheitert. Isabel kennt keine Kompromisse, und ich habe nicht vor, ihre gerissenen Tricksereien länger mitzumachen. Den Bürgermeister bestechen, den blinden Hass eines

Verkäufers ausnutzen, ein ganzes Dorf dem Ausverkauf preisgeben – dafür muss sie sich einen anderen suchen. Mehrfach habe ich ihr gesagt, wie niederträchtig ich das finde. Ohne jede Reaktion.«

»Um warum verhindern Sie es dann nicht?«, fragte sie angriffslustiger als beabsichtigt. »Sind Sie eine Memme, oder was?«

»Halten Sie mich denn für eine Memme?«

Ein dunkler Schatten legte sich über den Raum. Annabelle musste daran denken, welch ein furchtbares Unheil sich soeben über dem Edelweiß zusammenbraute. Sicherlich war der Vertrag beim Oberleitner schon unterschrieben, und ganz egal, ob Isabel Berenson oder Peter McDormand das Rennen gemacht hatte, blieb das dicke Ende dasselbe: Das Edelweiß musste weichen, Gerhard Oberleitner triumphierte.

»Annabelle – hältst du mich für eine Memme?«, hakte Fabian mit sanfter Stimme nach, wobei er einfach ins Du verfiel.

In Lichtgeschwindigkeit überzog eine Gänsehaut ihren Körper. Vom Scheitel bis zur Sohle, dann noch einmal vom Bauch zur Herzgegend und wieder zurück. Seine Direktheit entwaffnete sie, das jäh auflodernde Feuer in seinen Augen erhitzte sie.

»Ich … ich weiß nicht«, antwortete sie wahrheitsgemäß. »Mein Gefühl sagt nein, aber mein Kopf …«

Er griff nach ihrer Hand und drückte sie sacht, eine Geste, die einen Glücksschauer durch ihren Arm jagte.

»Du erinnerst mich an jemanden, Annabelle – an mich. Wir haben mehr gemeinsam, als du vielleicht denkst.«

Vorsichtshalber entzog sie ihm ihre Hand, um nicht völlig den Verstand zu verlieren.

»Ach ja? Wir haben Gemeinsamkeiten? Ist dir schon aufgefallen, dass ich manchmal ein Dirndl trage?«

Ja, sie hatte ihn geduzt. Es fühlte sich sogar verdammt gut an. Nein, es fühlte sich richtig an.

Fabian reagierte mit einem erfreuten Lächeln. Der Schalk in seinen Augenwinkeln erschien und entfesselte ein munteres Treiben, bevor er zu einer Erwiderung ansetzte.

»Du hast einen sehr eigenwilligen Humor, Annabelle. Du redest frei von der Leber weg. Du kämpfst, wenn nötig. Das verbindet uns.«

»Zwei Treffer, einmal daneben«, hielt sie dagegen. »Bisher habe ich dich noch nicht kämpfen sehen. Deine Schwester macht doch, was sie will.«

Impulsiv stand er auf und stocherte mit dem Kaminbesteck in der Glut, bis helle Flammen aufflackerten. Auf Socken tapste er zurück und sah sie herausfordernd an.

»Findest du es nicht eigenartig, dass wir schon streiten wie ein altes Ehepaar?«

Annabelle zog einen Flunsch, obwohl sie sich insgeheim über seine Bemerkung freute. Es stimmte, so hartnäckig stritt man nur mit jemandem, an dem einem sehr viel lag. Alles in ihr pulsierte, und sie hatte große Mühe, sich das Brausepulverprickeln in ihrer Herzgegend nicht anmerken zu lassen.

»Falls du Streit als Qualität einer engen Beziehung definierst, ist das in der Tat eigenartig. Was allerdings nichts daran ändert, dass du deine Schwester gewähren lässt.«

Mit einem unterdrückten Stöhnen ließ er sich zurück in seinen Sessel fallen und rieb sich das Kinn.

»Für Isabel ist das Leben ein einziges Theater, in dem sie die Hauptdarstellerin ist. Leider hat sie die alleinige Vollmacht über das Geld meines Vaters. Sie bestimmt, wo's langgeht. Mich hat mein Vater nie richtig akzeptiert, weil mir die Abgebrühtheit fehlt. Für ihn laufe ich nur so mit. Isabel kann schalten und walten, wie sie möchte, ich bin der Berater, auf den sie nicht hört. Sie will das Megaresort, ich den sanften Tourismus – rate mal, wer den Kürzeren zieht.«

Das klang zwar aufrichtig, konnte Annabelle jedoch nicht zufriedenstellen.

»Wenn euer Leben schon ein einziges Theater ist, dann such dir wenigstens eine Rolle aus, die dir gefällt.«

Fabian verblüffte sie einmal mehr, indem er in Lachen ausbrach.

»Du bist umwerfend.«

»Obwohl ich dich so hart rannehme?«

Sein Lachen verwandelte sich in ein verschmitztes Lächeln.

»Ich habe nicht gesagt, dass du perfekt bist.« Mit beiden Händen fuhr er sich durchs Haar. »Erzähl mir von dir. Du bist nicht nur die charmante Gastwirtstochter aus Puxdorf, oder? Da steckt doch mehr dahinter.«

»Fünfzehn Jahre in den besten Hotels, zehn davon im Management«, ließ Annabelle die Katze aus dem Sack. »Unter anderem in München, London, Dubai und New York.«

»Wow.« Er lächelte anerkennend. »Das nötigt mir Respekt ab. Von Anfang an habe ich gemerkt, dass du viel zu smart und weltläufig für eine Dörflerin bist.«

»Demnächst trete ich einen Job als General Manager in Singapur an. Mandalay Bay Hotel, das kennst du vielleicht.«

Sein Lächeln machte einer gewissen Bestürzung Platz.

»Respekt, wirklich, aber warum muss es unbedingt so weit weg sein?«

»Warum nicht?«, fragte sie zurück und stellte erschrocken fest, wie grausam das auf einmal klang in seiner Gegenwart.

Was war bloß los mit ihr? Wie schaffte er es, sie aus der Fassung zu bringen? Etwas knisterte zwischen ihnen, schon die ganze Zeit, und es war nicht das Kaminfeuer. Seine Augen schauten durch sie hindurch, als wolle er mitten in ihr Herz sehen.

»Annabelle, was tun wir hier? Wir sitzen in einer romantischen Hochzeitssuite mit romantischem Alpenblick vor einem hyperromantischen Kamin, und ich komme mir vor, als wäre ich …«

Ihr Herz bummerte wie ein betrunkener Trommler. Sie wagte kaum zu atmen.

»Ja?«

»Als wäre ich ein verliebter Schuljunge, der …«

Auch diesen Satz brachte er nicht zu Ende. Eroberte nur erneut ihre Hand, und dieses Mal drückte er sie fester.

»Annabelle, ich muss abreisen. Doch ich komme wieder. Nicht wegen dieses unseligen Deals, nur deinetwegen. Einzig und allein wegen der blitzgescheiten liebenswerten Frau, die in mir die Funken fliegen lässt.«

Ihre Augen begegneten sich und ertranken wieder ineinander, wie beim magischen Moment in der Gaststube. Die Zeit stand still. Ein Engel ging durch den Raum, dessen Decke sich zu öffnen schien. Alles erstrahlte in einem unwirklichen Licht.

Eines Tages betritt plötzlich jemand dein Universum und bringt deine Sterne zum Leuchten, flüsterte Mary-Jos rauchige Stimme.

Im selben Augenblick begann das Handy in Annabelles Hosentasche zu piepsen. Gab es etwas Unromantischeres als dieses blöde Ding, das noch den schönsten Moment zerstören konnte?

»Geh nur ran.« Zögernd löste Fabian seinen Blick von ihr und erhob sich. »Ich muss ohnehin los, bin schon spät dran.«

Zerknirscht holte Annabelle das Handy heraus. Auf dem Display erschien eine Nachricht von Betty.

Wo bleibst du denn? Du musst sofort herkommen! Schnell! Es ist was Schreckliches passiert!

Kapitel 15

Der Dorfplatz wurde eingerahmt von Bettys Bäckerei, einem lange geschlossenen Tante-Emma-Laden sowie dem sogenannten Bürgermeisteramt. In Wahrheit bestand es nur aus zwei Amtszimmern im ersten Stock einer ehemaligen Schlachterei, vor dem des Morgens eine weiß-blaue Bayernfahne hing. Damit war der Platz so etwas wie die gesellschaftliche Bühne von Puxdorf, ein Epizentrum für Klatsch und Tratsch, eine tagesaktuelle Informationsbörse, kurz – das analoge Facebook des kleinen Ortes. Hier traf man sich, wenn man bei Betty Brot und Semmeln kaufte, hier wurde am ersten Mai der Maibaum aufgestellt (mit Blasmusik und Tanz), hier lungerte abends die Dorfjugend herum, bevor sie dem verschlafenen Ort irgendwann endgültig den Rücken kehrte.

Auch Annabelle hatte oft auf dem Dorfplatz abgehangen, zusammen mit ihrer alten Clique, und die Zeit mit Rumblödeln totgeschlagen.

Schon von weitem erblickte sie die Menschentraube, die sich dort im hellen Sonnenschein versammelt hatte. Getrieben von einer düsteren Vorahnung, hastete sie die letzten Meter durch den Schnee und blieb wie zur Salzsäule erstarrt stehen.

Stumm umringten die Dörfler einen leblosen menschlichen Körper, der direkt dem Bürgermeisteramt lag. Es war Peter McDormand. Seine grässlich verzerrten Gesichtszüge wurden zusätzlich durch aufgeplatzte Lippen und einen hellroten Ausschlag entstellt. Umso absurder wirkten sein eleganter Nadelstreifenanzug und die völlig unversehrte rosaseidene Krawatte, die ihm schief über der Brust hing.

Annabelle wurde so schlecht, dass sie würgen musste. Und ja, es war vielleicht seltsam, aber sie spürte keinerlei Genugtuung, Peter McDormand tot im Schnee liegen zu sehen. Nur abgrundtiefes Entsetzen. Mehrfach hatte sie ihn verwünscht, weil er ihren Eltern die Luft zum Atmen nehmen wollte, den Tod jedoch hätte sie ihm nie im Leben gewünscht. Tränen stiegen ihr in die Augen, als der Priester des Nachbarorts erschien (Puxdorf war so winzig, dass es nicht einmal eine eigene Pfarrei gab) und ein Gebet murmelte. Es war eine Tragödie. Eine rabenschwarze Tragödie.

»Ogottogottogott, gut, dass du da bist«, keuchte Betty, die sich durch die Phalanx der Dorfbewohner zu Annabelle heranarbeitete, eine lange altrosa Wolljacke über ihre Bäckerschürze geworfen. Ihr üppiger Busen wogte, ihre Wangen waren leichenblass. »Du glaubst ja gar nicht …«

»Pssst.« In einem handgewebten Indianermantel mit bunten Troddeln tauchte Ferdi neben ihr auf. Nervös zwirbelte er seinen Hippiezopf. »Klappe halten.«

Was ist denn?, fragte Annabelle nur mit den Augen, um kein öffentliches Interesse zu erregen.

»Hab ihn am Bach gefunden«, wisperte Ferdi.

»Ja, und dann hat er ihn hierher verfrachtet, um dem Bürgermeister eins auszuwischen«, grollte Betty.

Verdammte Axt. Annabelle war außer sich. In ihr anfängliches Entsetzen mischte sich kalte Wut. Dieser Tote ließ sich nicht mehr verheimlichen. Die Sonne brachte es an den Tag, wie es so sinnig hieß.

»Sag mal, bist du wahnsinnig?«, zischte sie Ferdi an.

»Ich wollte doch nur, dass Puxdorf unattraktiv für diese Scheißkapitalisten wird, damit der korrupte Mistkerl von Bürgermeister in die Röhre guckt«, rechtfertigte er sich halblaut. »Wer investiert denn schon in ein Mördernest?«

»Himmelsakra, Ferdi!« Betty griff sich an den Kopf. »Was hast du bloß angerichtet, du Hornochse?«

Für Annabelle ging gerade die Welt unter. Da rackerte sie sich ab, um den Karren respektive das Edelweiß aus dem Dreck zu ziehen, und nun hatte Ferdi ihren ganzen schönen Plan ausgehebelt. Puxdorf, Mörderdorf. Womit mal wieder bewiesen war, dass beste Absichten die schlechtesten Taten nach sich ziehen konnten.

Einer nach dem anderen gesellten sich nun auch Toni, Fanny, Mitzi und Xaver zu ihnen. Betreten warfen sie einander Blicke zu. Selbst Xaver, der ewige Spaßvogel, schien erschüttert zu sein. Seine Gesichtsfarbe spielte immer mehr ins Grünliche, während er scheu zu dem Toten schaute.

Alle waren sie heute in Zivil. Statt Dirndl und Lederhosen trugen Annabelles alte Freunde Jeans und Winterjacken, Toni im Militarylook, Xaver im hellblauen Skilehrerstyle. Fanny hatte eine dicke graue Fleecejacke angezogen, die ihr viel zu groß war, und Mitzi schoss den Vogel mit einer kanariengelben Grobstrickjacke zu Fetzenjeans ab. Mit gedämpften Stimmen diskutierten sie Ferdis Eselei, die übereinstimmend als komplett hirnrissig bewertet wurde. Solche Alleingänge seien bescheuert, fand Toni, man hätte erst drüber abstimmen sollen. Mitzi hingegen war der Meinung, Ferdi hätte die Leiche zum Oberleitner bringen sollen, dann hätte der jetzt den ganzen Ärger. Betty war um die Sicherheit ihrer Familie besorgt – man werde den Mörder nie finden, weil Ferdi bestimmt wertvolle Spuren vernichtet hatte. Fanny hatte Angst um ihre vier Kinder. Xaver drehte sich erst einmal eine Zigarette, bevor er Ferdi einen selbstsüchtigen bekifften Hippie nannte.

»Ihr Weltverbesserer tut immer so, als wärt ihr so altruistisch, dabei bist du ein absoluter Egoist!«

Anschließend brach Toni einen Streit darüber vom Zaun, welches der CSI-Ermittlerteams für diesen Fall am besten geeignet sei: CSI New York, CSI Los Angeles, CSI Miami oder ein ganz anderes, und auch dazu hatte jeder eine dezidierte Meinung. Eins war klar: In Puxdorf hätte sich ein Public Viewing amerikanischer Krimiserien gelohnt.

»Sag mal, Ferdi, wie hast du den Typen überhaupt entdeckt?«, fragte Annabelle, um der leidigen Diskussion ein Ende zu setzen.

»Mit meiner Kameradrohne«, antwortete Toni für Ferdi.

Annabelle stand gerade ein bisschen auf dem Schlauch.

»Mit einer … Wie meinst du das?«

»Na, der Toni ist doch so ein Tüftler und Bastler«, übernahm Ferdi. »Der hat sich Drohnensets aus dem Internet bestellt und selbst zusammengebaut. Inklusive hochauflösender Kameras.«

»Ja, damit er die weibliche Bevölkerung von Puxdorf ausspionieren kann.« Mitzi grinste vergnügt. »Spanner.«

»Gar nicht wahr«, verteidigte sich Toni. »Ich mache Luftaufnahmen von der Gegend. Landschaftsfotos. Die verkaufe ich ans Touristikbüro in Tannstadt.«

»Jedenfalls hatte ich mir eine Drohne ausgeliehen«, erzählte Ferdi weiter. »Ich wollte das Ding ausprobieren, weil ich im Frühsommer mit einer Wärmebildkamera Rehkitze aufspüren und retten möchte, bevor sie beim großen Wiesenmähen sterben.«

Fanny sah ihn von der Seite an.

»Rehkitze.«

»Ja, die verstecken sich nämlich in den ersten Wochen nach der Geburt im Gras und werden sonst zerhäckselt von unseren ach so naturbewussten Bauern!«, ließ Ferdi Dampf ab.

»Zerhäckselt«, stöhnte Annabelle.

Etwas leiser setzte Ferdi hinzu: »Dann sah ich plötzlich was im Straßengraben liegen, an der Ortseinfahrt. Bin gleich runtergegangen mit der Drohne, ganz dicht ran. Alter, ich war echt am Limit, als ich sah, dass es ein Toter war. Da hab ich meinen Trecker angeworfen, ihn rausgeholt und ...«

Plötzlich kam Bewegung in die Menschenmenge, die stetig angewachsen war (rätselhafterweise, denn Puxdorf hatte gar nicht so viele Einwohner, und Touristen verirrten sich nur noch selten hierher). Einzelne Stimmen erhoben sich aus dem allgemeinen Gemurmel, Köpfe ruckten herum, dann schauten alle synchron zum Ortsausgang.

Mit gellender Sirene holperte ein blau-weißer SUV heran, auf dem ein großes Blaulicht flackerte. Im Zickzack wich der Wagen den nachlässig aufgeschaufelten Schneehaufen aus, bis er mit durchdrehenden Rädern stecken blieb.

»Mama, Mama!«, rief ein kleiner dunkelgelockter Junge in einer lindgrünen Skikombination. Mit hochroten Backen rannte er zu Betty und drückte sich an ihre Schürze. »Guck mal, Polizei! In echt! Was wollen die denn?«

Betty versuchte, ihrem Knirps die Augen zuzuhalten, doch der entwand sich geschickt den mütterlichen Händen und staunte kurz die Leiche an, bevor er mit seinem Smartphone daraufhielt.

»Cool. Darf ich das Video posten, Mama?«

Hastig nahm Betty ihm das Handy ab.

»Untersteh dich, kleiner Schlingel! Hier wird gar nichts gepostet.«

»Zu spät.« Ferdi hielt sein eigenes Smartphone hoch. »Ist schon rum.«

Auch Mitzi hatte ihr Handy gezückt und wischte mit einer tätowierten Hand über das Display.

»Bei Facebook und Instagram schießen die Klickzahlen in die Höhe wie nix.«

»Was wohl auch den Flashmob hier erklärt«, sagte Toni.

Bei aller Bestürzung wunderte sich Annabelle, wie geläufig Ferdi und die anderen mit der digitalen Kommunikation umgingen. So konnte man sich täuschen. Vielleicht waren ihre alten Freunde ja gar nicht so rückständig wie gedacht? Vielleicht hatte sie ihre Clique nur mit dem oberflächlichen Städterblick angeschaut und vor lauter Vorurteilen unterschätzt?

Inzwischen waren dem SUV drei Personen entstiegen, die sich im Gänsemarsch dem Dorfplatz näherten. Hauptkommissar Andernach, eingehüllt in einen dunkelblauen Parka, führte die kleine Truppe an. Auf seinen Fersen folgte eine schlanke mittelalte Frau im weißen Overall, die einen Alukoffer dabeihatte. Polizeioberwachtmeister Trampert, der nichts als seine Uniform trug, bildete das Schlusslicht. Die eisigen Temperaturen schienen ihm nichts auszumachen. Interessiert schaute er sich nach allen Seiten um, im vollen Bewusstsein seiner amtlichen Befugnisse, die ihm ungenierte Neugier erlaubten.

Andernach und Trampert. So ein Mist. Annabelles Atem ging stoßweise, ihre Füße in den Moonboots fühlten sich wie abgestorben an. Hatte sie den beiden nicht versprochen, dass nichts nachkommen würde? Würden sie ihr immer noch glauben, dass die gestrige Leiche pure Einbildung gewesen sei?

Gleich drei Ermittler, das war für die Puxdorfer eine ziemliche Sensation. Respektvoll machte man den Beamten Platz, als sie den grausigen Fundort erreichten. Niemand sagte einen Ton. Alle wussten, dass es jetzt offiziell war: In Puxdorf hatte sich ein Mord ereignet.

Mit düsterer Miene fixierten die beiden Polizisten den Toten. Die Overalldame streifte weiße Latexhandschuhe über, dann kniete sie sich neben die Leiche in den Schnee. Mit einer Hand stützte sie sich auf dem Boden ab, mit der anderen öffnete sie den Alukoffer und entnahm ihm ein dünnes, längliches Instrument aus Metall, das an ein Bratenthermometer erinnerte.

Polizeioberwachtmeister Trampert schaute weg, als die Tatortexpertin mit ihrer schauderhaften Untersuchung begann, und musterte stattdessen die Umstehenden, wobei er wieder seine unverhohlene amtliche Neugier walten ließ.

Annabelle schickte ein Stoßgebet zum Himmel, dass sie seinem Adlerblick entging. Unauffällig duckte sie sich hinter Betty, doch Kollege Trampert hatte sie schon erspäht.

»Da ist sie ja, Ihre Leiche«, rief er aufgeräumt.

»Hä? Wieso Annabelles Leiche?«, fragte Ferdi.

»Na, die, die das Fräulein Stadlmair gestern gemeldet hat.«

Unzählige Augenpaare richteten sich wie Geschütze auf Annabelle. Unversehens war sie von der weitgereisten Durchreisenden zu einem suspekten Subjekt geworden. Ach du je. Sie wusste gar nicht mehr, wo sie hinschauen sollte.

»Gestern? Der Lebertemperatur nach ist der Mann erst seit drei Stunden tot«, sagte die Frau im Overall, während sie seelenruhig das blutige Thermometer aus dem reglosen Körper zog. »Wenn man die niedrige Außentemperatur berücksichtigt, etwa eine Stunde.«

»Fräulein Stadlmair.« Polizeioberwachtmeister Tramperts gutmütiges Bernhardinergesicht zog eine ehrfürchtige Grimasse. »Haben Sie seherische Kräfte? Wieso konnten Sie denn schon gestern einen Toten melden, der erst heute gestorben ist?«

»Dämlack! Wahrscheinlich gibt's zwei Leichen!«, donnerte Hauptkommissar Andernach los. Seine blaugeäderten Hängebäckchen bebten, seine kleinen Augen verengten sich zu Schlitzen. »So, Frau Stadlmair. Das wäre jetzt ein guter Moment, um uns reinen Wein einzuschenken.«

Im Publikum erhob sich vielsagendes Geraune. Wie angenagelt von den vielen Blicken verfiel Annabelle in etwas, was einem Totstellreflex nahekam. In ihrem Hirn herrschte nur noch Schneegestöber, verbunden mit einem Totalausfall des Sprachzentrums.

»Ääh …«

»Der Tote heißt Peter McDormand«, verkündete die Dame im weißen Overall gleichmütig. Mit der ausgestreckten Hand hielt sie einen Pass in die Sonne. »Wohnhaft in New York.«

»Aha! New York!« Wie eine Dampfwalze rollte Hauptkommissar Andernach auf Annabelle zu. »Interessant! Da haben Sie uns aber so einiges verschwiegen!«

Ihre Clique verfolgte den Schlagabtausch mit der geballten Anspannung von Fußballfans, die auf das erlösende Tor warteten. Betty zwinkerte hektisch, Fanny hatte die Handflächen an die Wangen gelegt, Mitzi zog selbstvergessen an ihren gepiercten Ohrläppchen. Auch die Herren lauschten gebannt. Ferdi nägelkauend, Toni mit aufeinandergepressten Lippen und Xaver mit offenem Mund.

»Jetzt ist aber die Kacke am Dampfen«, grunzte er.

In der Zwischenzeit hatte sich Annabelle einigermaßen von ihrem ersten Schock erholt und war nur noch von einem Gedanken beseelt: Sie musste diesen Andernach sofort von ihrer Unschuld überzeugen. Wenn ruchbar wurde, dass sie länger als eine Minute unter Mordverdacht gestanden hatte, würde die Gerüchteküche brodeln und ihre Familie für alle Zeiten stigmatisiert sein. Die Anna vom Edelweiß, jaja, die hat Dreck am Stecken, würde es heißen – selbst dann, wenn sich alles als falscher Verdacht herausstellte. Leider war Annabelle noch immer nicht wieder im Vollbesitz ihrer geistigen und sprachlichen Kompetenzen.

»Verschwiegen, so ein gequirlter Quatsch. Öh, Quark.« Unter größten Anstrengungen rang sie nach Worten. »Ich hab doch, verflixt, äh, nichts zu verbergen!«

»Jeder hat was zu verbergen!«, bellte der Hauptkommissar.

»Jessas, wollen Sie die Anna etwa durchsuchen?«, fragte Betty aufgeregt.

Eine Frage, die Annabelles Panik eher vergrößerte als verkleinerte. Ihre ringelbehandschuhten Finger in der Jackentasche spielten mit einem Knopf. Einem verräterischen goldenen Manschettenknopf, der die Form eines kleinen Würfels besaß. Warum hatte sie das Ding nicht längst weggeworfen?

»Eine Durchsuchung ist nicht nötig.« Anklagend zeigte Hauptkommissar Andernach in ihr Gesicht, als habe er soeben den Schuldigen darin gefunden. »Gerötete Lider und geschwollene Partien um die Augen! Sie haben geweint! Weil Sie mit Herrn Dormand gestritten haben? In welchem, nun … Verhältnis standen Sie eigentlich zu dem Toten?«

Allein wie er das Wort *Verhältnis* aussprach, mit anzüglichen Anführungsstrichen, drückte Annabelle den Stempel der Geliebten auf, die ihren Galan gemeuchelt hatte. Da musste sie schnell Kontra geben, bevor das allgemeine Kopfkino sie zum mörderischen Flittchen beförderte.

»Hey, hey! Ich, also … na ja … ich kenne den Peter, ich meine, den Mann, den McDormand gar nicht weiter!«

»Vielleicht sind Sie ja doch sein Gschpusi gewesen?«, orakelte Polizeioberwachtmeister Trampert halb neckisch, halb vorwurfsvoll. »So ein fesches Frauenzimmer wie Sie bleibt doch nicht lang allein.«

»Also, beim CSI wäre das jetzt der Moment, wo man einen Anwalt verlangt«, steuerte Ferdi eine Bemerkung bei. »Oder ist das nur in diesem imperialistischen Amerika so?«

»Nach allem, was ich sehe, wurde der Mann vergiftet«, stellte die Frau im weißen Overall sachlich fest. »Welches Gift, lässt sich erst nach der toxikologischen Untersuchung im Labor sagen.«

»Da haben Sie's, wir ermitteln hier in einem Gift! Mord! Fall!«, empörte sich Hauptkommissar Andernach. »Jedes Detail kann ein Indiz sein, Frau Stadlmair! Auch Tränen!«

»Sie sehen ganz schön zerschossen aus, da hat der Hauptkommissar leider recht«, variierte Kollege Trampert die Argumentation seines Vorgesetzten, wenn auch mit kummervoller Stimme.

»Ja, meinen Sie denn, es lässt mich kalt, wenn da ein Toter liegt? Vergiftet? Entstellt?«, begehrte Annabelle auf. »Er muss schrecklich gelitten haben!«

»Und woher wissen Sie das? Waren Sie dabei?«, verbiss sich Hauptkommissar Andernach sofort in ihre Verteidigung.

Der wurde ja immer gemeiner, dieser Bulldoggenverschnitt. Eine unschöne Erinnerung zog an Annabelle vorbei.

»Nein, ich bin auch mal vergiftet worden, und das befähigt mich ja wohl in besonderer Weise, die Empfindungen des Opfers nachzuvollziehen.«

»Du bist vergiftet worden?«, erkundigte sich Fanny erschrocken.

»Kugelfisch. Im besten New Yorker Sushi-Restaurant.«

Es war einer der wenigen gemeinsamen Abende mit Simon gewesen, und ausgerechnet der hatte in der Notaufnahme des Lenox Hill Hospitals in Manhattan geendet.

»Kugelfisch, wie geil«, seufzte Mitzi.

Annabelle verzog den Mund.

»Leider hatte der Koch einen schlechten Tag.«

»Ach nee, hattest du etwa den Sepp in New York dabei?«, feixte Toni.

»Sepp, der Dorfdepp«, höhnte Xaver.

Jetzt wurde es Annabelle zu bunt. Mit beiden Fäusten hämmerte sie sich an die Stirn.

»Diesen Bullshit will ich nie wieder hören, kapiert? Wer auf Sepp rumhackt, bekommt es ab jetzt mit mir zu tun!«

»Der Arme, ich mochte ihn eigentlich immer ganz gern«, sagte Fanny mehr mitleidig als abfällig. »Sepp hat ein gutes Herz. Hängt nur halt an der Flasche.«

»Berufsrisiko, aber kein unabwendbares Schicksal.« Annabelle seufzte. »Leider wird ein Außenseiter wie Sepp auf dem Dorf schikaniert. Der hatte hier wahrlich nichts zu lachen all die Jahre.«

»Herrschaften, so geht das nicht!«, schimpfte Hauptkommissar Andernach. »Bleiben Sie mal bei der Sache. Oder«, er kniff listig ein Auge zu, »hat etwa dieser Sepp den Herrn vergiftet?«

»Sie träumen ja wohl«, entgegnete Annabelle heftig. »Unser Koch ist unverdächtig. Der kann ja nicht mal Fischstäbchen anbraten, und von Peter McDormand hat er sowieso nichts mitgekriegt. Sepp war vollauf mit seinen Cheeseburgern beschäftigt, das dürfte Ihnen gestern Abend ja wohl nicht entgangen sein.«

»Immerhin, als Koch hatte er die Gelegenheit zu einem Giftmord«, gab Kollege Trampert seinen Senf dazu.

»Ja, aber für einen Mord braucht man Gelegenheit *und* Motiv«, warf Toni ein. »Sagen jedenfalls die Cops vom CSI.«

Er hatte mit seinem Einwand einen guten Punkt geliefert. Schlauer Bursche, durchzuckte es Annabelle. Restlos ausgepowert versuchte sie, ihr Hirn in den Denkmodus zu schalten. Wer hatte ein *Motiv*, Peter McDormand umzubringen? Ihre Familie, so niederträchtig sie auch von diesem Typen behandelt worden war, schied aus, denn weder ihre Eltern noch Oma Martha konnten auch nur einer Fliege etwas zuleide tun. Die Oberleitners kamen genauso wenig in Frage, weil sie auf den Deal mit Peter McDormand scharf gewesen waren. Also musste es sich um einen gestörten Massenmörder handeln oder um jemanden, der über Leichen ging, um irgendwelche anderen Ziele zu erreichen.

»Hallo? Frau Stadlmair?«, meldete sich die Tatortexpertin zurück, die mit einem Laptop auf den Knien neben dem Toten hockte. »Sagten Sie nicht, Sie hätten Peter McDormand so gut wie gar nicht gekannt?«

»Exakt«, knurrte Annabelle.

»Und warum sind Sie dann mit ihm zusammen nach München geflogen?

Herr Andernach sagte heute früh auf der Wache, Sie seien gestern aus New York gekommen. Ich hab mir gerade mal online die Passagierlisten angesehen. Sie saßen beide im selben Flugzeug.«

»Oh, nee«, stöhnte Mitzi.

»Das war Zufall!«, rief Annabelle.

»Bei Mord gibt's keine Zufälle!«, brüllte Hauptkommissar Andernach.

Okay. Dieser untersetzte kleine Mann wollte ihr aus harmlosen Tatsachen einen Strick drehen, so weit blickte Annabelle durch. Vermutlich lag ihm daran, rasche Erfolge vorzuweisen. Hauptkommissar Andernach, der Supercop, der jeden Täter in null Komma nix dingfest machte. Dumm nur: Ihr Gewissen war zwar rein wie Neuschnee (den ersten Toten mal beiseitegelassen), doch sie hatte sich längst in einem Gewirr von Fakten verheddert, die allesamt gegen sie ausgelegt werden konnten. Großer Gott. Sie wusste nicht weiter.

»Haben Sie wenigstens ein Alibi?«, schaltete sich Kollege Trampert helfend ein. »Wo waren Sie in den vergangenen, na, sagen wir mal, zwei, drei Stündchen?«

Oje. Jetzt musste sie wohl Farbe bekennen, dass sie beim Erzfeind vorstellig geworden war. Das würde sehr, sehr unangenehm werden. Annabelle schlug die Augen nieder und versuchte, sehr leise, sehr nuschelig und gleichzeitig sehr schnell zu sprechen.

»Also, erst beim Oberleitner« – so hingenuschelt klang es eher wie Omaleutnant –, »wo ich mich mit dem Andi unterhalten habe, dann hatte ich ein Gespräch mit Fabian Berenson, danach mit unserem Koch, mit meiner Mutter und noch eins mit Fabian. Äh. Berenson.«

»Du warst beim – *Oberleitner*?«, tönte es im Chor aus ihrer Clique.

»Würden die genannten Personen Ihr Alibi bestätigen?«, schnarrte Hauptkommissar Andernach.

»Denke schon, nein, ganz bestimmt«, versicherte Annabelle.

Mittlerweile betete sie, dass nicht auch noch ihre Familie auf dem Dorfplatz erschien, um diesem Tribunal beizuwohnen. Die würden früh genug erfahren, was hier abgegangen war. In unzähligen Versionen, monatelang. Was sollte sie bloß tun? Kollege Trampert hypnotisieren? Er war ihr durchaus gewogen, und wenn sie ihn kraft ihrer Gedanken auf ihre Seite zog, bestand vielleicht der Hauch einer Chance, dass man sie vorerst gehen ließ.

Mit aller Energie, die sie noch in sich mobilisieren konnte, konzentrierte sie sich auf sein gutmütiges Bernhardinergesicht. Trampert, altes Haus, du weißt doch, dass ich's nicht war, beschwor sie ihn im Stillen. Hab ein Einsehen. Bitte.

Ob es nun Telepathie war oder nicht, das Wunder geschah. Der Polizeioberwachtmeister stupste seinen Vorgesetzten an, der mit Argusaugen überwachte, wie die Tatortexpertin den Toten aus allen erdenklichen Perspektiven fotografierte.

»Dann können wir das Fräulein Stadlmair doch erst einmal entlassen, nicht wahr, Herr Hauptkommissar? Wir überprüfen die Alibis, und das Fräulein Stadlmair geht derweil einen starken Kaffee trinken. Die fällt uns sonst gleich um. Und wie eine Mörderin schaut sie ja nun auch nicht gerade aus.«

Ungehalten funkelte der Hauptkommissar ihn an.

»Sie ersetzen die Realität durch Optimismus, Trampert. Hier gibt es starke Verdachtsmomente.«

»Aber keine Fluchtgefahr«, sagte Toni, womit er sich als besonders ausgebuffter Krimiexperte qualifizierte. »Sie haben Annas Pass.«

»Wir passen gut auf sie auf, Jungs«, ließ Xaver großspurig verlauten.

»Die läuft doch sowieso nicht weg.« Betty legte einen Arm um Annabelles Schultern. »Ich kenne Anna seit meiner Geburt. Wir sind zusammen zur Schule gegangen, sie ist eine von uns. Puxdorfer killen keine Leute.«

»Genau, Sie sollten lieber mal die Gäste unter die Lupe nehmen«, sprang Mitzi ihr zur Seite. »Dieses komische Pärchen da im Edelweiß, das hat von Anfang an etwas Verdächtiges für mich gehabt. Besonders die Frau.«

»Die könnte jemanden mit bloßen Händen erdolchen«, sagte Fanny. »Man muss sich ja bloß der ihre Fingernägel ansehen.«

»Eiskalte Kapitalisten sind das!«, rief Ferdi dazwischen.

»Jepp.« Xaver umfasste die Revers seiner modischen hellblauen Steppjacke. »Wer sich mit denen einlässt, könnte genauso gut Piranhas mit der bloßen Hand füttern – da bleiben nur noch Knochen übrig.«

Erneut wurde Annabelle flau. Da war es, das Motiv, und das konnte brandgefährlich für Fabian werden. Peter McDormand und die Berensons waren erbitterte Konkurrenten bei einem Millionendeal gewesen, da ging es vermutlich nicht gerade zimperlich zu.

Annabelles Impuls, ihren Kopf aus der Schlinge zu ziehen, war mindestens so stark wie das Bedürfnis, Fabian aus der Schusslinie zu halten. Selbst seine Schwester zu belasten bereitete ihr Skrupel. War Isabel Berenson ein Mord zuzutrauen?

»Frau Stadlmair.« Hauptkommissar Andernach zog einen Spiralblock aus seinem Parka. »Ich brauche Namen und Aufenthaltsort aller relevanten Personen.«

Mit brüchiger Stimme zählte Annabelle die Namen auf, wobei sie jeden einzelnen für den Kommissar buchstabieren musste. Ferdi und Toni nutzten diese Routinemaßnahme, um mit der Dame im weißen Overall zu fachsimpeln.

»Wie lange dauert so ein toxikologisches Gutachten?«, erkundigte sich Toni.

»Kommt drauf an.« Die Tatortexpertin zog ihre Handschuhe aus und warf sie in den geöffneten Koffer. »Wir müssen diverse chemische Analysen durchführen.«

Ferdi begutachtete fasziniert den Inhalt des Koffers, in dessen Fächern allerlei Pinsel, Plastiktütchen und Glasphiolen mit buntschimmernden Flüssigkeiten lagerten.

»Sie könnten Fruchtfliegen auf den Mageninhalt des Toten setzen. Sterben die Fliegen, dann wissen Sie, dass es ein Pflanzengift war, Paraquat zum Beispiel oder E 605. Ist zwar seit Jahren verboten, aber die Bauern hier spritzen immer noch manchmal damit.«

»Oder Sie nehmen Maden«, schlug Toni vor.

»Könntet ihr bitte aufhören?«, stöhnte Betty und zeigte auf ihren kleinen Sohn, der mit glänzenden Augen zuhörte. »Das ist nichts für Kinderohren. Ihr jagt meinem Felix Angst ein!«

»Mama, krieg ich Maden zu Weihnachten?«, fragte der kleine Junge. »Dann füttere ich sie mit Gift und mache ein Video, wie sie ...«

»Da habt ihr's«, beschwerte sich Betty. »Nichts als Unsinn setzt ihr dem Kind in den Kopf.«

»Das wär's für den Moment, Frau Stadlmair.« Hauptkommissar Andernach versenkte den Spiralblock in einer Tasche seines Parkas. »Trampert, auf ins Edelweiß!«

Der Polizeioberwachtmeister kratzte sich das Kinn.

»Ja, was – und unsere vertraglich vereinbarte Mittagspause? Ich hab eine Wurstsemmel dabei, die lass ich mir nicht nehmen.«

»Gut, dann erst einmal zurück in den Wagen«, gab der Hauptkommissar überraschend kampflos nach. »Wir sind nämlich schon seit Stunden unterwegs. Beziehungstat im Nachbarort – da hat einer seiner Frau die Kehle durchgeschnitten.«

»Deshalb sind wir auch so schnell dagewesen, sonst hätt's ja ewig gedauert bei dem Schnee«, setzte Kollege Trampert hinzu.

»Jedenfalls könnte ich auch eine Jause gebrauchen. Mal sehen, was meine Frau mir Schönes eingepackt hat.« Hauptkommissar Andernach bedachte Annabelle mit einem Seitenblick. »Im Edelweiß sollte man jedenfalls nichts essen.«

»Ab heute Abend schon«, entgegnete sie. »Der Relaunch ist im vollen Gange – neue Karte, neue Gerichte, feine regionale Küche.«

»Gewürzt mit einer feinen Prise Gift«, witzelte Xaver.

»Jetzt reiß dich aber mal zusammen!« Ferdi boxte ihn leicht auf die Brust. »Anna ist extra hergereist, um das Edelweiß wieder zu dem zu machen, was es einstmals war, und du fällst ihr in den Rücken?«

»'tschuldigung, war nicht so gemeint.«

»Wenn das jemand hinkriegt mit dem Edelweiß, dann das Fräulein Stadlmair«, strahlte Polizeioberwachtmeister Trampert, der seine Kollegen hatte vorgehen lassen und immer noch bei dem kleinen Grüppchen ausharrte. Er hakte Annabelle unter und zog sie ein wenig beiseite. »Ich glaub an Sie, Fräulein Stadlmair. Bin ja kein Unmensch. Sie sind sauber. Menschenkenntnis, wissen S'. Wir schnappen den Mörder, und wenn alles vorbei ist, dann …«

»Äh, ja?«

Tief schaute er ihr in die Augen.

»Na, ich bin ja nicht nur Polizist, ich bin auch ein Mann. Das kann man leicht vergessen, wenn man mich so in der Uniform sieht.«

Falls er angenommen hatte, dieses vertrauliche Geständnis würde unbemerkt bleiben, befand er sich gründlich auf dem Holzweg.

»Was wollen Sie der Anna eigentlich mitteilen?«, grinste Xaver. »Im Job ein Bügelbrett, in der Freizeit ein Surfbrett?«

Auch die anderen amüsierten sich mehr oder weniger offen, was Kollege

Trampert zu einem schnellen Rückzug veranlasste, nachdem er Annabelle treuherzig zugezwinkert hatte.

»Puh, Anna, da kann man sich nur umdrehen, weggehen und kräftig kichern«, flüsterte Mitzi. »Aber Vorsicht, immer in dieser Reihenfolge, nie andersrum.«

Kapitel 16

Machten Leichen hungrig? Es schien so, wenngleich man solche Gelüste wohl eher dem rustikalen Gemüt von Kannibalen zugeschrieben hätte. Vor Bettys Bäckerei, einem rosa gestrichenen Häuschen mit schlichten grauen Stuckaturen unter den Fenstern, staute sich eine lange Menschenschlange. Die Brötchenphase war längst vorbei um diese Uhrzeit, doch offenbar wollte jeder noch etwas Süßes mitnehmen, um die Ereignisse des Dorfplatzes später bei Kaffee und Kuchen durchzuhecheln. Bereits jetzt kursierten die abenteuerlichsten Gerüchte, wie Annabelle den umherfliegenden Satzfetzen entnahm. Von böswilligen Intrigen der Nachbardörfer über feindliche Agenten bis zu Außerirdischen war alles dabei.

»Das dauert ja ewig, Betty, bis du die alle bedient hast«, argwöhnte Ferdi mit Blick auf die Schlange der Wartenden. »Das war's dann wohl mit unserem Meeting.«

Mitzi schob unternehmungslustig die Ärmel ihrer kanariengelben Strickjacke hoch.

»Nicht, wenn wir alle beim Verkaufen mithelfen.«

Die anderen stimmten sofort zu, nur Fanny zeigte zur kleinen Kapelle, von deren Turmuhr es glockenhell zweimal schlug.

»Also, ich müsste zu meinen Kindern, die kommen gleich aus der Schule, tut mir leid.«

»Kein Ding, geh nur.« Betty nickte verständnisvoll und wandte sich an Annabelle. »Und du solltest im Edelweiß Bescheid sagen, damit deine Familie es von dir persönlich erfährt – die Sache mit dem Toten.«

Darüber hatte Annabelle auch schon nachgedacht.

»Danke, Betty, ich beeile mich«, versprach sie.

Den Dorfplatz zu überqueren war der reine Spießrutenlauf. Überall wurde getuschelt, als sie sich gesenkten Blicks und mit hochgezogenen Schultern auf den Weg zum Edelweiß machte. Ja, sie stand plötzlich im Fadenkreuz von Mordermittlungen. Soeben wurde der Tote abtransportiert, von vier Sanitätern, die ihn, in einen blauen Plastiksack gewickelt, auf einer Bahre festzurrten. Unfassbar. Da fuhr man nach Oberbayern, im Glauben, man entkomme dem Großstadtdschungel, und landete in einem leichengepflasterten Absurdistan.

Wie wohl ihre Eltern und Oma Martha den Tod von Peter McDormand aufnehmen würden? Annabelles Intuition sagte ihr, dass Entsetzen und Mitgefühl stärker sein würden als die Erleichterung, den Aasgeier los zu sein. Verstörend war dieser Mord allemal. Deshalb dankte sie ihrem Schicksal, dass sie wegen ihres Alibis wenigstens von der Spitzenreiterposition der Verdächtigenliste gerutscht war. Schließlich wollte sie ihre Eltern stolz machen. Wollten das nicht alle Kinder, auch die erwachsenen?

Je näher Annabelle dem Edelweiß kam, desto bummeliger wurde ihr Gang. So wie früher, wenn sie aus der Schule eine schlechte Zensur mitgebracht und das Nachhausekommen hinausgezögert hatte. Eingehend betrachtete sie die Weihnachtsdekoration der idyllisch verschneiten Bauernhäuser. An vielen Giebeln hingen Lichterketten, an manchen Türen große rote Lackschleifen. Im Schnee der Vorgärten standen trotz des hellen Sonnenscheins beleuchtete Rehlein und lustig blinkende Rentierschlitten, da und dort waren die Fenster mit Tannenzweiggirlanden und Adventsgestecken geschmückt. Jeder Hollywoodregisseur wäre entzückt gewesen von diesem verwunschenen Winterwonderland.

Nur noch drei Tage bis Weihnachten, dachte Annabelle. Weihnachten. Ein Wort, das sich wie Beton auf ihr Herz gelegt hätte – sofern sie die Festtage in Singapur hätte verbringen müssen. Umgeben von schreibuntem Merry-Christmas-Kitsch, hätte sie auch dann noch krampfhaft lächeln müssen, wenn sie beim dreißigsten »Last Christmas« von George Michael für den Champagnernachschub der zahlenden Gäste sorgte. So war das eben im Hotel. Die Gäste kriegten das perfekte Weihnachten, die Angestellten die Krise – spätestens in der Nacht des Heiligen Abends, wenn man allein in seinem Zimmer hockte, ausgelaugt und unendlich einsam.

Nun, diesmal blieb ihr diese Tortur erspart. Sie würde das Weihnachtsfest in Puxdorf verbringen, mit ihrer Familie. Dafür baute sich bereits Silvester dahinter auf, auch so eine emotional belastete Kalenderfalle. Single an Silvester – wie sollte man da optimistisch in die Zukunft schauen? Wenn man es im vorangehenden Jahr vergeigt hatte, konnte man den Frust nicht so einfach durch Hoffnung ersetzen, indem man ein paar Gläser Champagner auf die frierende Seele goss.

Das Handy in ihrer Hosentasche piepste. Nicht nur eine, gleich zwei Nachrichten fand sie darauf vor.

Hi, Love, danke für deine Message. Freu mich, dass du mal den Kopf frei bekommst. Endlich. Denke auch viel über uns nach. Sehr viel. xxx Simon.

PS By the way – hab ein neues Dessert kreiert. »Erdbeeren Annabelle«: mit Minzmousse, Chilischokoladensplittern und Kumquat-Bitterorangen-Crème-brûlée. Hotbittersweet. So wie du.

Es war die längste Nachricht, die er ihr je geschrieben hatte. Und die bei weitem emotionalste. Annabelles Puls begann zu puckern. Nicht nur bei ihrer Familie, auch bei Simon ging die Liebe eben durch den Magen. Und wenn er sogar ein Dessert nach ihr benannte – eines, das so klang, als habe es beste Aussichten, zu einem Klassiker des Gourmetuniversums zu werden –, konnte man das durchaus als Liebeserklärung deuten.

Wow. Da stand sie nun im bayerischen Hochgebirge, in einem winzigen abgelegenen Dorf, und ihr Herz flog nach New York ins Imperial Ambassador. Dort war es noch frühmorgens. Wahrscheinlich bereitete Simon gerade am Frühstücksbuffet köstliche Omelettes mit sautierten Trüffelscheiben zu. Oder Eggs Benedict, zu denen er neben der obligatorischen Sauce hollandaise auch Kresseschaum und karamellisierte Tomaten reichte. Ihr lief das Wasser im Mund zusammen, nicht nur wegen der appetitanregenden Gerichte. Es war so sexy, Simon bei seiner Arbeit zu beobachten – die absolute Hingabe ans Kochen, die sicheren Handgriffe, das wissende Lächeln …

Willst du ihn am Ende zurück, Annabelle? Was würdest du dafür aufgeben? Deine Karriere? Deine Eigenständigkeit? Das Edelweiß? – Huch, wie kam denn jetzt das Edelweiß dazwischen?

Sie überflog die zweite Nachricht.

Hallo, hier ist Fabian. Wie du weißt, musste ich kurzfristig abreisen. Isabel wirst du vielleicht noch antreffen, ich bin bereits unterwegs zum Flughafen. Neue Projekte warten auf mich. Anbei schicke ich dir ein paar Fotos, die dir gefallen könnten, und hoffe inständig auf ein Wiedersehen. Alles Gute, F.

PS Hab die Nummer von deiner Mutter.

Er war also wirklich … weg? Hätte er nicht wenigstens noch ein, zwei Stunden warten können, nach diesem zauberischen Gespräch in der Hochzeitssuite? Außerdem musste sie ihre Mutter dringend darüber aufklären, dass Handynummern keine Kettenbriefe waren, die man jedem x-Beliebigen weitergeben durfte.

Aufmerksam las sie Fabians Nachricht noch einmal durch, auf der Suche nach etwas Persönlichem, womöglich Gefühlvollem. Aber da war nichts. Okay, *hoffe inständig,* das ging gerade noch als Gefühlsäußerung durch, doch der Rest klang förmlich, nahezu unpersönlich.

Hm. Und wieso *hoffte* er überhaupt? Lag es nicht in seinen Händen, ob sie sich wiedersahen? Er wusste, wo sie war. Wohin er abgereist war, hatte er jedoch nicht verraten. Was, wenn er zu spät zurück nach Puxdorf kam? Dann, wenn sie längst am Dachpool des Mandalay Bay unter Palmen lag und Cocktails schlürfte?

Oha. Es war nicht mehr von der Hand zu weisen: Sie hatte sich verliebt. Bis über beide Ohren.

Gedankenverloren betrachtete sie einen Schneemann, der im Vorgarten eines besonders eigenwillig geschmückten kleinen Bauernhauses stand (Sterne aus blauer Alufolie? Wer machte denn so was?). Etwas schief war der frostige Geselle geraten. Statt eines Zylinders trug er ein Basecap und statt einer Mohrrübennase eine Coladose. Sehr witzig. Als wollte er sagen: Hey, die Zeiten ändern sich!

»Gefällt er dir?«

Annabelle kannte diese Stimme, kräftig und doch angenehm weich. Sie wirbelte herum.

»Andi? Was machst du denn hier?«

»Dasselbe könnte ich dich fragen.« Sein Gesicht verschwand fast unter der Fellkapuze einer schwarzen Skijacke, aber seine hellbraunen Augen leuchteten. »Verliebt?«

»Was?« Für einen Moment stockte Annabelle der Atem. »Was hast du gesagt?«

»Na, in den eiskalten Herrn mit dem Basecap«, lachte er. »So wie du den anhimmelst, könnte man glatt meinen, dass du ernstere Absichten verfolgst.«

Annabelle lachte pflichtschuldig mit, damit es nicht so aussah, als sei sie … verflixt, verflixt. Was stimmte nicht mit ihr? Simon, Fabian, Andi. Langsam verlor sie die Übersicht über ihre verdrehten Gefühle.

»Du weißt es also noch nicht«, sagte sie etwas verhaltener.

»Dass du auf Schneemänner stehst?«

»Peter McDormand ist tot.«

Alle Farbe wich aus seinem Gesicht.

»Wie bitte?«

»Vergiftet. Man hat ihn auf dem Dorfplatz gefunden, vor dem Bürgermeisteramt. Die Polizei war schon da.«

Sichtlich angeschlagen sank Andi auf den niedrigen Jägerzaun, der den Vorgarten mit dem trashigen Schneemann von der Straße abgrenzte. Ein schmerzerfüllter Zug legte sich um seinen Mund, das Kinngrübchen vertiefte sich zu einem dunklen Schatten, seine Augen starrten ins Leere.

»Was zum Teufel ist hier los?«, ächzte er.

Annabelle hatte einiges erwartet, Wut oder Erbitterung zum Beispiel, weil der zum Greifen nahe Vertrag mit Peter McDormand durch dessen vorzeitiges Ableben geplatzt war, aber nicht, dass Andi so erschüttert reagieren würde. Hilflos bohrte sie mit einem Moonboot im Schnee herum.

»Hab keinen blassen Schimmer.« Ihr Blick wanderte zum Hotel Edelweiß, das nur noch etwa fünfhundert Meter entfernt lag. »Oma Martha sagt, das sei ein Fluch.«

Er sah auf. Seine Kiefer mahlten, in seinen Augen loderte es zornig.

»Wärmst du jetzt auch schon diese alten Geschichten auf?«

»Ich glaub ja nicht dran, aber irgendwie, na ja, ist es doch merkwürdig, dass gleich zwei Tote …«

»Zwei?« Er riss sich die Kapuze vom Kopf. »Sagtest du – zwei? Tote?«

Anna Elisabeth Maria Stadlmair! Immer parat, um vom einen Fettnäpfchen ins nächste zu hüpfen! Tickst du noch ganz sauber? So, jetzt sieh mal zu, wie du aus der Nummer wieder rauskommst.

»Ich wollte sagen, ich meine … es gibt ja noch zwei weitere Interessenten für euren Hof, *Interessenten*, verstehst du, *zwei*, die Berensons, und die sind …«

»… nicht erreichbar.« Langsam erhob er sich, mit einem gequälten Ausdruck, der ihr in der Seele weh tat. »Willst du's noch mal probieren, damit es etwas überzeugender klingt?«

Das kam davon, wenn man erst redete und dann nachdachte. Hätte sie doch nur Bettys Rat mit der korrekten Reihenfolge beherzigt. Schuldbewusst schielte sie zum Schneemann, weil sie Andi nicht in die Augen schauen mochte.

»Ich hasse diese ganzen Dorfintrigen«, brach es aus ihm heraus. »Diese verschlagenen Bauern, die meine Familie schlechtmachen und meine Mutter in die Depression getrieben haben, ich hasse das alles. Du warst der erste Mensch hier, dem ich über den Weg getraut habe. Und jetzt belügst du mich?«

Seine Mutter war depressiv? Annabelle schluckte. Was sie noch weit mehr beschämte, war die Tatsache, gelogen zu haben, dass sich die Balken bogen. Dabei hielt sie sich zugute, ein aufrichtiger Mensch zu sein. Grundehrlich, ohne Tricks und Hinterlist. Nun blieben ihr zwei Möglichkeiten: Entweder sie ritt sich noch tiefer rein, oder sie offenbarte Andi die ganze Wahrheit.

»Ich, ich …«

Eine dick eingemummelte Kinderschar kam johlend in den Vorgarten gerannt. Vier an der Zahl, begleitet von Fanny, die Annabelle fröhlich zuwinkte, ihre Hand jedoch sinken ließ, als sie Andi erkannte.

»Hier können wir nicht reden«, flüsterte Annabelle.

Auch er schaute kurz zu Fanny hinüber, und seine Gesichtszüge verhärteten sich.

»Wo dann? Wir müssen uns treffen, Anna.«

»Nein, danke, ich finde die Welt gerade verwirrend genug.«

»Du drückst dich?«, fragte er enttäuscht. »So feige bist du? Hätte ich ja nicht gedacht.«

Das wollte Annabelle nicht auf sich sitzen lassen. Gleichgültig, was man in Puxdorf von Andi hielt, irgendwie hatte er es geschafft, ihre letzten Vorbehalte zu zerstreuen – vielleicht durch seine menschliche Reaktion auf den Tod Peter McDormands. Andi war integer. Und so wie sie konnte er über den Tellerrand Puxdorfs schauen, weil er es gewohnt war, die Dinge aus einem weiteren Blickwinkel zu betrachten. Es gab eine Verbindung zwischen ihnen. Sie waren vom selben Schlag.

»Es ist kompliziert«, raunte sie. »Man darf uns nicht zusammen sehen.«

»Hach, wie romantisch«, zischte er mit zusammengebissenen Zähnen. »Heißt das etwa, du schlägst ein heimliches Treffen vor?«

Ja, es war lächerlich. Und unumgänglich, so wie die Dinge lagen.

»Heute habe ich absolut keine Zeit. Morgen um Mitternacht im Pferdestall hinter dem Edelweiß? Wäre das okay für dich?«

Er nickte nur. Dann drehte er sich abrupt um und marschierte davon, mit eckigen Bewegungen die Kapuze über seinen Kopf ziehend. Sobald er außer Sichtweite war, huschte Fanny heran, mit von der Kälte gerötetem Gesicht und unordentlichem Haar, das ihr in die schmale Stirn hing.

»Was war das denn?«

»Eine Unterhaltung?«, erwiderte Annabelle entnervt.

»Mama, Mama, Mama! Wir wollen rodeln! Wann gehen wir zur Rodelbahn? Mama!«

Übermütig hängten sich alle vier Kinder an Fanny, was sie ignorierte.

»Anna, wir reden nicht mit dem. Die Oberleitners sind die Totengräber von Puxdorf.«

»Aber definitiv nicht die Mörder. Wo kein Motiv ist, gibt's auch keine Täter.«

Nach und nach ließen die Kinder von ihrer Mutter ab, um sich eine Schneeballschlacht zu liefern. Ihr vergnügtes Gekreische schrillte Annabelle in den Ohren. Klar, es war eine süße Rasselbande, und sie mochte Kinder, doch gleich vier? Was für eine Challenge. Jetzt erst fiel ihr auf, wie abgekämpft Fanny aussah in ihrer viel zu großen grauen Fleecejacke.

»Hast du eigentlich jemanden, der dich unterstützt?«, fragte sie.

Fanny zuckte mit den Schultern.

»Mein Mann ist ja meistens auf Montage, meine Eltern sind mittlerweile zu alt, und meine Schwiegereltern wohnen zu weit weg. Bleibt alles an mir kleben.« Fahrig zuppelte sie am Reißverschluss ihrer Jacke herum. »Was ist denn nun mit dem Mord? Ich glaube ja, dass diese Zimtzicke dahintersteckt, die von gestern Abend, die dich so blöd angepupt hat.«

»Isabel Berenson.«

»Ja, oder ihr geschniegelter Typ.«

»Bruder«, berichtigte Annabelle.

»Kommt aufs Selbe raus.«

Nun ja, nicht für Annabelle. Sie wich einem Schneeball aus, der nur knapp ihr Gesicht verfehlte.

»Die beiden muss sich der Kommissar als Erstes vornehmen«, schnaubte Fanny. »Findest du nicht?«

In der vergangenen Viertelstunde war Annabelle dermaßen im Strudel ihrer widersprüchlichen Gefühle versunken, dass sie noch gar keinen vernünftigen Gedanken in dieser Sache gefasst hatte. Nun traf sie die Erkenntnis wie eine Faust in den Magen. Isabel Berenson! Da hatte sie sich gescheut, der Dame was anzuhängen, und dann dampfte das Weibsbild einfach ab? Wenn das nicht verdächtig war!

»Himmel, noch mal – die Berensons sind weg!«

»Weg?«

»Ich muss ins Edelweiß!«, rief Annabelle. »Vielleicht ist die Frau noch da! Ciao, Fanny, bis bald!«

»Bis – wann? Was hast du vor?«

Aber Annabelle rannte schon los und drehte sich auch nicht um, als ein Schneeball auf ihrem Rücken landete. Wobei – rennen war vielleicht etwas übertrieben. Es sollte ja Frauen geben, die sogar einen Marathon auf Highheels laufen konnten, Annabelle gehörte eher zu der Sorte, die barfuß und im Stehen umknickten. Nun musste sie in ausgelatschten Moonboots einen Spurt einlegen, was in etwa so sinnvoll war, wie in einer Zwangsjacke zu schwimmen. Ohnehin war sie nicht die Sportlichste. Mehrfach hatte Simon sie zu seinen morgendlichen Joggingrunden im Central Park eingeladen, doch sie hatte lieber in aller Frühe vor ihrem Laptop gesessen. Dementsprechend kam sie kaum vom Fleck. Trotzdem schmerzten ihre Fußgelenke, ihre Fußsohlen kribbelten heiß, ihre Beine wurden mit jedem Meter schwerer.

Egal, beeil dich gefälligst!, spornte sie sich an. Du musst die Pissnelke abfangen, bevor sie verduftet! Vielleicht erwischst du sie noch!

Mit eierigen Schritten, Seitenstechen und völlig aus der Puste erreichte sie das Hotel. Nun standen gleich mehrere Herausforderungen an: nach Isabel Berenson zu fahnden sowie ihre Eltern und Oma Martha in die unglückseligen Geschehnisse einzuweihen. Stufe für Stufe erklomm Annabelle die knarzende Treppe der Holzveranda, schleppte sich in den Flur, schlich an der verwaisten Rezeption vorbei, öffnete die Tür zur Gaststube.

»Hallo zusammen! Habt ihr Isabel Berenson gesehen?«

Allgemeines Kopfschütteln.

»Ist sie weg?«

Allgemeines Nicken.

»Anna.«

Die Grabesstimme ihres Vaters ließ Annabelle erschauern. Rund um den Stammtisch hatte er die Häupter seiner Lieben versammelt: seine Frau, Oma Martha und Max, der in einen halbvollen Maßkrug starrte. Unbenutzt stand der Rollstuhl in der Ecke am Kamin. Der Rollstuhl, haha. Annabelle wunderte sich, dass dieses Requisit einer familiären Farce überhaupt noch da war.

»Also habt ihr's schon gehört?«, erkundigte sie sich vorsichtig.

»Nein, gesehen«, erwiderte Therese Stadlmair mit der gleichen Grabesstimme wie ihr Mann. »Vom Fenster aus. Du hast mit diesem Oberleitner geredet.«

Vor Annabelles Augen drehten sich feurige Kreise, ihre Lunge schmerzte vom Laufen, ihre Füße protestierten. Außer Atem plumpste sie auf den nächstbesten Stuhl.

»Seit wann ist es ein Verbrechen, mit jemandem zu *reden*?«

»Der Fluch, der Fluch«, murmelte Oma Martha dumpf.

»Soll ich mich vielleicht erst mal auf meinen Besen setzen und eine Runde ums Haus fliegen?« Annabelles Vorsatz, ihrer Familie die Neuigkeiten schonend mitzuteilen, schwand dahin. »Peter McDormand ist tot aufgefunden worden, gerade wurde ich von der Polizei verhört. Da habt ihr euren Fluch. Und? Wie geht's jetzt weiter? Mit Zaubersprüchen?«

»Was heißt – tot?«, fragte ihr Vater verdutzt.

»Tot, wie – unabänderlich, definitiv, ein für alle Mal mausetot?«

»Himmel, Sakra! Schon wieder Polizei im Dorf! Das ist das Ende!«

Alois Stadlmair schlug mit der Faust auf den Tisch, dass der Messingaschenbecher mit dem Schriftzug *Dahoam is dahoam* auf der hölzernen Tischplatte schepperte. Max hielt sein Bier fest, Oma Martha und ihre Schwiegertochter sahen einander erschrocken an.

»Er wurde vergiftet«, berichtete Annabelle. »Aber reg dich bitte nicht auf, Papa, schließlich bist du sterbenskrank.«

Damit gab sie dem bereits entzündeten Funken erst so richtig Nahrung. Ein wahres Höllenfeuer brannte in Alois Stadlmairs hochrotem Gesicht, als er aufsprang.

»Auf deiner schwindelerregend hohen Karriereleiter hast du anscheinend den Kontakt zum Fußvolk verloren! Du weißt alles besser, was? Du denkst, du hast die Weisheit mit Löffeln gefressen, weil du in der Welt rumgegondelt bist, während wir hier auf dich gewartet haben?«

»Danke, dass du endlich mal Gefühle zeigst«, antwortete Annabelle, während sie ihre Jacke auszog. »Aus der psychologischen Perspektive würde man das sogar authentische Emotionen nennen.«

»Des sagt mir jetzt grad gar nix«, ließ sich Max vernehmen. »Was hat die Anna gsagt?«

»Irgendwas mit Gefühlen.« Oma Martha tätschelte seine Hand, bevor sie ihre Enkelin gütig besorgt anlächelte (so was konnten nur Omas: besorgt sein und trotzdem gütig lächeln). »Geh, Anna, fühlst di net wohl? Hast denn scho was gessen?«

»Woher denn? Gibt ja nur Brezeln«, sagte Therese Stadlmair ungewohnt bissig.

Die Atmosphäre war so aufgeladen, dass die Luft in der Gaststube förmlich brannte. Annabelle schaute zum ausgestopften Wildschweinkopf, der sie unverwandt anglotzte, dann streckte sie ihre malträtierten Füße von sich.

»Willkommen in der Therapiegruppe. Ich bin die Anna. Und was ist euer Problem?«

»Haben wir denn nur eins?«, fragte Alois Stadlmair unerwartet schelmisch.

»Was?«

Plötzlich fiel es Annabelle wieder ein: Einst hatten sie und ihr Vater sich scherzhafte Wortgefechte geliefert. Damals, als er noch die gesamte Gaststube mit seinen Anekdoten unterhalten konnte und die Gäste von seinem Humor begeistert gewesen waren. Keine Frage, ihr Sinn für schräge Bemerkungen hatte vielleicht weniger mit New York und mehr mit ihrem Herrn Papa zu tun, als ihr bewusst gewesen war. Er wiederum hatte wie einst auf ihre seltsamen Sätze reagiert, indem er eine schlagfertige Replik aus dem Hut zauberte. Vielleicht konnte sie ihn ja auf diese Weise knacken? Indem sie sich in den uralten Witzen ihrer Kinderzeit ergingen?

»Eure Probleme sind so zahlreich, die reichen für eine ganze Fußballmannschaft«, flachste sie. »Aber wenn ihr weiter eure Bälle vor dem neuen Trainer versteckt, wird's nix mit den Toren.«

»Muss daran liegen, dass meine Position auf dem Spielfeld der Pfosten ist«, konterte ihr Vater.

»Mach dir nichts draus, Fußball ist simpel wie Schach, nur ohne Würfel«, gluckste Annabelle. »Bis auf das Abseits …«

»Denkt ihr auch mal ans Jenseits?« Jetzt war es Therese Stadlmair, die auf den Tisch haute, wenn auch nur mit der flachen Hand. »Jesus, Maria und Josef, ein Mann ist ermordet worden!«

Oma Martha bekreuzigte sich, dann legte sie den Kopf zur Seite.

»Ich würd mich ja schon für Fußball interessieren, aber ich vertrag einfach nicht das viele Bier.«

Max nahm das als Apropos (ein echtes Mary-Jo-Apropos) und trank einen Schluck aus seinem Bierseidel.

»Ah geh, Mord«, grummelte er. »Des wird doch alles immer so arg von den Medien hochsterilisiert.«

Annabelle erstarrte. Hatte Max wirklich *hochsterilisiert* statt hochstilisiert gesagt? Zeitgleich brachen sie und ihr Vater in Gelächter aus und konnten gar nicht mehr aufhören – es war diese schrecklich unkontrollierbare Lachlust, wenn man wusste, dass sie absolut unangebracht war. Nach der Rüge ihrer Mutter sogar unverzeihlich. Doch weder Annabelle noch ihr Vater konnten etwas gegen das Lachen tun. Es kitzelte im Zwerchfell, es brach sich Bahn, es musste heraus, mit der Wucht einer abgehenden Schneelawine.

»Seid ihr jetzt völlig deppert geworden?«, wetterte Therese Stadlmair.

»Dahoam is, wo du so deppert sein darfst, wie du magst«, schmunzelte Oma Martha.

»Okay, lassen wir das erst mal sacken.« Annabelle rieb sich die Lachtränen aus dem Gesicht. »Respekt vor den Toten.«

Eine unheimliche Stille senkte sich über die Gaststube. Alle spürten förmlich den dunklen Hauch des Todes, der sie wie ein kalter Wind streifte. Und alle schienen dasselbe zu denken: Mit Peter McDormands Ermordung war es aus und vorbei mit der touristentauglichen Dorfidylle.

»Wir dürfen uns jetzt nicht ins Bockshorn jagen lassen«, knüpfte Annabelle an die unausgesprochene Befürchtung an. »Noch ist nichts verloren.«

»Glaubst du das denn wirklich?«, fragte ihre Mutter entmutigt.

Annabelle setzte sich ganz aufrecht hin. Genau das war der neuralgische Punkt. Ihre Familie hatte innerlich längst aufgegeben.

»Ich glaube, was mal jemand über Fußball gesagt hat: Gewinnen kann man nur mit der Liebe zum Sieg, nicht mit der Angst zu verlieren.«

Max, der seit seinem Klopfer geschwiegen hatte, hob sein Bierglas und prostete ihr zu.

»I find des klasse, wie du des alles angehst, Anna.«

»Respekt, Anni«, stimmte Oma Martha ihm zu. »Sogar den Sepp hast hinkriegt. Hab ihn grad gesehn. Der hat eine schneeweiße Jacke an, der Haderlump.«

Sepp und die Küchenaktion! In der Aufregung hätte Annabelle es fast vergessen. Sie schaute zur Wanduhr, einem ähnlich museumsreifen Stück wie in der Rezeption, nur ohne Hirsche. Viertel vor drei schon. Sie musste sich gehörig sputen, wenn sie das Küchenwunder von Puxdorf noch hinbekommen wollte.

»Auf geht's. Wir strukturieren uns jetzt. Ich hab noch ein Meeting mit Betty und den anderen, danach ist die Küche dran. Papa?«

»Zu Befehl«, dröhnte Alois Stadlmair launig.

»Könntest du bitte nach Tannstadt fahren und Frischware einkaufen?«

»Na ja«, er tauschte einen Blick mit seiner Frau, »unser alter Merce-des …«

»… der is hinüba«, erklärte Max.

Womit der alte Hausdiener (unfreiwillig vermutlich) preisgab, wie dramatisch sich die ökonomische Situation im Edelweiß zuspitzte – offenkundig war nicht einmal mehr Geld für eine Autoreparatur übrig.

»Wer recht hat, zahlt a Maß«, grinste Alois Stadlmair.

Auch so ein Papaspruch. Langsam lief er zu seiner alten Form auf, wie Annabelle aufatmend feststellte.

»Ich finde eine Lösung«, sagte sie mit fester Stimme. »Und sofern ihr nichts Besseres vorhabt, wäre ich euch dankbar, wenn ihr die Gaststube ein bisschen aufpolieren könntet. Heute Abend hat das neue gastronomische Konzept Premiere. Wie das gehen soll, weiß ich noch nicht, aber irgendwas wird mir schon einfallen.« Sie stand auf, schnappte sich eine Brezel vom Tresen und schaute in die Runde. »Sind wir ein Team?«

Markerschütternde Schreie waren die Antwort. Nicht etwa von den vier Personen am Tisch, nein, sie kamen aus dem Hausflur. Krachend flog die Tür auf. Gestützt von Hauptkommissar Andernach und Polizeioberwachtmeister Trampert wankte Isabel Berenson in die Gaststube, mit blutigen Schrammen im Gesicht und hässlichen dunklen Blutflecken auf ihrem sündteuren knallroten Skianzug. Halb abgerissen hing der silbergraue Nerzkragen von ihrer Schulter, stachelig sträubte sich darüber ihr nachtschwarzes Hexenhaar.

»Der wollte mich umbringen!«, kreischte sie immer wieder. »UM-BRIN-GEN!«

»Wer denn, um Gottes willen?«, rief Annabelle.

Wilde Flüche ausstoßend (nicht alle jugendfrei), bugsierte Hauptkommissar Andernach die lamentierende Dame zu einem Tisch, Kollege Trampert schaute Annabelle mit großen Bernhardineraugen an.

»Die gnädige Frau wurde soeben von einem Stier auf die Hörner genommen.«

Kapitel 17

Puxdorf stand kopf. Nicht genug, dass man einen echten Mord, vielleicht sogar zwei, zu beklagen hatte. Nein, mit dem spektakulären Unfall von Isabel Berenson wartete gleich die nächste Sensation auf, die sich dank der Hashtags *#puxdorfcrime, #ragingbullpuxdorf* und *#bloodypuxdorf* explosionsartig verbreitet hatte (wohinter eigentlich nur das Unfallopfer selbst stecken konnte). So standen Scharen von Schaulustigen vor der Veranda des Edelweiß, als mit Blaulicht und Sirene ein Krankenwagen vorfuhr, wenige Meter vor einer Schneewehe scharf abbremste und schlingernd zum Stehen kam. Drei Sanitäter mit einer Trage sprangen heraus, der Fahrer stürmte hinterher.

»Wie bei Ce-Es-I«, murmelte jemand andächtig.

Annabelle, die brezelkauend auf der Brüstung der Veranda lehnte (und sich vor Mitleid nicht gerade überschlug), verfolgte gespannt, wie die Sanitäter binnen Sekunden das Hotel wieder verließen, mit einer tobenden Patientin im Schlepptau. Isabel Berenson weigerte sich rundheraus, auf einer Trage transportiert zu werden. Von einem Unfall wollte sie ebenfalls nichts wissen.

»Das war ein Mordversuch!«, schrie sie in einem fort. »Ein Mordversuch! Erst musste Peter dran glauben, jetzt will man mich umbringen! Jawohl! Umbringen! Die Welt soll das wissen! Ich werde noch mehr darüber posten!«

Wutentbrannt zog sie ihr Handy aus dem blutbefleckten Skianzug, um Selfies von ihrem verschrammten Gesicht zu machen – wobei sie perfiderweise darauf achtete, dass das Hotel Edelweiß im Hintergrund zu sehen war. Annabelle hörte auf zu kauen. Reichte es denn nicht, dass Puxdorf in Verruf kam? Musste auch noch das Edelweiß an den Pranger gestellt werden?

»Bitte ohne das Hotel!«, rief sie Isabel Berenson zu.

»Selbstverständlich MIT!«, kam es feindselig zurück.

Ja, diese Frau war tatsächlich in der Lage, in Großbuchstaben zu reden. Demonstrativ hielt sie ihr Handy direkt auf den Schriftzug *Hotel Edelweiß*, womit die Welt dann wohl auch erfahren würde, dass das *E* von *Edelweiß* schief hing. Danach tippte sie eine Nummer ein und lauschte ungeduldig.

»Fotografiert die jetzt ihr Ohr?«, fragte einer der Umstehenden.

»Nee, die versucht gerade, Kontakt mit ihrem Heimatplaneten aufzunehmen«, antwortete ein anderer.

»Aber eine spritzige Art hat sie schon«, kam es anerkennend von weiter hinten aus dem Menschenauflauf.

»So, Sie müssten dann mal einsteigen«, forderte einer der Sanitäter Isabel Berenson auf. Resolut umfasste er ihren Arm. »Wir bringen Sie nach Tannstadt in die Klinik.«

»Ja, tun Sie das gefälligst«, giftete sie. »Ich lasse mich von oben bis unten durchchecken, und wehe, die finden was! Dann verklage ich das ganze Dorf! Mache ich sowieso! Meine funkelnagelneue Nase ist hin, die Wangenimplantate sind verrutscht, das ist ein Desaster! Allein die Rechnung meines plastischen Chirurgen wird dieses verdammte Nest hoffentlich ruinieren!«

Unter lebhafter Anteilnahme des Publikums drapierte sie ihren halb abgerissenen Nerzkragen neu, lachte aus blutverschmiertem Gesicht höhnisch in die Menge und stolzierte wie eine Königin zum Krankenwagen. Natürlich ließ sie es sich nicht nehmen, vorn neben dem Fahrer Platz zu nehmen. Die drei übrigen Sanitäter rammten die Trage ins hintere Abteil des Transporters und kletterten selbst hinein. Türen klappten, ein kurzes Hupen, und der Krankenwagen schlitterte die glatte Straße hinunter Richtung Ortsausgang.

Annabelle schaute zu ihren Eltern, die mit offenem Mund am Hoteleingang ausharrten. Immerhin blieben Therese und Alois Stadlmair die eigenwilligen Verhörmethoden der Polizeibeamten erspart. Hauptkommissar Andernach und Polizeioberwachtmeister Trampert hatten nicht lange gefackelt und waren sofort zur Rodelbahn hinter dem Oberleitnergrundstück aufgebrochen, dem Schauplatz des tierischen Übergriffs, um eventuelle Spuren zu sichern. Wie der Stier aus seinem Stall hatte entweichen können, mitten im Winter, war allen ein Rätsel, ebenso wie die Frage, was Isabel Berenson eigentlich auf der Rodelbahn getrieben hatte.

Die Menschenansammlung begann sich zu zerstreuen, zu Annabelles großem Leidwesen. Lauter potentielle Gäste, die das Edelweiß links liegen ließen. Plötzlich überkam sie eine ihrer Eingebungen. Und wenn sie das im

Handstreich änderte? Sie warf ihrem Vater einen gleichermaßen fragenden wie ermunternden Blick zu. Intuitiv schien er zu verstehen, was sie vorhatte, denn er gab ihr mit einem spitzbübischen Nicken grünes Licht.

»Leute?« Annabelle hob ihre Stimme. »Leute, hört mal zu! Darauf ein kühles Helles? Oder ein leckeres Weizen? Die erste Runde geht aufs Haus!«

Damit traf sie einen Nerv. Besondere Ereignisse verlangten eben danach, ausführlich beredet zu werden, und die Aussicht auf Freibier tat ein Übriges, die Schaulustigen umkehren zu lassen. In Grüppchen trappelten sie die Treppe zur Veranda hoch, hocherfreut über die Gelegenheit, das Angenehme mit dem Angenehmen zu verbinden. Annabelle sah es mit Freuden. Die Gaststube würde bersten, und beim einen Bier würde es gewiss nicht bleiben. Endlich wieder volles Haus im Edelweiß! Endlich würde der Rubel wieder rollen! So hatte Isabel Berensons Ungemach dann doch noch sein Gutes.

Bevor auch Alois Stadlmair in der Gaststube verschwinden konnte, hielt Annabelle ihn am Ärmel seiner Lodenjoppe fest.

»Papa, bitte sag den Gästen, dass es heute Abend ein Spitzenessen gibt. Zwanzig Uhr geht's los. Alles neu, alles anders, regionale Küche vom Feinsten.«

»Aye, aye, Kapitän, wird erledigt.« Er wirkte wie verwandelt. Seine Augen blitzten wieder, seine Körpersprache drückte Energie und Entschlossenheit aus. »Dann setzen wir mal die Segel, Steuermann.«

»Hol bitte auch Mama ins Boot«, flüsterte Annabelle. »Sie ist ein bisserl ausgebrannt, scheint mir.«

Der Anflug eines Schattens glitt über das Gesicht ihres Vaters. Fast so etwas wie das Schuldbewusstsein eines Kindes, das man beim Naschen ertappt hatte. Trug etwa er die Verantwortung für die desolate Verfassung seiner Frau?

»Bei meinem Talent für die Untiefen einer Ehe hätte ich die Titanic auf offener See gegen einen Baum gefahren«, murmelte er. »Die Resi und ich, wir dümpeln in seichten Gewässern, sozusagen. Aber das wird schon.«

»Man kann auch im Planschbecken ertrinken, Papa. Leg dich ins Zeug. Mama braucht dich.«

»Danke, Anna. Bist ein tolles Mädchen.«

So etwas Lobendes war ihm noch nie über die Lippen gegangen. Hatte sie ihm ein Licht aufgesteckt, dass es nicht nur das Edelweiß, sondern auch seine offensichtlich gefährdete Ehe zu retten galt? Beglückt und auch ein wenig sprachlos sah Annabelle ihm nach, wie er sich in die Gästeschar mischte, die unternehmungslustig ins Edelweiß strömte. Sie selbst schwamm gegen diesen Strom. Mit dem letzten Brezelbissen setzte sie sich in Bewegung zum Dorfplatz, leicht vorgeneigt, weil ihr ein eisiger Wind ins Gesicht blies. Auf zu Bettys Bäckerei.

So viel frische Luft hatte ich seit Jahren nicht, überlegte Annabelle, als sie an den aufgetürmten Schneehaufen vorbei der Dorfstraße folgte. In New York würde ich jetzt in meinem Büro sitzen, Mitarbeitergespräche führen oder mir irgendeinen Luxusquatsch für Gäste der Hochpreiskategorie ausdenken. Rückblickend kam es ihr auf einmal so vor, als habe sie sich freiwillig einkerkern lassen, in klimatisierten Räumen, ohne Sonnenlicht, zu immerwährender Arbeit verdammt. Merkwürdig. In großen Städten zu leben war immer ihr Traum gewesen, jetzt relativierten sich die Vorzüge dieses Traums. Das Dorfleben mochte seine Beschränkungen haben, doch allein schon der Anblick der verschneiten Berge und die kalte klare Luft besaßen einen unschätzbaren Erholungswert (im Ausgleich zu den nervenzerfetzenden Leichenfunden).

Außerdem freute sich Annabelle auf ihre Freunde. Ja, sie freute sich. Wenig erinnerte mehr an die Spielkameraden von einst. Alle hatten sich weiterentwickelt, jeder auf seine Weise, und keiner von ihnen war auf den Kopf gefallen. Sie war überheblich gewesen, musste sich Annabelle eingestehen. Berauscht von ihrem vermeintlich so glamourösen Leben, hatte sie die Qualitäten ihrer alten Heimat unterschätzt. Was sie hier vorfand, war eine herzensgute, wenn auch übernervöse Familie sowie eine bunte Truppe von Freunden, die ihr gerade neu ans Herz wuchsen. Toni, der gewitzte Tüftler und Bastler mit dem Drohnentick. Ferdi, der sympathische Ökohippie mit der Bisonzucht. Betty mit ihrer mütterlichen Warmherzigkeit. Mitzi, ein bisschen verrückt, aber mit untrüglichem Durchblick. Fanny, die tapfer ihr Schicksal als quasi alleinerziehende vierfache Mutter auf sich nahm. Selbst Xaver, der ewige Gockel, gehörte irgendwie dazu, trotz seiner unsäglichen Anzüglichkeiten.

Puxdorf. Ein liebenswerter Komödienstadl am Ende der Welt, dachte Annabelle. Wie sagte es Alois Stadlmair noch immer? In der Stadt lebt man zu seiner eigenen Unterhaltung, auf dem Dorf zur Unterhaltung der anderen.

Und nun war das Puxdorfer Sixpack wie Phönix aus der Asche auferstanden. Mit Xaver waren sie sogar fast so etwas wie die Glorreichen Sieben. Schmunzelnd dachte Annabelle an die Streiche von einst: zum Beispiel, wie sie die große Schuluhr vorgestellt hatten, damit der Dorflehrer sie vorzeitig aus dem Unterricht entlassen musste. Und nicht nur den Wetterhahn der Kapelle hatten sie mit Klopapier umwickelt, sondern auch den Kleinwagen ihres geplagten Lehrers. Sie waren unzertrennlich gewesen. Immer hatten sie zusammengehalten, sich gegenseitig bei den Schulaufgaben geholfen, einmal sogar für Fanny gesammelt, weil deren Eltern kein Geld für die heißbegehrte Jeans ausgeben wollten.

Wie selbstverständlich meine Clique mich wieder aufgenommen hat, nach all den Jahren, ging es Annabelle durch den Kopf. Großartig. Als wäre ich nie weg gewesen. Sicher, sie hatte auch gute Freunde in New York und anderswo, doch bis auf ihre Freundschaft mit Mary-Jo empfand sie das alles auf einmal als reichlich unverbindlich. Man traf sich, fand Gefallen aneinander und ging wieder auseinander. Ein paar Mails, ein Geburtstagsgruß via Facebook, irgendwann versickerte das Interesse, und man verlor sich aus den Augen. Das Puxdorfer Sixpack spielte in einer anderen Liga. Annabelles Freunde von einst gaben ihr das Gefühl, dazuzugehören. Ohne Wenn und Aber. Es war schön, sich zugehörig zu fühlen. *Dahoam ist dahoam.*

Von der Kapelle schlug es viertel nach drei. Wie viele Stunden hatte dieser Tag eigentlich? Einerseits kam es Annabelle vor, als dauerte er schon ewig, andererseits rannte ihr die Zeit weg. Der Countdown bis zum Abendgeschäft lief. Inständig hoffte sie, ihre Freunde könnten ihr helfen, die kulinarische Premiere im Edelweiß tatsächlich durchzuziehen. Sie brauchte mentale Unterstützung. Sie brauchte einen Wagen, um in Tannstadt einzukaufen. Sie brauchte so ziemlich alles. Wenn doch nur Simon jetzt an ihrer Seite wäre ...

Erdbeeren Annabelle. Hotbittersweet. Was sollte man darauf antworten? Sie verlangsamte ihren Schritt und zog ihr Handy heraus. Zwölf Prozent. Vermutlich entleerte sich der Akku bei der Kälte schneller als normal. Falls sie Simon einigermaßen zeitnah zurückschreiben wollte, musste sie es sofort tun. Eine Antwort hatte er sich allemal verdient.

Lieber Simon, ich

Ihr Zeigefinger verharrte über dem Display. Wenn du nicht weißt, was du willst, dann hilft es, die Problematik zu visualisieren, sagte Mary-Jo immer. Dummerweise herrschte in Annabelles Kopf eine Art Bildstörung. Es gelang ihr einfach nicht, ein zukunftsweisendes Szenario mit Simon zu visualisieren. Mal sah sie ihn lachend den Kochlöffel schwingen, dann wieder schlechter Laune auf der Kante ihres Schreibtischs hocken, weil sie arbeitete, statt Zeit mit ihm zu verbringen. Auch die Momentaufnahmen, wie er sich frühmorgens nackt im Bett rekelte oder abends nach einem Streit türenschlagend ihr Appartement verließ, halfen nicht weiter. Es gab zu viele widersprüchliche Bilder. Ganz so, wie Simons *Hotbittersweet* allerlei Widersprüchliches in sich vereinigte. *Heiß* sollte wohl ein erotisches Kompliment sein, *bitter* den Wermutstropfen ihrer Konflikte darstellen und *süß,* na ja, Annabelle fand, sie sei aus dem Alter heraus, in dem man *süß* genannt werden wollte.

Wenn man versucht, dir ein Kompliment zu machen, könnte man auch gleich Topfschlagen in einem Minenfeld spielen, hatte Simon einmal gesagt …

Unentschlossen betrachtete Annabelle die drei Worte ihrer angefangenen Nachricht. Es gab einen neuen Mann in ihrem Leben, musste sie sich eingestehen. So verrückt es auch sein mochte, weil sie Fabian erst so kurz kannte – sie ahnte bereits, dass sich da etwas ganz Besonderes anbahnte. Magische Momente hatten ihre eigene Wahrheit. Sie spürte einfach, dass es kein Strohfeuer gewesen war, was sie in Fabians Augen entdeckt hatte, am Kamin der Hochzeitssuite.

Und Simon?, überlegte sie. Wie wäre diese Beziehung weitergegangen, wenn ich in New York geblieben wäre? Wäre ich noch mit ihm zusammen? Wären wir jemals glücklich geworden? Hätte er sein Alkoholproblem in den Griff bekommen und ich mein Workaholicproblem?

An der Stirnwand von Mary-Jos Loft hing ein gerahmter Spruch: *Hoffnung ist nicht die Überzeugung, dass etwas gut ausgeht, sondern die Gewissheit, dass etwas Sinn hat – egal, wie es ausgeht.* Machte es Sinn, sich Simon wieder anzunähern? Es war eine »kalte« Trennung gewesen, ohne Aussprache, ohne letzte Worte, ohne Abschied. Jetzt war er ihr einen ersten Schritt entgegengekommen mit seiner ungewöhnlich emotionalen Message. Wie weit wollte sie gehen?

... habe mich sehr über deine lieben Worte gefreut, genauso wie über deine höchst kreative Schöpfung Erdbeeren Annabelle – bin begeistert, danke, vielen Dank!, schrieb sie weiter. *Leider ist es mit dem klaren Kopf, den du erwähntest, nicht weit her. Hier passiert unglaublich viel.* (Eine abenteuerliche Untertreibung, aber sie wollte Simon nicht mit Leichen schockieren.) *Unter anderem steht ein Relaunch des kulinarischen Angebotes im Hotel meiner Eltern an, du weißt ja, was das bedeutet – Stress pur! Ich melde mich, sobald ich den Kopf wieder frei habe. Sei umarmt, xxx Belle.*

Selbstkritisch las sie die Zeilen noch einmal durch. Doch, konnte man so lassen. Die Nachricht klang weder zu abweisend noch weckte sie falsche Hoffnungen durch unangebrachten Überschwang. Aufseufzend drückte Annabelle auf *Senden*.

Im selben Moment entdeckte sie, dass Fabian wie angekündigt einige Fotos geschickt hatte. Sogar ziemlich viele. Sie klickte die Dateien an und errötete bis unter die Haarwurzeln. Das konnte doch nicht wahr sein! Eine gnadenlose Hitze überlief ihren Körper wie kochend heißes Wasser.

Fabian hatte keine Mails gecheckt bei ihrem letzten Gespräch. Er hatte auch nicht die Rückseite des Hotels fotografiert, genauso wenig wie sich selbst. Auf sämtlichen Fotos war nur sie selbst zu sehen, Anna Elisabeth Maria Stadlmair. Mit zitternden Fingern wischte sie über das Display. Wie einem meisterlichen Porträtfotografen war es ihm gelungen, alle Facetten ihres Mienenspiels einzufangen – die bockige Anna, die kindisch störrische Anni, die amüsiert lächelnde Annabelle, die kess flirtende Belle. Was sie jedoch sprachlos machte: Fabian hatte so dicht an ihr Gesicht herangezoomt, wie es nur jemand tat, der einem Menschen sehr nahekommen wollte. Er suchte ihre Nähe. Er mochte sie. Und das zeigte er ihr mit diesen Fotos.

Es wurde so still in ihr, dass sie ihr eigenes Blut in den Ohren rauschen hörte. Schwankend stand sie im eisigen Wind und wusste nicht mehr, ob sie fror oder schwitzte. Wie kurzsichtig sie gewesen war, in Fabians Textnachricht nach etwas Emotionalem zu fahnden. Simon hatte ihr eine Liebeserklärung mit seinem Dessert gemacht, Fabian mit diesen Fotos. Okay, vielleicht war es auch nur eine Sympathieerklärung. Allerdings – was sollte sie mit diesem »visualisierten« Geständnis anfangen?

Unversehens meinte sie, in einen tiefen dunklen Brunnen zu stürzen, während der Froschkönig frohgemut weiterhüpfte. Fabian war weg. Abgereist. Unterwegs zu neuen Projekten. Die Arbeit geht vor, auch für ihn war das offenbar der oberste Leitspruch. Wahrscheinlich die Ironie meines wirklich absolut unterirdischen Karmas, dachte sie bitter. Was kann denn schon so wichtig sein, dass er mich mit diesen Fotos allein lässt? Mit diesem wilden Aufruhr der Gefühle, den er mit ein paar Klicks ausgelöst hat? Dann besten Dank auch, liebes Karma, dieser Bumerang hat gesessen.

Wieder und wieder schaute sie die Aufnahmen durch, heilfroh, dass ein Absender nie erfuhr, wie oft der Empfänger die Fotos antippte. Sie konnte sich einfach nicht losreißen.

Das ist eine Botschaft, eine Botschaft, eine Botschaft, flüsterte ihr Herz. Obacht, kurz mal nicht aufgepasst, und zack, bist du hoffnungslos in einen Mann verliebt, der sich vorerst aus dem Staub gemacht hat, warnte ihre Seele. Trau nie dem Augenschein, auch Salz sieht aus wie Zucker, beschwerte sich ihre Erfahrung. Er ist weg, sagte ihr Kopf, schau dir die Fotos nicht zu lange an. Natürlich machte Annabelle trotzdem weiter. So lange, bis der Akku seinen Geist aufgab.

Von der Kapelle schlug es halb vier. Herrje, so spät schon?

Sie steckte das Handy ein und legte den Weg zum Dorfplatz im Eilschritt zurück. Zehn Minuten später stand sie vor dem kleinen rosa Häuschen. Nichts. Der Ansturm war vorüber, die gläserne Tür mit der Aufschrift *Bettys Bäckerei* verriegelt. Forschend lugte sie durch eines der Fenster. Leergefegte Brotregale und ein verwaister Kuchentresen zeugten davon, dass man Betty bis zum letzten Krümel alles aus den Händen gerissen hatte. Laden dicht mangels Ware, so was gab es wohl auch nur in Puxdorf. Und nun? Falls ihr jemand aus der Clique eine Nachricht aufs Handy geschrieben hatte, konnte Annabelle sie nicht abrufen. Oder gab es einen analogen Hinweis?

Es gab ihn. Innen auf der Fensterbank lag ein handgeschriebener kleiner gelber Zettel. *Sind bei Toni.* Also musste sie wohl oder übel einen weiteren Fußmarsch einlegen. Annabelle betrachtete ihre Füße in den mitgenommenen Moonboots. Komm schon, das schaffst du. Du bist fit wie ein Turnschuh. Wie ein alter Turnschuh. Okay, wie ein sehr, sehr alter Turnschuh, der reif für den Müllcontainer ist. Na und? Hast du eine Mission oder nicht?

Der Wind wurde immer eisiger. Bibbernd, mit hochgezogenen Schultern und tief ins Gesicht geschobener Mütze, schlug sie den Weg zum Drachenstein ein, dessen verschneite Spitze rötlich im schwächer werdenden nachmittäglichen Licht schimmerte. Das berühmte Alpenglühen kündigte sich an, jenes spektakuläre Naturschauspiel, bei dem die untergehende Sonne die verschneiten Bergmassive in Flammen setzte.

Unwillkürlich tastete sie nach dem Handy in ihrer Jackentasche. Akku leer, ein Gefühl, wie nackt durch die Gegend zu marschieren. Oder wie Isolierband auf dem Mund. Na ja, vielleicht besser so, dachte Annabelle, sonst schreibe ich noch etwas Unüberlegtes, und da gäbe es ja gleich zwei Kandidaten, denen ich das Falsche mitteilen könnte.

Während sie die steil ansteigende Straße hochstiefelte, den Blick auf den rotglühenden Drachenstein geheftet, purzelten sogar drei Namen durch ihren Kopf. Fabian. Simon. Und Andi. Wieso hatte sie sich eigentlich mit ihm verabredet? Heimlich, als seien sie Romeo und Julia von Puxdorf?

Sich in den Falschen verlieben ist wie Fahrradfahren – man verlernt es nie, flüsterte ihre innere Stimme plötzlich.

Verlieben? In wen denn?, antwortete Annabelle gereizt. Ich bin ja nicht einmal in der Lage herauszufinden, was ich genau für diese drei Männer empfinde.

Ihre innere Stimme, die zwischen Mary-Jos Reibeisentimbre und Herrn Hubers sanftem Bärengebrumm changierte, ließ nicht locker.

Welche Eigenschaft müsste dein idealer Partner denn haben?

Haha, wäre ja schon grandios, wenn er überhaupt existieren würde.

Details, bitte.

Hm. Ich brauche einen Mann, der mich so liebt, wie ich bin. Und nicht, wie ich sein möchte.

Wo ist der Unterschied?

Ich gebe mich oft ganz anders, als ich bin, bekannte Annabelle. Verhalte mich zum Beispiel energisch, kratzbürstig, kindisch, weil ich selbstbewusst rüberkommen will, dabei möchte ich doch eigentlich nur geliebt werden. Und selbst lieben – auch wenn ich manchmal nicht checke, warum man dabei so viel falsch machen kann.

Die innere Stimme lachte leise.

Zu allem bereit und zu nichts zu gebrauchen? Vielleicht solltest du dich erst mal um dein eigenes Seelenheil kümmern, bevor du auf jemanden wartest, der deinen Beziehungsstatus ändert?

Bin schon dabei, sortiere mich gerade neu. Müsstest du doch wissen.

Stimmt, du bist ein offenes Buch. Stehen aber ziemlich zittrig hingekritzelte Wörter drin: Vielleicht, weiß nicht, könnte, würde. Und dann die vielen Pünktchen und Gedankenstriche … Mary-Jo würde es Dezidophobie nennen. Selbstzweifel vernichten mehr Träume als tatsächliches Scheitern, wusstest du das? Wie wäre es zur Abwechslung mit einem Ausrufezeichen? Gefühle sind was für Mutige, Annabelle!

Aber wenn die Männer so weitermachen, dann bleibt mir wohl nichts anderes übrig, als Herrn Huber zu heiraten, haha. Männer sind doch alle gleich.

Warum bist du dann überhaupt noch so wählerisch? – Anna? Oder soll ich besser Belle sagen?

Hör mal, ich bin voll im Stress!

Bist du das nicht immer?

Möglich. Aber so einen unausstehlichen Tag hatte ich seit gestern nicht mehr, stöhnte Annabelle. Und jetzt machst du mir auch noch das Leben schwer.

Die innere Stimme schwieg beleidigt, Annabelle setzte ihren Fußmarsch genauso ratlos wie vorher fort. Wenn es ein Fazit gab, dann dieses: nicht weitergewusst, Selbstgespräch geführt, kein Wort verstanden. Leben am Limit.

Kapitel 18

Das Zuhause des ortsansässigen Herrgottsschnitzers lag etwas zurückgesetzt in einer Kurve nahe dem hochaufragenden Drachenstein, und sein Besitzer ließ keinen Zweifel offen, dass hier ein passionierter Technikfreak wohnte. Toni, der Tüftler und Bastler. Annabelle musste lächeln, als sein Hof in Sicht kam. Das Dach schmückten diverse Satellitenschüsseln, am hohen Maschendrahtzaun hingen Überwachungskameras, im Vorgarten zog ein flacher Saugroboter mit angehängtem Plastiksack seine Schneisen durch den Schnee. Auf so was konnte auch nur Toni kommen: ein Staubsauger für Schnee? Wie praktisch war das denn?

Ohne dass Annabelle eigens eine Klingel suchen musste, öffnete sich die Pforte. Klar, vermutlich hockte Toni drinnen vor einem Monitor und hatte sie längst erspäht. Hightech in Puxdorf. Auch so eine Überraschung.

Es war Betty, die die Haustür öffnete, in ihrer altrosa Strickjacke und mit einem Kaffeebecher aus weiß-braun gestreifter Pappe in der Hand. Ein Käppi mit der Aufschrift *Backen ist aus Teig geformte Liebe* – ♥ verbarg ihr weißblondiertes Haar. Vielleicht lag es ja an diesem Spruch und dem Herzchen, dass man ihr einen heimlichen Geliebten unterstellte?

»Anna, endlich«, begrüßte sie Annabelle mit einem Wangenküsschen. »Komm rein. Was war denn bei euch los? Du musst uns alles haarklein erzählen.«

»Mache ich.«

Während Betty hüftschwingend vorausging, blieb Annabelle vor den deckenhohen Eichenregalen voller geschnitzter Heiligenstatuen, Kruzifixe und Madonnen stehen. Etwas unheimlich wurde ihr dabei zumute. Ja, sie empfand die Atmosphäre als regelrecht spukig, denn nicht nur Frommes lagerte in den Regalen: Lebensecht gestaltete Teufel zogen groteske Fratzen, Schlangenwesen streckten ihre gespaltenen Zungen heraus, daneben grimassierten Phantasiegeschöpfe, die eher an Hulks als Heilige erinnerten.

Schaudernd schlenderte Annabelle an den Regalen entlang. Ob wohl

Oma Marthas Geschichte stimmte, dass Tonis Vater eine splitternackte Muttergottes geschnitzt und auf dem Dorfplatz verbrannt hatte? Und dass ihn gleich darauf der Teufel geholt hatte? Hier, in diesem Kabinett der Absonderlichkeiten, konnte man es fast glauben. Man spürte geradezu den Geist mythischer Abgründe, die Gegenwart dunkler Kräfte. Auch wenn Toni nicht den Eindruck eines abergläubischen Menschen machte – sein Vater war es sicher gewesen. So wie Oma Martha. Für diese Generationen spielten Hexen und Teufel ihre angestammten finsteren Rollen als Gegenspieler des Guten.

Puh. Aus dem Halbdämmer der Regale grinste Annabelle ein besonders boshafter Beelzebub an. Mit klauenartigen Fingern schien er nach ihr greifen zu wollen. Schnell ging sie weiter. Bloß weg, durchfuhr es sie, sonst suchen dich heute Nacht noch mehr Alpträume heim. Betty hingegen schien das alles keiner genaueren Betrachtung wert zu sein, sie war den gruseligen Anblick offenbar gewohnt. Mit energischen Schritten durchmaß sie den Flur und vollführte eine einladende Geste, als sie eine halb offen stehende Tür erreichte.

»Bitte sehr, willkommen im Reich unseres Dorfgenies.«

Sie betraten einen großen Raum, von dem man nicht hätte sagen können, was er eigentlich war. Küche? Wohnzimmer? Werkstatt? Kommandozentrum? Den Mittelpunkt bildete ein solide gezimmerter alter Bauerntisch, an dem Mitzi, Toni, Ferdi und Xaver auf abgewetzten ledergepolsterten Stühlen hockten und mit ihren Smartphones spielten. An den mattschwarz gebeizten Holzvertäfelungen der Wände hingen mehrere Monitore, die Tonis Grundstück aus allen möglichen Perspektiven zeigten; auf einer Werkbank lagen Metallteile unterschiedlicher Form und Größe, deren Sinn sich Annabelle nicht erschloss. Ihr Blick schweifte weiter zu einem riesigen 3D-Drucker in der Ecke, dann zu einem Arbeitstisch mit zwei Laptops und einer geschnitzten Yoda-Figur (Toni war ein Star-Wars-Fan? Nun, wie konnte es auch anders sein bei einem Techniknerd?). Abgerundet wurde der leicht anarchische Eindruck durch einen nostalgischen Gasherd, auf dem neben einer Mikrowelle eine ganze Flaschenbatterie stand, und von einem skurrilen Flugobjekt, das an einer Metallkette über dem Tisch schwebte.

Die Stirnwand des merkwürdigen Raums bedeckten zwei breite weiße Stofftransparente, bedruckt mit neongrünen eckigen Buchstaben: *Rettet*

Puxdorf – dahoam is dahoam! und *Hände weg von Puxdorf – lieber stehend sterben als kniend leben!*

»Hock di her, denn samma mehr!«, lachte Xaver ihr entgegen.

»Servus, Anna«, Toni erhob sich halb. »Kaffee?«

Er deutete auf einen Sechser-Becherhalter aus Styropor, in dem ein letzter Pappkaffeebecher klemmte. Die anderen Anwesenden hatten sich schon bedient. Annabelle griff zu, Toni stellte ihr Milch und Zucker hin.

»Wie möchtest du deinen Kaffee?«

»Mit Kuchen, was sonst«, grinste Xaver.

»Kuchen ist leider aus«, entschuldigte sich Betty. »Die Leute haben gekauft, als wären's Diamanten, im Dutzend billiger.«

»Zweifacher Sojalatte mit Ibuprofenschaum, so was könnte unsere Anna gebrauchen«, kicherte Mitzi. Ihre kanariengelbe Grobstrickjacke hatte sie über die Stuhllehne gehängt und präsentierte sich in einem modisch durchlöcherten schwarzen Totenkopf-T-Shirt, das ihre tätowierten Arme freiließ. »Ganz schön käsig siehst du aus.«

Annabelle zwang sich zu einem Lächeln, bevor sie den Becher aus seiner Klemme befreite.

»Danke, Toni, dem Duft nach zu schließen, ist das der erste anständige Kaffee seit meiner Ankunft in Puxdorf.«

Geschmeichelt warf er sich in Positur. Nach wie vor trug Toni seine Tarnmusterjacke, vielleicht, weil er damit seinen majestätischen Bauch kaschieren wollte, was nicht ganz gelang. Darunter kam ein weißes T-Shirt mit der Aufschrift *Für an coolen Spruch hat's Geld net glangt* zum Vorschein. Sein rötlich braun gebranntes Gesicht verzog sich zu einem breiten Grienen.

»Bedank dich bei Betty. Ich hab nur fiesen Instantkaffee und Grappa, aber Betty war so nett, uns echten Kaffee aus ihrem Laden mitzubringen.«

Xaver, im wollweißen Rollkragenpullover, der sicherlich seine haselnussbraune Haartolle zur Geltung bringen sollte, drehte seinen Pappbecher um, damit man sah, dass er leer war.

»Kaffee ist Sex fürs Gehirn, könnte glatt noch einen vertragen. Im Tannstadter Coffeeshop heißt das small, tall oder grande. Bei mir Humpen, Kanne oder Eimer, je nachdem. Grade ist mir nach Eimer.«

»Ja, es gibt Tage, da möchte man sich das Kaffeepulver direkt durch die

Nase ins Hirn saugen«, seufzte Ferdi. »Erst ein Toter – oder sogar zwei? –, und dann die Sache mit dem Stier, das müssen wir unbedingt ausdiskutieren. So wie die Profiler von Criminal Intent. Kennt ihr, die Serie, oder?«

»Lass mal, ich möchte erst wissen, was mit der Bitch ist.« Mitzi hielt ihr Handy hoch und drehte es hin und her. »Im Netz wird behauptet, der Bulle hätte ihr die Nase abgebissen und den Bauch aufgeschlitzt. Ist das krass?«

»Die kommt sowieso in die Hölle, und zwar durch den Personaleingang«, schnaubte Toni.

»Hier steht, die Berenson hätte ein Bein verloren und braucht jetzt eine Prothese«, las Ferdi von seinem Smartphone ab.

»Halb so schlimm, sie scheint nicht übermäßig gelitten zu haben.« Annabelle genehmigte sich einen Schluck Kaffee. »Wow, der ist vorzüglich.«

»Hab mir eine italienische Espressomaschine geleistet«, erklärte Betty. »Sollten deine Eltern auch tun. Die machen mir echt keine Konkurrenz mit ihrer schlappen Filterbrühe. So was rührt doch keiner mehr an, nicht mal die Einheimischen.«

»Ich weiß.« Annabelle setzte sich auf einen der Lederstühle, nachdem Toni ihn von allerlei Krimskrams befreit hatte. »Es muss sich viel ändern im Edelweiß. Apropos …«

Diesmal ging der Mary-Jo-Themenwechsel nicht auf. Ferdi, der an seinem unübersehbar handgestrickten lila Pullover herumzuppelte, hob die Hand.

»Gemach, erst noch mal zurück zum Unfall«, setzte er seine kriminalistische Erörterung fort. »Wie kommt denn bitte schön ein Stier auf die Rodelbahn? Die Oberleitners haben Schweine, ich halte Bisons, die anderen Bauern Milchkühe, ansonsten gibt es noch Hühner und Ziegen in Puxdorf. Das war's.«

Betty, durch ihre Bäckerei immer bestens auf dem Laufenden über die Dorfneuigkeiten, rührte angeregt in ihrem Kaffeebecher.

»Meines Wissens kann der Stier nur aus dem Stall der Sennhubers stammen. Die wollen demnächst eine Besamungsstation eröffnen, den Zuchtbullen dazu haben sie schon gekauft. Komisch. So ein wertvolles Tier sichert man doch.«

»Stimmt, so ein Zuchtbulle ist gut hunderttausend wert«, gab Xaver ihr recht. »Und ein derart zeugungsfreudiges Prachtexemplar lässt man nicht einfach durch die Gegend laufen. Im Gegensatz zu mir.«

Niemand lachte über den saudämlichen Witz. Ferdi drehte an seinem Zopf.

»Das war kein Unfall, das war Vorsatz, hundertpro.«

Annabelle fiel aus allen Wolken. Bisher hatte sie Isabel Berensons Gezeter von einem Mordversuch für reine Hysterie gehalten, und jetzt sprach Ferdi von einem Anschlag? Aber auch Toni schien über diese Möglichkeit nachzusinnen, denn er nickte ernst.

»Stellen wir uns doch mal folgendes unwahrscheinliche, wenn auch plausible Szenario vor.« Gedankenverloren schaute er hoch zu dem Flugobjekt. »Jemand klaut den Stier aus dem Stall und führt ihn zur Rodelbahn, nachdem er unsere charmante Gewitterziege dorthin bestellt hat. Wer könnte so was tun?«

»Dieser Jemand musste wissen, dass sie was Rotes trägt, sonst wäre der Stier ja nicht so ausgerastet«, warf Mitzi ein, die vor Aufregung ihre tätowierten Arme knetete. »Anna, sie hat doch was Rotes getragen? Auf den Instagramfotos sah es rot aus.«

»Feuermelderknallrot«, bestätigte Annabelle.

»Dann schleicht der Mörder am helllichten Tag durch Puxdorf«, folgerte Toni.

Es wurde sehr, sehr still am Tisch.

»Der Mörder ist unter uns«, sprach Ferdi feierlich aus, was jeder im Raum dachte.

»Ja, aber nicht unter *uns* hier«, schwächte Toni die Feststellung ab. »Es sei denn …«

Nun schauten alle zu Annabelle. Oje. Ihr wurde flau. Ohne Frage hatte sie das stärkste Motiv, Isabel Berenson abzuservieren. Diese Frau hatte sie vor Publikum beleidigt, gedemütigt und lächelnd in Kauf genommen, mit dem Oberleitnerdeal dem Edelweiß den Todesstoß zu versetzen.

»Bist du high?«, schimpfte Mitzi los. »Also echt jetzt, Toni. Das ist doch damisch. So was würde unsere Anna nie tun.«

»Ja, schon, ich meine ja nur wegen des Motivs und so«, rechtfertigte er sich.

»Dann haben wir alle ein Motiv«, ging Betty scharfsinnig dazwischen. »Alle von unserer Bürgerinitiative und alle im Dorf, die gegen das Megaresort sind. Hat ja bis jetzt nur zwei Investoren erwischt und eventuell einen weiteren – oder wer ist der unbekannte Dritte, Anna? Der Tote, von dem dein Bulle auf Freiersfüßen gesprochen hat? Dein charmantes Bügelbrett?«

»Keine Ahnung. Den Pass des Toten hab ich mir nicht angesehen – falls er überhaupt einen dabeihatte.«

»In jedem Fall sollte Anna langsam die Sache mit der anderen Leiche aufklären«, sagte Toni.

»Würde mich auch brennend interessieren«, hängte sich Ferdi dran.

Annabelle zerknüllte ihren geleerten Kaffeebecher. Seitdem die Polizeibeamten ihr düsteres Geheimnis verraten hatten, öffentlich sogar, mitten auf dem Dorfplatz, gab es nichts mehr abzustreiten. Also musste sie wohl blankziehen, so schwer es ihr auch fiel. Nach längerem Gehüstel schilderte sie in allen Einzelheiten, wie sie den Toten gefunden, in der Kühltruhe wiedergefunden und schließlich mit Max im Heuschober verstaut hatte.

»Danach hat er sich in Luft aufgelöst«, schloss sie ihre makabre Geschichte ab.

»Krasse Sache.« Mitzi pfiff leise durch die Zähne. »Finde ich ja total tough von dir, dass du die Leiche angefasst hast.«

»Legal war das aber nicht«, brummte Ferdi.

»War es etwa legal, diesen toten Typen aus New York auf deinen Anhänger zu laden und vor dem Bürgermeisteramt auszukippen?«, entrüstete sich Betty.

»Das ist und bleibt ein riesiges Eigentor«, tadelte Toni seinen Ökofreund. »Damit hast du Puxdorf mehr geschadet als genützt.«

Kopfschüttelnd stand er auf, um sich eine Grappaflasche vom Herd zu holen – auf dem wahrscheinlich seit langem nicht mehr gekocht worden war. Annabelle erkannte es an der dicken Staubschicht auf der Herdplatte und nicht zuletzt an den aufgerissenen Verpackungen von Fertiggerichten, die sich neben der Mikrowelle stapelten.

Ein preiswertes Singledinner am frühen Abend wäre genial, überlegte sie. Quasi eine kulinarische Happy Hour für Leute wie Ferdi, die keine Zeit, keine Lust oder kein Talent fürs Kochen haben. Nur Hunger und Gesprächsbedarf. Überhaupt, die Singlereisen sollte ich weiterverfolgen, überlegte sie weiter, mit Ringelpiez und abwechslungsreichem Programm. Schnitzkurse bei Toni, Kochkurse mit Oma Martha, Backkurse in Bettys Bäckerei, ist doch alles machbar! Und in den unseligen Heuschober könnte man eine Sauna einbauen! Wo kommt man sich schließlich näher als in der Sauna? Ein Holunderschnaps von Oma Martha hinterher, und der Anbahnung zarter Bande steht nichts mehr im Wege.

Warum nur kam ihr auf einmal Fabian in den Sinn? Tja, warum nur?

»Anna?«

Sie schrak hoch. Mit schlechtem Gewissen, weil sich ihre Phantasie soeben unzulässig verselbständigt hatte und in bunten Farben ausmalte, wie sie mit Fabian aus der Scheunensauna rannte, um sich mit ihm nackt im Schnee zu wälzen. Eine reichlich vorschnelle Phantasie. Vielleicht lag es an der Höhenluft? Oder an ihrer erotischen Unterzuckerung? Schon lange hatte sie nicht mehr …

»Anna!«

»Äh, ja, am Start. Was ist?«

»Hast du mir denn gar nicht zugehört?«, fragte Toni vorwurfsvoll.

Ein guter Moment, um die Daunenjacke auszuziehen, die Mütze abzusetzen und sich ihrer beiden Schals zu entledigen. Das verschaffte Annabelle ein paar Sekunden, um die wirklich sehr faszinierende Phantasie zu verscheuchen.

»Sorry, war in Gedanken, wegen des Edelweiß.«

»Gut, dann noch mal von vorn.« Toni goss sich eine großzügige Menge Grappa in seinen Kaffeebecher. »Als langjähriger Krimiexperte weiß ich: Motiv, Gelegenheit, Planungskompetenz, Kaltblütigkeit, das sind die Ingredienzien für einen perfekten Mord.«

»Bei der Trulla war's aber nicht perfekt, die lebt ja noch«, gab Mitzi zu bedenken.

»Dennoch – es war umsichtig geplant.« Mit Behagen nahm Toni einen Schluck von seinem Grappa-Kaffee-Gemisch. »Überleg mal: roten Anzug sehen, Trulla zur Rodelbahn schicken, Stier klauen, aufpassen, dass gerade keine Kinder da sind, Stier auf Trulla hetzen – halleluja, da hat jemand eine logistische Meisterleistung vollbracht.«

»Nur nicht zu Ende gebracht«, ergänzte Mitzi, die sich offenkundig ungern in die Parade fahren ließ.

Betty war während der letzten Minuten auffällig still geblieben. Jetzt nahm sie das Käppi ab und strich ihr weißblondiertes Haar hinter die Ohren.

»Die Polizisten sind eine Lachnummer. Wir müssen selbst was unternehmen, um unsere Familien zu schützen! Wenn ich nur dran denke, dass mein kleiner Sohn, der Felix …«

Sie begann zu schniefen, die anderen starrten wortlos Löcher in die Luft. Lediglich Toni ergriff das Wort, nachdem er sich mit einem weiteren Schluck seines eigenwilligen Cocktails gestärkt hatte.

»Da gibt's nur eins: Wir müssen das Dorf überwachen.« Bedächtig faltete er die Hände über seinem Bauch. »Proaktiv, versteht ihr? Nicht *nachdem*, sondern *bevor* der nächste Tote im Straßengraben liegt.«

»Wie willst du das denn anstellen?«, schluchzte Betty, ihre tränennassen Wangen mit einem Ärmel der altrosa Strickjacke trocknend. »Wir sind viel zu wenige. Wir können nicht überall sein. Und wir haben ja auch ein Leben – fragt sich nur, wie lange noch.«

Schon seit einer Weile kippelte Ferdi nervös mit seinem Stuhl, eine Angewohnheit, die Annabelle noch aus der Schule von ihm kannte. Auch damals hatte er immer herumgekippelt und den alten Dorflehrer damit zur Weißglut gebracht.

»Was ist mit Drohnen?«, fragte er schlicht.

Wie aufs Stichwort schauten alle hoch zum Flugobjekt, das über dem Tisch baumelte – auch Annabelle, die so ein Gerät noch nie gesehen hatte, wenngleich ihr dessen Existenz theoretisch geläufig war. Neugierig nahm sie das Ding in Augenschein. Von unten betrachtet wirkte es wie ein riesenhaftes vierbeiniges Insekt aus schwarzem Metall. Auf die Beine waren Propeller montiert, vorn am schlanken Leib saß die Kamera.

»Toni! Du filmst uns doch wohl nicht gerade?«, fing er sich einen Rüffel von Mitzi ein.

»Nee, aber dafür habe ich fest installierte Kameras in meinem Schlafzimmer«, antwortete er lachend.

»Als ob es da was zu sehen gäbe, du ewiger Single«, zog Ferdi ihn auf.

»Wer weiß?«, schmunzelte Betty, deren trübe Stimmung sich zusehends verflüchtigte. »Stille Wasser sind tief.«

Blicke flogen kreuz und quer über den Tisch, die Annabelle nicht recht deuten konnte. Lief da was zwischen Betty und Toni?

»Also, ich habe so einige Drohnen und bastele gerade ein paar neue Bausets aus dem Internet zusammen.« Toni zeigte auf die Metallteile, die auf der

Werkbank verstreut lagen. »Die fertigen Drohnen könnten wir durchaus für eine Überwachung einsetzen. Wenn es dunkel wird, nehme ich einfach Wärmebildkameras.«

Xaver, der auffällig wenig zu den vorangehenden Debatten hatte beitragen können, applaudierte lautlos.

»Super, du kleines Bastelgenie!«

»Könntest du bitte einen anderen Ton anschlagen?«, erregte sich Betty. »Das klang so, als ob man ein Kleinkind lobt, das gerade gelernt hat, mit dem Löffel zu essen.«

»Apropos Essen«, startete Annabelle einen neuen Themenwechselversuch. »Tut mir leid, wenn ich euch dazwischengrätsche, ich stehe ein bisschen unter Zeitdruck. Heute Abend möchte ich nämlich das neue gastronomische Konzept für das Edelweiß präsentieren. Regionale Küche, leicht interpretiert. Könnte mir jemand von euch vielleicht ein Auto leihen? Oder selbst nach Tannstadt fahren? Ohne Frischware bin ich aufgeschmissen.«

»Ach Anna, das wird nix«, erwiderte Mitzi voller Bedauern. »Es ist schon kurz vor vier, und letzte Nacht hat es noch mal heftig geschneit. Bei den Straßenverhältnissen braucht man zwei, drei Stunden hin und zurück. Mindestens. Und kochen musst du ja auch noch.«

Enttäuscht stöhnte Annabelle auf. Stimmte ja. Auf den Straßen herrschte das reine Schneechaos, und die Räumfahrzeuge kümmerten sich nicht um die Zufahrtsstraßen nach Puxdorf, weil es zu klein und zu unbedeutend war. So ein Pech. Da hatte sie endlich ihre Familie und Sepp für neue Konzepte erwärmen können, trotzdem blieb die Küche kalt.

»Stopp, stopp.« Toni griff über den Tisch hinweg nach ihrer Hand. »Ich habe Drohnen, und ich werde sie benutzen!«

»Trottel«, feixte Xaver. »Willst du etwa in Tannstadt Lebensmittelläden fotografieren und den Edelweißgästen Fotos statt Essen auf den Teller legen?«

Genervt funkelte Toni ihn an.

»Du solltest nachts wirklich auf dem Rücken schlafen, nicht in der Seitenlage, sonst rollt dir noch dein Erbsenhirn aus dem Ohr!«

»Was?«

»Schon gewusst? Dummheit ist die einzige Krankheit, unter der nicht der Patient leiden muss, sondern die anderen«, legte Toni nach. »Also, zum Mitschreiben: Wie ihr wisst, kommt der Postbote im Winter bei dem Schnee nur einmal die Woche nach Puxdorf, wenn überhaupt. So lange kann ich nicht warten, weil ich meine Bestellungen über das Internet abwickle. Seit geraumer Zeit hole ich meine Pakete deshalb von der Tannstadter Poststation mit einer Drohne ab und schicke auch meine eigenen Pakete damit hin.«

Annabelles Augen weiteten sich.

»Das heißt …?«

Bestens gelaunt schnippte Toni mit den Fingern.

»Du bestellst einfach beim Tannstadter Lebensmittelmarkt per Mail, was du brauchst, ich transportiere die Ware mit meinen Drohnen. Die Leute vom Laden müssen die Sachen nur wetterfest verpacken und zur Post bringen, der Rest geht fix.«

»Wie fix?«, erkundigte sich Mitzi verblüfft.

»Das da«, Toni legte den Kopf in den Nacken und deutete zur Decke, »ist eine RacerX, die schnellste Drohne der Welt. Zweihundertneunundachtzig Stundenkilometer – rechne dir selbst aus, wie lange die für die fünfzig Kilometer nach Tannstadt braucht.«

Annabelle, Mitzi und Xaver bewegten noch stumm die Lippen, vollauf mit den Tücken der arithmetischen Gleichung beschäftigt, als Ferdi auch schon das vorläufige Endergebnis präsentierte.

»Ungefähr zehn Minuten! Irre!«

»Etwa eine gute Viertelstunde – Starts, Landungen und das Anbringen der Pakete einberechnet«, erläuterte Toni sein eigenes Resultat. »Ein bisschen Zeit geht noch verloren, weil die Leute vom Lebensmittelladen zur Post müssen. Dort habe ich ein Landepad hinterlegt. Das ist unerlässlich im Winter. Sonst saugen die Propeller Schnee an, und die Kiste ist hin. Sagen wir, alles in allem – eine halbe, maximal eine Dreiviertelstunde.«

»Kann die denn was tragen?«, fragte Ferdi.

»Die Racer ist eine Renndrohne, wie der Name schon sagt, und nur für kleinere Sachen geeignet, doch ich habe einen stärkeren Motor eingebaut, womit sie sich auch für mittelschwere Pakete eignet. Des Weiteren habe ich Transportdrohnen im Eigenbau auf größere Distanzen hochgetunt. Die brauchen länger, können aber was schleppen.«

»Wahnsinn«, hauchte Betty bewundernd.

»Hightech is my tech.« Toni schenkte ihr ein stolzes Lächeln, dann stand er auf und ließ sich an seinem Schreibtisch nieder, wo er einen der beiden Laptops aufklappte. »Also, Anna? Was brauchst du zuerst? Und was sollen die lahmeren Transportdrohnen holen?«

Im Kopf hatte Annabelle die Abendkarte bereits entworfen, inspiriert von Oma Marthas Kochkünsten: eine kräftige, mit Steinpilzen und Sherry verfeinerte Rinderbrühe mit Pfannkuchenstreifen; gedünsteter bayerischer Bachsaibling auf karamellisierten Zuckerschoten und Kresseschaum (Letzterer eine Hommage an Simon); geschmorte Rinderlende mit Meerrettichsorbet, Minze-Rübchengemüse und Fenchel-Kartoffel-Gratin. Falls die Zeit reichte, würde sie das gekaufte Eis weglassen und stattdessen einen Holunderblütenkaiserschmarrn zaubern, Oma Marthas Glanzstück und ein echter Joker (sofern man die Butterdosis halbierte und ein paar Granatapfelkerne darüberstreute). Auch ein Weißwurstsalat mit grünem Spargel und Walnüssen in einer Aceto-Balsamico-Vinaigrette als Vorspeise schwebte ihr vor. Und irgendetwas Ausgefallenes, Unverwechselbares, das das Edelweiß einzigartig machte – nur was?

Abgesehen von dem fehlenden Clou, der ihr noch Kopfzerbrechen bereitete, funktionierte ihr Hirn wie ein kleiner Computer. Fleisch, Fisch, Gemüse, Obst, Sahne, Nüsse, Gewürze, dazu einen kräftigen Schweizer Käse und Räuchertofu für vegetarische Varianten … Gleichzeitig strukturierte sie den Transport. Das Fleisch brauchte am längsten für die Zubereitung, das war ein Fall für den Racer. Sie ergänzte die Bestellung um Eisbergsalat, Honigtomaten und frische Kräuter für die Garnituren. Als sie alle Zutaten diktiert hatte, drehte sich Ferdi zu ihr um.

»Lange Liste. Hast du eine Kreditkarte?«

Natürlich hatte Annabelle eine (in den USA bezahlte man sogar seinen Kaffee damit), doch die befand sich kurz vor dem Nirwana. Ihre Flüge hatten Unsummen verschlungen, ungeplant, und größere Rücklagen besaß sie nicht. Sie tastete in ihrer Jeanstasche nach dem zerknitterten Fünfhunderter von Peter McDormand. Eigentlich hatte sie ihm ja gesagt, sie werde das Geld einer gemeinnützigen Organisation spenden – aber so würde es eben dem Aktionsbündnis »Rettet das Edelweiß« zugutekommen.

Sie gab Toni die Karte, die für diesen Einkauf noch gerade reichen würde, und er tippte die Zahlencodes ein. Danach stieg er auf den Tisch und holte behutsam wie ein Vater sein Baby die RacerX von der Decke. Mit Hilfe einer Handyapp programmierte er die Route, Betty öffnete das Fenster, fast zärtlich hievte Toni seine Lieblingsdrohne auf das Fensterbrett.

»Hab sogar einen Batteriewärmer angebracht an dem Schätzchen, damit nichts schiefgeht bei den Minustemperaturen. Das erspart uns das Warmlaufen.« Konzentriert tippte er auf dem Smartphone herum. »Die Akkus sind voll, die Wetterapp sagt eine schneefreie Nacht voraus. Jetzt zeig mal, was du kannst, RacerX!«

Die Propeller begannen sich zu drehen, mit einem hornissenartigen Summen hob die Drohne ab. Frenetischer Jubel und Applaus begleiteten den Start, Xaver ausgenommen, der mit verschränkten Armen in seinen Kaffeebecher starrte. Toni hatte ihm eindeutig die Schau gestohlen.

»Houston, wir haben einen erfolgreichen Start hingelegt«, näselte Ferdi.

»Alles Roger!«, rief Mitzi übermütig.

»Du bist wahrhaft ein Genie, Toni!«, staunte Annabelle. »Und bestimmt total beliebt im Dorf?«

»Hm, also, ja, ich lebe in diesem Dorf«, nuschelte er.

»Komme mir jedenfalls vor wie in einem Sciencefictionfilm.« Annabelles Augen verfolgten den kleinen schwarzen Punkt am Himmel, bis er nicht mehr zu sehen war. »Ich weiß gar nicht, wie ich dir danken soll.«

»Gern geschehen. Der Racer holt das Fleisch, die anderen Transportdrohnen starte ich von der Garage aus. Bin gleich wieder da.«

Sichtlich zufrieden mit sich, marschierte er aus dem Raum. Toni, der Tausendsassa, konnte wahrlich stolz auf sich sein, darüber waren sich Annabelle, Mitzi und Ferdi einig. Das wurmte Xaver umso mehr. Wie ein trotziger Dreijähriger legte er die Ellenbogen auf den Tisch und schmollte.

»Pass bloß auf, Anna. Neulich ist Tonis Staubsaugerroboter verschwunden. Ist einfach auf die Terrasse entwischt und ward nie mehr gesehen. Ich halte gar nichts von diesen albernen Spielereien.«

»Das sagt der Richtige.« Mitzi fixierte ihn mit aufgeworfenen Lippen. »Was kriegst du denn schon auf die Reihe außer Skihasen flachlegen? Ist das eigentlich ein Beruf? Skigigolo?«

»Woher kommt überhaupt das ganze Geld für den Technikkrempel?«, muffelte Xaver weiter. »Und wieso findet Toni so viel Zeit für seine Bastelstunden? Schließlich hat er ja noch so bescheuerte Hobbys wie die lückenlose Überwachung seines Grundstücks und die Jagd nach dem weltbesten Grappa.«

»Hast du nicht den 3D-Drucker gesehen?« Betty gab ihm den Jetzt-reiß-dich-mal-zusammen-Blick. »Toni ist eben ein ausgeschlafener Typ. Der kopiert die Schnitzereien seines Vaters im Drucker, malt sie hübsch an und verkauft sie übers Internet bis Amerika und Australien. Original oberbayerische Schnitzkunst, modern reproduziert. Ein Riesengeschäft. Davon könntest du dir eine Scheibe abschneiden.«

Annabelle legte den zerknüllten Kaffeebecher auf die Tischplatte.

»Lasst uns nicht zanken. Ich bin euch unendlich dankbar, dass ihr so zu mir steht. Für mich ist das das größte Weihnachtsgeschenk aller Zeiten.«

»Ganz glücklich siehst du aber noch nicht aus«, sagte Betty, die offenbar mit viel Einfühlungsvermögen gesegnet war.

»Hmm.« Annabelle rieb sich mit Daumen und Zeigefinger die Nasenwurzel. »Ehrlich gesagt bin ich immer noch mit der Abendkarte beschäftigt. Es fehlt der Clou. So ein echter Knaller.«

»Die Cheeseburger gestern Abend haben genug geknallt«, kicherte Mitzi. »Himmel, bin ich froh, dass ich zurzeit allein schlafe. Jeder Mann hätte bei den Geräuschen letzte Nacht Reißaus genommen.«

Alle lachten. Nur Annabelle saß völlig bewegungslos auf ihrem Stuhl. Eine Idee formte sich in ihrem Kopf, eine völlig verrückte Idee. Sie sah zu Betty. Dann zu Ferdi, der gerade seinen dünnen Zopf neu flocht.

»Was ist?«, fragte er, als er ihren Blick auf sich spürte.

»Du hast Bisons. Betty hat Brötchen. Und? – Fertig ist der Puxdorfer Bisonburger!«

Alle starrten sie an wie vom Donner gerührt.

»Hammer!« Mitzi riss die Arme hoch. »Absoluter Hammer!«

»Bisonburger?«, wiederholte Xaver mit herabhängenden Mundwinkeln. »Igitt. Da zieht sich bei mir alles zusammen. Eklig. Da küsse ich lieber eine Leiche. Mit Zunge.«

»Ja, weil du mit deinen grenzwertigen Essgewohnheiten so was wie ein lebender Mülleimer bist, statt dich bewusst zu ernähren!«, polterte Ferdi los.

»Tue ich doch!«, wehrte sich Xaver. »Bewusstlos könnte ich ja wohl kaum was essen.«

»Herr, lass Hirn regnen!«, stöhnte Ferdi.

»Dafür sieht Joggen bei dir aus wie Sterben mit Anlauf«, revanchierte sich Xaver. »Du und Toni, ihr seid lahme Enten. Man muss sich ja nur reinziehen, wie dick Toni geworden ist.«

»Das ist sein externer Speicherplatz für mehr Bauchgefühl!«, rief Mitzi.

Betty verdrehte die Augen, bevor sie Xaver herausfordernd anschaute.

»Komisch, alle reden von körperlichem Übergewicht, redet auch mal einer von geistigem Untergewicht?«

»Ruhe im Karton!«, beendete Ferdi den Streit. »Anna liegt genau richtig. Bisonfleisch, ihr Lieben, ist der absolute Geheimtipp der gehobenen Küche. Es schmeckt einzigartig frisch und ungeheuer würzig, hat weniger Fett als Hühnchen und enthält dabei mehr Eisen, Zink und Vitamine als jedes andere Fleisch. Übrigens kann es auch besser verstoffwechselt werden als andere Fleischsorten. Bison ist total im Kommen.«

»Wusste ich ja noch gar nicht, dass es so viele Vorteile gibt«, bekannte Annabelle verwundert.

»Na ja, bisher beliefere ich auch nur zwei Restaurants, eins in München, eins in Stuttgart.« Ferdi fummelte ein Gummiband um seinen frisch geflochtenen Zopf. »Und jetzt im Winter ist sowieso tote Hose, weil die Lieferwagen nicht durchkommen bei dem Schnee. Meine Kühlkammer ist voll bis obenhin.«

»Das ist ja ideal!«, jubelte Annabelle.

Mitzi stupste Betty an.

»Blöd nur, dass die Blödchen alle sind«, sagte sie in Erinnerung an den Streich von einst.

Ferdi hob die Achseln.

»Tja, die Drohnen sind alle weg.«

»Dann nehmt doch Toastbrot, davon habe ich genug zu Hause – falls das ein Trost ist«, versuchte Xaver, fraglos bemüht, seinen Angriff auf Ferdi und Toni mit einer Prise Hilfsbereitschaft wettzumachen.

»Wieso soll das ein Trost sein?«, murrte Betty. »Dein industrielles Fertigtoastzeugs kannst du dir an die Backe kleben. Das schmeckt doch nach gar nichts. Ich habe einen besseren Vorschlag.«

Auf Annabelles Rücken prickelte es.

»Was für einen?«

»Sonderschicht«, lächelte Betty. »Wenn ich jetzt in die Backstube gehe, könnten die Semmeln in eineinhalb Stunden fertig sein. Wie hättest du's denn gern? Ciabattabrötchen? Chiasamenbrötchen? Glutenfrei? Mit Himalajasalz?«

Annabelle konnte nicht anders, sie fiel Betty um den Hals. Und leistete innerlich Abbitte, dass sie jemals angenommen hatte, ihre Puxdorfer Freunde seien rückständig oder gar stehengeblieben. Seit ihrer Ankunft hatte sie unglaublich kluge und gewitzte Menschen erlebt (okay, Xaver musste man da ausklammern, geschenkt), die obendrein überwältigend hilfsbereit waren.

»Danke, danke, danke«, stammelte sie, wusste jedoch nicht so recht, ob sie das Angebot überhaupt annehmen durfte. »Willst du das wirklich auf dich nehmen, Betty? Dein kleiner Felix müsste dann doch auf dich verzichten.«

»Der kann mit seinem Papa spielen. Mein Herr Gatte ist ganz heiß darauf, beim Autorennen gegen Felix anzutreten. Am Computer natürlich.«

»Auf dich ist er wohl nicht so heiß«, stichelte Mitzi, schlug sich aber sofort die Hand vor den Mund. »Entschuldige Betty, so was sollte ich nicht sagen.«

»Nein, solltest du nicht.« Betty stand auf. »Also, Anna, ich bringe dir die Brötchen ins Edelweiß. Für Burger empfehle ich luftige Hefesemmeln mit Sesamkruste. Einverstanden?«

Annabelle nickte beglückt.

»Ihr seid heute Abend natürlich alle zum Essen eingeladen!«

»Danke, doch vorher packen wir mit an«, entgegnete Betty. »Wir lassen dich nicht allein mit der ganzen Arbeit.«

»Auf keinen Fall«, versicherte Mitzi. »Meine Kinder übernachten die nächsten Tage bei meinem Ex, ich hab auch Zeit.«

»Und meine Frau ist mit den Kindern zu ihrer Schwester Wanda gefahren, Yoga-Workshop im Nachbardorf.« Ferdi lächelte Annabelle aufmunternd zu. »Bin also ein paar Tage Strohwitwer. Muss nur die Bisons füttern und das Fleisch aus der Kühlkammer holen, dann gehöre ich dir.«

»Also, ich hab ein Date mit einem heißen Skihasen.« Xaver kämmte mit allen zehn Fingern seine Haartolle, und seine frustrierte Miene drückte aus, dass er sich wieder einmal zu Unrecht übersehen fühlte. »Wird eine Hammernacht.«

»Du hast eine Freundin? Eine echte oder eine, na ja, zum Aufblasen?«, gluckste Mitzi.

Er zog eine unfrohe Grimasse, wie eigentlich schon die ganze Zeit über.

»Wollte sowieso gerade gehen. Halt's echt nicht mehr aus in dieser verkommenen Nerdbude. Überall Staub und Spinnweben.«

»Das sind keine Spinnweben, das sind Ökotraumfänger«, grinste Ferdi. Betty knuffte Xaver unsanft in die Seite.

»Es gibt übrigens auch Erwachsene in deinem Alter. Und falls du nicht über dich selbst lachen kannst, erledigen wir das gern für dich.«

Kapitel 19

Noch nie hatte Annabelle ein derartig intensives Alpenglühen erlebt. Unglaublich. Die Berge schienen wirklich zu brennen! Feurig rot wie Lava hob sich der Drachenstein vom tiefblauen Abendhimmel ab, dahinter loderte es bis in unendliche Fernen. Eine Sinfonie aus Blautönen und Rotnuancen, viel schöner und prächtiger, als Fotos oder Gemälde es hätten wiedergeben können. Auch Puxdorf erglühte im Widerschein dieses beeindruckenden Schauspiels. Der Schnee auf den Dächern und in den Gärten funkelte rotgolden wie in einem Märchenland, in dem Feen und Elfen ihren farbigen Glitzerstaub ausgestreut hatten. Ob das ein gutes Omen war?

Im Höchsttempo stiefelte Annabelle zurück zum Edelweiß. Da ihr Handy mangels Akku streikte, kam sie gar nicht erst in Versuchung, Zeit mit Alpenglühfotos zu vertändeln. Ohnehin war sie viel zu spät dran. Seit einer halben Stunde wartete Sepp auf sie, und von Sekunde zu Sekunde wuchs ihre Befürchtung, er könnte sich die Wartezeit mit ein paar Weizen schöntrinken. Am Dorfplatz bog sie rechts ab, hastete an Fannys Haus vorbei und raffte sich zu einem letzten Spurt auf (wir können nicht mehr, krakeelten ihre müden Füße, wo ist das nächste Spa, wir wollen ein Fußbad, eine Massage, eine kühlende Creme!).

Ohne auf ihre jammernden Füße zu achten, rannte Annabelle weiter. Dabei war der Gedanke an ein Spa gar nicht so weit hergeholt. Seit dem Morgen stand sie auf den Beinen, hatte kaum etwas gegessen und war wie eine Flipperkugel durchs Dorf geschossen. Da wäre eine kleine Auszeit ideal gewesen. Am besten an jenem phantastischen Ort, den Mary-Jo folgendermaßen beschrieb: eine Badewanne mit WLAN in einem Schuhgeschäft, wo man von einem Friseur Champagner serviert bekommt. Aber es nützte ja nichts. Irgendwie musste sie die selbstgesteckten Ziele erreichen, und das gelang nur, wenn sie alle verfügbaren Energiereserven einsetzte.

Schon von weitem sah Annabelle die Menschentraube vor dem Edel-

223

weiß, an deren Rändern ein Gelaufe und Gewusel wie beim Winterschlussverkauf herrschte. Himmel! War etwa noch eine Leiche aufgetaucht? Einen Augenblick lang durchzuckte sie die Angst, Fabian könnte zurückgekommen sein und das gewaltsame Schicksal der anderen Kaufinteressenten geteilt haben. Schrecklich! Nicht auszudenken!

Doch je näher sie dem Hotel kam, desto ruhiger wurde ihr Herzschlag. Grenzenlose Erleichterung flutete sie. Das Ganze ähnelte eher einem Weihnachtsmarkt als einem Tatort. Ihr Vater stand im grünen Trachtenjanker nebst Gamsbarthut auf der Veranda und reichte Becher mit Glühwein in die Menge. Oma Martha, in einen uralten braunen Wollmantel gehüllt, verteilte selbstgebackene Plätzchen mit bunten Liebesperlen obendrauf. Aus einer altertümlichen Lautsprecherbox dudelten Weihnachtslieder.

»Hier spielt die Musik!«, rief Alois Stadlmair, als er seine Tochter entdeckte. »Oans, zwoa, g'suffa! Probier mal unseren Glühwein mit Zunder, der fackelt dir alles ab!«

Leicht entkräftet und vollkommen verwundert zog sich Annabelle an dem wackeligen Geländer hoch.

»Papa! Was ist denn hier los?«

»Wir sind doch jetzt berühmt«, lachte er. »Hotel Edelweiß, der mörderische Hotspot oder so ähnlich, sagen die Leute. Die gieren geradezu darauf, dass noch was passiert. Wir haben sogar schon zwei Zimmer vermietet. Keiner will den nächsten Mord verpassen.«

Annabelle musste erst einmal durchatmen. Schaurig, schaurig. Dennoch erkannte sie sofort das Potential dieser makabren Berühmtheit. Skandalmarketing. Nicht gerade ihr Ding, doch es funktionierte glänzend, wie man sah.

»Ich geb alles«, flüsterte sie ihm zu. »Die Abendkarte steht.«

»Muss sie auch. Ab acht ist die Gaststube komplett ausgebucht.«

Himmel! Das bedeutete an die vierzig Gäste! Annabelle war heilfroh, dass sie bei der Bestellung der Zutaten großzügig bemessene Mengen genannt hatte. Jetzt musste nur noch Sepp mitziehen. Oder lag er etwa schon angetüdelt in irgendeiner Ecke seiner versifften Küche?

»Wo sind denn die anderen?«, fragte sie bang.

»Die Mama hat mit Oma Martha ein paar Zimmer hergerichtet, jetzt ist sie drinnen in der Gaststube und zapft Bier, als gäb's kein Morgen. Max und Sepp hab ich schon länger nicht mehr gesehen.«

Oha, das verhieß nichts Gutes. Eilig schlüpfte Annabelle durch das Gedrängel auf der Veranda, schob sich weiter zum Hoteleingang und lief an der Rezeption vorbei zur Küche. Wenn Sepp ausfiel, standen vierzig Gäste ohne Essen da, der Stern des Edelweiß würde weiter sinken, alle Mühe wäre vergeblich gewesen.

Mit unguten Vorahnungen öffnete sie die Tür. Und traute ihren Augen nicht. Seite an Seite schrubbten Max und Sepp den Boden. Blitzblank gewienert hingen die Töpfe an den dafür vorgesehenen Haken, der Müll war weggeräumt worden, an den Handläufen der spiegelblanken Arbeitsflächen hingen saubere Geschirrtücher.

»Jungs! Habe ich eine Halluzination?«

Der Koch und der Hausdiener grinsten wie Schulbuben. Als hätten sie einen besonders pfiffigen Streich ausgeheckt, der ihnen zur Verblüffung ihres gestrengen Lehrers mit Bravour gelungen war.

»Da staunst, Maderl, was?«, knarzte Max in seine tausend Fältchen hinein.

»Wir haben schon mal ohne dich angefangen«, erklärte Sepp, auf dessen blütenweißer Kochjacke nur ein einziger kleiner Fleck prangte. »Hab auch keinen Tropfen getrunken.«

»Glauben tu ma's net, aber wahr is«, bestätigte Max. »Schau ma mal, dann seng ma scho.«

Schauen wir mal, dann sehen wir's schon? Was Annabelle sah, genügte ihr vollauf. Ihr gingen die Augen über, und sie konnte kaum fassen, dass sich ihre Glückssträhne verlängerte. Erst kamen die Freunde ihr zu Hilfe, dann zeigten ihre Eltern und Oma Martha vollen Einsatz, nun legten sich auch noch diese beiden Herren mächtig ins Zeug. Alle zogen an einem Strang. Traumhaft.

»Sind wir ein Team?«, rief sie überschwänglich. »Ja, wir sind ein Team!«

Das anschließende Abklatschen verlief zwar noch etwas ungelenk, aber mit der nötigen Inbrunst. Max und Sepp strahlten um die Wette, und das sollte was heißen, denn in Puxdorf galt Saubermachen immer noch als Frauensache. Den Putzeimer zu schwingen war für die beiden zweifellos eine Premiere gewesen.

»Mei, is des schee«, lächelte Sepp, der geduscht, gekämmt und rasiert richtig gut aussah. Und locker zehn Jahre jünger. »Was kochen wir denn, Anna?«

An den Fingern zählte Annabelle die Gerichte ihrer umsichtig zusammengestellten Abendkarte auf, diesmal in der sinnvollen Reihenfolge: Weißwurstsalat mit grünem Spargel und Walnüssen, Steinpilzsuppe auf Rinderbasis mit Pfannkuchenstreifen, gedünsteter Saibling auf karamellisierten Zuckerschoten und Kresseschaum, geschmorte Rinderlende an Minze-Rübchengemüse und Fenchel-Kartoffelgratin, Holunderblütenkaiserschmarrn mit Granatapfelkernen. Und als spezielle Attraktion natürlich die Bisonburger – als Zwischengericht vor dem Fleischgang, in einem übersichtlichen Format, damit man noch Appetit auf das Folgende hatte.

Ihre Aufzählung wurde anfangs mit Wohlwollen, dann jedoch mit wachsender Skepsis aufgenommen.

»Wenn's keine Knödl geben hat, is net gessen«, kommentierte Max ihre Speisenfolge.

Annabelle kannte diese Redensart: Ohne Knödel ist es kein richtiges Essen. Sepp hingegen wirkte wie vor den Kopf geschlagen. Eingeschüchtert rieb er sein rasiertes Kinn.

»Jessas, Anna, das schaffen wir nie. Und es fehlen doch auch die ganzen Zutaten.«

»Die Ware kommt gleich, die Arbeit teilen wir zwischen uns auf, abgemacht? Als Erstes setzen wir die Rinderbrühe an, damit die gut durchzieht. Wie mir gestern zu Ohren gekommen ist«, sie schielte zu der Kühltruhe, »sollte sich noch gefrorenes Rinderfilet unter den Vorräten befinden. Wahrscheinlich nicht von bester Qualität, aber für eine Brühe reicht es allemal.«

Das beredte Schweigen, das ihr antwortete, nahm Annabelle als Gedenkminute für den unbekannten Toten, dessen goldener Manschettenknopf (immer noch!) in den Tiefen ihrer Daunenjacke ruhte.

»Jaja, des Rinderfilett.« Max grinste schief. »Mir werden zwar alt, aber net erwachsen. Des war a damische Gaudi mit dem Gschwurf, was?«

Womit er den mehrfachen Leichentransport als weiteren Bubenstreich klassifizierte, eine Verharmlosung, die Annabelle ihm leichten Herzens verzieh. Schließlich hatte sie selbst mitgemacht. Aber damit war jetzt Schluss.

Mit Leichen wollte sie nie wieder zu tun haben, deshalb fragte sie auch nicht, wo der eiskalte Unbekannte abgeblieben war. Die Toten hatten zu ruhen, basta.

Sepp hingegen schien gewisse Probleme mit der Erinnerung an die Leiche in der Kühltruhe zu haben. Eine Folge seiner ungewohnten Nüchternheit vermutlich. Solange er benebelt durch die Küche getorkelt war, hatte ihn der Leichenfund nicht weiter behelligt, nun aber verdrehte er die Augen zur Decke, als sei es ihm unheimlich, die Kühltruhe auch nur anzuschauen.

»Verdreh ruhig die Augen!«, raunzte Max ihn an. »Vielleicht findst a Hirn dort hint! Nix gsehn hast, verstehst, Sepp? Gar nix!«

»Ist schon in Ordnung.« Sepp langte zu einer untadelig weißen Kochmütze, die neben dem Herd lag, und setzte sie auf. »Packen wir's, Anna.«

»Ja, Sepp, packen wir's.«

Während Max sich zurückzog, legte Annabelle Daunenjacke, Mütze, Schals und Handschuhe ab. Ihre dampfenden Moonboots stellte sie an die Hintertür. Neuerdings konnte man in der Küche auf Socken gehen, so sauber war der Boden. Unter Sepps aufmerksamen Augen stellte sie eine große Kasserolle auf den Herd. Danach gab sie nur noch Anweisungen, damit Sepp sich die Handgriffe merkte: wie man das Fleisch sachgerecht auftaute, es mit Butterschmalz so anbriet, dass es kein Wasser verlor, wie man es würzte und angoss. Danach waren die Pfannkuchen für die Suppeneinlage dran. Sie zeigte ihm, wie man das Mehl siebte, die Eier hineinschlug und überließ es Sepp, den Rest Sahne aus dem Kühlschrank mit Mineralwasser zu verquirlen, damit der Teig schön locker wurde.

Gerade hatten sie den letzten Pfannkuchen gebacken, aufgerollt und in Streifen geschnitten, als Toni die riesige Rinderlende brachte und sogleich wieder abzog, um zu Hause auf die restlichen Drohnen zu warten. Gemeinsam mit Annabelle säbelte Sepp das beeindruckend dimensionierte Stück Fleisch in Form, danach brieten sie es kurz an und stellten es zum Niedertemperatur-Nachgaren in den auf achtzig Grad geheizten Ofen.

»Nur achtzig Grad? Das wird doch zäh wie eine Schuhsohle«, unkte Sepp.

Annabelle krempelte die Ärmel ihres Pullovers auf und ging in die Hocke, um durch die Scheibe des Backofens zu spähen.

»Vertrau mir. Das wird butterzart, versprochen.«

Den Trick mit der niedrigen Temperatur hatte sie sich von Simon abgeschaut, so wie die logistische Strukturierung der Abläufe. Innerlich dankte sie ihm, denn alles klappte wie am Schnürchen, und ihre Freunde zogen heldenhaft mit. Gerade waren sie mit der Rinderbrühe fertig, da kam auch schon Ferdi in seinem bunten indianischen Webmantel anmarschiert, beladen mit zwei schweren Jutesäcken. Ein weiteres Mal erläuterte er die Vorzüge des Bisonfleischs, und Sepp stellte keine Fragen mehr, sondern drehte es hingebungsvoll durch den Wolf. Danach gesellte sich Betty zu ihnen, mit zwei großen Weidenkörben, aus denen es so verführerisch duftete, dass sich alle erst einmal eine Sesamsemmel teilten.

»Köstlich«, stöhnte Annabelle. »Die beste Semmel, die ich je gekostet habe.«

»Hab ich ja auch mit Liebe gebacken«, lächelte Betty. »Ohne Liebe schmeckt es nicht.«

Eine Feststellung, die Sepp zu einem glühenden Blick auf Betty veranlasste. Wie süß, dachte Annabelle. Er ist ein feiner Kerl, und dass er sein Faible für die Weiblichkeit entdeckt, kann nur gut für ihn sein. Auch dieser Topf wird den passenden Deckel noch finden.

Wenig später traf Toni wieder ein, der die vielen Pakete aus dem Lebensmittelmarkt mit einer Sackkarre durch den Hintereingang in die Küche rollte.

»Das ist ja wie Weihnachten«, entfuhr es Sepp, als sie gemeinsam alles auspackten. »Hätt ich gewusst, was es so alles gibt …«

Mit großen Augen betrachtete er die durchsichtigen Plastikbeutel, in denen die Saiblinge in gestoßenem Eis lagerten, dann die frischen Weißwürste, die Tütchen mit getrockneten Steinpilzen, die Zuckerschoten, den Fenchel, den Meerrettich, die Rübchen, Schalotten, Frühlingszwiebeln, den grünen Spargel, die Strauchtomaten, die frischen Kräuter, die Walnüsse, Zitronen und die Granatäpfel, die er sogleich zerteilte, um staunend das karmesinrote Fruchtfleisch mit den kleinen aromatischen Kernen herauszulöffeln.

Es dauerte nicht lange, bis Mitzi die Party komplettierte, zwei große Einkaufstaschen im Gepäck.

»Die Kartoffeln kommen aus meinem Keller«, erklärte sie schelmisch.

»Anruf aus Tannstadt, die wären zu schwer für die Drohnen geworden.«

Toni, der inzwischen wieder Lederhose und ein weißes Hemd trug, holte eine bauchige dunkle Flasche aus seinem Rucksack.

»Und ich spendiere den Sherry für die Suppe«, schmunzelte er, »auch zu schwer für meine Schätzchen.«

»So wie der Aceto Bal-saaa-mi-cooo!«, trällerte Betty, die zwei Flaschen des edlen italienischen Balsamessigs aus einem ihrer Weidenkörbe zog wie ein Zauberkünstler seine Kaninchen. »Sonst hätten die Drohnen schlapp-gemacht.«

»Ihr seid eine Wucht«, seufzte Annabelle mit Tränen in den Augen. Über-wältigt von so viel Großzügigkeit stand sie neben dem Geschirrschrank, wo sie Teller poliert hatte, und wusste gar nicht mehr, wohin mit ihrer aufwallenden Rührung. »Ich würde euch ja gern ein Glas Sekt oder ein Bier anbie-ten, aber der Sepp hat's mir verboten.«

Dafür erntete sie ein dankbares Grinsen des Kochs, sie revanchierte sich mit einem verschwörerischen Zwinkern – nein, ich blamiere dich nicht, Sepp, du wirst nicht mehr in die Pfanne gehauen, signalisierte sie ihm mit den Augen.

»Wie – verboten?«, fragte Mitzi entgeistert. »Ich dachte ...«

»Nee, nee«, fiel Annabelle ihr ins Wort, »der Sepp, der sieht das ziemlich eng. Kein Alkohol in der Küche. Nur die Suppe darf was schlucken.«

»Ach sooo«, sagte Betty, und die sanfte Art, wie sie die beiden Silben schwingen ließ, machte klar, dass sie auf der Stelle begriffen hatte, was hier lief.

»Alkohol wird sowieso überschätzt«, grinste Ferdi.

»Halt ich gar nix von«, beteuerte Toni. »Gestern hab ich so viel Grappa gekippt, dass ich heute Morgen mit italienischem Akzent aufgewacht bin – *ciao, amore, bellissima, baci, baci.* Mach ich nie wieder.«

Betty kicherte in sich hinein. Wurde sie etwa rot? Lief wirklich was zwi-schen den beiden?

»Na ja, wenn das Abendgeschäft über die Bühne gegangen ist, dürfen wir uns später durchaus noch was in der Gaststube genehmigen«, räumte Annabelle ein. »Einen kleinen Holunderschnaps von Oma Martha viel-leicht.«

»Da hat die blöde Bitch mal recht gehabt«, gluckste Mitzi. »Dienst ist Dienst, und Schnaps ist Schnaps.«

»Dann hätte ich gern eine Apfelschorle – mit Malbuch und Stiften!«, prustete Ferdi los.

Alle lachten Tränen über die Anspielung auf den vorhergehenden Abend und beglückwünschten Annabelle, dass sie Isabel Berenson so couragiert Paroli geboten hatte.

»Der hast du voll was vor den Latz geknallt!« Mitzi demonstrierte es, indem sie einen kleinen Boxhieb mimte. »Dagegen war ihr Date mit dem Stier die reinste Knutscherei.«

»Küssen ist die Sprache der Liebe – also, ich hätte jetzt Sprechstunde«, grinste Toni, wobei er Betty einen wirklich heißen Blick zuwarf.

Irgendwas lief auf jeden Fall zwischen den beiden, notierte Annabelle gedanklich. Sie sah zu Ferdi, der seinen Zopf von einer Schulter zur anderen warf.

»Die große Stunde dieser verirrten Seele kommt bestimmt«, orakelte er, »nämlich dann, wenn die Männer ihre Leidenschaft für karmisch belastete Zimtzicken entdecken. Könnte aber noch so hundert, zweihundert Jahre dauern.«

Wieder brach Gelächter aus. Eine wunderbar heitere, gelöste Stimmung lag in der Luft, und obwohl es noch so viel zu tun gab, wollte sich der übliche Küchenstress einfach nicht einstellen. Jeder fasste mit an, jeder fand eine Aufgabe, die ihm Spaß machte. Betty schnitt den Käse für die Bisonburger in feine Scheiben, Ferdi kümmerte sich um die Kräuter (nie in der großen weiten Welt der gehobenen Küche hatte jemand liebevoller Schnittlauch und Kresse gehackt), Toni schnitzte allerliebste Gestalten aus den Strauchtomaten (allein wegen der Garnituren würden die Gäste in Beifallsstürme ausbrechen, da war Annabelle sicher). Sepp kochte den Spargel (mit Küchenwecker und einem Spritzer Zitrone), Mitzi pellte die Weißwürste (irgendwie ein bisschen obszön, fand sie, weil die Wurstpellen an Kondome erinnerten, wie sie kichernd verkündete).

Auch Annabelle lief zu Hochtouren auf. Emsig rührte sie die Marinade für den Weißwurstsalat und zauberte aus den Resten von Tonis Tomatenherrgottsschnitzerei ein scharfes Tomatenchutney, das den Bisonburgern das nötige Feuer verpassen würde. Sie war unendlich erleichtert, dass sie so viel Unterstützung bekam. Sepp konnte ohnehin nicht alles an einem einzigen Tag lernen, und er machte seine Sache sehr, sehr gut. Perfekt blanchiert wartete der Spargel auf die Verwendung im Salat. Die Saiblinge hatte er bereits vorher unter Annabelles Aufsicht mit Butter und Zitrone leicht angedünstet und portionsweise in feuerfesten Porzellanformen kühl gestellt. Soeben knackte er die Walnüsse, danach würden sie sich dem Kaiserschmarrn widmen.

Der Löwenanteil der Arbeit war bereits geschafft, als Annabelles Mutter den löckchengeschmückten Kopf zur Tür hereinsteckte (die sturzspießige Frisur muss ich ihr noch ausreden, nahm Annabelle sich vor). Therese Stadlmair wirkte überrascht, auch ein wenig verstimmt von dem munteren Treiben in der Küche.

»Viele Köche verderben den Brei«, lautete ihr einziger Kommentar.

Annabelle stöhnte auf. Nein, ihre Mutter war noch immer nicht im Boot. Da half auch keine Umarmung, sie sah es an den leeren Augen und der traurig hängenden Mundpartie ihrer Mutter.

»Du hast so recht, Mama«, rief sie fröhlich, um das Ruder rumzureißen. »Aber heute gibt's ja auch keinen Brei.«

»Und was dann?«

Die Frage hatte so desinteressiert geklungen, als sei dieser schicksalhafte Abend mit der neuen kulinarischen Ausrichtung in etwa so spannend wie der berühmte Sack Reis, der in China umfiel. Teambildung, Annabelle. Zeig ihr, dass sie wichtig ist, und verlass dich vor allem auf dein Gefühl.

»Weißt du was?«, sie legte den Löffel beiseite, mit dem sie das Tomatenchutney gerührt hatte, und ging zu ihrer Mutter. »Du hast doch so eine wunderschöne Handschrift. Wie wäre es, wenn du die Speisekarten gestaltest?«

Therese Stadlmair zog ein Gesicht, als hätte Annabelle verlangt, sie solle Sepp die Zehennägel schneiden.

»Gott, ich? Warum ausgerechnet ich?«

»Weil du es kannst!« Annabelle zeigte auf die feingliedrigen, wenn auch abgearbeiteten Hände ihrer Mutter. »Niemand schreibt so schön wie du! Nimm deinen Füllfederhalter, schraub das Tintenfass auf, und …«

Sie verstummte. Geradezu erloschen stand Therese Stadlmair da, ein Häuflein Elend, wie schon am Vortag in der Familienstube. War das wirklich erst vierundzwanzig Stunden her? Annabelle hatte jegliches Zeitgefühl verloren. Was die Ereignisdichte betraf, nahm es Puxdorf locker mit Metropolen wie New York und São Paulo auf.

»Ach Anna«, ächzte ihre Mutter, »dafür haben wir doch die Tafel über dem Tresen, da kritzele ich immer mit Kreide drauf, was es gibt. Und worauf sollte ich denn schon schreiben, wir haben nur die laminierten Speisekarten.«

»Aber es gibt doch bestimmt noch jede Menge Hotelbriefpapier – das mit dem Wappen und dem alten Kupferstich vom Edelweiß. Davon müsste genug da sein, schließlich verschickt kein Mensch mehr Briefe.«

»Ich«, ihre Mutter hob das Kinn, »*ich* tue das. Einmal im Monat hast du einen langen Brief von mir bekommen, all die Jahre. Hast du überhaupt gelesen, was ich dir geschrieben habe?«

Ach herrje, richtig. Sofort überkamen Annabelle Gewissensbisse. Klar, sie hatte sich immer gefreut über die Post von daheim, die Briefe allerdings meist nur flüchtig überflogen und dann vergessen. Eigentlich war der Plan gewesen, sie auf dem Flug nach München zu lesen, um auf den neuesten Stand zu kommen. Eigentlich. Realistisch betrachtet, lagen die gesammelten Werke ihrer Mutter unberührt im Koffer, mit einer roten Satinschleife drum herum, was es nicht wirklich besser machte.

»Doch, ich hab die irgendwie schon, also, gelesen«, schwindelte sie watteweich. »Danke noch mal dafür. Was ist denn nun mit den Speisekarten, Mama?«

»Nix is«, grummelte ihre Mutter.

Huh. Ein ganz schwerer Fall, diese Therese Stadlmair, die Annabelle noch als lebenslustige patente Frau kannte. Ihre Mutter mauerte. Und nicht nur das, sie sabotierte geradezu den großen Relaunch. Als hätte sie nicht nur innerlich aufgegeben, sondern eine dunkle Sehnsucht nach dem Untergang all dessen, was die Familie ihres Mannes einst aufgebaut hatte.

»Rüstig schaffe, nie erschlaffe«, zitierte Annabelle das gestickte Motto aus der Familienstube.

»Verschon mich bloß mit diesen Stadlmairsprüchen!« Die Augen ihrer Mutter loderten plötzlich vor Zorn. »Ich bin eine geborene Sennhuber! Ich mach, was ich will! Deshalb leg ich mich jetzt aufs Ohr nach dem ganzen Kuddelmuddel! Max vertritt mich so lange am Zapfhahn. Pünktlich um acht bin ich wieder unten.«

Sprachlos sah Annabelle zu, wie sie aus der Küche rannte. Was war nur in sie gefahren? Woher kam diese jäh aufbrechende Wut? Und warum grenzte sie sich neuerdings von der Familie ihres Mannes ab? Da war doch was faul! Na, wenigstens hatte ihre Mutter endlich einmal ihre Gefühle offenbart. Authentische Emotionen. Nur eben ganz andere als erhofft. Annabelle drehte sich um und schaute in verstörte Gesichter.

Nachdem sich alle vom ersten Schreck erholt hatten, legte Ferdi seine Handflächen auf die Magengegend und drückte ein bisschen auf seinem lila Pullover herum.

»Ich spür da mal rein«, sagte er salbungsvoll. »Hm, Störungen im Sonnengeflecht, würde ich denken. Drittes Chakra, Manipura. Was deiner Mutter fehlt, ist die Verbundenheit von Körper und Selbst.«

»Nee, ihr fehlt ein interessantes Hobby, so was wie ein Drohnenbausatz, da kommt man runter«, meinte Toni, der sich anschließend etwas unsicher an Betty wandte. »Oder was sagst du?«

»Ein gesundes Selbstwertgefühl, so sehe ich das.« Betty schob sich ein Scheibchen Käse in den Mund. »Sie wirkt so deprimiert.«

Mitzi dagegen betrachtete die enthäuteten Weißwürste, die säuberlich geordnet (in Reih und Glied gewissermaßen) vor ihr auf einer Edelstahlplatte lagen.

»Na ja«, sie räusperte sich nervös, »man darf nicht alles glauben, was die Leute so tratschen, aber …« Binnen Sekunden hatte sie Bettys Ellenbogen in den Rippen. »Hä?«

»Schweig!«, zischte Betty.

»Ich mein ja nur«, Mitzi schnappte sich eine Weißwurst und schwenkte sie wie ein Fußballfähnchen, »deiner Mutter fehlt Sex, Anna! Tabuloser, entfesselter Sex!«

»Was?« Ruckartig tauchte Sepps Kochmütze zwischen den hängenden Kochtöpfen auf. »Was hast du gesagt, Mitzi?«

Annabelle hatte genug gehört. Empört stemmte sie die Hände in die Hüften.

»Was verschweigt ihr mir eigentlich?«

Betty atmete schwer und sah auf einmal kreuzunglücklich aus, erwiderte aber nichts darauf.

»Na, ist doch kein Geheimnis, dass bei deinen Eltern der Haussegen schiefhängt«, antwortete Mitzi zerknirscht. »Die Spatzen pfeifen es von den Dächern, die Kühe blöken es von der Alm.«

Toni, der die Erörterung von Beziehungsproblemen offenkundig scheute wie der Teufel das Weihwasser (eine Eigenschaft, die er mit geschätzt neunundneunzig Prozent aller männlichen Wesen des bekannten Universums teilte), zuckte mit den Schultern.

»Lass mal ein bisschen Gras über die Sache rauchen«, brummte er. »Kommst du mit raus, Ferdi?«

Sein Ökofreund nickte wissend.

»Die Ehe wird mir immer ein Rätsel bleiben, obwohl ich da seit Jahren reinatme – mit dem Ergebnis, dass ich fünf Kinder habe. Ich sag nur: Herr, lass Kaffee wachsen, damit ich genügend Energie für die Dinge habe, die ich ändern kann – und Joints für die Dinge, die ich *nicht* ändern kann.«

»Das kommt davon, wenn man Verhütung als Verbrechen am Karma betrachtet«, lachte Toni.

Zwar stand außer Zweifel, dass sie über das heikle Thema »Therese Stadlmair versus Alois Stadlmair« hinwegwitzeln wollten, um die trübe Stimmung zu heben, dennoch war Annabelle hellhörig geworden.

»Hallo? Kein Alkohol, keine Drogen! Hört ihr?«

Ferdi und Toni tauschten einen komplizenhaften Blick, dann grienten sie wie kleine Jungs.

»War doch nur Spaß, Anna, bis auf meine fünf Kinder, die stehen ohne Frage im karmischen Dasein«, erklärte Ferdi entschuldigend und zupfte ein paar Schnittlauchröllchen von seinem lila Pullover. »Lass uns einfach mit unserem guten Spirit – nicht Sprit, wohlgemerkt – weitermachen. Es ist fast sechs. Was steht als Nächstes auf deiner Agenda?«

Hinter Mama hergehen und mit ihr sprechen wäre unter normalen Umständen das Gebotene gewesen, überlegte Annabelle. Doch der Countdown lief unerbittlich weiter, und noch war nicht alles vorbereitet.

»Der Kaiserschmarrn«, sagte sie laut. »Wartet bitte, ich muss Oma Martha fragen, wo sie die eingelegten Holunderblüten aufbewahrt.«

Auf Socken verließ sie die Küche, wühlte sich durch den vollen Flur, auf dem immer noch Gäste mit Glühweinbechern standen, und arbeitete sich zur Gaststube vor, die ebenfalls aus allen Nähten platzte. Wie ein Kapitän in schweren Gewässern stand Max am Tresen und zapfte Bier. Oma Martha (im Kittel wie eh und je, was sollte man machen) und Alois Stadlmair bedienten die Gäste; ihr Vater mit dröhnendem Gelächter, als lebe er richtig auf in diesem Tohuwabohu (und hätte nicht die geringsten Eheprobleme). Dennoch, das Servieren war kein Spaziergang in der proppenvollen Gaststube. Wieder fiel Annabelle auf, dass ihre Großmutter ein Bein nachzog, während sie ein Tablett mit mehreren Biergläsern durch die Menge trug. Höchste Zeit, dass Oma Martha eine Pause einlegte. Mit vollem Körpereinsatz kämpfte sich Annabelle zu ihr durch und nahm ihr das gläsergefüllte Tablett ab.

»Du musst dich unbedingt ausruhen, Oma. Der Toni kann für dich einspringen. Ich müsste nur noch wissen, wo ich die eingelegten Holunderblüten für den Kaiserschmarrn finde.«

»Ah geh, Anni, das schaff ich schon«, widersprach Oma Martha, doch ihr Lächeln geriet eher tapfer als freudig.

»Zieh dich ein bisschen zurück, wir kommen schon zurecht.« Jemand rempelte Annabelle an, die Umstehenden griffen nach den Bieren auf dem Tablett. »Du siehst doch, hier geht es zu wie beim Schützenfest. Das ist nichts für dich.«

»Du denkst, ich bin zu alt dafür?« Oma Martha lachte lautlos. »Ich werde nicht älter, nur kostbarer: Silber im Haar, Gold in den Zähnen, Blei in den Füßen.«

Sehr witzig. Hieß es nicht: Humor ist, wenn man trotzdem lacht? Behutsam nahm Annabelle den Arm der alten Dame und führte sie aus der quirligen Gaststube. Nachdem sie Toni Bescheid gesagt hatte, er möge bitte beim Servieren helfen, lotste sie Oma Martha hinter die Rezeption, das einzige freie Fleckchen im Flur.

»Ich freue mich riesig, dass du so engagiert dabei bist, ehrlich«, beteuerte sie. »Vielen, vielen Dank. Jetzt genieß deine Pause und freu dich aufs Essen heute Abend. – Wo sind denn nun die eingelegten Holunderblüten?«

»Ja mei, im Keller ... bei den Einweckgläsern«, erwiderte Oma Martha zögernd.

»Kein Problem, dann gehe ich eben runter.«

Anscheinend gab es doch ein Problem. Warnend hob Annabelles Großmutter einen Zeigefinger.

»Lieber nicht, Anni. Da unten spukt's.«

»Logisch, wo denn sonst? Im Kühlschrank ist den Gespenstern zu viel Licht, die mögen es lieber, im Dunkeln zu munkeln.«

Aber Oma Martha wollte das nicht gelten lassen.

»Das ist ein uraltes Gemäuer hier«, wisperte sie geheimnisvoll. »Das Fundament vom Edelweiß wurde vor vielen hundert Jahren gelegt, mit Felsgeröll vom Drachenstein. Man erzählt sich, damals hätten die Leute da unten eine Hexe eingemauert, bei lebendigem Leib. Ich hör sie manchmal nachts heulen.«

»Das ist nur der Wind, der um die Ecken pfeift«, beruhigte Annabelle ihre Großmutter, deren Teint sich grau gefärbt hatte. »Ich lauf einfach schnell runter und bin sofort wieder oben.«

Mit sorgenvoller Miene zog Oma Martha ihre Enkelin zu sich hinab, um ihr einen Kuss auf die Stirn zu hauchen.

»Dann geschwind, mein Kind, und lass dich nicht von der Hexe erwischen!«

Nachdem sie sich mehrmals bekreuzigt hatte, humpelte sie zur Treppe in den ersten Stock, wo sie zwei Zimmer neben ihrem Sohn und ihrer Schwiegertochter bewohnte.

Also so was. Annabelle strich über ihre Unterarme, deren Härchen sich senkrecht gestellt hatten. Immer dieser Aberglaube. Oma Martha war ja förmlich besessen davon. Zwangsvorstellungen musste man das schon nennen, und Mary-Jo hätte bestimmt einen schicken Fachbegriff dafür gehabt. Hexophobie vielleicht? Nun ja, um der Wahrheit die Ehre zu geben – auch Annabelle hatte sich immer gefürchtet, wenn sie als Kind in den Keller hinuntergeschickt worden war, um ein Weckglas oder eine Flasche Most hochzuholen.

Hokuspokus, schalt sie sich. Du bist erwachsen, du bist nicht abergläubisch, also runter da. Simsalabim, dreimal schwarzer Kater, das Dessert macht sich nicht von allein.

Haha. Leichter gesagt als getan. Die Kellertür lag in einem schummrigen Winkel hinter der Rezeption, und schon die kühle Messingklinke runterzudrücken kostete Annabelle einige Überwindung. Quietschend öffnete sich die schwere Eichentür. Ein kalter muffiger Hauch wehte ihr entgegen, geschwängert mit dem feuchtstaubigen Moder der Jahrhunderte. Sie hatte nur vage Vorstellungen darüber, was alles da unten lagern mochte. In jedem Fall große Bierfässer, Tausende Weinflaschen, ihr alter Rodelschlitten, das defekte Snowmobil ihres Vaters (eine Art motorisierter Rennschlitten, mit dem er früher durch den Schnee geheizt war) und Oma Marthas Einweckgläser. Verflixt, warum schlotterte sie vor Angst?

Zitternd tastete ihre Hand nach dem Lichtschalter. Eine einzige funzelige Glühbirne schimmerte auf und warf einen schwachen Schein auf die gewundene Kellertreppe, an deren schartigen Seitenwänden es von Ökotraumfängern nur so wimmelte. Los jetzt, weiter. Mit pochendem Herzen schlich Annabelle die Treppe hinunter, deren Stufen aufgeschreckt knackten. Unten angekommen, wandte sie sich nach links und tappte an Waschküche, Heizungskeller und Abstellkeller vorbei zum Einmachkeller, wo Oma Marthas Weckgläser standen. War doch nichts dabei, oder?

Eilig checkte Annabelle die Regale, erblickte zwei Gläser, in denen zarte Blütenstängel in einer durchsichtigen Flüssigkeit schwammen, und nahm sie an sich. Dann erstarrte sie.

Auch dieser Kellerraum war nur mit einer einzigen Glühbirne bestückt, noch dazu flackerte sie unruhig. *Unruhig* war allerdings gar kein Ausdruck für die Verfassung, in der sich Annabelle befand. Weiter oben in dem weitgehend spinnwebfreien Regal standen größere Einmachgläser, auf denen sich nicht das kleinste Staubkorn abgesetzt hatte. Jemand musste sie vor kurzem dorthin gestellt haben. Das war es allerdings nicht, was Annabelles gesamten Körper wie mit einer Riesenfaust zusammenquetschte und ihr den kalten Schweiß auf die Stirn trieb. Es war der Inhalt dieser Gläser: große schwammige Brocken, von einer trüben Flüssigkeit umgeben. Noch verdrängte sie die naheliegende Schlussfolgerung, obwohl sie längst wusste, was sie da entdeckt hatte. Noch redete sie sich störrisch ein, Gespenster zu sehen.

Doch dann funkelte ihr etwas aus einem der Einweckgläser entgegen. Etwas, das ihren ängstlich zur Seite geschobenen Verdacht zur schrecklichen Gewissheit erhärtete. Es war klein, es war golden, es war würfelförmig – der exakte Zwilling jenes unseligen Manschettenknopfs, der in ihrer Daunenjacke ein vorläufiges neues Zuhause gefunden hatte.

Kapitel 20

Sie hat es getan! Sie hat es wirklich getan!, kreischte es schrill wie Möwengeschrei in Annabelles Ohren, während sie wie von tausend Hexen und Teufeln getrieben durch den Kellerflur stob, die beiden kleinen Einweckgläser an sich gepresst, danach die knackende und knarrende Treppe hinaufjagte (auf Socken übrigens, was sie erst merkte, als sie fast ausrutschte) und, oben angelangt, mit der allerletzten verfügbaren Kraft die schwere Eichentür mit Hilfe eines knallharten Hüftschwungs aufstemmte.

Der Flur hatte sich ein wenig geleert, und Annabelle wäre am liebsten gleich weitergerannt, husch über die Veranda nach draußen in die Eiseskälte, immer die Dorfstraße entlang, Richtung Ortsausgang, nur weg, ganz, ganz weit weg von Puxdorf, Höllendorf – ohne Jacke, ohne Stiefel, nur auf Wollsocken, an denen Staubflocken und Spinnweben hingen, egal, sie hatte so einiges ertragen und so einiges auf sich genommen, sie hatte gekämpft, gekocht und alles gegeben, aber jeder hatte seine Grenze, und ihre war jetzt endgültig überschritten.

Soweit die Gedankenfragmente, die durch ihr kollabierendes Hirn wirbelten und sich zu einem einzigen Wort formten: LAUF!

Tja. Guter Plan soweit (bis auf das mit den Socken im Schnee). Doch es sollte noch schlimmer kommen.

Dass ihr Schicksal einen grimmigen, ja, oberfiesen Humor an den Tag legte, wusste sie ja schon. Ferdi hatte es besser, sein Karma bescherte ihm reichen Kindersegen – Annabelles Karma hingegen schien fest entschlossen, ihr ohnehin ruiniertes Nervenkostüm final abzufackeln. Kaum, dass sie die Kellertür hinter sich zugetreten und den Rezeptionstisch umrundet hatte, lief sie Hauptkommissar Andernach und Polizeioberwachtmeister Trampert in die Arme, die gerade von der Veranda hereinkamen.

»Na, na, nicht so schnell, junges Fräulein«, schmunzelte Kollege Trampert und wackelte neckisch mit dem Kopf, so dass seine Dienstmütze mit absurden kleinen Verzögerungen ebenfalls ins Wackeln geriet. »Wohin des

Wegs? Und warum so blass um die Nase? Gibt es vielleicht eine neue Leiche?«

Nein, eine alte, hätte Annabelle antworten können, wankte jedoch nur mit wachsweichen Knien und einem völlig irren Gesichtsausdruck an den beiden Beamten vorbei, unfähig, in den krimierprobten lässigen Hi-Cops-alles-klar-Was-geht-Bis-dann-Modus umzuschalten. Ihre Kehle war wie zugeschnürt. Ihr Atem flog. Ihr Körper badete in kaltem Schweiß.

»Hiergeblieben, Frau Stadlmair!« Wie ein Dolch bohrte sich die metallische Stimme des Hauptkommissars in ihren Rücken. »Wir hätten da noch ein paar Fragen!«

»Ah, ja?«

Sie drehte sich nur halb um, ein wenig vorgebeugt, den Blick ins Nirgendwo gerichtet, als könnte ihre Körperhaltung für sich sprechen: Nicht. Jetzt. – (Schluck.) – Bitte.

»Wissen S', langsam wird es Zeit für ein offizielles Verhör, das müssen S' verstehen«, sagte Kollege Trampert. »Schließlich sind wir bestens ausgebildete Verhörexperten.«

»Da hat der Polizeioberwachtmeister ein großes Wort gelassen ausgesprochen.« Hauptkommissar Andernach, der Annabelle gefolgt war, ging in die Hocke, um Blickkontakt mit ihr aufzunehmen. Dicht, viel zu dicht hingen seine kleinen zusammengekniffenen Augen auf einmal vor ihrem Gesicht. »Also, Frau Stadlmair, nun haben Sie aber mal ein Einsehen, was ist denn mit Ihnen los?«

Die Einweckgläser. Sie waren in ihrem Kopf. Sie waren überall. Starrten sie an. Wurden größer und größer.

»Nichts?«, piepste sie.

Kollege Trampert versuchte es von der anderen Seite, ebenfalls in gebückter Haltung.

»Kuckuck! Fräulein Stadlmair!«

»Gestehen Sie!«, bellte Hauptkommissar Andernach. Seine blaugeäderten Hängebäckchen bebten ein wenig nach, bevor er barsch hinzusetzte: »Sofort!«

Das war das Ende. Fast ersehnte Annabelle es, ja, sie wünschte sich, dass alles jetzt ein Ende haben würde, die Heimlichkeiten, das Taktieren, die Flunkereien. Sie war einfach mürbe, restlos aufgerieben von dem aberwitzigen Auf und Ab dieser zwei höllischen Tage in Puxdorf (eigentlich sogar nur eineinhalb) und fühlte sich bereit für ein umfassendes Geständnis – sofern sie nicht vorher zusammenbrach. Erste Anzeichen dafür kündigten sich bereits an. Ihr wurde schwindelig, weil lauter Einmachgläser um ihren Kopf kreisten. Ihre ohnehin weichen Knie schmolzen wie Butterschmalz in der heißen Pfanne, ihr Atem setzte aus. Das – *war* das Ende.

Nein, war es nicht. Plötzlich spürte sie kräftige Hände, die unter ihre Achseln griffen. Mit geübten Bewegungen, die Polizeioberwachtmeister Trampert vermutlich bei Alkoholkontrollen mit Betrunkenen trainiert hatte, lehnte er Annabelles erschlaffenden Körper an die honigfarbene Vertäfelung des Flurs.

»Nun jagen S' dem Mädel doch nicht so einen Heidenschrecken ein«, rief er dem Kommissar über die Schulter zu. »Die hat ja dies Dings, dies Jetlag, vom Flug, das steckt man doch nicht so einfach weg, da wird man doch ganz dappig …«

»Trampert!«, donnerte Hauptkommissar Andernach. »Die Fragen muss Frau Stadlmair trotzdem beantworten! Jede einzelne, in allen Details!«

Mit unvermindertem Eifer stützte der Polizeioberwachtmeister eine mehr tote als lebendige Kopie von Annabelle, die nur noch apathisch in seinen Armen hing und auf den letzten Dolchstoß wartete.

»Ich weiß schon, Herr Kommissar«, lachte er schlau, »man darf keine emo-tio-nale Bindung zur Verdachtsperson aufbauen.«

Sein Vorgesetzter nickte dienstlich, dann breitete sich ein merkwürdiges Grinsen auf seinem feisten Gesicht aus. Mit hochgezogenen Augenbrauen nahm er Annabelle in die Zange.

»Dies ist ein Verhör. Gestehen Sie alles!«

Annabelles Kopf fiel ins Koma. So fühlte sich also Gehirnstillstand an. Sie schloss die Augen. *Stell dir vor, das ist ein Alptraum, ein Alptraum, ein Alptraum …*

»Erste Frage: Welches Hauptgericht servieren Sie heute Abend?«

»Was?«, hauchte sie.

»Der Hauptgang!«, befahl Hauptkommissar Andernach. »Raus damit!«

Misstrauisch öffnete sie die Augen wieder.

»Ist das … eine Fangfrage? Ein Test?«

»Selbstverständlich ist das ein Test«, erwiderte der Kommissar mit einem ganz und gar undienstlichen Männerkichern. »Betrachten Sie uns als amtliche Testesser, Frau Stadlmair. Alle Welt spricht von der neuen Abendkarte des Edelweiß. Man munkelt von exquisiten Gaumenfreuden. Daher haben wir entschieden, die Sache ermittlungstechnisch anzugehen, um uns ein eigenes Urteil zu bilden.«

»War halt ein harter Tag«, erklärte Kollege Trampert. »Wir haben einen Bärenhunger, wir waren noch in der Nähe, da konnten wir nicht widerstehen, Sie zu besuchen.«

Seine Rolle als polizeilich befugter Helfer schien ihm außerordentlich zu behagen. Fest hielt er Annabelle im Arm, drückte hin und wieder ihre Schulter und dachte offenbar gar nicht daran, sie jemals wieder loszulassen. Unterdessen zog Kommissar Andernach seinen dunkelblauen Parka aus und hängte ihn sich über den Arm.

»Ich weiß, ich hab Sie bislang recht hart angefasst, Frau Stadlmair. Ist halt so mein Stil, bin halt ein richtig harter Hund. Aber die erste Leiche ist vom Tisch – Sie wissen schon, die, die Sie sich ausgedacht haben. Wo nichts ist, muss auch nicht ermittelt werden. Schwamm drüber, vergeben und vergessen, und nichts für ungut. Wir können auch anders. Wir können auch mal lustig sein! Jawohl!«

Dafür hat er sich ja den perfekten Zeitpunkt ausgesucht, dachte Annabelle entnervt. Oder ist das eine Falle? So ganz traute sie dem Braten noch nicht.

»Nun, Frau Stadlmair«, Hauptkommissar Andernach kam jetzt richtig in Fahrt, »nachdem wir Sie offiziell über den Tatverdacht aufgeklärt haben – nämlich vorzügliche Kochkünste –, möchten wir gern erfahren, was uns Schönes erwartet. Im Zentrum unserer Ermittlungen, verzeihen Sie, wenn ich gleich auf das Wesentliche dringe, steht die Frage nach dem Hauptgericht. Fleisch, nehme ich an?«

Himmel, Hergott, Sackzement!, dachte Annabelle (keine andere Sprache der Welt konnte ihre Gefühle gerade besser zum Ausdruck bringen als ihr Heimatdialekt). Watschngsichter, ausgschamte! Deppen, damische! Schiache Hornochsen! Die beiden Beamten hatten sie also tatsächlich gefoppt! Seit sie aus dem Keller gewankt war, hatten sie ein saudämliches Spiel mit ihr getrieben. Und dieser Andernach gefiel sich auch noch in seiner vermeintlich witzig gestelzten Redeweise. Hielt der sich etwa für so was wie den neuen Stand-up-Comedian von Puxdorf?

»Hui, das Fräulein Stadlmair macht's aber spannend«, schmunzelte Polizeioberwachtmeister Trampert und verstärkte den Druck seiner großen Hände auf Annabelles Oberarmen. »Na? Geständig?«

Sie widerstand dem Drang, diesen Schwachsinn durch die Erwähnung gewisser Einmachgläser zu beenden. Es ging um Oma Martha. Um ihre liebe, unendlich tapfere Großmama. Augenscheinlich hatte sie sich von Max überzeugen lassen, dass die todsichere Entsorgung der Leiche durch Einwecken alternativlos sei. Bis auf das Einwecken stimmte das ja auch. Jedes Wiederauftauchen des Manschettenknopfmanns hätte unweigerlich zurück zu Anna Elisabeth Maria Stadlmair geführt, die den Fund bereits am Vortag bei der Polizei gemeldet hatte.

Puh. Der Teufel allein wusste, was Oma Martha ausgestanden hatte, um Stolz und Ehre der Familie zu retten. Ja, so war Oma Martha. Auch sie besaß einen gestickten Leitspruch, er war ebenfalls goldgerahmt, wie jener in der Familienstube, und hing über ihrem Bett: *Heute ein Kämpfer, morgen Gewinner, Schmerz geht vorüber, Stolz bleibt für immer.*

Arme Oma Martha. Sie musste es nachts getan haben, ganz allein im Einmachkeller, obwohl sie sich doch so sehr vor der eingemauerten Hexe fürchtete. Annabelle sah das alles bildlich vor sich. Den großen dampfenden Einwecktopf und ihre kleine Großmutter, die flackernde Glühbirne, die Spinnweben, die unheimlichen Schatten an den Wänden. Und die Gläser, die sich mit einem grausigen Inhalt füllten – um unerschnüffelbar für draußen ausschwärmende Spürhunde ein Versteck im Kellerregal zu finden.

Nie, absolut nie hätte Annabelle Oma Martha verraten. Trotz, nein, gerade wegen ihres dunklen Geheimnisses war und blieb sie eine stille Heldin, allzeit bereit, ihre Familie zu schützen.

Ein weiterer fester Druck am Oberarm ermahnte Annabelle zu sprechen. Ein unmissverständlicher Druck.

»Geschmorte Rinderlende mit Meerrettichsorbet, Minze-Rübchengemüse und Fenchel-Kartoffel-Gratin«, schnurrte sie los, wie ein kleiner Sprachcomputer, bei dem man nur die richtige Taste finden musste. »Als Fischgericht kann ich Ihnen gedünsteten Saibling anbieten, auf karamellisierten Zuckerschoten und einem luftigen Kresseschaum.«

»Sen-sa-tio-nell!«, rief Kollege Trampert begeistert. »Mir läuft das Wasser im Mund zusammen.«

»Aber die Attraktion, meine Herren«, fuhr Annabelle mit ihrer Automatenstimme fort, »die wahre Sensation des Abends sind unsere Bisonburger, mit Qualitäts-Bio-Bisonfleisch vom regionalen Erzeuger. Würzig im Geschmack, bekömmlich für den Magen, äußerst vitaminreich und ein Fest selbst für den verwöhntesten Gaumen.«

Hauptkommissar Andernach gab ein gutturales Grunzen von sich. Er war derart fasziniert, dass er während Annabelles Erläuterungen die Lippen mitbewegt hatte, eine Absonderlichkeit, die sie nur von sehr, sehr alten Leuten kannte. Schon allein, um sich an diesem Phänomen zu ergötzen, musste sie einfach weitermachen und beschrieb in allen küchentechnischen Details die Suppe, den Salat, die Nachspeise.

»Ihre Verhaftung ist so gut wie sicher, die Beweise sind erdrückend – lauter kri-mi-nell gute Köstlichkeiten«, witzelte der Hauptkommissar, als sie geendigt hatte. »Alles dabei, vom handfesten Fleischgang bis zum Schmankerl! Da ordne ich doch gleich mal Sicherheitsverwahrung in der Küche an!«

»Ja, so ist unser Fräulein Stadlmair«, seufzte Polizeioberwachtmeister Trampert. »Hübsch, gescheit, und kochen kann sie auch noch.«

Ich will meinen Pass zurück, dachte Annabelle. Die Gelegenheit ist günstig. Lass sie noch ein bisschen reden, dann fragst du sie.

»Exemplare wie Frau Stadlmair sind heute rar geworden«, drehte Hauptkommissar Andernach weiter auf. »Bei meiner Frau, haha, steht das Essen meist nur im Kochbuch, nicht auf dem Tisch.«

»Sagen Sie mal, Fräulein Anna, was die Pfannkuchensuppe angeht, hätten Sie da einen Tipp für einen einsamen Junggesellen?«, wagte sich Kollege Trampert auf weit heikleres Terrain. »Ich bräuchte eine Expertin, die mir mal ein paar gescheite Küchentricks beibringt, ganz privatim, wissen Sie.«

»Ja, Frau Stadlmair ist keine Kostverächterin«, griente sein Vorgesetzter. »Unsere Tatortexpertin dagegen will lieber im Nachbarort ein Würstel essen, na, die wird sich ärgern, wenn wir ihr erzählen, welche Genüsse ihr entgangen sind. Ich sag nur: Rinderlende! Bisonburger!«

So hätte es ewig weitergehen können, mit Komplimenten und kulinarischer Fachsimpelei und mehr oder weniger dezenten Annäherungsversuchen. Doch die Ankunft zweier neuer Gäste brachte das launige Geplänkel zuerst um sein Tempo, dann aus dem Takt und schließlich ganz zum Erliegen. Denn es waren nicht irgendwelche Gäste. Annabelle musste schon zweimal hinschauen, um es zu glauben.

Vertraulich eingehakt schwebten Isabel Berenson und Xaver Bichlbaur zur Treppe der Veranda, winkten wie frisch gekrönte Royals ins glühweintrinkende Publikum draußen (sehr huldvoll, sehr blasiert) und erklommen im Gleichschritt die Stufen zum Hotel Edelweiß.

Ihr fulminanter Auftritt wurde durch die exzentrische Aufmachung von Isabel Berenson allerdings ins leicht Groteske verzerrt. Ganz Diva von Welt, trug sie einen anthrazitfarbenen geschorenen Nerzmantel mit gleichfarbigen Lackstreifen und Overknees aus schwarzem Lackleder zur Schau. In ihrem pechschwarzen Hexenhaar klemmte ein Fascinator, ein eigentümliches Gebilde aus Tüll und gebogenen dunklen Federn, die bei jedem ihrer Schritte mitwippten. So weit, so overdressed. Der Kontrast des mondänen Outfits zum traurigen Rest hätte jedoch nicht bizarrer sein können. Ihr Gesicht war bandagiert und verpflastert, nur die dramatisch geschminkten Augen (yepp, Smokey Eyes, das Make-up stirbt zuletzt) und die schmalen pinkfarbenen Lippen lugten aus den weißen Verbänden hervor.

Ihren Begleiter schien das nicht weiter zu stören. Xaver, der seine fesche hellblaue Skijacke offen und darunter nur ein weißes T-Shirt mit V-Ausschnitt trug, gab ihr sogar einen schmatzenden Kuss auf die bandagierte Wange, bevor er Annabelle und die beiden gaffenden Beamten mit einem unternehmungslustigen »Hi Leute, alles klar an der Bar?« begrüßte.

»Xaver?« Annabelle ließ fast die Weckgläser mit den eingelegten Holunderblüten fallen, die sie immer noch umklammerte. »Du und …?«

»Ist halt ein scharfer Hase, die Belle«, grinste er.

Er nannte diese Bitch *Belle*. Verflixt. So kindisch es auch sein mochte, der Kosename erbitterte Annabelle sogar noch mehr als die Entdeckung, dass Xaver mit fliegenden Fahnen zum Feind übergelaufen war. Belle war *ihr* Spitzname. Reserviert für *ihre* engsten Freunde. Gab es Grässlicheres, als etwas mit Isabel Berenson teilen zu müssen, und sei es auch nur einen Namen? Ja, gab es natürlich. Weckgläser schrecklichen Inhalts zum Beispiel. Oder die Tatsache, dass sich Xaver für die Schnepfe und gegen seine Freunde entschieden hatte.

Annabelle verstand es einfach nicht. So wenig wie einen Pelzmantel, der mehr kostete als eine Luxuslimousine. Auf Anhieb erkannte sie das Modell eines italienischen Edeldesigners, das sie während eines Spaziergangs mit Mary-Jo in einem Schaufenster an der New Yorker Fifth Avenue gesehen hatte (Mary-Jo: *Das beste Mittel gegen Cheimaphobie, das für Geld zu haben ist*. Annabelle: *Da behalte ich lieber die Phobie und nehme das Geld.*). Umgerechnet kostete der Mantel an die hunderttausend Euro. Eine obszöne Summe.

»Das ging ja schnell, gnädige Frau. Schon wieder da? Und so unerschrocken, nach allem, was passiert ist?«, wunderte sich Polizeioberwachtmeister Trampert. Zögernd entließ er Annabelle aus dem intimen polizeilichen Schwitzkasten und schaute verdutzt zu seinem Vorgesetzten. »Na, die traut sich was.«

»Wieso? Ich stehe doch allem Anschein nach unter Polizeischutz, vor Mördern habe ich keine Angst«, flötete Isabel Berenson aus ihrem maskenhaften Verband heraus.

»Wenn das mal gutgeht«, raunte Kollege Trampert Annabelle zu. »Wo ein Killer ist, ist auch ein Weg.«

»Meine Herren Polizisten«, Isabel Berenson verteilte Luftküsse wie ein Star auf dem roten Teppich, während Xaver neben ihr stand wie ihr kleiner Assistent, »ich bin Ihnen zu tiefstem Dank verpflichtet, dass Sie hier eigens auf mich gewartet haben. Und? Sind Ihren Ermittlungen denn schon erste Ergebnisse gefolgt?«

Die Frage veranlasste Hauptkommissar Andernach zu einem heftigen Hüsteln in Richtung seines Untergebenen, womit er Kollege Trampert wohl warnen wollte, jetzt bloß nicht die Speisen der Abendkarte aufzusagen. Kollege Trampert wiederum schmachtete verstohlen Annabelle an, bevor er einen kleinen Spiralblock aus seiner Uniformjacke holte, dessen Deckblatt er mit gewichtiger Miene umschlug.

»Also …«

»Angesichts der hiesigen Bevölkerungsstruktur gehen wir von einem Außenseiter aus«, kam ihm Hauptkommissar Andernach zuvor, bevor er überhaupt richtig beginnen konnte – wohl um zu demonstrieren, wer der Ranghöhere war. »Noch wahrscheinlicher handelt es sich um einen externen Täter. Alles Weitere referiert mein Kollege. Bitte, Herr Trampert.«

»Spurensicherung erfolgt«, las der Polizeioberwachtmeister vor. »Fotografische Bilddokumente angefertigt, gespeichert und an Zentralcomputer zur weiteren erkennungsdienstlichen Auswertung weitergeleitet. Zuordnung von ermittlungsrelevanten Fußspuren vermutlich schwierig, da von Tier – in Klammern: Stier – zertrampelt. DNA-Spuren negativ, bis auf das Blut des Opfers.« Schräg von unten linste er zur hochgewachsenen (und um Zwölf-Zentimeter-Stilettos vergrößerten) Isabel Berenson, die schweigend lauschte, Standbein und Spielbein fototauglich sortiert, als posierte sie für die Vogue. »Das bedeutet: keine Haare, keine Hautschuppen, kein Sonstwas von einem mutmaßlichen Fremdverschulder. Sofern es einen Fremdver-schulder gibt. Der Stier, möchte ich hinzufügen, befindet sich in sicherem Gewahrsam.«

Eine schlangenartige Bewegung ging durch den Körper unter dem Nerz-mantel. Mimische Entgleisungen (es gab sie, hundertpro) verdeckten gott-lob die Verbände. Dafür klang Isabel Berensons Stimme in etwa so, als ver-suchte Annabelle zu singen.

»Sie wollen doch wohl nicht behaupten, Sie seien in der Lage, binnen eines halben Tages alles akribisch nach *Haaren* abzusuchen? Auf einem verschnei-ten Areal von Tausenden Quadratmetern? Das können Sie Ihrer Großmutter erzählen!«

»Jetzt aber mal ganz ruhig, gnädige Frau.« Kollege Trampert hielt ihr den Notizblock entgegen wie ein Vampirjäger das Kruzifix. »Ich bin Vollwaise in der zweiten Generation!«

»Wir haben Schlittenspuren direkt am Unfallort, äh, Tatort gefunden«, riss Hauptkommissar Andernach die Aufmerksamkeit wieder an sich.

»Kaum überraschend auf einer Rodelbahn«, warf Xaver ein, verstummte aber sofort, weil er einen Halt-du-dich-da-raus-Blick von seiner neuen Ge-liebten bekam.

»Ja, aber es gab auch Kufenspuren neben der Bahn«, fügte der Hauptkom-missar hinzu. »Wie von einem Snowmobil. Hat hier irgendjemand ein Snowmobil?«

Es schien eine längere Auseinandersetzung zu werden. Enttäuscht ließ Annabelle den Kopf hängen. Zu dumm, der Pass war schon zum Greifen nahe gewesen, jetzt hatte sich die günstige Gelegenheit verflüchtigt.

»Schätze, Sie brauchen mich nicht weiter«, murmelte sie. »Ich müsste dann mal in die Küche.«

»Ja, gehen Sie nur.« Schadenfroh kichernd stieß Isabel Berenson ihren neuen Galan an. »Nicht wahr, Xaver, Liebling? Man sollte immer wissen, wo sein Platz ist. Nicht jeder kann an der obersten Stelle der Nahrungskette stehen.«

Xaver mied den entgeisterten Blick von Annabelle und lockerte nur seine Haartolle, ohne etwas zu erwidern.

»Haben Sie eigentlich schon meinen Hashtag *#tohellwithhoteledelweiß* gesehen, gutes Kind?«, wandte sich Isabel Berenson nun direkt an Annabelle.

»Nein, ich hatte zu tun.« Ich bin nicht Ihr *gutes Kind,* brodelte es in ihr. Und mein Handy ist seit Stunden tot. »Wieso?«

»Dieser Hashtag, ach so – ich übersetze gern, Sie sprechen ja sicher kein Wort Englisch.« Xaver stupste sie an, die Bitch ignorierte es. »Das heißt übersetzt: Zur Hölle mit dem Hotel Edelweiß! Dieser Hashtag hat einen Shitstorm ausgelöst, der seinesgleichen sucht. Sehen Sie, heutzutage bleibt nichts verborgen und nichts ungesühnt.«

Weit gefehlt, dachte Annabelle. Verborgen bleibt so einiges, und der Shitstorm? Der weht verrückterweise Gäste in Scharen ins Edelweiß. Danke für die kostenlose Werbung.

Ein interessantes Statement fiel ihr dazu ein. Es stammte vom Eröffnungsredner eines IT-Kongresses, den sie ein Jahr zuvor im Hotel Imperial Ambassador organisiert hatte: *Das Internet ist das erste von Menschenhand erschaffene Ding, das der Mensch nicht versteht – es ist das größte Experiment in Anarchie, das es jemals gab.*

Für derartige Paradoxien besaß Isabel Berenson selbstverständlich keinerlei Gespür, da sie ausschließlich sich selbst als Nabel der Welt betrachtete. Auch das Gedränge vor dem Edelweiß, das langsam volksfestartige Züge annahm, führte diese narzisstische Dame fraglos auf das brennende Interesse an ihrer Person zurück. Sie hätte sich auch gleich ein Schild vor die verpflasterte Stirn kleben können: *Me, myself & I* – ich, ich, ich. Isabel Berenson war eine Egomaschine. Und hatte keine Ahnung vom Internet.

»Jetzt wissen Sie nicht weiter, was, Frau Stadlmair?«, säuselte sie. »Nun, das Edelweiß ist damit durch. Und falls es Sie interessiert, warum ich überhaupt hier bin – ich liebe den morbiden Zauber der Apokalypse. Deshalb werde ich genau hier heute Abend meinen unterzeichneten Vertrag mit

Ihrem Herrn Nachbarn feiern. Nicht mit diesem Hinterwäldler natürlich, sondern mit meinem süßen Xaver.«

Mit gespitzten Lippen kraulte sie seine Haartolle, als sei er ihr Schoßhündchen. Gut möglich, dass sie ihm demnächst ein hellblaues Schleifchen in die Haartolle flocht. Annabelle lehnte sich leicht an Polizeioberwachtmeister Trampert, weil ihr erneut schwindelig wurde.

»Wie bitte? Der Vertrag ist unterschrieben?«

»Per-fekt! Er-ledigt!«, rief Isabel Berenson und klatschte zweimal in die Hände. »War gar nicht schwer! Ich bin eine Frau! Ich kann Männer dazu bringen, zu glauben, sie hätten das alles so gewollt! Inklusive einer Klausel, dass dieser Oberhuber das Edelweiß leider, leider abreißen muss, nachdem ich es ihm übereigne.«

»Ober*leitner*«, sagt Xaver.

»Das Edelweiß? Das wollen Sie abreißen?«, fragte Kollege Trampert bestürzt.

Isabel Berenson deutete ein paar hüftbetonte Salsaschritte an, als sei das hier Rio de Janeiro und nicht Puxdorf, Oberbayern.

»Was sonst? Noch in der Notaufnahme habe ich mit der Hausbank von Familie Stadlmair telefoniert. Was Peter McDormand kann, kann ich schon lange. Leider gibt es vor Weihnachten keine Termine mehr, aber nächste Woche mache ich Nägel mit Köpfen in der Münchner Bankzentrale. Ab ersten Januar wird dann die Kreditlinie gesperrt, dafür verdient die Bank an meinem Immobiliendeal. Und das Hotel Edelweiß wird pulverisiert.«

So ein Miststück! Einmal mehr hätte Annabelle sie erwürgen können. Im selben Augenblick entdeckte sie voller Entsetzen, dass Oma Martha wie versteinert auf der Treppe stand. Sie musste alles mit angehört haben. O nein. Annabelle starb tausend Tode. Was auch immer man von Oma Marthas Einweckaktion halten sollte – dieser zweiundachtzigjährigen alten Dame das Zuhause wegzunehmen war nichts anderes als emotionaler Mord.

Langsam verstand Annabelle, wie man auf die Idee kam, einen Stier auf Isabel Berenson zu hetzen. Sie schaute noch einmal zu Oma Martha, deren Augen schreckerstarrt auf der Schnepfe ruhten, und sammelte sich kurz. Eine Ansage war überfällig.

»Sie kommen hier in unser Haus, Frau Berenson«, krächzte sie heiser, »in ein Hotel, das hart ums Überleben kämpft und wo jeder Cent zweimal umgedreht werden muss, in einem Mantel, der – wie ich zufällig weiß – locker hunderttausend Euro gekostet hat …«

»So viel wie ein Zuchtbulle!«, warf Xaver anerkennend ein.

»… in einem horrend teuren Pelzmantel, mit horrend teurem Schmuck, mit Millionen auf dem Konto, und denken, Sie dürften sich das alles hier unter den Nagel reißen? Nur weil es geht? Nur weil Sie abgebrüht genug sind, unschuldige Menschen ins Verderben zu stoßen?«

Alle schauten betreten zu Isabel Berenson. Es war unmöglich zu sagen, was hinter ihren Verbänden vor sich ging. Breit lachen konnte sie jedenfalls nicht mit all den Pflastern. Dafür trat sie einen Schritt vor und öffnete ihren Mantel, mit weit schwingenden Bewegungen wie bei einer Modenschau.

»Was für eine bodenlose Frechheit«, zirpte sie. »Wie können Sie sagen, mein Pelz hätte nur hunderttausend gekostet? So einen billigen Fummel würde ich niemals tragen. Der Mantel war bedeutend teurer. Was den Rest Ihrer kleinen Sonntagspredigt angeht, habe ich nur einen Kommentar: Willkommen im Kapitalismus.«

Kapitel 21

Jedes Hotel barg seine kleinen Geheimnisse und Extras. Auch das Hotel Edelweiß. So hatte der handwerklich äußerst geschickte Max eine kleine Klappe in die Küchentür eingebaut, durch die man bei Bedarf von innen auf den Flur spähen konnte. Die Kellner (die es nicht mehr gab) konnten beobachten, wann und wie viele Gäste (die es neuerdings wieder gab) die Gaststube betraten; der Koch hatte die Option, unbemerkt den Flur zu observieren, wenn ihm langweilig wurde. Praktische Sache und sehr beliebt, dieser selbstgebaute Spion.

Zumindest Ferdi musste sich während des spektakulären Auftritts von Isabel Berenson hinter der Klappe aufgehalten haben, denn als Polizeioberwachtmeister Trampert die Küchentür für Annabelle öffnete (noch immer hielt sie die Einweckgläser in den Händen), gab es eine kleine Karambolage. Aufgescheucht stolperte Ferdi rückwärts, fing sich mit rudernden Bewegungen und zog seinen verrutschten lila Pullover glatt, um Annabelle sogleich mit Fragen zu bestürmen.

»Die Berenson hat ja so in ihren Kopfverband reingegrinst? Hat die ein vierblättriges Kloblatt auf der Toilette gefunden? Wahnsinn. Das größte Comeback seit Lazarus, würde ich sagen.«

Alle lachten. Hier in Puxdorf war man bibelfest genug, um die Geschichte von Lazarus zu kennen, den Jesus von den Toten auferweckt hatte.

»Oder liegt das an der postkoitalen Umnachtung, weil sie mit Xaver im Bett war?«, fragte Ferdi weiter.

»Xaver ist jetzt mit der Bitch zusammen?«, kreischte Mitzi. »Ist der hirntot?«

»Nein, zielstrebig.« Betty, die mit Lappen und Scheuerpulver die Arbeitsflächen reinigte, schob die Ärmel ihrer altrosa Strickjacke hoch. »Der Gimpel hatte es doch immer schon auf reiche Touristinnen abgesehen. Ist so ein Xaver-Ding. Bloß nicht arbeiten, trotzdem ein Leben im Luxus.«

»Das ist so krass psycho«, stöhnte Mitzi.

»Dem entgeht die Erfüllung seiner karmischen Aufgabe«, orakelte Ferdi, »also wird er unerlöst ins nächste Leben übertreten. Ohne Entwicklung keine Erlösung.«

»Sein innerer Buddha war sowieso noch im Kindergarten, jetzt ist er eben vom Bobbycar gefallen«, erwiderte Betty.

Bevor die Wogen höher schwappen konnten, bedankte sich Annabelle artig bei Kollege Trampert und wartete, bis er nach einem letzten schmachtenden Blick die Tür geschlossen hatte. Alles blitzte und glänzte in der Küche. Offensichtlich hatten ihre Freunde die Pause genutzt, um die Spuren des Kochens weitgehend zu beseitigen. Nur Sepp briet noch das Bisonhack in mundgerechtem Frikadellenformat, und Toni servierte noch in der Gaststube.

»Ja, Xaver stellt sich gegen uns mit seiner komplett unangebrachten erotischen Eroberung«, bestätigte sie düster.

»Der hat doch nicht alle Gurken im Glas«, befand Betty, die verbissen an einem besonders hartnäckigen Fleck herumrieb.

»Tausend Volt in der Hose, aber kein Licht in der Birne«, ergänzte Mitzi.

Annabelle hielt den Kopf gesenkt, vollkommen erledigt nach ihrem Ausflug in den Keller und den niederschmetternden Nachrichten, die sie soeben erhalten hatte. Sie stellte die Weckgläser ab und holte die anderen Zutaten für den Kaiserschmarrn sowie eine große Schüssel aus dem Küchenschrank. Konzentriert rackerte sie weiter, als hätte jemand ihren Akku ausgetauscht. Ich lass mich nicht unterkriegen, hallte es in ihrem Kopf. Ich werde kämpfen, bis zuletzt. *Lieber stehend sterben, als kniend leben.*

»Was hast du denn?«, erkundigte sich Betty besorgt. »Du siehst fertig aus. Mehr als fertig. Richtig durch den Wind.«

»Es geht mir gut. Ich hab's unter Kontrolle.« Annabelle quirlte den Kaiserschmarrnteig, dass die Bröckchen nur so flogen. »Der Oberleitner hat verkauft. An Isabel Berenson. Es gibt eine Klausel, dass er auch das Edelweiß bekommt und dass er es dann abreißen muss, was ihm sicherlich einen Mordsspaß machen wird.«

Ein mehrstimmiger Aufschrei folgte, alle stürzten zu Annabelle, die mit Tränen in den Augen immer weiter quirlte. Sogar Sepp, der stoisch seine Buletten gehütet hatte, verließ den Herd.

»Jessas! Abreißen?«, rief er. »Unser Edelweiß?«

»Ja«, schniefte Annabelle. »Wenn ihr ganz leise seid und der Wind richtig steht, dann könnt ihr den alten Oberleitner aus vollem Halse lachen hören.«

»Und Xaver ist das egal?«, fragte Betty ungläubig.

»In jedem Fall ist es ein genialer Schachzug von der Berenson, ihn im Vorübergehen zu vernaschen.« Annabelle fuhr sich mit dem Handrücken über die heiße Stirn. »Die Puxdorfer sind eine verschworene Gemeinschaft. Durch Xaver hat sie jetzt einen Zugang, der ihr sonst verschlossen geblieben wäre.«

»Die passt hier ja auch so gut hin wie eine Nagelschere in die Hüpfburg«, monierte Mitzi.

»Stimmt, Xaver kann ihr wichtige Informationen geben«, sagte Betty nachdenklich. »Zum Beispiel, wer von den Einheimischen insgeheim doch mit dem Megaresort sympathisiert und eventuell selbst Land verkaufen würde.«

»Diese Frau ist gierig«, nickte Ferdi. »Die will immer mehr, so wie alle Kapitalisten. Doch erst wenn der letzte Baum gefällt, der letzte Fluss vergiftet, der letzte Fisch gefangen …«

»Danke, Ferdi, diese Litanei deiner Lieblingsindianer kennen wir schon auswendig«, wurde er von Betty unterbrochen. »Anna, sag, ist das mit dem Vertrag denn wirklich endgültig?«

Annabelle setzte schon zu einer Antwort an, als Toni die Küche betrat. Unter den geblümten Trägern seine Lederhose klemmten Geldscheine wie im Tanga einer Stripperin, sein rötlich braunes Gesicht strahlte zufrieden.

»Hey, allein von den Trinkgeldern könnte man reich werden«, lachte er. »Diese Touristinnen sind total scharf auf einen echten bayerischen Buam wie mich.«

»Na, na«, machte Betty.

»Hab jetzt alle Gäste rausgeschmissen, Befehl von Oma Martha, damit wir drüben in der Gaststube die Tische fürs Abendessen decken können.« Er stutzte. »Wieso schaut ihr denn so bedröppelt aus der Wäsche? Stimmt was nicht?«

Mit wenigen Stichworten brachte Betty ihn auf den neuesten Stand.

»Das heißt dann wohl game over.« Traurig spielte Toni mit den Geldscheinen unter seinen Hosenträgern. »Was für ein Jammer. Und Xaver steckt mit drin? Himmel, es interessiert mich wirklich nicht, wo der seinen Lurch versenkt, aber dass er jetzt gemeinsame Sache mit dieser Trümmerlotte macht …«

Ferdi klopfte ihm freundschaftlich auf die Schulter.

»Wir dürfen nicht aufgeben, Toni. Der Xaver hatte schon immer einen Schaden, also einen karmischen zumindest, und wir haben uns möglicherweise zu wenig um seine seelische Balance gekümmert.« Er schaute zu Annabelle. »Wie weit ist es denn mit dem Vertrag? Alles gelaufen, oder gibt es noch einen Aufschub?«

Mit einem Stück Frischhaltefolie deckte Annabelle die Teigschüssel ab und stellte sie in den Kühlschrank, plötzlich zutiefst entmutigt. Ihre Kräfte ließen nach, das spürte sie, und vielleicht stimmten ja auch die alten Sprüche nicht mehr. Vielleicht gehörte dieses ganze Stehend-sterben-statt-knieend-leben in eine weit entfernte Vergangenheit, in der man noch Duelle ausfocht, Teufel austrieb und Hexen verbrannte. Sie lebte im einundzwanzigsten Jahrhundert. Immobiliendeals wie der bevorstehende Ausverkauf Puxdorfs waren kein Hexenwerk, so teuflisch sie auch daherkamen. All das war traurige, aber keineswegs überraschende Normalität. *Willkommen im Kapitalismus.* Sie focht gegen Windmühlenflügel wie einst Don Quichotte. Selbst mit all ihrer Energie würde sie den Lauf der Dinge nicht aufhalten können.

Wortlos holte sie einen benutzten Filterbeutel aus der Kaffeemaschine und streute den Kaffeesatz auf die Arbeitsfläche, mit der Betty beschäftigt war.

»Hallo? Was wird das denn?«, fragte Betty perplex.

»Die beste Scheuermilch der Welt.« Annabelle gab etwas flüssige Seife von der Spüle darüber und scheuerte die verkrusteten Ablagerungen ohne jede Mühe weg. »Life hack von Oma Martha. So wie die Zitronenhälften in Zucker zu legen. Siehst du?« Sie nahm eine der angeschnittenen Zitronen, die umgedreht auf zuckerbestreuten Untertassen darauf warteten, kurz vor dem Servieren über den Fisch geträufelt zu werden, und zeigte auf die Schnittfläche. »Trocknet nicht aus. Einfach immer rein in den Zucker, auch so ein super Tipp von Oma Martha. Und wenn wir die Kartoffeln fürs Gratin geschält haben, können wir mit der feuchten Innenseite die Flächen polieren. Man muss nur feucht nachwischen, und …«

»Anna!« Betty schlug die Hände über dem Kopf zusammen. »Du machst mir Angst! Du redest so komische Sachen und drehst total am Rad! Was ist los mit dir?«

»Das ist der Stress.« Mit einem Zartgefühl, das man niemals von Sepp vermutet hätte, nahm er Annabelle den Scheuerlappen ab und tätschelte vorsichtig ihre Schulter. »Komm, Anna. Passt schon. Wir sind ja da. Das wird schon. Irgendwie. Du wirst sehen, alles renkt sich ein.«

Es waren nicht die von Sepp mantraartig gemurmelten Formeln, die Annabelle aus ihrem seltsamen Trancezustand herausholten. Es war die selbstverständliche Zugewandtheit, mit der er, seit Jahrzehnten der Underdog des Dorfes, einfach tat, was getan werden musste: trösten.

»Du müsstest Kinder haben, Sepp, du wärst bestimmt ein toller Vater.«

Er lächelte nur. Betty und Mitzi sagten gar nichts mehr. Toni schraubte am Herd herum (als ob es da was zu schrauben gäbe), Ferdi nahm vor lauter Nervosität seinen Zopf in die Hand und wedelte damit vor Annabelle und Sepp herum.

»Ich will ja nicht stören, ehrlich, finde ich voll gut, dass ihr so ein achtsames Verhältnis aufgebaut habt, echt jetzt, reinatmen und so, alles paletti«, er hörte auf zu wedeln und glitt vom soften in einen beschwörenden Tonfall, »aber jetzt sag uns in Buddhas Namen, was mit diesem Scheißvertrag ist!«

Wie aus weiter Ferne kehrte Annabelle in den Moment zurück. Ja, sie war Ferdi eine Antwort schuldig. Allen hier war sie eine Antwort schuldig, allen, die an sie glaubten und sie unterstützten bei ihrem Windmühlenkampf. Leider gab es nichts Positives zu berichten.

»Nächste Woche, also kurz vor Silvester, wird die Berenson einen Deal mit unserer Hausbank aushandeln«, erwiderte sie leise. »Die sperren uns die Kredite, dafür beteiligt die Berenson unsere Bank an der Finanzierung des Resorts. Tja, so läuft es halt. Das Ding wird in den oberen Etagen entschieden, das Fußvolk wird nicht gefragt.«

»Typisch Kapitalisten!«, entrüstete sich Ferdi. »Und, wie geht's weiter? Wird das heute Abend etwa die Abschiedsvorstellung?«

»Nein!«, protestierte Sepp. »Dazu darf es nicht kommen! Ich würde sogar umsonst arbeiten, wenn es dem Edelweiß hilft, Anna!«

Sie schenkte ihm ein verzagtes Lächeln.

»Danke, du bist wunderbar, Sepp. Momentan weiß ich allerdings nicht mehr, was ich tun soll.«

Aha, Dezidophobie!, höhnte ihre innere Stimme. Dann hatte Mary-Jo also recht! Komm mal aus dem Quark! Soll etwa alles umsonst gewesen sein?

Annabelle schaute zu Sepp. Obwohl ihr so gar nicht der Sinn danach stand, fiel ihr wieder auf, wie gut er nach seinem »Umstyling« aussah. Allein für ihn musste sie weitermachen. Gerade hatte er sich aufgerafft, sein Leben zu ändern. Sie musste ihm ein Vorbild sein. Was blieb ihm denn sonst?

»Andererseits …« Sie warf die Kühlschranktür zu. »Ich hatte schon ein Konzept fertig. Im Kopf. Ist nur so eine Skizze, ein Layout: Singlereisen ins Hotel Edelweiß, romantische Ferien in alpiner Kulisse, Kochkurse von Herz zu Herz, Außensauna im Heuschober …«

»Das klingt doch phantastisch!«, rief Betty aufatmend.

»Singlereisen?« Die Finger um seine geldscheinbestückten Hosenträger gehakt, schaute Toni erst zu Betty, dann zu Annabelle. »Das wär's doch!«

Mitzi, die sich auf eine der Arbeitsflächen geschwungen hatte, spielte aufgeregt an ihren Ohrpiercings.

»Krass! Mit Weiberabenden für die Frauen, so zum Quatschen und über die Männer herziehen!«

»Dolle Idee. Und mit Kumpelabenden, bei denen man über die Weiber herzieht?«, ätzte Toni. »Dann lieber ein Bodypainter, der nach der Sauna schöne Landschaften auf die nackten Körper malt.«

»Blind Dates im Heu!«, juchzte Betty.

»Kondome in der Minibar!«, kreischte Mitzi.

»Also, ich fände ja ein Bio-Hotel im Einklang mit der Natur besser«, gebot Ferdi der ein wenig aus dem Ruder geratenen Euphorie Einhalt. »Oder wir machen eine Lomischule aus dem Edelweiß. Mit dieser spirituellen hawaiianischen Massagetechnik, bei der auch die Seele in Schwingung gerät.«

»Lass uns lieber über Tantramassagen nachdenken«, kicherte Mitzi. »Alpine Höhepunkte in romantischer Kulisse. Wie geil.«

Betty spülte den Wischlappen unter dem laufenden Wasserhahn, dann wrang sie ihn aus und kreuzte die Arme.

»Was war eigentlich dein ursprünglicher Plan, Anna?«

»Das Edelweiß ankurbeln, damit wir so rasch wie möglich einen Pächter gewinnen, der das Hotel übernimmt, noch besser einen seriösen Käufer«, erwiderte Annabelle. »Für mich geht die Reise ja nächste Woche weiter, nach Singapur.«

Singapur. Das Wort löste eine seltsame Stille aus. Auch in Annabelle.

»Ich will nicht, dass du gehst, Anna«, brummte Sepp in das betroffene Schweigen hinein.

»Ich auch nicht«, murmelte Betty, die anderen nickten. »Wieso hat deine Mutter dann überhaupt lauthals verkündet, dass du für immer hierbleibst?«

Annabelle konnte nicht sprechen, weil sich ein wohlbekannter Kloß in ihrem Hals bildete. Der gleiche Kloß wie am Münchner Flughafen, als ihr bewusst geworden war, dass sie ihre sämtlichen Freunde in New York zurückgelassen hatte. Obwohl sie es nie für möglich gehalten hätte, bedauerte ein Teil von ihr, Puxdorf wieder den Rücken zu kehren, um in die große weite Welt zu ziehen. Ihr Nomadenleben fortzusetzen. Sich immer ein wenig unbehaust zu fühlen – weil man mit niemandem (außer Mary-Jo natürlich) so richtig warm werden konnte wie mit den seit Kindertagen vertrauten Freunden. Man sprach nicht dieselbe Sprache. Man teilte keine gemeinsamen Erinnerungen. Ach, es war vertrackt. Mit einiger Anstrengung schluckte sie den Kloß runter.

»Was ich meiner Mutter gesagt habe war: Ich komme euch besuchen. Was meine Mutter verstanden hat war: Hi, ich bin eure neue Hotelmanagerin, ich ziehe nach Puxdorf, angele mir einen zünftigen bayerischen Mann und bekomme zehn Kinder. So sind Mütter nun mal. Die hören immer nur, was sie hören wollen.«

»Hast du denn eigentlich deinen Pass zurückbekommen?«, fragte Toni.

»Noch nicht.« Annabelle musste lächeln. »Da ich seit einer halben Stunde fast freundschaftliche Beziehungen zur hiesigen Polizei pflege, denke ich allerdings, das wird im Laufe des Abends noch geschehen. Andernach und Trampert wollen hier essen. Privat.«

»Apropos essen …«, begann Betty.

Annabelle zuckte zusammen. Ein waschechtes Mary-Jo-Apropos! Das machte ihr Betty noch lieber. Den Abschied von Puxdorf würde es jedoch umso schwerer machen. So wie von Mitzi, Fanny, Ferdi, Toni und Sepp, ja auch von Sepp, der traurig vor sich hin starrte. (An den Abschied von Andi wollte Annabelle lieber gar nicht erst denken. Wie gern hätte sie ihn näher kennengelernt … Und Fabian? Was war mit Fabian?)

»Essen, genau. Wir sollten jetzt durchstarten«, sagte sie, neue Kraft schöpfend. »Ich hole jetzt ein paar Blöcke aus dem Büro meiner Eltern, für die Bestellungen, damit wir den Überblick behalten. Wer deckt die Tische ein und stellt die Kerzen auf?«

»Mache ich«, antwortete Betty. »Und ich serviere auch gern. – Toni? Bist du dabei?«

»Alles roger«, grinste er. »Mit dir immer.«

»Aber nicht wieder mit dem Kerzenwachs kleckern, du Schlingel!«

Hui, das schien irgendetwas Privates zwischen den beiden zu sein, das nur sie verstanden. Womöglich sogar eine erotische Anspielung, denn Tonis Grinsen verstärkte sich auffällig.

»Ein Bayer kleckert nicht, ein Bayer dekoriert!«, verkündete er.

Annabelle quittierte es mit einem Augenzwinkern.

»Danke schön, ihr zwei, dann werde ich mit Mitzi die Teller in der Küche anrichten, Ferdi bastelt die Bisonburger zusammen, Sepp, du kümmerst dich um die übrigen Speisen, ja?«

»Ganz allein?«

»Wir sind bei dir«, versicherte Annabelle. »Wir kriegen das hin. Wir sind ein Team! Sind wir doch, oder?«

»Wir sind ein Team!«, brüllten alle zurück, und Annabelle musste schnell aus der Küche rennen, weil ihr die Tränen so schnell in die Augen stürzten, dass sie sie nicht mehr hinunterschlucken konnte.

Kapitel 22

Halb acht. Die Premiere rückte immer näher.

»Herr Hüber, Herr Hüber, ich bin hinüber«, summte Annabelle ein wenig albern (nein, ziemlich überdreht) vor sich hin, als sie frisch geduscht und mit einem Handtuch um die Hüften vom Bad in ihr Zimmer wechselte.

Hinüber war natürlich eine charmante Untertreibung. Ein Tag wie ein Berg lag hinter ihr, ein Abend von Himalajadimensionen türmte sich vor ihr auf. Den Jetlag war sie auch immer noch nicht los, und schon seit einer Stunde hatte sie das Gefühl, ihr Kopf sei in einen Aktenvernichter geraten. Am liebsten hätte sie sich ins Bett verkrochen. Aber nach der schicksalhaften Entscheidung in der Küche gab es nur noch eins: durchziehen, eisenhart. *Rüstig schaffe, nie erschlaffe.*

In einer Ecke des Zimmers standen ihre müffelnden Moonboots, aus denen die Schildchen mehrerer Teebeutel heraushingen. Schenkte man den Tipps von Oma Martha Glauben (und warum sollte man das nicht tun?), halfen die Teebeutel gegen den penetranten Geruch verschwitzter Stiefel. Auf Zehenspitzen trippelte Annabelle über den eiskalten Holzboden zum Kleiderschrank mit den Blumenmalereien, an dessen Griff ihr Dirndl hing. Frisch aufgebügelt, als wären die Heinzelmännchen da gewesen.

Sie schaute genauer hin. Die Dirndlbluse war gewaschen und ebenfalls gebügelt worden. Von ihrer Mutter? Oder Oma Martha? Beide hatte Annabelle vergeblich gesucht, als sie für einen Dusch-Zwischenstopp in ihr Zimmer hinaufgehuscht war. Die Privatwohnungen im ersten Stock waren verschlossen gewesen, und weder in der Gaststube noch in der Familienstube hatte sie die beiden Frauen angetroffen. Oder schenkten sie draußen Glühwein aus?

Neugierig lugte Annabelle aus dem Fenster. Unten vor der Veranda herrschte unverminderter Andrang zwischen den Schneehaufen, manche Leute schunkelten sogar schon im Takt der Weihnachtsmusik, die sich hier

258

oben im Zimmer wie Drehorgelgedudel anhörte. Ja, Weihnachten stand vor der Tür. Die Zeit der Gänse und der guten Weine, der Plätzchen und Marzipankugeln. Danach würde es heißen: Ich esse nie wieder, und nach Silvester: Ich trinke nie wieder. Einstweilen floss der Glühwein in Strömen. Mit einer Thermoskanne sowie einer Art Klingelbeutel bewaffnet, in den die Gäste das Geld werfen konnten, füllte Max die vielen Becher nach. Glücklicherweise lagerten schier unendliche Weinvorräte im Keller, der Glühweinnachschub würde also wochenlang gesichert sein. Im Keller. Im *Keller.* Nicht mal dran denken, Annabelle!

»Herr Hüber, Herr Hüber …«, fing sie wieder an zu summen.

Huber, bitte, für dich immer noch Herr *Huber,* brummte Annabelles Lebensgefährte (denn als solchen musste man ihn wohl bezeichnen, schließlich befand sie sich seit fünfzehn Jahren im regen Austausch mit ihm).

»Oh, Verzeihung, Huber, klar. Ich muss da jetzt runter, Herr Huber. Drückst du mir die Daumen, dass das Essen bei den Gästen gut ankommt, dass niemand ermordet wird und dass ich nicht durchdrehe?«

Selbstverständlich. Viel Glück, Annabelle.

»Hm. Sorry, ich sollte nicht immer um Extrawürste bitten, doch Simon sagt: Glück wünscht man nur Akrobaten, Profis wünscht man Erfolg. Drückst du mir die Daumen, dass ich mich als Profi erweise?«

Sehr gern. Viel Erfolg, Annabelle.

Gesprächig war Herr Huber ja nicht gerade. Annabelle gab ihm einen Kuss auf die stumpfe Nase, dann bettete sie ihn aufs Kopfkissen. Es war zwanzig vor acht, der Countdown fast runtergezählt, und sie stand immer noch nackt herum. Nachdenklich nahm sie das Dirndl vom Bügel. Ihre Zugehörigkeitsuniform. Wie schnell das ging. Wie schnell man sich heimisch fühlen konnte in Puxdorf, Oberbayern, und wieder andockte – nein, neu andockte, unter völlig anderen Vorzeichen.

Aus ihrer Familie wurde sie immer noch nicht schlau, doch ihre Clique war großartig. Bis zum letzten Augenblick hatten sie alle in der Küche gewerkelt. Dass Xaver abtrünnig geworden war, schmerzte Annabelle kaum. Doch was war eigentlich mit Fanny? Wie ging es ihr? Vier Kinder, der Mann dauernd auf Achse, das muss doch zermürben, auch ein wenig isolieren, grübelte Annabelle. Bestimmt hätte Fanny den Nachmittag gern im Edelweiß verbracht, zusammen mit ihren Freunden. Und jetzt am Abend genauso gern das neue Essen ausprobiert. Aber mit vier unbetreuten Kindern?

Sie warf Herrn Huber einen fragenden Blick zu.

Familie, sagte er. Alle sind eine große Familie. Denk nach, Annabelle.

Die Eingebung kam so selbstverständlich wie Ein- und Ausatmen. O ja, Fanny würde die kulinarische Premiere im Edelweiß miterleben, und für ihre Kinder sollte bestens gesorgt sein.

»Danke schön, Herr Huber!«

Keine Ursache.

Ob sie diese schrägen Gespräche mal mit Mary-Jo erörtern sollte? Ein einziges Mal hatte sie das Thema angeschnitten, im Sommer, bei einem Spaziergang im Central Park. Ist es ein Problem, dass ich mit Herrn Huber spreche?, hatte Annabelle gefragt, und Mary-Jo hatte erwidert: Überhaupt nicht. Das Problem ist, dass er antwortet.

Ach, Mary-Jo. Annabelles Handy hing am Aufladegerät. Sie hatte es noch nicht wieder eingeschaltet, weil nach mehreren Stunden Offline-Existenz erfahrungsgemäß so viele Nachrichten eintrafen, dass man wiederum Stunden brauchte, um sie alle zu sichten und zu beantworten. Dafür blieb keine Zeit mehr. Viertel vor acht. In aller Eile zog sie sich an, formte ihre halb feuchten Haare vor dem Badezimmerspiegel zu einer Notfrisur und begutachtete ihre bleiche Blässe (Spieglein, Spieglein an der Wand, wer ist die Fertigste im Land?). Daraufhin legte sie ein wenig Rouge auf, zog die Lippen in einem Nudeton nach und tuschte ihre Wimpern. Wirkt fast naturbelassen, stellte sie nach einem letzten prüfenden Blick in den Spiegel fest. Also los.

Schon auf der Treppe hörte sie das Stimmengewirr, das von unten heraufdrang wie eine murmelnde Woge. Es klang anders als sonst. Gedämpfter, auch gespannter. Mit einem Ameisenhaufen im Bauch absolvierte Annabelle die letzten Stufen. Lieber Gott, lass diesen Abend gutgehen.

Im hell erleuchteten Flur legten die ersten Gäste ihre Mäntel und Jacken an der Garderobe ab. Gäste, von denen Annabelle die meisten noch nie gesehen hatte. Neben den wenigen Einheimischen, die sich hergewagt hatten, schienen es vor allem eigens angereiste Besucher zu sein. Viele von ihnen Touristen in dicken gemusterten Strickpullovern, dazu Paare im feingemachten Ausgehlook, eine fünfköpfige amerikanische Familie in identischen blauen Motto-Sweatshirts (*I ♥ Munich*), zwei Frauen in indischen

Wallekleidern sowie ein etwas windiger Typ in Jeans und schwarzer Lederjacke.

Ein kurzer Blick in die Gaststube, und Annabelle wusste, dass zumindest das Ambiente stimmte. Auf den akkurat eingedeckten Tischen brannten rote Kerzen, deren gnädiges Licht das abgestoßene Mobiliar mit einem goldenen Schimmer übergoss und die vielen Unvollkommenheiten fast unsichtbar machte. Dazu stand auf jedem Tisch ein Glas mit kleinen Tannenzweigen, zweifellos Bettys Werk, die sicherlich auch für den roten Sternenglitter auf den Tischtüchern gesorgt hatte.

Aus der Gaststube war eine Weihnachtsstube geworden. Und genauso fühlte sich Annabelle: wie kurz vor der Bescherung.

Sie ging weiter zur Küche, wo die gesamte zusammengewürfelte Mannschaft auf sie wartete. Alle hatten sich umgezogen. Ihre Freunde trugen Tracht, Sepp eine untadelig weiße Kochmontur. Man konnte die fiebrige Aufregung spüren, die diese ungewöhnliche Küchencrew erfasst hatte, aber auch die Ungeduld, endlich all die mühsam hergeschafften und gemeinsam zubereiteten Köstlichkeiten zu präsentieren.

»Auf geht's«, sagte Sepp, der immer mehr in seine Rolle als Küchenchef hineinwuchs. »Der Salat ist fertig, die Suppe ist heiß, lassen wir sie nicht kalt werden.«

Dafür erntete er ein Lächeln von Betty, die ein hellgrünes Dirndl und eine farblich passende Holzperlenkette mit Hirschanhänger trug. Sie zeigte zu mehreren kleinen geflochtenen Brotkörben auf der Arbeitsfläche neben dem Herd.

»Hab noch ein paar Ciabattabrote aufgetaut, für die Tische.«

»Danke, tausend Dank.« Annabelle sank förmlich an den üppigen Busen ihrer Freundin. »Womit habe ich euch bloß verdient?«

Mitzi, deren Dirndl in einem kessen Orange erstrahlte (ein Knaller zu ihren farbigen Tattoos), schob ein ganzes Rudel klimpernder Armreifen hoch zum rechten Ellenbogen.

»Freu dich nicht zu früh. Draußen hab ich ein paar Gestalten gesehen, die hier gleich aufschlagen, also die …«

»Nur die Ruhe«, schnitt Betty ihr das Wort ab.

»Heute kriegen alle ihr Fett ab«, grinste Toni. »Man kann sich die Gäste nicht aussuchen. Wird alles wegbedient.«

Ohne auf diese rätselhaften Bemerkungen einzugehen, bat Annabelle ihn, Fanny anzurufen, und ließ sich das Handy reichen. Während sie telefonierte, wechselte sie hinüber in die Familienstube. Wie erwartet, saßen dort Max und Oma Martha in traulicher Zweisamkeit beisammen und ließen sich eine Schweinshaxe mit Knödeln schmecken. Offensichtlich kochte Oma Martha nach wie vor lieber in ihrer Wohnung im ersten Stock, statt sich auf Experimente mit Annabelles neuen kulinarischen Ideen einzulassen. Neben Max lag der prall gefüllte Klingelbeutel, auf den er mit einigem Stolz deutete. Annabelle legte eine Hand über das Mikrofon des Handys.

»Oma Martha, weißt du noch, wie wir früher immer stundenlang *Mensch ärgere dich nicht* gespielt haben?«

»Ja freilich«, strahlte ihre Großmutter, als gäbe es keine eingeweckte Leiche und keine Isabel Berenson, die ihr das Zuhause wegnehmen wollte. »Das waren Zeiten, Anni, gell?«

»Dann hast du doch bestimmt Lust, heute Abend ein paar Partien aufs Brett zu fetzen?«

»Ich? Aber mit wem denn? Wirst du denn nicht in der Küche gebraucht?«

Annabelle holte tief Luft. Sie setzte quasi blind auf Oma Marthas liebe gütige Art und hoffte, dass sie sich nicht täuschte.

»Es kommen vier Kinder zu Besuch, die keine Oma haben. Jedenfalls keine Oma wie dich. – Abgemacht?«

Das kluge alte Gesicht kräuselte sich zu einem Lächeln.

»Gern, lass sie nur herkommen.«

Und ausatmen. Annabelle fiel ein Stein vom Herzen, ihre Großmutter tauschte einen feurigen Blick mit Max.

»Dich brauch ich auch dabei!«

»Ja freilich!«, imitierte er die hohe Stimme von Oma Martha und griente aus tausend Runzeln.

»Dafür bin ich euch wirklich dankbar.« Annabelle hob ihre Hand vom Mikro. »Fanny, komm bitte ins Edelweiß, nein, Klamotte egal, Frisur egal, komm einfach her, bring nur deine Kinder und einen ordentlichen Hunger mit.«

Sie war schon wieder auf dem Weg zur Küche. Drei Minuten vor acht. Jetzt kam das Ritual. Annabelle hatte es im Imperial Ambassador vor besonders wichtigen Abendveranstaltungen eingeführt, zur Belustigung von Simon, der es als »kaputtes Kinkerlitzchen« bezeichnete. Doch es funktionierte, um das Lampenfieber zu besänftigen und sämtliche Beteiligten auf den Teamgeist einzuschwören. Annabelle bat alle, sich an den Händen zu fassen und im Kreis aufzustellen, was mit viel Gekicher und Gelache geschah.

»Wir haben einen großen Abend vor uns«, sagte sie feierlich.

»Einen krassen Abend«, gluckste Mitzi.

»Und wir werden die Bude rocken, alle zusammen!« Annabelle hob die Arme, die anderen taten es ihr nach, mit ineinanderverschlungenen Händen. »So, jeder sagt, was er sich vorgenommen hat.«

»Ich mach sie mit Freundlichkeit fertig«, lächelte Betty.

»Wer meckert, kriegt eins vor den Latz!«, rief Mitzi.

Als Nächster holte Ferdi tief Luft.

»Wir lassen die Herzen tanzen und den Verstand atmen, auf dass die guten Energien meiner Bisons den Körper und die Seele nähren mögen und ...«

»Dauert zu lange, ich bin dran«, fiel Toni ihm ins Wort. »Also. Meine Drohnen sind ein Beispiel dafür, dass ...«

»Thema verfehlt«, schmollte Ferdi. »Meins war besser.«

»Und ich wünsch mir, dass wir es gemeinsam schaffen, das Edelweiß vor dem Abriss zu bewahren, Himmelherrgottsakrament!«, schloss Sepp das Ritual ab.

»Gut gesprochen«, wurde er von Ferdi gelobt.

»Ja, überhaupt, jetzt ist mal ein Extraapplaus für Sepp fällig«, sagte Betty. »Wenn einer heute alles gegeben hat, dann er.«

Alle klatschten, und Sepp nahm seine Kochmütze ab, sichtlich gerührt, auch ein wenig verlegen.

»Nun übertreibt mal nicht, Leute«, er schniefte vernehmlich, »aber das mit dem Edelweiß muss einfach klappen. Dies ist mein neues Zuhause. Daheim ist kein Ort, daheim ist ein Gefühl.«

Na so was, dachte Annabelle, da hat Sepp kurz und bündig auf den Punkt gebracht, wofür ich fünfzehn Jahre gebraucht habe.

»Also, packen wir's.« Betty hakte sich bei Toni ein und schnappte sich zwei Brotkörbe. »Wir nehmen jetzt die Bestellungen auf.«

Schon nach wenigen Minuten begann ein irrer Wettlauf mit der Zeit, denn jeder einzelne Gast wollte das volle Menü, einschließlich der sagenhaften Bisonburger und neun vegetarischen Varianten, was eine schäumende

Welle der Hektik in Gang setzte. Teller klapperten, Löffel fielen runter, ein Salatblatt machte sich selbständig, Suppe schwappte über Tellerränder, Schnittlauchröllchen flogen durch die Luft. Parallel mussten die nächsten Gerichte servierfertig vorbereitet werden, ein Tröpfchenregen aus Kresseschaum spritzte auf die Wandkacheln, eine Zuckerschote landete im falschen Topf, die Minze für die Rübchen zur Rinderlende fehlte, wurde laut schreiend gesucht und wiedergefunden, ein Bisonburger bekam zu viel Pfeffer ab, weil die Pfeffermühle auseinanderbrach, dann waren die ersten vier Gänge verspeist, und Betty und Toni vermeldeten begeisterte Reaktionen in der Gaststube.

»Du musst da raus«, beschworen sie Annabelle. »Alle fragen nach dir, alle wollen dich sehen!«

»Nur mit Sepp.« Sie fasste den Koch an der Hand. »Okay?«

Gemeinsam tappten sie rüber zur Gaststube, noch etwas benommen von den heißen Essensdünsten, und wurden mit frenetischem Jubel empfangen. Was für ein Glücksgefühl. An allen Tischen applaudierten Gäste, die Gesichter leuchteten, Hochrufe wurden laut. So viel Überschwang war gar nicht zu erhoffen gewesen.

Sepp strahlte vom einen Ohr zum anderen. Annabelle drückte seine Hand und atmete ein paarmal tief durch. Die Premiere war noch nicht ganz vorüber, aber die ersten vier Akte gefielen dem Publikum, was sie mit unendlicher Erleichterung und Freude erfüllte. Alles schien gutzugehen.

Sie schaute in die Runde. Ganz der leutselige Gastgeber, wanderte Alois Stadlmair plaudernd umher, mit einer Weinflasche in der Hand, und unterhielt die Gäste mit seinen Anekdoten. Annabelles Mutter stand am Tresen und zapfte ein Bier nach dem anderen, mit geschmeidigen, tausendfach geübten Handgriffen, wenngleich recht ausdrucksloser Miene. Auch Fanny war inzwischen eingetroffen und hatte noch einen Platz am Kamin ergattert, auf der Armlehne eines Ohrensessels, wo sie sich mit den Frauen in den Wallekleidern unterhielt. Gleich vorn neben der Theke standen Hauptkommissar Andernach und Polizeioberwachtmeister Trampert an ihrem Tisch. Die Servietten in ihre Hemdkragen gestopft und mit halbgeleerten Bierkrügen in den Händen, winkten sie Annabelle zu sich heran.

»Also, das gibt lebenslänglich«, der Hauptkommissar drohte ihr scherzhaft mit dem Finger, »Ihr Essen schmeckt mörderisch gut.«

»Dafür könnte ich sterben, Hand aufs Herz«, seufzte Kollege Trampert.

»Einzelzelle, mit Herd«, setzte Hauptkommissar Andernach mit einem jovialen Grinsen hinzu.

»Ich sag nur: Bisonburger, Fräulein Stadlmair!« Kollege Trampert führte Daumen und Zeigefinger zum Mund und küsste schmatzend die Fingerspitzen. »Bombe!«

Jetzt, Annabelle. Jetzt oder nie. Sag's! Hol dir dein Ticket in die Freiheit!

»Unter diesen Umständen«, sie knotete ihre Finger ineinander, »würde ich mich außerordentlich freuen, wenn Sie mir meinen Pass zurückgeben könnten.«

»Haben wir sogar dabei«, schmunzelte Polizeioberwachtmeister Trampert.

»Frau Stadlmair!«, eine weibliche Stimme, die an eine Kreissäge erinnerte, störte die höchst erfreulich verlaufende Transaktion. »Ich habe etwas zu reklamieren!«

»Lass dir bloß keinen Dünnpfiff erzählen, Anna«, flüsterte Sepp.

Während er einen finsteren Seitenblick zu den Polizeibeamten warf, wandte sich Annabelle zum Nachbartisch um, wo sie die Urheberin der schrecklichen Stimme geortet hatte. Schon in der Drehung blieb sie wie eingefroren stehen. Ihr Herzschlag setzte aus. Ihre Hände wurden feucht. Millionen kleiner Stecknadeln attackierten ihre Haut. In einem halbdurchsichtigen Ensemble aus schwarzer Spitze (sehr kleidsam zu den weißen Gesichtsverbänden) thronte die Königin der Nacht auf ihrem Stuhl, flankiert von einem dämlich grinsenden Xaver zur Linken – und, Annabelle verging fast vor lauter heiß emporstürmender Erregung, Fabian Berenson zur Rechten.

»Was ist das für ein ekelhafter Fusel, den Sie hier ausschenken?«, keifte Isabel Berenson, ihr Glas fixierend, in dem ein Rotwein von fast dunkelvioletter Farbe schimmerte, patientengerecht mit einem rotweißgestreiften Kinderstrohhalm versehen.

»Isabel, bitte, halt dich zurück«, zischte ihr Bruder, der Annabelle mimisch entschuldigende Zeichen gab.

Er sah so gut aus. So unwiderstehlich. Und er war ihr mit den Fotos so nahgekommen. Annabelle erschauerte.

»Wieso denn zurückhalten?«, widersprach Isabel Berenson. »Man muss solche Leute an ihren Ansprüchen messen. Das Essen mag ja ganz nett sein, aber dieser Wein ist ein impertinenter Anschlag auf meinen Gaumen!«

Damit hatte sie soeben eine weitere Stufe auf dem Siegertreppchen der allermiesesten Gäste erobert. Nicht nur, dass sie Annabelle nicht anschaute, während sie mit ihr sprach, sie suchte auch das berühmte Haar in der Suppe – und wenn's am Essen nichts zu meckern gab, musste eben der Wein als Stein des Anstoßes herhalten. Gut, Alois Stadlmair kredenzte kein sonderlich edles Gewächs, aber was wollte man denn erwarten in einem ländlichen Hotel wie dem Edelweiß? Einen kostspieligen Liebhaberbordeaux, wie er auf internationalen Weinauktionen für Tausende von Euro unter den Hammer kam?

An den Nebentischen versiegten unterdessen die Gespräche. Das Besteckklappern erlosch. Alle Gäste verfolgten jetzt, was Isabel Berenson eine Reklamation nannte.

»Es handelt sich hier um einen feinen italienischen Landwein«, sagte Annabelle, während sie alles an Vokabular rekapitulierte, was sie im Laufe ihrer Hotelkarriere gelernt hatte. »Eine geschmackliche Polyphonie der Beerennoten und erdigen Holzaromen, komplex und expressiv zugleich, begleitet von subtilen Gewürznuancen mit balsamischen wie animalischen Anmutungen, feinnervig, säurebetont, elegant balanciert, rassig auf der Zunge und frech im Abgang.«

Für Sekunden verschlug es Isabel Berenson die Sprache. Irritiert starrte sie den Wein an, als sei er ein seltenes Elixier. Dann ließ sie sich dazu hinreißen, Annabelle direkt in die Augen zu sehen.

»Sie … Sie … Woher wissen Sie so was?«

»Eine solide Hotellerieausbildung? Mit Stationen in München, Dubai und New York?«

Isabel Berenson wäre vermutlich die Kinnlade runtergefallen, wenn sie keinen Verband getragen hätte. So behalf sie sich mit karpfenartiger Schnappatmung, die einige Sekunden in Anspruch nahm.

»Dann … dann …«, japste sie, »… müssten Sie doch auch wissen, wie man einen VIP wie mich behandelt.«

»Bedaure, Ihre Lebensform befindet sich außerhalb meines Fachgebiets.« Völlig ruhig nahm Annabelle das Weinglas und schnupperte daran. »Der Wein ist übrigens völlig in Ordnung.«

Damit hätte es sein Bewenden haben können, doch Isabel Berenson gehörte zu den rechthaberischen Menschen, die immer das letzte Wort behalten mussten.

»In Ordnung, sagen Sie? Frechheit! Für mich schmeckt das wie nasser Hund an einem Spritzer Abwaschwasser. Das, Frau Stadlmair, ist die traurige Wahrheit.«

Annabelle suchte den Blick von Fabian, der seiner Schwester wie ein Panther auf dem Sprung zuhörte, bereit, jederzeit einzugreifen. Lass mal, signalisierte sie ihm mit den Augen, das schaffe ich allein.

»Genau.« Sie setzte ihr jahrelang trainiertes professionelles Lächeln auf. »Sie haben ja die Wahrheit gepachtet, Frau Berenson, und …«

Weiter kam sie nicht, denn zu ihrem größten Erstaunen baute sich auf einmal Sepp neben ihr auf, in dessen Augen ein wahres Höllenfeuer brannte. Bisher hatte er untätig zugehört, jetzt fühlte er sich offenbar berufen, das Heft in die Hand zu nehmen.

»Sie sind ja auch eine so unglaublich glaubwürdige Person«, sagte er in Isabel Berensons Richtung. »Ihnen würde ich sogar glauben, wenn Sie sagen, dass der Nikolaus den Weihnachtsmann geheiratet hat, dass die beiden das Christkind adoptieren und als Haustier den Osterhasen halten.«

Die gesamte Gaststube brüllte. Immer neue Lachsalven brandeten heran, die beiden Polizeibeamten schlugen sich wiehernd auf die Schenkel, schnaufend rannte Alois Stadlmair zu seinem Koch und drückte ihm einen Kuss auf die weiße Kochmütze. Sepp war der Held des Abends, und Annabelle platzte fast vor Stolz, ganz so, wie eine Mutter auf ihren Sohn stolz gewesen wäre. Sie hatte an Sepp geglaubt, doch dass er hier einen derart fulminanten Auftritt hinlegen würde, wäre ihr nie in den Sinn gekommen.

»Das war Granate«, raunte sie ihm zu.

»Und mir wird das allmählich zu dumm hier!«, schrie Isabel Berenson. »Frau Stadlmair, wann kapieren Sie endlich, dass Ihre Zeit im Edelweiß abgelaufen ist? Sofort nach der Vertragsunterzeichnung werde ich persönlich dem Abriss Ihres unsäglichen Hotels beiwohnen, während Sie und Ihre Familie mit Sack und Pack davonschleichen! Nun? Sie dumme kleine Gans – was sagen Sie dazu?«

Annabelles Lächeln klemmte immer noch zuverlässig in ihrem Gesicht, gelernt war gelernt.

»Warten Sie kurz, da muss ich mal eben die Stimmen in meinem Kopf konsultieren.«

Xaver, der ewig Übersehene, der an einem Stück Ciabatta kaute, fühlte sich offenbar bemüßigt, auch mal etwas zu sagen.

»Hey, Belle, also, hmpf, Isabel, hör mal, die Anna, hmpf, die ist nicht dumm, die ist sogar, hmpf, ziemlich schlau.«

»Man spricht nicht mit vollem Mund, Xaver!«, herrschte seine Geliebte ihn an.

»Man spricht auch nicht mit leerem Hirn, Frau Berenson.« Annabelle wartete, bis sich das tosende Gelächter in der Gaststube gelegt hatte. »Sofern Ihnen der Wein nicht mundet, können Sie Ihren Deal ja woanders feiern.«

In diesem Augenblick klingelte ein Handy. Isabel Berenson griff zu der strassfunkelnden Clutch, die neben ihrem Weinglas lag, und klaubte ein Smartphone in einer pinkfarbenen Hülle heraus.

»Ja, Berenson? – Aha. – Oh, verstehe. – Gut, ich komme.« Sie verstaute das Handy in der Clutch und stand auf. »Diese Diskussion ist noch nicht zu Ende. Ich werde Sie vernichten, denken Sie an meine Worte.«

Damit rauschte sie hinaus, in der ganzen verwegenen Pracht ihrer Verbände und Pflaster, begleitet von Pfiffen und ironischem Applaus. Fabian erhob sich ebenfalls und trat zu Annabelle, deren Puls stetig Fahrt aufnahm.

»Hallo«, sagte er schlicht.

Sein Blick, fragend, belustigt, mit der Intensität von Flutlichtscheinwerfern. Oha. Annabelle räusperte sich.

»Was heißt hier hallo? Ich dachte, Sie wären ganz woanders …«

»Wir waren doch schon beim Du«, raunte er. »Hast du denn nicht meine Nachrichten bekommen?«

Das Handy, verdammt. Sie hätte es eben doch einschalten sollen.

»Nein, hab ich nicht.«

»Warte, lass uns vor die Tür gehen, ja?«

Andächtig kauend hatte Xaver das kleine Gespräch belauscht, jetzt nahm er einen Schluck von dem beanstandeten Wein und prostete Annabelle zu, reichlich angetrunken, wie ihr schien.

»Hey, Anna, sind wir Glückspilze?«, krähte er. »Echt traumsupi. Ich krieg die reiche scharfe Schnitte, du den sexy Finanzheini. Läuft bei uns, was?«

Unsäglich. Xaver war einfach nur unsäglich. Annabelle tippte sich an die Stirn, Fabian verdrehte die Augen.

»Wenn man Ihnen so zuhört, Herr Bichlbaur, dann weiß man, warum es auch für Erwachsene Schuhe mit Klettverschluss gibt.«

»Was?« Mit einer heftigen Kopfbewegung warf Xaver seine Haartolle zurück. »Was haben Sie gesagt?«

»Komm, Annabelle, wir verziehen uns«, flüsterte Fabian, »sofern du einverstanden bist.«

»Um ehrlich zu sein, würde mich das … äh, sehr begeistern«, flüsterte sie zurück, »aber nur kurz, ich muss zurück in die Küche.«

Nachdem sie vor dem lebhaften Interesse der Gäste in den Flur geflohen waren, zog Annabelle ihren zurückgekehrten Fotoverehrer hinter sich her zum schummrigen Winkel hinter dem Rezeptionstisch. Hier waren sie ungestört, auch wenn die unselige Kellertür dem lauschigen Plätzchen einiges von seiner Romantik nahm. Zärtlich strich Fabian ihr eine blonde Strähne aus der Stirn.

»Ich musste einfach zurückkommen.«

Wow. Von seiner Berührung ging ein Sternenregen aus, der sich bis zu den Fußsohlen ausbreitete. Annabelle erschauerte ein weiteres Mal. Aber sie wollte es ihm auch nicht zu einfach machen. Man darf nie als Erster seine Zuneigung zeigen, schon gar nicht als Frau, lautete einer ihrer Grundsätze. Aha, ja, das klingt gut, hatte Mary-Jo diesen Grundsatz einmal kommentiert, so bleibt man auf jeden Fall interessanter. Und für immer allein.

»Wieso musstest du denn unbedingt kommen?«, fragte sie schelmisch. »Um deine reizende Schwester vor weiteren Anschlägen zu bewahren? Ich meine, erst der Stier, dann der Wein – in Puxdorf lebt es sich bekanntermaßen gefährlich.«

»Finde ich auch. Weil es dich gibt.« Fabian rückte ein Stück näher, und der freche Schalk in seinen Augenwinkeln blitzte und blinkte wie eine ganze Weihnachtslichterkette. »Sonst bin ich ja nicht so draufgängerisch, aber mich überkommt der unbändige Wunsch, dich zu küssen. Hm. Was würde dann wohl passieren in diesem mordsgefährlichen Puxdorf? Wäre ich ein toter Mann?«

»Klar.« Ihre Lippen begannen zu beben, in unkontrollierbarer Vorfreude. »Ich küss dich tot, was sonst?«

Es gab die Ruhe vor dem Sturm, die Stille nach dem Schuss, die Reue nach einer Tafel Schokolade, und es gab dieses vibrierende Vakuum vor dem ersten Kuss: ein Stückchen zitternder Ewigkeit, fast so ekstatisch aufgeladen wie der erste Kuss selbst. Annabelle spürte mit jeder Faser, dass sie soeben in dieses Vakuum hineingesogen wurde, unwiderruflich, mit nahezu überirdischen Kräften. Dies war der heilige Moment. Umkehr unmöglich, Umtausch ausgeschlossen. Sie senkte die Lider. Ihre Lippen öffneten sich, und sie hielt den Atem an. Ewigkeit. Jaaaa. Jetzt.

Ein markerschütternder Schrei zerriss die Luft.

»Hilfe! Polizei!«

Andere Schreie übertönten den ersten, verdoppelten und verdreifachten sich, überlagerten einander zu einem grässlichen vielstimmigen Chor.

»Die ist tot!« – »Nein!« – »Echt jetzt?« – »Gott, schon wieder eine Leiche?« – »Hol mal einer einen Krankenwagen!« – »Ja, einen Krankenwagen!« – »Die ist doch schon tot!« – »Polizei, schnell!« – »Hab ja gleich gesagt, dass noch einer dran glauben muss!« – »Es ist die mit dem Pelzmantel!« – »Was?« – »Die mit dem Verband im Gesicht!« – »Tot?« – »Komplett hinüber!«

Die Ewigkeit musste warten.

Kapitel 23

Als Erstes schoss Xaver wie ein Pfeil an der Rezeption vorbei, Hauptkommissar Andernach und Polizeiwachtmeister Trampert flitzten hinterher, ihre Servietten noch im Hemdkragen; die aufgescheuchten Gäste folgten ihnen auf dem Fuße, sodann wuselte die gesamte Küchencrew auf den Flur. Ein heilloses Gedrängel und Geschiebe entstand, bevor sich der Menschenstrom zur Veranda und weiter nach draußen wälzte, wo sich ein Schreien und Wehklagen erhob, als stürze ganz Puxdorf in einen Höllenschlund.

Auch Fabian hielt es nicht mehr drinnen. Aschfahl im Gesicht stob er davon. Annabelle meinte zu sterben. Fassungslos sah sie den Nachzüglern hinterher, die vereinzelt nach draußen rannten (vermutlich hatten sie noch ihre Gläser ausgetrunken, um sich für den Anblick einer frischen Leiche zu stärken). Das hier passiert nicht wirklich. Das IST ein Alptraum. Entsetzlich. Das habe ich der Bitch nicht gewünscht, nicht das. Dafür habe ich mir diesen Kuss so sehr gewünscht ... Hallo Karma, falls es dich irgendwo gibt, stell dich in die Ecke und schäm dich! Was zum Teufel soll das?

Es wurde wieder ruhig im Flur, nur ein entferntes helles Lachen war zu hören. Die Kinder!, durchzuckte es Annabelle, sie dürfen nichts mitbekommen! Muskel für Muskel löste sie sich aus ihrer Erstarrung. Mit einem schrillen Klingeln in den Ohren lief sie zur Familienstube, in der sie Max und die vier Kinder antraf, ihre Köpfe fröhlich über das *Mensch-ärgere-dich-nicht*-Spielbrett gebeugt.

»So, Max, ich schmeiß dich raus!«, lachte Fannys siebenjährige Tochter und kickte quietschend eine Spielfigur zur Seite.

Ihre drei Geschwister johlten vor Vergnügen, als Max mit gespieltem Ärger seine Faust auf den Tisch sausen ließ. Neben dem Spielbrett standen Gläser mit Apfelsaft und abgegessene Teller, so dass man sich um das leibliche Wohl der Kleinen keine Sorgen machen musste. Um das seelische Wohl allerdings schon. Deshalb bezwang Annabelle ihren Impuls, Max über den neuerlichen Mord ins Bild zu setzen. Die Familienstube lag nach hinten raus, von dem Geschrei vor dem Hotel hatte er offenbar nichts gehört. Nun, er würde es früh genug erfahren. Nur – wo war Oma Martha?

»Max«, Annabelles Stimme quietschte wie die verrosteten Angeln der Kellertür, »ich möchte nicht stören, nur eine Bitte: Könntet ihr noch eine Weile weiterspielen?«

»Ja, freilich! Die Kleinen spielen mich unter den Tisch, da verlange ich Revanche!«

»Dann, äh, viel Spaß.«

Leise drückte Annabelle die Tür zur Familienstube zu. Wahrscheinlich war ihre Großmutter mit den anderen nach draußen gelaufen. Die Gaststube war jedenfalls komplett leer, so wie Küche und Flur. Also beschloss Annabelle, ebenfalls den Schauplatz des grauenvollen Ereignisses aufzusuchen, und schnappte sich ihre Jacke sowie die beiden Schals vom Garderobenhaken. Sensationsgier lag ihr fern. Sie wollte Oma Martha beistehen, die alte Dame hatte schon genug durchgemacht. Auch Fabian brauchte seelischen Beistand. Isabel Berenson war eine Giftnatter gewesen, aber sie war und blieb seine Schwester.

Der Tatort war nicht schwer zu finden. Etwas abseits der inzwischen abgeflauten Glühweinsause hatte sich vor einem halbhohen Jägerzaun eine Menschenmenge versammelt, die stetig Zulauf erhielt. Dahinter ruhte Isabel Berenson im Schnee wie eine bizarre Eisprinzessin. Zahlreiche Schaulustige beleuchteten sie mit ihren Handys, so dass sie trotz der nächtlichen Dunkelheit gut zu erkennen war – ihr teurer Pelzmantel, ihr bandagiertes Gesicht, das schwarze Hexenhaar.

Annabelle begann zu zittern. Es war unheimlich, diese Frau dort liegen zu sehen. Auf dem Rücken, Arme und Beine von sich gestreckt. Und stumm. Für immer stumm.

Unwillkürlich bekreuzigte sie sich, was sie schon seit vielen Jahren nicht mehr getan hatte. Währenddessen zermarterte sie sich das Hirn, wie es zu diesem Tod hatte kommen können. Wer war der geheimnisvolle Anrufer, der Isabel Berenson nach draußen gelockt hatte? Ein weiterer, noch unbekannter Konkurrent? Einer aus dem Dorf? Ein Wahnsinniger? Wer hatte die Nerven sowie Motiv und Gelegenheit, Isabel Berenson in unmittelbarer Nähe des Edelweiß zu ermorden?

Wie eine Schlafwandlerin schob sich Annabelle durch die Menge, auf der Suche nach Oma Martha und Fabian, konnte aber weder die eine noch den anderen entdecken. Sie suchte weiter, bis sie auf ihre Freunde traf, die ganz vorn am Zaun standen. Toni drückte ihr stumm die Hand, Betty legte einen Arm um Annabelles Schulter. Ferdi befand sich im Zustand völliger Entrückung, unablässig murmelte er irgendwelche Mantras. Mitzi blickte zu Xaver, der zu Füßen der Leiche im Schnee hockte, den Kopf mit der braunen Haartolle auf die Oberschenkel gelegt wie ein Fußballer nach dem verlorenen Endspiel. Daneben knieten Hauptkommissar Andernach und Polizeiwachtmeister Trampert und untersuchten die Tote im Taschenlampenschein von Kollege Tramperts Handy. Er schien schwer mitgenommen zu sein. Immer wieder hackte er seine Schneidezähne in die Unterlippe, und das Handy, mit dem er die Tote anstrahlte, schwankte auffällig. Hauptkommissar Andernach dagegen war die Ruhe selbst. Nahezu kaltblütig, als prüfe er den Reifezustand einer Avocado, betastete er die Halsschlagader der Toten, um anschließend eins der geschlossenen Lider hochzuziehen.

»Da kommt jede Hilfe zu spät. Wahrscheinlich vergiftet, so wie der Herr auf dem Dorfplatz.«

Ein Ächzen und Stöhnen ging durch die Menschenansammlung. Wie ein Echo lief das Wort durch die Reihen der Zuschauer. *Vergiftet, vergiftet, vergiftet ...*

»Furchtbar«, schluchzte eine Frau.

»Sei froh, dass hier überhaupt mal was passiert«, antwortete jemand. »CSI ist nix dagegen.«

Ansonsten wurde nur geflüstert. So wie am Mittag, als man Peter McDormand gefunden hatte, wirkte die Atmosphäre nahezu andachtsvoll. Die wenigen Zuschauer, die überhaupt einen Ton herausbrachten, stellten beklommen murmelnd allerlei Theorien auf, wie man diesen neuerlichen Mord einsortieren sollte: Rache? Triebtäter? Habgier? Pure Mordlust?

Doch auch diese Gespräche verstummten, als Randolf Egertaler, der Bürgermeister, an den Zaun trat. Seine dick gefütterte helle Wildlederjacke mit dem Lammfellkragen wirkte irgendwie unpassend für diesen traurigen Anlass, was ihm nicht aufzufallen schien. Vor allem seine modische Lammfellkappe eignete sich eher für einen Après-Ski-Drink vor einer schicken

Skihütte als für die Besichtigung eines Tatorts. Die Tote streifte er nur mit einem flüchtigen Blick. Danach wandte er sich an die Menge.

»Dies ist ein weiterer schwarzer Tag für Puxdorf! Mein Mitgefühl gilt dem Opfer und seinen Angehörigen! Doch ich werde alles daransetzen, dass Puxdorf wieder ein friedlicher Ort wird! Dafür stehe ich mit meinem Namen – Randolf Egertaler!«

Niemand reagierte.

»Leute!«, er breitete die Arme aus. »Im Sommer sind Landtagswahlen. Denkt daran, euer Kreuzchen an die richtige Stelle zu setzen! Wir müssen mit der Vergangenheit abschließen, den Blick in die Zukunft richten, das Neue wagen. Seht euch das Hotel Edelweiß an, den Schandfleck unseres schönen Ortes. Damit ist kein Staat mehr zu machen!«

»Was reden Sie denn da?«, rief Annabelle empört.

»Edelweiß forever!« Mitzi riss einen Arm hoch. »Puxdorf braucht das Edelweiß!«

»Papperlapapp«, fertigte Randolf Egertaler die beiden ab. »Ich werde nicht davon ablassen, den Bau des Megaresorts voranzutreiben, damit wir eine prosperierende Gemeinde werden. Dieses Resort wird uns Arbeitsplätze bescheren! Es wird die Jugendlichen nach Puxdorf zurückholen! Wir alle werden davon profitieren! So wahr ich Randolf Egertaler heiße!«

Sichtlich von sich selbst beeindruckt, nahm er den tröpfelnden Applaus entgegen, um sich sogleich wieder von dannen zu begeben.

»So ein mieser Karrierist«, schnaubte Toni.

»Wie kann er nur versuchen, sogar noch aus einem Todesfall Kapital zu schlagen?«, sagte Betty fassungslos. »So eine gefühllose Pfeife.«

Ein Mann drängelte sich an Annabelle vorbei nach vorn durch, es war jener Abendgast, der ihr schon früher am Abend aufgefallen war. Der windige Typ in der schwarzen Lederjacke. Während die anderen Zuschauer respektvoll Abstand hielten, hechtete er sportlich über den Zaun und kniete sich zu den Polizeibeamten in den Schnee.

»Beyer, Tannstadter Morgenzeitung. Vergiftet, sagen Sie?«

Ungerührt deutete Hauptkommissar Andernach auf die Tote.

»Genaueres wissen wir, wenn die Kollegin vom Tatortteam eintrifft.«

»Schon eine Ahnung, wer der Täter gewesen sein könnte?«, fragte der Journalist.

»Unser Opfer muss ihn gekannt haben, denn sie wurde von ihrem Mörder angerufen. Eine Handynummer gibt man ja nicht jedem. Diese Dame schon gar nicht.«

»Und der Tathergang?«

»Wahrscheinlich hat sie das tödliche Gift hier zu sich genommen. Am Essen kann's jedenfalls nicht gelegen haben, wir hatten ja alle dasselbe Menü und dieselben Getränke.« Hauptkommissar Andernach dachte nach. »Muss ein extrem schnell wirkendes Gift gewesen sein. Zack, Exitus.«

Polizeioberwachtmeister Trampert schien mittlerweile am Rande der Beherrschung zu taumeln. Sein gutmütiges Bernhardinergesicht zuckte in alle Richtungen, als könne es sich nicht recht entscheiden, wohin es vor dem grausigen Anblick flüchten sollte. Wohl, um Druck abzubauen, plapperte er plötzlich wild drauflos.

»Also, wenn das Gift war, dann müsste das aber schon ein sehr starkes gewesen sein, so ein Magen, auch ein verwöhnter wie der von der gnädigen Frau, der hält was aus, da muss man andere Geschütze auffahren, sonst wird das nix, ja, Herrschaften, da muss man sich schon was ausdenken«, nahezu manisch spann er den Gedanken immer weiter, als wolle er sich im Ernst eine Eins plus als Supercop verdienen, »gewiss, ein besonders perfides Gift wird's gewesen sein, Rattengift zum Beispiel oder Pflanzengift oder eine Designerdroge, ja das wäre möglich, aber eine tödliche …«

»Wollen Sie uns totquatschen?«, schnauzte Hauptkommissar Andernach ihn an. »Dussel! Denken Sie, man könnte jemanden mit Limonade vergiften?«

Die Ankunft der Tatortexpertin ließ ihn verstummen. Sie trug immer noch den weißen Overall, hatte wie schon am Mittag ihren Alukoffer dabei und schien alles andere als begeistert von dem nächtlichen Einsatz zu sein. An ihrem rechten Mundwinkel klebte ein Klecks Senf, wie man sah, als Kollege Trampert ihr ins Gesicht leuchtete.

»Jetzt blenden Sie mich doch nicht auch noch!«, knurrte sie. »Reicht es denn nicht, dass ich mitten beim Essen aufstehen musste? Da will man einmal, ich sage: *einmal* in Ruhe eine Wurst genießen, und schon fällt hier wieder einer um.«

»Wurst? Da haben Sie aber was verpasst im Edelweiß«, entgegnete Polizeioberwachtmeister Trampert, eifrig bemüht, seine ungeschickte Art mit weiteren Reteströmen wegzuspülen. »Bisonburger, sehr bekömmlich, sehr lecker, mit dem würzigen Bisonfleisch vom regionalen Erzeuger, vitaminreich und ...«

»Trampert!«, brüllte Hauptkommissar Andernach.

»Dilettanten«, zischte die Tatortexpertin.

»Mann, Mann, Mann!«, dieselte der Hauptkommissar nach.

»Das können Sie laut sagen.« Die Frau im weißen Overall streifte Latexhandschuhe über, öffnete den Koffer und holte eine große Lupe heraus, durch die sie den Hals und die weißen Verbände des Opfers betrachtete. »Ach herrje.«

Vorsichtig löste sie die Pflaster und Verbände vom Gesicht der Toten, womit sie eine neue Woge des Entsetzens im Publikum erzeugte. Kein schöner Anblick. Eingehend befühlte sie die Nase, die Wangen, die Stirn, danach tastete sie den Oberkörper ab.

»Das arme Ding hat so einige Torturen hinter sich. Nase im Eimer, Kiefer gebrochen, zwei Rippen fehlen.«

»Mein Gott, dann wurde sie auch noch zusätzlich erschlagen?«, fragte Polizeioberwachtmeister Trampert entgeistert.

»Nein, Sie Schlaumeier, Beauty-OPs. Der Tod trat durch Vergiftung ein, wie man an der geschwollenen Zunge sehen kann. Die Symptome ähneln jenen unseres Toten vom Mittag. Das Labor hat Roten Fingerhut ermittelt, eine hochgiftige Pflanze, sehr verbreitet in den Hochalpen. Zwei, drei getrocknete Blätter genügen. Die enthaltenen Digitaloide führen zu Herzrhythmusstörungen und Halluzinationen, dann folgt der Herzstillstand.«

Sepp, der neben Fanny stand, knetete seine Kochmütze.

»Das war kein Fingerhut, das ist der Fluch«, sagte er mit tiefer, unheilvoll grollender Stimme. »Der Drachenstein hat heute geglüht, das war das Zeichen.«

»Blödsinn, hier läuft irgendwo ein Gestörter rum«, widersprach Toni. »Hätte ich doch bloß schon die Überwachungsdrohnen kreisen lassen, dann wüssten wir mehr. Gleich heute Nacht lege ich damit los.«

Sepp schüttelte den Kopf.

»Nein, nein, das ist der Fluch.«

»Das ist ja beängstigend«, hauchte Fanny.

In ihrer zu großen grauen Fleecejacke sah sie noch schmaler aus als sonst. Als könnte ein kleiner Windstoß sie umpusten. Sepp rückte etwas näher an sie heran und nahm ihre Hand.

»Keine Angst, ich bin ja da.«

»Danke, Sepp.« Fanny schien nichts dagegen zu haben, dass er ihre Hand hielt. »Da fühle ich mich gleich sicherer.«

Es durchfuhr Annabelle wie eine ihrer Eingebungen. Sie schaute noch einmal zu Fanny und fand sich in ihrer Intuition bestätigt. Annabelle wusste es einfach: Fannys Mann war keineswegs »auf Montage«. Er hatte dieses kleine Persönchen mit ihren vier Kindern sitzengelassen, schickte vermutlich noch Geld, kümmerte sich aber nicht mehr um seine Familie. Im Gegensatz zur selbstbewussten, unkonventionellen Mitzi brachte Fanny jedoch nicht den Mut auf, ihre Trennung öffentlich zu machen und damit zu einem weiteren Hotspot der dörflichen Gerüchteküche aufzusteigen. Lieber Gott, dachte Annabelle, lass das was werden mit den beiden. Und pass bloß auf, dass Sepp trocken bleibt.

Seltsame Überlegungen im Angesicht des Todes. Sie richtete ihr Augenmerk wieder auf das Zentrum des Geschehens, wo die beiden Polizisten ihres Amtes walteten, als sie eine Hand auf ihrer Schulter spürte.

»Anna. Was ist hier los?«

Überrascht fuhr sie herum. Es war Andi. Er trug seine schwarze Skijacke mit der Fellkapuze, seine Augen flackerten im bläulichen Licht der vielen aktivierten Handydisplays. Wie aus dem Nichts war er neben ihr aufgetaucht, und allein seine Anwesenheit erleichterte sie. Selbst jetzt strahlte Andi eine unerschütterliche Ruhe aus.

»Die Berenson ist vergiftet worden«, antwortete sie mit halberstickter Stimme.

»Großer Gott.« Er presste die Lippen so fest aufeinander, dass sie weiß wurden. »Was für ein Drama.«

»Und du traust dich auch noch hierher?«, schimpfte Toni, der jetzt ebenfalls auf den Oberleitnersohn aufmerksam geworden war. »Ohne eure vermaledeite Geldgier wäre das alles gar nicht erst passiert.«

»Ja, den vergifteten McDormand und die tote Trümmertorte haben wir nur euch zu verdanken«, grummelte Mitzi.

»Puxdorf war mal ein beschaulicher Ort«, fügte Betty vorwurfsvoll hinzu.

»Hier war die Welt in Ordnung – bevor Ihr diese Finanzleute hergelockt habt, die jetzt sterben wie die Fliegen.«

»Wer im Glashaus sitzt, sollte nachts das Licht ausmachen, Betty.« Andi drückte seinen breiten Rücken durch. »In Puxdorf war nie irgendwas in Ordnung. Wenn auch nur die Hälfte von dem ganzen Klatsch stimmt, den man sich erzählt, hat jeder hier was zu verbergen.«

Blicke flogen hin und her.

»Also, ich finde, wir haben schon genug schlechte Schwingungen«, griff Ferdi ein. »Lasst uns lieber der Seele gedenken, die jetzt eine lange Reise antritt, um dereinst in Freude wiedergeboren zu werden.«

Mitzi klimperte unwirsch an ihren Ohrpiercings herum.

»Ach, schmier dir deine Schwingungen doch in die Haare.«

Annabelle zog Andi beiseite, der die Diskussion mit unbewegter Miene an sich abperlen ließ. Auch sie war dieser Streitereien überdrüssig. Zumal sie die Gründe kannte, warum die Oberleitners ihren Hof verkaufen wollten. Dass Andis Mutter über die ewigen Intrigen und Anfeindungen im Dorf depressiv geworden war, konnte man einen exzellenten Grund nennen, den ganzen Klump zu verscherbeln und das Weite zu suchen.

»Dorfgedöns, mach dir nichts draus«, flüsterte sie Andi zu, als sie sich einige Meter weit von der Menschenmenge entfernt hatten.

»Danke, Anna.« Sirrend zog er den Reißverschluss seiner Jacke zu und setzte die Kapuze auf. Seine Augen funkelten matt. »Bleibt's bei unserem Date morgen Nacht? Im Pferdestall? Oder wagst du nicht mehr, einen Oberleitner zu treffen?«

»Da kennst du mich aber schlecht.«

»Leider«, er atmete geräuschvoll aus, »kenne ich dich noch so gut wie gar nicht.«

Ehrliches Bedauern lag in Andis Stimme, aber eben auch noch etwas ganz anderes – nichts Flirtiges, nein, sondern Wärme und Sympathie. Annabelle hob unauffällig einen Daumen.

»Morgen. Um Mitternacht. Ist zwar kein richtiges Date, aber ich bin dabei.«

»Annabelle?« Auf einmal stand Fabian neben ihr, durchgefroren, ohne Jacke, mit aufgelöstem Gesicht. »Störe ich euch?«

Es gefiel ihr, wie er Andi ansah, mit diesem Vorsicht-die-gehört-mir-

Blick. Nein, es gefiel ihr auch wieder nicht, denn es war dunkelgelbe Eifersucht, die in seinen Augenfältchen nistete. Von Schalk keine Spur.

»Wieso nennt er dich Annabelle?«, fragte Andi.

»Wieso nennt er dich Anna?«, fragte Fabian. »Und was ist das für ein Date?«

Ach du grüne Neune. Also hatte er aufgeschnappt, dass sie sich mit Andi verabredet hatte.

Annabelle zog an ihren Schals herum. Jetzt hätte nur noch Simon gefehlt, und der Super-GAU wäre perfekt gewesen. Jungs, bitte, macht mir nicht mein Herz kaputt, flehte sie stumm. Ich hab nur eins, und das ist gerade außer Betrieb. Dezidophobie im fortgeschrittenen Stadium, was so viel wie Entscheidungsangst bedeutet, falls ihr den Begriff noch nicht kennt.

»Ich … nein, du störst natürlich nicht, Fabian, ich meine, endlich, da bist du ja«, stammelte sie. »Ihr beiden, also, Andi und du, ihr kennt euch schon, nehme ich an?«

Die beiden Männer nickten einander zu, aber ganz und gar nicht wie coole Geschäftspartner, sondern wie Konkurrenten auf einem wesentlich emotionaleren, wesentlich heikleren Feld.

»Mein Beileid, Herr Berenson«, sagte Andi beeindruckend formvollendet für die unmögliche Situation, »ich bedaure zutiefst, dass Ihre Schwester ums Leben gekommen ist.«

»Hübsche Umschreibung für das da.« Erbittert deutete Fabian mit dem Kinn auf die etwas weiter entfernt im Schnee liegende Leiche seiner Schwester. »Die Puxdorfer sind ein gefährliches Völkchen. Hier sollte man niemandem trauen. Wirklich niemandem.«

Achtung! Auf der Stelle sprang Annabelles Doppeldeutigkeitsgenerator an. Er ratterte ziemlich laut. Fabian war nicht nur eifersüchtig, er war zutiefst enttäuscht und beleidigt, dass sie sich mit Andi abgab. Er traute ihr nicht. Verflixt. Es schien Jahre her zu sein, dass sie sich dem vibrierenden Sog eines Fast-schon-Kusses hingegeben hatten. Beschwörend legte sie eine Hand auf seinen Arm.

»Fabian, es tut mir unendlich leid, was mit deiner Schwester passiert ist. Das muss ein furchtbarer Verlust sein. Wenn ich irgendetwas für dich tun kann …«

»Na, so innig hat er seine Schwester nun auch wieder nicht geliebt.«

Andi schaute immer noch rüber zur toten Isabel Berenson. Polizeioberwachtmeister Trampert hatte sich zu Xaver gesetzt, der apathisch eine Zigarette rauchte. »Beim ersten und einzigen Treffen im Haus meines Dads haben die sich gestritten wie die Kesselflicker.«

»Was geht Sie das an?«, brauste Fabian auf.

»Wissen Sie, das Traurige ist – ich finde das gar nicht mal so schlimm«, erwiderte Andi. »Familie ist immer ein Schlachtfeld. Jeder hat doch irgendeine Leiche im Keller, oder?«

Ja, aber nicht jeder eine eingeweckte, dachte Annabelle.

»Lasst uns reingehen«, schlug sie vor. »Hier können wir nichts mehr tun.«

»Ohne mich!«, schallte es ihr wie aus einem Mund entgegen.

Ratlos schaute sie vom einen zum anderen. Eine peinliche Pause entstand. Und da sage noch einer, in der Dunkelheit des Lebens lerne man seine besten Freunde kennen.

»Ich lass mich doch nicht noch mal von den Puxdorfern anmachen«, schob Andi eine Erklärung hinterher.

»Und ich muss nach München, um gleich morgen früh Isabels Angelegenheiten zu regeln, die laufenden Verträge, den Nachlass, die Beerdigung, all das.« Fabian gab Annabelle zwei sehr, sehr flüchtige Küsschen auf die Wangen, was einer kalten Zurückweisung gleichkam. Dann wandte er sich an Andi. »Die Sache mit dem Vertrag überlege ich mir noch mal. Widerrufsrecht, Sie kennen das ja vermutlich. Bestimmt haben Sie volles Verständnis, dass mein Interesse an Puxdorf deutlich abgeflaut ist.«

»Wie Sie meinen.«

Vorbei? Alles vorbei? Völlig unerwartet hatte das Gespräch eine katastrophale Wendung genommen, und Annabelle begann zu frieren, innerlich wie äußerlich. Der möglicherweise geplatzte Vertrag hätte sie fröhlich stimmen sollen, doch es fühlte sich eher an, als landete sie krachend zwischen allen Stühlen. Sie wollte, dass Fabian hierblieb (halte den Vertrag ein, damit du dauernd in Puxdorf zu tun hast!). Sie wollte, dass Andi seine Probleme löste (ich gönn dir den Vertrag!). Sie wollte das Edelweiß vor dem Absturz bewahren (bloß kein Vertrag!).

Hilflos zappelte sie im Netz dieses Interessenkonflikts. Keine Frage: Heute war so ein Tag, an dem die Existenz des gesunden Menschenverstands eine reine Hypothese zu sein schien. Sie brachte kein Wort heraus.

»Bis dann, Anna«, verabschiedete sich Andi.

»Mach's gut, Annabelle«, brummte Fabian.

In entgegengesetzte Richtungen marschierten die beiden davon. Andi steuerte den Weg zum Oberleitnerhof an, Fabian lenkte seine Schritte zu einem robusten Geländewagen, der ganz in der Nähe zwischen zwei Schneehaufen parkte. Die Fahrertür öffnete sich und klappte zu, der Motor heulte auf, dann schlingerte der Wagen in viel zu hohem Tempo die vereiste Dorfstraße hinunter. Alles, was von Fabian blieb, waren aufflammende Rücklichter, die sich in der Dunkelheit verloren. Noch nie hatte sich Annabelle so einsam gefühlt.

»Kleines?« Alois Stadlmair tippte ihr auf die Schulter. »Was machen wir denn jetzt?«

Sein von der Kälte gerötetes Gesicht unter dem Gamsbarthut formte ein einziges großes Fragezeichen. Ja, wie sollte es weitergehen? Durchschlafen, so ungefähr bis Mitte Februar, wäre Annabelles Favorit gewesen (weck mich bitte erst wieder, wenn dieser Höllenspuk wirklich vorbei ist, und wenn's erst im Sommer ist).

Sie löste ihren Blick vom Gamsbarthut ihres Vaters und sah ihm direkt in die fragenden Augen. The show must go on, das war von jeher die oberste Regel, fürs Leben wie für die Gastronomie. Durchhängen konnten sie sich nicht leisten. Dafür stand zu viel auf dem Spiel.

»Papa, ich denke, du solltest was sagen. Die hohle Rede vom Egertaler kann doch nicht alles gewesen sein.«

»Was soll ich denn bitte schön sagen?«

Annabelle sah zu der Menschenmenge, die immer noch fröstelnd am Tatort herumstand.

»Was wirklich Aufmunterndes, Positives. Das Leben muss weitergehen. Wir sind auf dem besten Weg, das Edelweiß wieder zum Laufen zu bringen, doch ohne Mumm in den Knochen kannst du das Ding nicht nach Hause fahren. Früher sagtest du doch auch immer: Wer Sahne will, muss Kühe schütteln.«

»Mach du das lieber, Anna. Ich bin nicht so der große Redner.«

»Doch, bist du. Trau dich. Die Leute mögen dich. Du kannst ihnen was geben, nicht nur Glühwein und Bier. Aber ein Schnaps aufs Haus sollte es schon sein.«

»Hm. Wird langsam ganz schön teuer, sich diese Welt schönzutrinken«, schmunzelte er.

»Unsere Einnahmen vom Essen heute Abend gleichen das hundertfach wieder aus, Papa. Komm schon, betreutes Trinken ist aller Gemütlichkeit Anfang. Wir müssen jetzt zusammenrücken, sonst fällt Puxdorf auseinander.«

Zaudernd stand Alois Stadlmair da. Er trug nur seine Lodenjoppe, seine steifgefrorenen Finger hingen bewegungslos in der eiskalten Luft.

»Wenn es regnet, halte Ausschau nach dem Regenbogen, wenn es dunkel ist, schaue zu den Sternen, hat Oma Martha früher immer gesagt«, versuchte sich Annabelle in weiterer Überzeugungsarbeit.

Ihr Vater gab sich einen Ruck.

»Hört sich an wie die Einladung zu einer Elektroschockbehandlung, aber gut, ich mach's.«

Nachdem er seinen Hut tiefer in die Stirn gezogen hatte, ging er mit festen Schritten zum Jägerzaun und baute sich vor der Menschenmenge auf.

»Leute!«, rief er mit volltönender Stimme. »Hört mal zu! Wir haben einen tragischen Todesfall zu beklagen, doch wir lassen uns nicht ins Bockshorn jagen! Das Leben muss weitergehen in Puxdorf, deshalb sollten wir näher zusammenrücken. Auf den Schreck gebe ich einen Schnaps aus. Immer nur rein in die gute Stube!«

Wie schon am Mittag nach der Stierattacke, löste die Einladung zu einem alkoholgesättigten Freigetränk ein überaus zustimmendes Echo aus. Lautstarkes Stimmengewirr erhob sich, und erneut setzte sich eine kleine Völkerwanderung zum Edelweiß in Bewegung. Auch Annabelles Freunde gehörten zu den Wanderern, allerdings begegneten ihr misstrauische Blicke.

»Was wolltest du denn mit dem Blödmann Andi Oberleitner?«, stellte Mitzi sie zur Rede.

»Gegenfrage: Was hat euch Andi eigentlich getan?«

»Einmal Oberleitner, immer Oberleitner«, brummte Toni. »Sagen doch alle hier in Puxdorf.«

Annabelle blieb stehen.

»Toni, um zu begreifen, wieso manche Leute zu allem ihren Senf dazugeben, müsstest du lernen, wie eine Bratwurst zu denken. Willst du das?«

Er kratzte sich am Kopf.

»Äh, nee, ich sehe mich eher so als Steak.«

»Also? Immer noch auf Krawall gebürstet?«

»Bitte, wir hatten einen tollen Tag zusammen«, bat Betty beschwichtigend. »Anna hat recht. Wir sollten ihn harmonisch ausklingen lassen.«

»Und die Sache mit den Singlereisen weiterverfolgen, um mal was Konstruktives zu sagen.« Ferdi strich bedächtig über seinen bunten Indianermantel. »Die Sensationslust wird sich bald legen. Dann kommt wieder eine Flaute, und da müssen wir vorbeugen. Herumirrende Singleseelen im Edelweiß zu sich selbst kommen lassen, halte ich für eine nachhaltig wertvolle Idee. Ökologisch ausgerichtet, natürlich, im Einklang mit den guten Energien der Hochalpen.«

»Sollte man Social-Media-mäßig anschieben, auf Dating-Portalen und so«, sagte Mitzi. »Ich weiß, wie das geht. Instagram und Co. Für schnell Entschlossene. Last-Minute-Christmas im Edelweiß!«

»Ja, wir müssen nach vorn schauen«, fiel Betty in den allgemeinen Tenor ein. »Ich bin dabei. Am besten, wir starten gleich am Heiligen Abend. Da hängen diese Singles«, sie sprach das Wort aus, als handele es sich um eine seltene Tierart auf den Galapagosinseln, »also, diese Singles hängen da doch durch, und bei uns zu Hause ist nach der Bescherung am Nachmittag sowieso die Luft raus. Wollen wir nicht einfach alle zusammen feiern? Im Edelweiß?«

»Mit Kindern?«, fragte Fanny zaghaft.

»Natürlich«, lächelte Sepp. »Die Kleinen kriegen einen schönen Christkindl-Gugelhupf.«

»Und spielen *Mensch ärgere dich nicht* mit Max und Oma Martha«, ergänzte Annabelle, die völlig überwältigt von so viel Zuspruch war. »Aber kriegen wir das denn so schnell hin?«

»Heute haben wir's doch auch hingekriegt«, strahlte Betty. »Übrigens glaubst du gar nicht, was bei den Puxdorfern so alles auf dem Speicher lag – mittlerweile habe ich ein ganzes Stoffdepot zu Hause. Damit kannst du dem gesamten Edelweiß neue Gardinen verpassen.«

»Ich könnte euch eine neue Website bauen«, bot sich Toni an. »Mit meinen Drohnenfotos.«

»Super, am besten mit einem, auf dem der Mörder wieder zuschlägt«, kicherte Mitzi.

Kapitel 24

22. Dezember, noch zwei Tage bis Heiligabend

Seit dem frühen Morgen war Annabelle treppauf und treppab gelaufen, um die Hotelzimmer von verfusselten Bettvorlegern und löchrigen Gardinen zu befreien. Nun saß sie mit Fanny in der Gaststube und sichtete Bettys Stoffsammlung, die Toni bereits vor dem Frühstück mit seiner Sackkarre herangeschafft hatte, in große Tüten verpackt. Es waren wahre Schätze, in denen sie wühlten. Herrliche alte Leinenbettlaken kamen zum Vorschein, teilweise mit eingewebten blauen Streifen, außerdem meterlange, etwas aus der Mode gekommene Damasttischtücher, die keine Verwendung mehr fanden, sowie abenteuerlich buntbedruckte Gardinen, allesamt Opfer des rasch wechselnden Geschmacks.

Halb Puxdorf musste sich an der Aktion beteiligt haben. Anderswo hätte man diese textilen Schrankleichen wahrscheinlich längst entsorgt, doch in den geräumigen Bauernhäusern gab es keine Platzprobleme wie in Stadtwohnungen. Man bewahrte alles auf – zum Glück für das Hotel Edelweiß.

»Und du willst die Stoffe wirklich einfach so über die Gardinenstangen werfen?«, fragte Fanny zweifelnd.

»Ja, wir tackern sie direkt unter den Stangen zusammen, damit es hält – das wirkt superlässig«, versicherte Annabelle. »Wir müssen nur schauen, dass die Farben und Materialien zu den Zimmern passen.«

Das Thema Dekoration hatte sie immer schon interessiert. Es faszinierte sie einfach, dass selbst durch kleine Veränderungen ein neuer Look entstehen konnte. So hatte sie im Imperial Ambassador angeregt, die Wände der Hotelbar lachsfarben zu streichen, um auch die weibliche Kundschaft anzusprechen. Mit durchschlagendem Erfolg. Auch ihre Idee, die weitläufige Hotellobby mit kleinen Leselampen und bemalten Paravents in eine Wohlfühlzone mit halbprivaten Rückzugsorten zu verwandeln, war bei den Gästen gut angekommen. Anders als in New York konnte sie im Hotel Edelweiß allerdings nicht aus dem Vollen schöpfen, sondern musste aus der Not eine Tugend machen.

»Schau mal, zwei Satinbettbezüge mit Rosenmuster«, sagte Fanny. »Wo passen die hin?«

»Zimmer acht«, antwortete Annabelle nach kurzem Überlegen. »Da gibt's einen Schrank, der mit Rosen bemalt ist, sehr stimmig.«

Sie zog zwei roséfarbene Damasttischdecken aus dem Haufen.

»Die sind perfekt für das Schlafzimmer der Hochzeitssuite. Im dazugehörigen Wohnzimmer mit dem Kamin können wir Leinenbetttücher nehmen, für den rustikalen Touch.«

Unvermittelt kam sie ins Träumen. Die Hochzeitssuite. Seit dem innigen Gespräch mit Fabian hatte sie mehrfach vor dem erkalteten Kamin gesessen und über ihre Gemeinsamkeiten nachgedacht. Es stimmte, sie teilten so einiges, den Humor und das Frei-von-der-Leber-weg-Reden zum Beispiel. Nur beim Kämpfertum hielt sich Fabian auffällig zurück. Annabelle fand, dass er ruhig ein bisschen um sie hätte kämpfen sollen, wenn er denn schon eifersüchtig auf Andi war. Sein wütender Abgang am Vorabend tat immer noch verdammt weh. Warum vertraute er ihr nicht? Waren sie denn nicht über das Stadium hinaus, in dem man mehr Fragen als Antworten hatte?

»Gibt es überhaupt schon Anmeldungen für Heiligabend?«, erkundigte sich Fanny, während sie den Inhalt einer weiteren großen Tüte auf den Tisch leerte.

Annabelle schaute auf ihr Handy. Im Halbstundentakt brachten Toni und Mitzi sie auf den neuesten Stand. Das Puxdorfer Sixpack war wirklich unschlagbar. Sie tippte die neuesten Nachrichten an. Drei Singles hatten bisher angebissen. Zu wenig. Sie brauchte jemanden, der das Edelweiß in den Suchmaschinen ganz nach oben katapultierte. Einen IT-Experten.

»Eine Sekunde bitte, Fanny.« Annabelle nahm einen Schluck aus dem gestreiften Pappbecher mit mittlerweile erkaltetem Espresso, den Toni ihr mit Grüßen von Betty mitgebracht hatte. »Ich muss mal kurz telefonieren.«

Sie lief auf den Flur, wo ihre Daunenjacke am Garderobenhaken hing. In einer der Jackentaschen lag noch Andis Visitenkarte. Die mit der Handynummer. *Andreas Oberleitner, Solutions4you.*

»Hallo? Oberleitner?«, meldete er sich.

»Hier ist Anna.«

»Du willst absagen?«, fragte er enttäuscht.

»Nein, absolut nicht.« Nervös zerknüllte sie die Visitenkarte. »Andi, könntest du mir einen Gefallen tun? Ist ein merkwürdiger Gefallen, denn es dreht sich um das Edelweiß.«

Hastig erläuterte sie ihm das Konzept der Singlereisen und die Notwendigkeit, die Internetpräsenz des Hotels zu verbessern.

»Suchmaschinenoptimierung?« Sie konnte ihn lächeln spüren. »Kein Ding. Das erledige ich für dich. Ist eine Kleinigkeit, so was mache ich in meiner Firma jeden Tag routinemäßig.«

Überglücklich lehnte sich Annabelle an die Garderobe.

»Tausend Dank, Andi. Am liebsten würde ich dich ja Heiligabend einladen, zu unserer Singleweihnacht …«

»Haha. Als Partycrasher? Lass mal, es gibt schon genug Unfrieden im Dorf. Und ich bin ja schließlich wegen meiner Eltern hergekommen.«

»Verstehe. Dann bis heute Abend.«

»Mitternacht, uuuhh, Geisterstunde«, lachte er. »Hoffen wir mal, dass euer Lieschen gut auf uns aufpasst, falls der Mörder um die Ecken schleicht.«

»Hör bloß auf«, stöhnte Annabelle.

»Keine Angst, ich denke nicht, dass wir auf der ominösen Todesliste stehen, Anna. Dafür weiß ich, dass du das Edelweiß ganz nach vorn bringen wirst. Ein tolles Konzept, diese Singleurlaube.«

Sofort übertrug sich seine Zuversicht auf Annabelle. Andi verhielt sich wie ein echter Freund. Merkwürdig, dachte sie. Ich mag ihn als Mensch, nicht als Mann. Woher kam nur diese intuitive Vertrautheit? Weil sie sich seit Kindertagen kannten, wenn auch unter den negativen Vorzeichen der Familienfehde?

Als sie in die Gaststube zurückkehrte, wurde sie von Oma Martha und Therese Stadlmair empfangen, die sich missbilligend über die auf den Tischen verstreuten Stoffhaufen beugten.

»Was willst du denn mit dem alten Zeug?« Mit spitzen Fingern hob ihre Mutter ein Leinenbetttuch hoch. »Daraus könnte man allenfalls Putzlumpen zurechtschneiden.«

»Bitte, Mama, lass mich versuchen, Gardinen daraus zu machen, ja?«, bat Annabelle. »Die Zeiten ändern sich, so wie der Geschmack. Das wird super aussehen, versprochen.« Sie wandte sich an ihre Großmutter. »Oma, dürfte ich einige von deinen köstlichen Marmeladen als Gastgeschenke in die Zimmer stellen?«

»Ja, wenn du meinst, Anni …« Ein listiges Lächeln erschien auf dem runden Gesicht. »Dann nimm die Holundermarmelade, die hat magische Kräfte.«

Oma Martha schien wirklich daran zu glauben. Annabelle deutete eine kleine, nicht zu stürmische Umarmung an.

»Die Gäste werden deine Marmelade lieben!«

»Anna, Kind, ich weiß nicht, was ich von alldem halten soll«, warf Therese Stadlmair skeptisch ein. »Das hat doch keinen Sinn mehr.«

»Lass die Anni mal machen«, widersprach Oma Martha. »Ich versteh's auch nicht, was sie da alles vorhat, aber auf einen Versuch sollten wir's ankommen lassen.«

»Danke, Oma.« Annabelle gab ihr einen Kuss auf die Stirn. »Danke, dass du an mich glaubst.«

»Die Resi und ich, wir wischen noch mal die Zimmer durch und suchen sie nach Spinnen und Gespenstern ab«, schmunzelte Oma Martha. »Für den Fall, dass Gäste kommen.«

Nachdem die beiden Frauen die Gaststube verlassen hatten, rupfte Annabelle einzelne Stoffbahnen aus dem Haufen und legte sie über die Stuhllehnen, um sich einen Überblick zu verschaffen.

»Schau mal, was ich gefunden habe.« Fanny hielt kichernd einen psychedelisch gemusterten lila Duschvorhang aus Plastik hoch. »Geht der auch?«

Noch nie hatte Annabelle diese kleine blasse Person so ausgelassen kichern hören. Fanny blühte regelrecht auf. Wenn das hier klappt und genügend Geld zusammenkommt, sollte sie einen festen Job im Edelweiß bekommen, überlegte Annabelle. Es tut ihr gut, unter Leuten zu sein. Nur – was ist mit den vier Kindern? Oma Martha bewies zwar eine bemerkenswerte Kondition beim *Mensch-ärgere-dich-nicht*, doch mit einer verlässlichen Kinderbetreuung wäre die alte Dame sicherlich überfordert.

»Warum nicht? Lila ist grüner als Gelb«, alberte sie herum. »Klar verwenden wir den Duschvorhang. Zimmer elf, da stehen keine alten Möbel drin, sondern Siebziger-Jahre-Scheußlichkeiten. Wer auf den schaurigen Style steht, wird begeistert sein.«

Fanny runzelte die Stirn.

»Und wie finden wir heraus, wer so was Scheußliches gut findet?«

»Bei der Ankunft der Gäste. Zimmer elf wird unser Joker für einen ganz besonderen Edelweißgast.«

»Na, den Freak möchte ich sehen«, gluckste Fanny. »Also, für den Sepp wär das nix, der mag es gediegen.«

»Und du magst – Sepp?«

Fannys Gesicht färbte sich in einem dunklen Purpurton, ihre Finger strichen nervös über den Duschvorhang.

»Merkt man mir das so doll an?«

»Euch beiden.« Annabelle fasste sich ein Herz. »Dein Mann ist über alle Berge, oder?«

»Ja«, flüsterte Fanny. »Er hat eine andere. In München. Aber sag's keinem, bitte.«

»Du musst dich nicht dafür schämen«, entgegnete Annabelle und legte einen Arm um sie. »Vielleicht fragst du dich manchmal, wieso alle anderen außer dir ihr Leben so super auf die Reihe bekommen – und ich kann dir versichern: Die tun nur so.«

Fanny seufzte, ihr Blick wanderte zum Fenster.

»Ja, aber wir sind hier in Puxdorf. Nicht in München oder New York.«

»Ich weiß, doch denk an unser Sixpack. Von uns wird dich keiner schief ansehen. Und falls du bei Sepp dein Glück findest, freuen wir uns alle für dich.«

Fanny wandte den Kopf und schaute durch die geöffnete Tür der Gaststube in Richtung Küche.

»Meinst du, dass er trocken bleibt?«

Schwierige Frage. Auf einmal fühlte Annabelle die Last der Verantwortung wie eine körperliche Bürde. Durch seine neue Aufgabe hatte Sepp vorerst die Kraft gefunden, dem Alkohol zu widerstehen. Was, wenn ihm das Edelweiß keine dauerhaften Erfolgserlebnisse bescheren konnte? Außerdem wusste sie, dass Beziehungen keine Einfahrt in einen ruhigen Hafen waren, sondern eine ungewisse Reise aufs offene Meer. Sie wollte Fanny jedoch nicht entmutigen, im Gegenteil. Hatte ihr Andi nicht auch gerade Zuversicht vermittelt? Taten Freunde das nicht füreinander?

»Das Edelweiß wird überleben«, sagte sie mit fester Stimme. »Und Sepp wird hier als Küchenchef so beansprucht sein, dass er keine Zeit mehr zum Trinken hat.«

»Danke, für alles«, wisperte Fanny.

»Komm, wir hängen unseren lila Gruselvorhang als Erstes auf«, lächelte Annabelle. »Das wird Spaß machen!«

Und Spaß machte es wirklich. Fünf Zimmer schafften sie zu zweit, danach musste Fanny nach Hause zu ihren Kindern. Den Rest des Tages verbrachte Annabelle damit, die übrigen Gardinen anzubringen. Oma Martha half ihr dabei, freundlich, wohlwollend, unverwüstlich.

»Gell, Anni, du hast den Bogen raus?«, sagte sie immer wieder, und Annabelle schätzte sich glücklich, eine so wunderbare Großmama zu haben. *Eine wie keine.*

»Ach Oma, du bist ein Goldschatz«, seufzte sie, während sie auf einer Leiter in der Hochzeitssuite balancierte und zwei Leinenbettlaken zusammentackerte. »Was würde ich nur ohne dich tun?«

»Du bist mein Goldkind, Anni.« Oma Martha schmunzelte in sich hinein. »Ja, mei, ich hab's immer gewusst, dass du zurückkommst und alles gut wird.«

»Hm. Ich fliege doch nächste Woche nach Singapur, Oma.«

»Ah geh, Singapur. So was wird im Himmel entschieden. Ich hab eine Kerze für dich angezündet, in der Kapelle.«

Annabelle kletterte die Leiter hinunter.

»Jetzt sag aber nicht, du hast eine Kerze angezündet, um mich an der Reise zu hindern.«

»Jessas, nein, die Kerze ist dafür, dass du dein Glück findest«, beteuerte Oma Martha.

Dabei ließ sie es bewenden, und Annabelle versuchte, nicht darüber nachzudenken, was Singapur für sie und Fabian bedeutete. Nach wie vor spürte sie, dass zwischen ihnen so viel Außergewöhnliches passiert war, dass es nicht einfach so enden durfte. Nicht nachdem sie in diesem Zimmer gesessen hatten, vor dem Kamin, und in einem weiteren magischen Moment versunken waren.

Es war früher Abend, als Annabelle die letzte Gardine aufhängte. Nachdem sie auch noch zwanzig Marmeladengläser mit Strohschleifen auf die Zimmer verteilt hatte, war sie so ausgepowert, dass sie bereits um sieben Uhr wie ein Stein ins Bett fiel, unterstützt durch zwei Melatonintabletten gegen Jetlag.

Um 23.50 Uhr klingelte ihr alter Zifferblattwecker, den sie in einer weit zurückliegenden Phase pubertärer Aufsässigkeit so oft an die Wand geworfen hatte, dass das runde Metallgehäuse einige Dellen abbekommen hatte. Sie setzte sich im Bett auf. Date mit Andi, okay. Ein erstes Date, das kein richtiges Date ist, alles klar. Im Grunde also gar kein Date.

Herr Huber schwieg dezent.

Kapitel 25

23. Dezember, noch ein Tag bis Heiligabend

Die Moonboots erwiesen sich tatsächlich als entmüffelt, Oma Marthas genialem Tipp sei Dank. Annabelle schnupperte noch einmal prüfend an den Schneestiefeln, bevor sie die Teebeutel herausangelte und in den kleinen Badezimmermülleimer warf. Vor dem Spiegel kämmte sie in aller Eile ihr Haar – eine Frisur konnte man das auf ihrem Kopf nach dem intensiven Kopfkissenkontakt beim besten Willen nicht mehr nennen. Eher sah es nach dem Flusensieb einer lange nicht gewarteten Waschmaschine aus. Genauso fühlte sich Annabelle auch: seelisch verfusselt. (Ein guter Therapeut ersetzt locker zwei Friseurbesuche, hätte Mary-Jo gesagt.)

Danach putzte sie die Zähne, besprühte sich mit einem Hauch Night Fever und legte ihre gesamte Wintermontur an. Jetzt noch rein in die Moonboots, und das Abenteuer konnte beginnen. Konnte es? Sie schaute zu ihrem Handy. Als sie es am gestrigen Abend endlich aktiviert hatte, nach der rauschenden After-Murder-Party in der Gaststube, waren erwartungsgemäß Unmengen von Nachrichten eingetrudelt. Auch von Fabian.

Komme heute Abend nach Puxdorf, hatte er nachmittags geschrieben. *Freu mich auf dich. Kuss,* ☺

Hänge noch auf der verschneiten Straße fest, hoffe, ich schaffe es pünktlich zum Abendessen.

Du hast wunderschöne Augen, wusstest du das? Vorfreude steigt.

Die letzte Nachricht datierte von dreiundzwanzig Uhr zehn.

Weiß nicht mehr, was ich denken soll. Alles sehr verwirrend. Schade.

Ein Drama im Miniaturformat. Nur wenige Sekunden hatten gefehlt, und der erste Kuss hätte neue Tatsachen erschaffen, ein goldenes Band zwischen ihnen geknüpft, das weitere Missverständnisse verhindert hätte. Hätte, hätte, hätte. War aber nicht so. Was für ein fürchterliches Timing. Noch mit ihrem Tod hatte sich Isabel Berenson zwischen sie gestellt.

Von Mary-Jo waren ebenfalls einige Nachrichten eingegangen.

Erreiche dich leider nicht. Alles okay bei dir?

Bist du abgetaucht? Muss ich mir Sorgen machen?

Hat es mit LEICHEN zu tun?

Belle! Warum meldest du dich nicht?

Und dann war da noch eine Message von Simon.

Hi Darling, danke für deine lieben Worte. Bin im Stress, melde mich wieder. xxx Simon

Soweit die privaten Messages, neben den vielen beruflichen, die Annabelle gesichtet hatte (Singapur, immer wieder Singapur, mit vielen Ausrufezeichen: *Wir möchten Sie höflichst an die Erfüllung Ihres Vertrags erinnern! Das Hotel Mandalay Bay ist über Silvester ausgebucht! Wir zählen auf Sie!*).

Ich werde Mary-Jo anrufen, sobald ich wieder im Zimmer bin, nahm sie sich vor. Simon schreibe ich am Heiligen Abend. Nur, was schreibe ich Fabian? Annabelle mochte es nicht, sich erklären zu müssen. War es denn nicht genug, dass man einander in die Augen schaute und wusste, dass die gegenseitige Anziehungskraft für sich sprach? Ich habe mir nichts zuschulden kommen lassen. Was ist schon dabei, wenn ich mich mit Andi treffe?

Finde es heraus, sagte Herr Huber. Aber beeil dich, sonst verpasst du das Date, das kein Date ist.

Vorsichtig öffnete Annabelle die Zimmertür. Nichts zu hören. Angestrengt horchte sie ein weiteres Mal. Kein Mucks. Ein Blick um die Ecke bestätigte: Auf dem Flur der ersten Etage rührte sich nichts. Ihre Eltern und Oma Martha schienen tief und fest zu schlummern. Vermutlich lagen sie schon seit Stunden im Bett, denn man war übereingekommen, den 22. Dezember als Ruhetag zu deklarieren. Komplett. Ein Zettel mit dem Satz *Heute geschlossen wegen gestern* hing draußen am Eingang, und irgendein Witzbold hatte dazugeschrieben: *Sind momentan kulinarisch nicht erreichbar.* Annabelles Familie und auch ihre Freunde mussten neue Kräfte sammeln, bevor es heute, am 23. Dezember, mit den Wiederbelebungsmaßnahmen des Edelweiß weiterging.

Dass es überhaupt weitergehen würde, hatte keinerlei Diskussion mehr bedurft. Die Premiere der neuen Abendkarte war ein voller Erfolg gewesen, mit überschwänglichem Lob der Gäste und einem warmen Regen für die ausgedörrte Kasse des Edelweiß. Selbst wenn Fabian Berenson doch noch das Oberleitnergrundstück kaufte, was den Abriss des Edelweiß in greifbare Nähe rückte, würden sie bis zum letzten Moment kämpfen. So hatten sie es sich vorgenommen. Stehen statt knien. Aufgeben war keine Option.

Im Zeitlupentempo trat Annabelle auf den Flur der ersten Etage und wagte ein paar Schritte. Perfekt. Obwohl die Moonboots alles andere als fußbettfreundlich waren, eigneten sie sich bestens, um auf leisen Sohlen durch das nächtlich stille Hotel zu schleichen, über den schwach beleuchteten Flur und zur Treppe.

Mit einem spitzbübischen Lächeln fiel ihr wieder ein, wie sie hier einst als Teenager herumgetappt war, wenn sie es erst spätnachts von einer Party nach Hause geschafft hatte. Sie wusste sogar noch, welche Treppenstufen man besser ausließ, weil sie verräterisch knarrten. Nur ein einziges Mal war sie damals von Oma Martha erwischt und – nicht verpfiffen worden. Jeder müsste so eine Oma haben, dachte sie. Eine liebe, gütige, alles verzeihende, *Mensch-ärgere-dich-nicht*-spielende Großmutter, die einen wie ein guter Geist durch die frühen Jahre begleitet.

Leise stahl sie sich weiter die Treppe hinunter. Auch der untere Flur lag im Dornröschenschlaf. Auf dem Rezeptionstischchen brannte ein altmodisches Lämpchen mit nachgedunkeltem geblümtem Schirm (Typ puffige Nachttischlampe, frühe Sechziger), daneben lag das Gästebuch, dick wie eine Bibel. Eilig wandte sich Annabelle nach rechts, zur Küche, in der sie wie ein Ninja verschwand. Die kleine grünlich beleuchtete Uhr am Backofen zeigte viertel nach zwölf. Auf Zehenspitzen schlich sie zur Hintertür, schloss sie auf und schlüpfte nach draußen.

Es war eine sternklare Nacht. Trotz der klirrenden Kälte, die sich wie eine eisige Maske auf ihr Gesicht legte, bewunderte Annabelle den gestirnten Himmel über sich, auf dem es nur so blinkte und funkelte. In New York sah man kaum Sterne. Zu hell strahlte nachts eine milchige Lichtkuppel über der Stadt, die niemals schlief. Dafür hatte Annabelle jeden Morgen die fünf vergoldeten Sterne des Imperial Ambassador gesehen, über dem pompösen Eingang des Hotels. Apropos. Vor sich hinkichernd, fiel ihr Mary-Jos Ratschlag ein: Greif mehrmals täglich nach den Sternen, das hält den Busen in Form.

War es wirklich schon zwei Tage her, dass sie miteinander telefoniert hatten? *Und plötzlich betritt jemand dein Universum und bringt deine Sterne zum Leuchten ...*

Bei Fabian hatte Annabelle genau das empfunden; magische Momente, Sternenregen, Hochgeschwindigkeitsreisen durchs hell besternte Universum, galaktische Vorfreude auf den ersten Kuss. Mit Andi war es etwas anderes. Während Fabian sie im Innersten erbeben ließ, gab ihr Andi das Gefühl selbstverständlicher Wärme und Vertrautheit. Beides erfüllte sie, erfreute ihr Herz, machte sie irgendwie schwach. Ob sie vielleicht zwei Männer brauchte?

Vor ihrem geistigen Auge tippte sich Herr Huber an den Bärenkopf. Zwei Männer? Geht's noch, Annabelle?

Sie richtete ihren Blick wieder auf die irdischen Gefilde. Tiefschwarz zeichnete sich die Silhouette des Pferdestalls vorm düster leuchtenden Schnee der sanft ansteigenden Hänge ab. Die Bergkuppen darüber schimmerten bläulich im Licht des Mondes, der wie ein großer fahler Lampion darüber schwebte. Ein hypnotischer Anblick. (Mary-Jo hätte sofort die Selenophobie erwähnt, die Angst vor dem Mond.) Annabelle hingegen fiel etwas weit Poetischeres ein, das sie mal gelesen hatte: Der Mond liebt die Sonne so sehr, dass er an jedem Morgen für sie stirbt, damit sie atmen kann. Wirklich sehr poetisch.

Es war Vollmond. Laut Oma Martha wurden unter dem Einfluss dieses sagenumwobenen Himmelsphänomens mehr Kinder geboren, mehr Verbrechen begangen, und mehr Selbstmörder stürzten sich in ihr Verderben. Oma Martha schwor auch darauf, dass die Wäsche weißer wurde, wenn man sie bei Vollmond draußen aufhängte, ja, dass sogar das Haar dicker nachwuchs, wenn man es in einer Vollmondnacht schneiden ließ. Alles finsterer Aberglaube natürlich, doch auf der verschneiten Wiese oberhalb des Hotels entdeckte Annabelle tatsächlich steifgefrorene Bettlaken und Bettbezüge an der Wäscheleine. Sagte Oma Martha nicht auch, der Vollmond begünstige geheimnisvolle Liebeszauber und bringe die Herzen zueinander?

Der Schnee unter ihren Moonboots knirschte wie die knusprige Kruste einer Crème brûlée, als Annabelle geduckt auf den Stall zulief, ihre beiden Schals vor Mund und Nase gepresst. Es war wirklich bitterkalt. Minus zwanzig Grad mochte es mindestens haben in dieser frostklirrenden Winternacht. In jedem Falle zu viel Kälte für eine Frau, die jetzt in Singapur hätte sein müssen, im feuchtheißen Klima einer asiatischen Metropole voller Palmen und exotischer Blumen.

Mit der behandschuhten Faust schob sie die Stalltür auf. Neugierig schnaubend stand Lieschen in einer der vier Boxen; in der Nachbarbox schlief die Ziege Selma (Oma Marthas Jungbrunnen) wie hingegossen in der hoch aufgeschichteten Streu. Es war angenehm warm hier drinnen. Gleich links am Eingang des niedrigen Stalls befand sich ein uralter eiserner Kohleofen, hinter dessen Fenster es rötlich glühte. Oma Martha hatte Annabelle stets eingeschärft, die Ofentür müsse zu jeder Zeit fest verschlossen sein, sonst bestehe Brandgefahr. Es war wie ein Reflex, als sie an der Ofentür rüttelte. Alles in Ordnung soweit.

Wie gut es hier roch, nach Pferd und Heu, nach Rauch und Lieschens Ledergeschirr (und ein bisschen streng nach Ziege). Auch so ein Duft der Kindheit. War Andi überhaupt gekommen? Oder schon wieder gegangen, nach einer geschlagenen Viertelstunde Wartezeit? Annabelle schrak zusammen, als sich ein länglicher Schatten aus einer der leeren Boxen löste.

»Andi?«, fragte sie unsicher.

»Hast du etwa jemand anderes erwartet?«

»Ich? Nein, wieso?« Sie versuchte, ihren viel zu lauten Herzschlag in den Brustkorb zurückzupressen. »Sorry, hab ein bisschen verpennt.«

Langsam trat Andi ins rotglühende Licht des Ofens. Groß, breitschultrig, in einen dicken Steppmantel gehüllt, der funkelnagelneu wirkte. Frauen sahen so was. Auch die glänzenden braunen Lederstiefel wirkten trotz der Schneereste, die daran klebten, als hätten sie noch am Morgen in einem Schuhgeschäft gestanden.

Romeo und Julia in Puxdorf, haha. Dies war schon allein deshalb kein erstes Date, weil Frauen sich vor so einem Wahnsinnsereignis rituell neu einkleideten (zumindest neue Wäsche musste schon sein, um das flattrige Herz zu beruhigen; und schicke Schuhe; und am liebsten auch noch ein neues Kleid). Männer hingegen schnüffelten an ihren getragenen Klamotten und sagten achselzuckend »Geht doch noch«. Hier war es umgekehrt. Andi hatte sich sichtlich Mühe gegeben mit seinem Outfit, Annabelle stand ungeduscht und mit ihrer alten Daunenjacke vor ihm, in ausgetretenen Moonboots, von denen die Plastikbeschichtung abbröckelte. Ihr einziges Zugeständnis an die Relevanz dieses Treffens war Night Fever. Nachtfieber. Sehr sinnig bei zwanzig Grad unter null.

»Hey«, sagte er.

Sogar im Halbdunkel des Stalls blitzten seine Augen, und plötzlich wusste Annabelle gar nicht mehr, was sie hier wollte. Was sie sagen sollte, was es überhaupt zu bereden gab. Etwas ungeschickt nahm sie die Mütze ab und ordnete ihr Haar (eine selten dämliche Maßnahme mit Fausthandschuhen, wie ihr im selben Moment auffiel).

»Halt, lass es so«, lächelte er, »ich möchte den Anblick genießen, deine, tja, Bettfrisur.«

Gott sei Dank kann er in diesem zwielichtigen Glühdämmer nicht sehen, dass ich erröte, durchfuhr es sie. Ähem – *Bettfrisur*? Heiliges Kanonenrohr, denkt er etwa, dies sei doch ein Date?

»Sorry, meine Haare machen nachts immer Party ohne mich, und so sehe ich dann halt auch aus«, entschuldigte sie sich.

Aus seiner Jacke zog er ein kleines verschnürtes Paket hervor.

»Für dich.«

»Wie – für mich? Was ist denn da drin?«

Immer noch lächelnd streckte er es ihr entgegen.

»Hast du dir schon mal überlegt, dass die Pointe eines verpackten Geschenks darin besteht, dass man es öffnet und dann überrascht ist oder höflicherweise wenigstens überrascht tut?«

Etwas passierte mit ihren Mundwinkeln. Lächelte sie etwa? Zögernd nahm Annabelle ihm das Päckchen ab, schob die Schleife beiseite und entfernte das knisternde Papier. Oh, wow. Ihre Finger ertasteten den weichsten, luftigsten Kaschmir, der je ihre Haut berührt hatte.

»Ich war heute Morgen in Tannstadt, da sah ich zufällig den Schal im Schaufenster und musste an dich denken«, erklärte Andi.

Verwirrt stopfte Annabelle das Einwickelpapier in eine Tasche ihrer Daunenjacke, knotete ihre beiden Schals auf und legte sich das federleichte Nichts aus Kaschmir um den Hals. Federleicht und doch wunderbar wärmend.

»Du – denkst an mich?«, krächzte sie.

»Wundert dich das?«

Seine Methode, ihre Fragen mit Fragen zu beantworten, zeugte von einigem rhetorischen Geschick und war letztlich eine leicht durchschaubare Gesprächstaktik, um sich bedeckt zu halten. Annabelle konnte sich bestens vorstellen, wie er damit in der Geschäftswelt brillierte. Andreas Oberleitner, der clevere Inhaber einer IT-Firma, bei dem sich selbst kniffligste Verhandlungen wie smarter Smalltalk anfühlten. Was sie allerdings so gar nicht durchschaute, war der Anlass dieses Geschenks.

»Für die Frau, die immer friert«, lachte er leise, als hätte er ihre Hirnströme gescannt. »Das war nicht schwer zu erraten. Ich kenne nämlich niemand anderen, der mit gleich zwei Schals durch die Gegend läuft. War das schon immer so?«

»Cheimaphobie, ich erklärs dir ein andermal. Wie komme ich denn zu der Ehre dieses Präsents?«

»Kleine Wiedergutmachung?«

»Wofür?«

»An den Zöpfen gezogen, Fahrrad versteckt, Ranzen in die Jauchegrube geschmissen? Ich fürchte, du trägst mir das immer noch nach. Bist du bereit, mir zu verzeihen?«

»Frauen können vergeben und vergessen«, sagte Annabelle so hoheitsvoll wie möglich. »Aber sie vergessen nie, was sie vergeben haben.«

»Oder sie legen gleich Dossiers an, so wie du. Mit drei Sicherheitskopien, für alle Ewigkeit.«

Nervös spielte Annabelle mit den weichen Schalfransen, unschlüssig, ob sie dieses großzügige Geschenk annehmen sollte oder nicht. Sie kannten einander doch kaum.

»Also, offen gestanden würde ich dich auch gern was fragen, Andi. Warum wolltest du mich unbedingt sprechen? Und jetzt antworte bitte nicht wieder mit einer Frage.«

»Na ja, vielleicht ist es etwas unromantisch«, er schaute zu Lieschen, die ihn mit ihren ruhigen braunen Augen beobachtete, die Ohren aufmerksam nach vorn gerichtet, »aber abgesehen davon, dass mich deine Gegenwart begeistert, ehrlich, wollte ich mit dir über diesen Toten reden, den du im Straßengraben gefunden hast.«

Wie beiläufig er ein Kompliment verpacken konnte. Noch dazu in einem Satz, der eine Leiche enthielt. Doch es stimmte, sie hatte ihm die unselige Geschichte in einem Augenblick fahrlässiger Aufrichtigkeit erzählt. Gedankenverloren starrte Annabelle in die glühenden Kohlen hinter dem Ofenfenster.

»Mittlerweile gibt es zwei weitere Morde, der Tote aus dem Straßengraben ist sozusagen Schnee von vorgestern. Oder«, unwillkürlich zog sie den Schal fester um den Hals, »oder kanntest du ihn?«

»Dafür müsstest du ihn wohl erst einmal beschreiben.«

Logisch. So ein Mist aber auch, das hatte man davon, wenn man mitten in der Nacht und ohne eine Spur Koffein im Blut Gespräche führte. Annabelle sehnte sich nach einem doppelten Espresso, um ihr Gehirn auf eine angemessene Betriebstemperatur hochzufahren. Leider stand die einzige vernünftige Espressomaschine weit und breit unerreichbar in Bettys Bäckerei.

»Mittelalt, mittelgroß, rötliches Haar, dunkler Anzug, weißes Hemd, goldene Manschettenknöpfe«, zählte sie die wichtigsten Merkmale auf. »Und eine blau-weiß gepunktete Fliege. Sehr elegant also.«

»O Gott. Eine blau-weiß gepunktete Fliege, sagst du?«

»Äh, ja?« Es machte ihr ein wenig Angst, wie verstört Andi auf einmal aussah. »Klingelt da was bei dir? War er auch ein Kaufinteressent für euren Hof?«

Die Sache schien Andi wirklich mitzunehmen. Mit einer Hand hielt er sich am obersten Brett von Lieschens Pferdebox fest.

»Nein, deine Beschreibung passt auf einen Anwalt, den ich mit einer bestimmten Sache beauftragt hatte. Er war bei uns zu Hause, für eine Unterredung mit meinem Vater, die damit endete, dass mein Dad ihn angebrüllt hat: Er solle verschwinden, sonst bekäme er eine Ladung Schrot ins Gesicht.«

Jetzt wurde es spannend. Gerhard Oberleitner hatte also irgendein Motiv, dem Unbekannten den Tod zu wünschen?

»Was war das für ein Auftrag?«, fasste Annabelle nach.

»Hm, na ja«, Andi schaute zu Boden, »darüber möchte ich ehrlich gesagt nicht reden, das ist … privat. Jedenfalls wäre mein Dad niemals bei einem Kaufinteressenten derart ausgeflippt. Bei diesem McDormand und bei den Berensons gab er sich sehr verbindlich – du weißt schon, wie der Wolf, der Kreide gefressen hat.«

Annabelle versuchte, sich ungeachtet ihres Koffeinmangels zu konzentrieren. Erinnerungsspeicher, bist du aktiviert? Erinnerungsspeicher, bitte laden! Was hat Oma Martha noch über den toten Unbekannten gesagt?

Gerade letzte Woche kam so ein Satansbraten hierher, der uns den Garaus machen wollte. So ein ganz Feiner, im Anzug. Geheuer war er mir von Anfang an nicht, aber zum Glück hat er Reißaus genommen, hörte sie die grollenden Worte ihrer Großmutter. Dazu gesellte sich nun auch noch die Stimme ihrer Mutter, als sie in der Familienstube auf dem Silber rumgewienert hatte: *Kind, er war ein ganz, ganz schlechter Mensch. Ein wahrer Teufel. Du glaubst gar nicht, was ...*

Ja, lustig, *was* denn bloß? Immer um den heißen Brei, das war Therese Stadlmairs Taktik. Und nun eierte Andi genauso rum? So ging es doch nicht weiter.

»Bei meiner Familie ist dein Anwalt auch gewesen«, sagte Annabelle. »Die waren genauso schlecht auf ihn zu sprechen wie dein Vater. Verdammt, Andi, was war das für ein Auftrag? Und was ist das für eine blöde Geschichte mit den Oberleitners und den Stadlmairs?«

Fast hilflos hob er die Schultern.

»Entschuldige, Anna, es fällt mir wirklich schwer, darüber zu reden.«

Annabelle kramte weiter in ihrem Erinnerungsspeicher, Abteilung jüngste Vergangenheit.

»Meine Freundin Mary-Jo, sie ist Therapeutin, musst du wissen«, Andi quittierte es mit einem mokanten Hochziehen seiner Augenbrauen, »also, Mary-Jo spricht in diesem Fall von Familiengeheimnissen.«

»Du meinst so was wie Leichen im Keller?«

»Müssen ja nicht gleich Leichen sein«, versuchte Annabelle ihn auf weniger vermintes Terrain zu führen. »Hier auf dem Dorf schlägt man sich für weit weniger die Köpfe ein. Heimlich Grenzsteine versetzen, sich gegenseitig das Brunnenwasser abgraben, Fremdflirten beim Schützenfest, gehässiger Klatsch – hier läuft doch eine tägliche Soap, lebensecht und in Farbe.«

»Hast du mal deine Eltern danach gefragt?«

»Die schweigen wie ein Grab«, winkte Annabelle ab. »Aber die wissen was. Vor allem Oma Martha.«

Ein amüsiertes Lächeln erschien auf Andis unwirklich rotbeleuchteten Zügen.

»Immer dasselbe: Eltern wissen einiges, Oma weiß alles.«

»Genau. Was ist mit eurer Familiengeschichte?«

»Die ist so langweilig, da könntest du auch gleich die Akten des Einwohnermeldeamts verfilmen.« Mit einer weit ausholenden Geste ließ er seine rechte Hand kreisen und wieder fallen. »Geboren, gelebt, gestorben. Ende. Nur bei meinen Eltern … da könnte was vorgefallen sein.«

Annabelle schmiegte ihre Wange an den weichen Kaschmirschal. Er duftete ein bisschen nach Andi. Also, nach seinem Aftershave.

»… was du mir nicht erzählen willst.«

»Irgendwann schon. Aber nicht jetzt. Bitte.«

Langsam hatte sie genug von dieser Geheimniskrämerei. »Andi, so kommen wir doch nicht weiter – wir sollten die Sache mit kühlem Verstand und messerscharfer Logik angehen«, sagte sie so resolut, als könne allein ihr dezidierter Ton Licht ins Dunkel der Familienfehde bringen.

Jetzt lachte Andi, und zwar so laut, dass Selma wach wurde und verschlafen meckernd in sein Gelächter einfiel.

»Super Witz, Anna. Man merkt, dass du lange nicht mehr in Puxdorf warst. Hier läuft absolut gar nichts logisch. Alle sind doch nur besessen von Ehre und Stolz, vom guten Ruf, von der untadeligen Fassade. Das ist überhaupt nicht rational, so wenig wie der allgegenwärtige Aberglaube.« Er schüttelte den Kopf. »Mein Dad lässt sogar einmal im Jahr den Priester kommen, um die Schweineställe mit Weihwasser besprenkeln zu lassen.«

»Unglaublich! Apropos dein Dad …« Sie musste es fragen. Sie musste einfach. Es brannte ihr schon die ganze Zeit über auf den Nägeln. »Die Berenson hat eine Klausel erwähnt, dass dein Vater im Falle des Verkaufs auch das Edelweiß bekommt und es abreißen soll.«

Andi langte über die Boxenbretter und tätschelte Lieschen den Hals, was dem gutmütigen Pferd ausnehmend gut gefiel. Wäre Lieschen eine Katze gewesen, hätte sie bestimmt geschnurrt wie eine Nähmaschine. So rieb sie nur ihren Kopf an Andis Arm und schnaubte leise.

»Ach ja, der Abriss, auch so eine grauenhafte Idee dieses abergläubischen alten Mannes«, sagte er. »Lach nicht, der denkt, im Edelweiß spukt eine Hexe.«

»Ist nicht dein Ernst!«

Andi ließ Lieschens hellbraune Mähne durch seine Finger gleiten.

»Letzten Sommer hatte er die Schweinepest in seinen Ställen, und er schwor beim Gottseibeiuns, dass es die Edelweißhexe war. Mit Stumpf und Stiel muss man die Stadlmairsippe und ihr verfluchtes Hexenhaus ausrotten, hat er geschrien. Meine Mutter ist fast durchgedreht.«

Und ich drehe durch, wenn mir noch einmal jemand was vom idyllischen Dorfleben erzählt, dachte Annabelle. Sie war nicht nur ins abgelegene Hochgebirge gereist, nein, sie hatte eine Zeitreise ins Mittelalter unternommen, so viel stand fest. Was kam als Nächstes? Öffentliches Zähneziehen mit der Kneifzange? Gaukler, die Tanzbären vorführten und auf rollenden Bierfässern balancierten? Ein Besenreitwettbewerb für angehende Hexen?

»Dann, na ja, hat es wohl wenig Sinn, dass du auf deinen Vater positiv einwirkst, wegen des Edelweiß, meine ich …«

»Natürlich lege ich ein gutes Wort für euch ein, ob es aber nützt?« Andis Atem rasselte, so sehr regte er sich auf. »Der Hof gehört nun mal ihm. Er kann damit machen, was er will, und ihn zu den Bedingungen verkaufen, die er stellt.«

Es sei denn, er stirbt, dachte Annabelle und erschrak so sehr über diesen Gedanken, dass ihr ganz flau wurde. Herzlichen Glückwunsch, Anna Elisabeth Maria Stadlmair, und willkommen in der schönen bunten Welt von Särgen, Mord und Totschlag.

»Tut mir leid, Anna«, sprach Andi weiter, »mein Dad hat sich in diese fixe Idee verrannt. Für alles macht er euch verantwortlich: dass seine Frau krank ist, dass er langsam erblindet, dass ihn die Schweinepest heimgesucht hat. Demnächst sagt er noch, ihr seid dran schuld, wenn er sich an seinem Morgenkaffee verschluckt.«

So viel Hass hatte Annabelle nicht erwartet. Erschüttert legte sie eine Hand an ihren Hals, als befände sie sich schon im Würgegriff dieses fanatischen Alten. Es war beängstigend. Und Gerhard Oberleitner verlor sein Augenlicht? Hatte also halbblind seine verdammte Flinte auf sie gerichtet?

»Warum?«, flüsterte sie. »Sag mir einen Grund, Andi – was kann so schlimm sein, dass er uns den Tod wünscht?«

»Wenn ein normaler Mensch eine Pechsträhne hat, färbt er sie eben um. Nicht so die Puxdorfer, und schon gar nicht mein Dad. Denk mal nach. Wie oft hast du in den letzten zwei Tagen das Wort Fluch gehört?«

»Öfter, als ich zählen kann.«

Auf einmal wurde Annabelle regelrecht übel. Ob es an der nächtlichen Uhrzeit lag, am Koffeinentzug, an ihrem leeren Magen oder am Vollmond, hätte sie nicht sagen können. Sie fühlte sich nur unendlich schwach. Als hätte ihr schon allein die Erwähnung des Fluchs sämtliche Energien geraubt.

»Was hast du? Ist dir nicht gut?«, erkundigte sich Andi alarmiert und machte einen Schritt auf sie zu.

Er klang so aufrichtig interessiert an ihrem Wohlergehen. In Annabelle brachen die letzten Dämme des Misstrauens.

»Könntest du mich bitte mal in den Arm nehmen, Andi? Einfach nur so?«

Keine Gegenfrage. Als sei es das Selbstverständlichste der Welt, öffnete er seine Arme, damit sie sich hineinflüchten konnte. Müde legte sie ihren Kopf an seine Schulter. Ja, es fühlte sich selbstverständlich an. Vertraut. Wie nach Hause kommen nach einer langen, langen Reise. Sie sprachen kein Wort. Standen nur eine Weile fest umschlungen da wie Maria und Josef in Bethlehems Stall (ohne Christkind, aber unter den Augen von Lieschen und Selma, was als Ersatz für Ochs und Esel durchgehen mochte), atmeten im selben Rhythmus und hingen ihren Gedanken nach.

Irgendwann lösten sie sich voneinander. Immer noch schweigend verließen sie nacheinander den Stall und traten hinaus in die klirrende Kälte dieser Winternacht, wo sie sich mit einem kleinen Nicken trennten. Annabelle schaute Andi nach, bis die Dunkelheit ihn verschluckte.

Soeben hatte er den Mond ein wenig heller strahlen lassen. Doch nur Fabian brachte ihre Sterne zum Leuchten.

Kapitel 26

Viertel vor eins, sagte Annabelles Wecker. Leg mich bitte wieder hin, bettelte ihr Körper. Sorry, muss eine Extraschicht einlegen, widersprach ihr Kopf. Und ihr Herz? Sprang wild herum, was überhaupt keinen Sinn ergab.

Jetzt hatte sie auch noch ein komisches Brummen in den Ohren. Wie sollte man da zur Ruhe kommen? An Schlaf war jedenfalls nicht zu denken. Annabelle klopfte das Kissen in Form, stopfte es sich in den Rücken und lehnte sich an das Kopfteil des Betts. Ob sie mit Mary-Jo telefonieren sollte? Neunzehn Uhr Ortszeit in New York, eine gute Uhrzeit. Sie wählte die Nummer, und Mary-Jo hob schon nach dem ersten Klingeln ab.

»Belle? Gott sei Dank! Hab mir echt Sorgen gemacht!«

»So wie ich mir um dich.«

»Mir geht's blendend. Erzähl, was ist bei dir los?«

Mittlerweile hatte Annabelle größte Schwierigkeiten mit ihren Berichten, weil so unfassbar viel passierte. Zwei neue Leichen, drei Männer, die ihr Herz in Aufruhr versetzten, sowie der hoffnungsvolle Neustart des Edelweiß mussten sortiert und formuliert werden. Als sie das Wichtigste erzählt hatte, herrschte Stille in New York, wie schon beim letzten Mal. Absolute Stille. Annabelle schaute auf die Uhr. Eine Minute verstrich. Eine weitere.

»Ich liebe Menschen, mit denen ich schweigen kann und anschließend das Gefühl habe, ein wunderbares Gespräch geführt zu haben«, sagte sie und horchte.

Mit einer akustisch gut wahrnehmbaren Rauchwolke pustete Mary-Jo ihren Kommentar ins Smartphone.

»Menschen und Situationen haben nur Macht über dich, wenn du reagierst. Deshalb habe ich mir ein kurzes Time-out genommen. Würde ich dich nicht besser kennen, beste Belle, könnte man annehmen, dass du dir das alles nur ausdenkst, um mich zu manipulieren.«

»Ich? Dich?«, rief Annabelle.

Alle ihre Alarmglocken schrillten. Noch nie hatte es irgendeinen Argwohn zwischen ihnen gegeben.

»Warum, Belle? Willst du mich etwa mit deinen absolut obskuren Phantasiegeschichten nach Puxdorf locken? So wie deine Mutter dich mit einer Schwindelei dorthin gelockt hat?«

»Du liebe Güte, Mary-Jo! Es ist alles wahr! Jede Einzelheit! Ich weiß doch selbst, dass das alles verrückt bis zum Wahnsinn klingt!«

»Soso.«

»Schmeiß das Internet an, google Puxdorf! Dann wirst du schon sehen, was hier abgeht.«

Bange Minuten vergingen, in denen Feuerzeugklicken, Gluckergeräusche und das Klacken einer Tastatur zu hören waren.

»Oh«, keuchte Mary-Jo nach einer Weile. »Oh. O nein. O Gott.«

»Mit dem lieben Gott haben die's hier nicht so«, merkte Annabelle erbittert an. »Die sind hier mehr im Mittelalter-Mood. Aberglaube, Hexenwahn, Flüche, such dir was aus.«

»Schock! Ich sehe mir gerade die Fotos auf Instagram an. Die reine Geisterbahn! Und da hast du noch die Energie, dich um so was wie Herzensangelegenheiten zu kümmern? Respekt, Belle. Du beeindruckst mich immer wieder.«

»Was soll ich denn machen?« Sie nahm Herrn Huber auf den Schoß, der sich aus dieser Unterhaltung komplett heraushielt. »Liebe kommt nicht nach Wunschtermin mit Rosen und Pralinen vorbei, Liebe überfällt dich, reißt dich um, und wenn du dann unten liegst …«

»Interessante Definition von Liebe.«

»Na ja, sagen wir besser – so anverliebt. Sicher bin ich mir sowieso nicht. Es gibt starke Gefühle, sehr starke sogar für Fabian. Ich muss dauernd an ihn denken, an jedes Wort, das wir gewechselt haben, an jeden Blick, jede Geste. Aber auch für Simon empfinde ich noch etwas. Bei Andi dagegen entwickeln sich eher freundschaftliche Gefühle. Tja. Fabian ist sozusagen mein Traumprinz, bei Simon kann ich nicht recht sagen, ob es an den guten alten Zeiten liegt oder ob er mir wirklich noch etwas bedeutet. Dezidophobie, ich weiß, ich weiß. Hilft mir aber nicht weiter. Ich möchte endlich ankommen, Mary-Jo. Ich suche was Festes, was Verlässliches. Und bei Fabian … herrje, ja, ich bin verliebt, und ich glaube, er auch in mich, doch es ist überhaupt nichts klar zwischen uns. Vielleicht ist er einfach nicht das, was ich suche.«

»Manchmal sucht man was Bestimmtes und findet was ganz anderes. Sollte man aber nicht gleich wegwerfen. Christopher Kolumbus suchte Indien und fand Amerika – nicht schlecht, würde ich sagen.«

»Genauso kann man leicht einen Diamanten übersehen, wenn man dem Flitter nachjagt. Wer garantiert mir, dass ich nicht am Ende die falsche Wahl treffe?«

»Wenn du eine Garantie willst, kauf dir einen Toaster. Oder ein Waffeleisen. Denk nicht zu viel nach, Belle. Gefühle finden ihren Weg von allein.«

»Mag sein, bei anderen. Mich machen sie irgendwie … schwach.«

Eine neue Zigarette wurde angezündet, ein neues Glas eingegossen.

»Du bist stark, Belle. Denk dran: Man verliert nie seine Stärke. Manchmal vergisst man nur, dass man sie hat. Betrachte deine verdrehten Herzensangelegenheiten als eine Aufforderung, dich deiner inneren Stärke zu vergewissern.«

»C'est la vie?«

»C'est la fucking vie, ja.«

Mary-Jo benutzte nie Kraftausdrücke. Wirklich nie. Deshalb verursachte das F-Wort bei Annabelle ein leichtes Ziehen im Magen. Was verschwieg ihr Mary-Jo?

»Sag mal, und bei dir?«, fragte sie ins Blaue hinein. »Gibt es einen neuen Mann in deinem Leben?«

»Leider nur einen alten.« Mary-Jo lachte heiser. »Nein, Spaß, da ist nichts. Weniger als nichts.«

Annabelle glaubte ihr kein Wort.

»Bist du denn schon euren Familiengeheimnissen auf die Spur gekommen?«, fragte ihre Freundin – vermutlich nur, um von sich abzulenken.

»Nein, die Stadlmair'sche Schweigespirale ist sehr widerstandsfähig. – Mary-Jo?«

»Ja, Süße?«

»Ich möchte dir etwas sagen. Du musst auch gar nicht heute antworten. Ich weiß, dass es dir aus irgendeinem Grund miserabel geht. Deshalb bitte ich dich inständig – hörst du? inständig! –, dich mir anzuvertrauen. Was auch immer es ist, es ist bei mir gut aufgehoben.«

Sekunden verstrichen. Schrecksekunden, wie Annabelle intuitiv erfasste. Dann wurde die Verbindung unterbrochen.

Mehrmals tippte Annabelle die Nummer ein, um ein weiteres Mal durchzukommen, doch es erklang immer die gleiche Ansage: Teilnehmer nicht erreichbar. Außer Spesen nix gewesen, versuchte sie sich selbst aufzuheitern, aber das Ziehen im Magen verstärkte sich nur. Könnte sie doch bloß mit der nächsten Maschine nach New York fliegen. Auge in Auge gab es keine Ausflüchte. In jedem Fall brauchte Mary-Jo jetzt eine Freundin. Die beste Freundin. Doch die saß in Puxdorf, Oberbayern, und hatte nicht einmal ihren Pass.

So wie sie war, angezogen, in Jeans und Pullover, rutschte Annabelle tiefer ins Bett und kuschelte sich in die Decke. Drehte sich nach links. Nach rechts. Versuchte es in der Bauchlage und auf dem Rücken. Bis sie kapitulierte. Also kein Schlaf. Sie setzte sich wieder auf, und ihr Blick fiel auf den Koffer, den sie nur morgens nach frischer Wäsche durchwühlt, aber immer noch nicht ausgepackt hatte. So wenig, wie sie die Briefe ihrer Mutter gelesen hatte. Vielleicht war jetzt ein guter Moment, es endlich zu tun.

Gähnend stand sie auf, hievte das Ungetüm von Koffer auf einen Stuhl und ließ die Verschlüsse aufschnappen. Ganz unten, neben dem sonnengelben Bikini (eigens für Singapur angeschafft) und ihren dunklen Businesskostümen, lag das verschnürte Briefbündel.

Schon nach einer halben Stunde konzentrierter Lektüre schwante Annabelle, was ihr zwei Jahre lang entgangen war – die fortschreitende Demoralisierung ihrer Mutter. Es waren vierundzwanzig Briefe, einer pro Monat, und die ersten klangen so wie wohl alle Mütterbriefe: ein bisschen besorgt, ein bisschen aufmunternd und mit Fragen nach dem Wohlergehen der geliebten Tochter gespickt. Doch dann veränderte sich der Ton. Es werde ihr alles zu viel, klagte Therese Stadlmair. Die Kräfte ließen nach, Alois gehe seiner Wege, im Dorf gebe es schon Gerede, und Oma Martha liege im Tannstadter Krankenhaus, Hüftoperation.

Mit brennenden Wangen las Annabelle weiter. Das Hotel laufe nicht mehr richtig, Oma Martha sitze nach der missglückten OP im Rollstuhl, es gebe Geldsorgen. Ob Annabelle denn nicht mal nach dem Rechten schauen könne. Die folgenden Briefe klangen immer dramatischer. Oma Martha absolviere jetzt eine Reha in Tannstadt, sie mache große Fortschritte und könne zusehends besser laufen, doch Alois liege den ganzen Tag im Bett, und das Hotel stehe mittlerweile leer. Annabelle müsse dringend kommen.

Himmel, diese Briefe waren Hilferufe gewesen! Ungehörte, unerhörte Bitten! An die Hüft-OP erinnerte sich Annabelle dunkel aus einem lange zurückliegenden Telefonat, doch alles andere war ihr entgangen, weil sie die Briefe nie gelesen hatte. Heiße Scham breitete sich in ihr aus. Jetzt verstand sie die Notlüge ihrer Mutter, Alois Stadlmair sei todkrank. Es war der letzte Versuch gewesen, ihre unerklärlich ignorante Tochter Anna zu einem Besuch zu bewegen.

Hätte ich das doch bloß eher gewusst … Aber Annabelle konnte die Uhr nicht zurückdrehen wie ihren analogen, komplett verbeulten Wecker. Der zeigte halb vier Uhr morgens an, und sie war hellwach. Jetzt verstand sie auch die eigenartige Resignation ihrer Mutter, dies Lethargische, Antriebs- schwache. Therese Stadlmair war in eine Art Depression abgedriftet, eine seelische Ausnahmesituation, die sie verrückterweise mit der Frau des Erz- feinds Gerhard Oberleitner teilte. Und wieder fragte sich Annabelle, was denn Fürchterliches vorgefallen war, um die beiden Familien derart zu ent- zweien. Ob auch der unbekannte Tote damit zu tun hatte? Der Anwalt, der mit seinem Erscheinen sowohl die Oberleitners als auch die Stadlmairs vor den Kopf gestoßen hatte?

Mit diesen Fragen sank sie in einen unruhigen Schlaf, der ihr ebensolche Träume bescherte, lauter krauses Zeug: Isabel Berenson ritt auf einem He- xenbesen über Puxdorf hinweg, Gerhard Oberleitner ballerte wahllos durch die Gegend, Andi umarmte Luise (Lieschen? Du liebe Güte!), Si- mon badete in Kresseschaum, ihre Eltern saßen auf einer Kinderwippe (ihr Vater machte sich schwer, die Beine ihrer Mutter zappelten in der Luft). Oha. Puxdorf, Psychodorf. Auch Fabian hatte seinen denkwürdigen Auf- tritt in ihren Träumen. Hupend raste er mit seinem Jeep heran, ließ die Scheibe herunter und lachte: »Ich bin der Mann im Mond! Willst du meine Sonne sein?«

Annabelle erwachte schweißgebadet und brauchte ein paar Sekunden, bevor sie sich orientiert hatte. Okay, ich liege im Bett. Okay, ich habe geträumt. Auf ihrem Handy war eine Nachricht eingegangen.

Nein, ich kann dich nicht vergessen. Ja, ich komme zurück. Annabelle, seit ich dich in diesem Bus gesehen habe, gehst du mir nicht mehr aus dem Kopf. Und wenn du schon unaufgefordert in meinem Kopf rumtanzt, dann wenigstens mit mir. Kuss, ☺

Sie las die Nachricht dreimal, und bei jedem Mal klopfte ihr Herz schneller. So etwas Schönes hatte ihr noch nie ein Mann geschrieben. Zärtlich strich sie über das Display. *Und wenn du schon unaufgefordert …* Ach Fabian. Wann kommst du?

Das schrieb sie ihm selbstverständlich nicht. Nach mehreren Anläufen, die sie immer wieder löschte, war sie zwar noch unsicher, aber leidlich zufrieden mit ihrer Antwort.

Ich könnte überall mit dir tanzen. Im Bus, auf dem Bahnsteig, im Supermarkt, von mir aus auch im Edelweiß. Und natürlich in deinem Kopf. Da am liebsten. Ich denke an dich. Mit einem Kuss, dem wir schon so nahe waren. A PS Mein Beileid noch einmal wegen des Tods deiner Schwester.

Sie hatte schon auf *Senden* gedrückt, als ihr dämmerte, wie seltsam, ja, sturzdämlich es wirkte, eine zärtliche Nachricht in Kombination mit einer Beileidsbezeigung zu verschicken. Wo hatte sie bloß ihr Hirn gehabt? Hätte sie nicht wenigstens zwei getrennte Nachrichten verfassen können? So war es, als beerdigte sie ihre zärtlichen Worte mit einem Bumm, Zack, Sargdeckel zu.

Annabelle hielt viel von Pietät, aber Liebe und Tod zu vermischen, heieiei, da hatte sie in ihrem Sausebraus eine echte Dummheit angestellt. Fabian war feinfühlig. Der merkte so was. Und sie immer mittenrein ins Fettnäpfchen.

Sie schaute auf die Datumsanzeige des Handys. Heute war der dreiundzwanzigste Dezember. Ob Fabian es an Weihnachten nach Puxdorf schaffte? Bestimmt nicht. Die Beerdigungsvorbereitungen liefen auf Hochtouren, Kondolenzbesuche standen an, und vermutlich wartete eine große Familie auf ihn, in deren Schoß er ein besinnliches Fest verleben würde. Ohne sie. Und danach? Blieb nur der siebenundzwanzigste. Am achtundzwanzigsten würde sie nach Singapur fliegen.

Was Annabelle nicht minder beschäftigte, war Andi. Liebend gern hätte sie ihn zum Heiligen Abend eingeladen, so wie ihre anderen Freunde. Dagegen sprach leider die unerklärliche Familienfehde. Andi war Persona non grata im Edelweiß, gehasst und gefürchtet wie der Teufel höchstpersönlich. Dabei bekleckerte sich auch die Stadlmairfamilie nicht gerade mit dem Ruhm sonniger Harmonie. Ihrer Mutter litt seelisch, ihr Vater ignorierte die Probleme, ihre Oma lächelte alles weg oder verzog sich in ihren Aberglauben. Um das Chaos komplett zu machen, stand nun auch noch das Christkind vor der Tür und säuselte: An Weihnachten haben wir uns alle lieb, Weihnachten ist das Fest der Familie, alle Konflikte bleiben hübsch unter dem Radar, reißt euch gefälligst zusammen.

Annabelle wollte sich nicht mehr zusammenreißen. Sie wollte auch nicht mehr das stumme Leiden ihrer Mutter hinnehmen, das ihr zwei Jahre lang entgangen war. Es musste etwas geschehen.

Punkt sieben Uhr (von jeher die traditionelle Stadlmair-Frühstückszeit) erschien sie geduscht und geföhnt in der Gaststube, in ihrem Lieblingsoverall aus weichem hellblauem Jersey, über dem sie eine knielange, extradicke Strickjacke im selben Farbton trug. Alles tipptopp, stellte sie mit ihrem schnellen Profi-Kontrollblick fest. Der Tresen glänzte frisch gewischt, der Boden war gefegt worden, auf den Tischen lagen gewaschene und gebügelte Tischdecken.

Die Stimmung dümpelte allerdings knapp über Beerdigungsniveau. Schweigend saßen ihre Eltern mit Max und Oma Martha am Stammtisch vor einem vollen Brötchenkorb und der unvermeidlichen Thermoskanne. Auch das staubtrockene Knäckebrot durfte nicht fehlen. Schuldbewusst schaute Annabelle zu ihrer Mutter. Arme Mama. Zwei Jahre hat sie mir Briefe geschrieben, auf die nie eine Antwort kam. Doch jetzt wird geredet, und hoffentlich fallen mir nicht nur die richtigen Fragen ein, hoffentlich fallen auch ein paar befriedigende Antworten für mich ab.

»Einen schönen guten Morgen.« Sie zog sich einen freien Stuhl heran. »Guten Appetit.«

Die Reaktionen fielen verhalten aus. Eigentlich sogar kärglicher als das. Alle hielten den Blick auf ihre Teller gesenkt.

»Hast du gut geschlafen?«, fragte ihr Vater mit einer Stimme, in der ein unüberhörbarer Vorwurf mitschwang.

»Ja, bestens. Und ihr?«

»Geht so.«

Irgendetwas stimmte hier nicht. Eine Sekunde später wusste Annabelle, was es war, denn Oma Martha holte eine rote Schleife aus ihrer Kitteltasche und legte sie auf den Tisch, mitten zwischen Buttertöpfchen, Marmeladengläser und fünf gekochte Eier mit Häkelmützchen.

»Hab ich heute Morgen beim Ziegenmelken im Stall gefunden.«

Die Schleife von Andis Geschenk. Verflixt. Annabelle drehte eine Haarsträhne um ihren Zeigefinger. Das Papier hatte sie eingesteckt, daran erinnerte sie sich, aber das rote Satinband musste ihr runtergefallen sein.

»Gehört bestimmt Selma«, scherzte sie etwas lahm. »Trägt man jetzt wahrscheinlich so in Puxdorfs tierischer Community. Vielleicht hat sich unsere reizende Ziege für einen Verehrer schön gemacht?«

Ihr Vater schien das absolut nicht witzig zu finden.

»Für wie blöd hältst du uns eigentlich? Du hast dich mit diesem Oberleitner getroffen! Mitten in der Nacht! Hast dich rausgeschlichen wie eine läufige Katze!«

Puh. Das war ein harter Brocken.

»Wieso bist du dir denn so sicher?«, fragte Annabelle kleinlaut. »Habt Ihr Privatdetektive? Überwachungskameras? Bewegungsmelder?«

»Wir haben Oma Martha«, antwortete ihre Mutter.

Das war's. Innerlich strich Annabelle die Segel. Schon die Bettwäsche im Mondschein hätte sie warnen können, dass ihre Großmutter nachtaktiv war. Und anders als früher hatte Oma Martha sie auch noch verpetzt. Tja. Erwischt. Hätte gar nicht blöder laufen können. Doch Annabelle war keineswegs gewillt, sich wie ein kleines Mädchen abkanzeln zu lassen.

»Bevor ihr euch weiter aufregt, möchte ich euch mitteilen, dass Andi und ich über diese leidige Familienfehde gesprochen haben«, sagte sie (gewisse andere Details dieser Begegnung auslassend). »Kann mich bitte mal jemand darüber aufklären?«

Eine Mauer verstockten Schweigens baute sich vor ihr auf. Unüberwindlich wie meterhoher, meterdicker Beton mit Stacheldraht. Da half kein Bitten und kein Drohen, kein noch so gutes Argument, kein voll aufgedrehter Charmescheinwerfer. Familiengeheimnisse hießen halt so, weil sie Geheimnisse blieben.

»Faszinierend«, murmelte Annabelle in das Butterfässchen. »Dieser unsinnige Krieg der Clans könnte damit enden, dass das Edelweiß abgerissen wird, aber ihr scheint nicht einmal Interesse an einem Waffenstillstand zu haben.«

Ihre Mutter erhob sich, die Augen randvoll mit Traurigkeit. Wollte sie etwas sagen? Nein, sie warf nur einen wehen Blick auf ihren Mann, dann verließ sie mit schleppenden Schritten die Gaststube. Also dreht es sich um meinen Vater, schloss Annabelle daraus. Irgendwas musste Alois Stadlmair verbrochen haben. *Papa geht seiner eigenen Wege, es gibt schon Gerede im Dorf,* hatte ihre Mutter geschrieben.

»Nun, Papa?«, nahm sie ihn ins Gebet. »Irgendwelche sachdienlichen Anmerkungen?«

Alois Stadlmair starrte das Marmeladenbrötchen in seiner Hand an, als sei es ein Ufo, das unerklärlicherweise dort gelandet war.

»Wir müssen das Menü besprechen, Anna. Den Einkauf, die Vorräte, den Plan für die nächsten Tage. Über Weihnachten haben die Geschäfte bekanntlich geschlossen. Kannst du uns eine Liste schreiben? Die Straßen sind jetzt so weit geräumt, dass der Lieferwagen aus Tannstadt bis zur Brücke durchkommt. Wir können sogar ein Teil der Rechnungen bezahlen, weil der Erfolg deines neuen Essens gewisse finanzielle Lücken geschlossen hat. Den Rest lassen wir anschreiben.«

Tarnen, Täuschen, Weitermachen. Friede, Freude, Weihnachtskuchen. Annabelle gab es auf. Im Gegensatz zu dem Lieferwagen kam sie einfach nicht durch.

»Gut, ich schreibe die Liste«, seufzte sie.

»I fass mit an, wenn des Zeug kommt«, meldete sich Max zu Wort, der sich bisher nicht eingemischt hatte. »Der Sepp, der kann des net allein schaffen. I spann des Lieschen an und hol alles mit'm Schlitten.«

»Danke, Max.« Über den Tisch hinweg drückte Annabelle seine Hand. »Es wird in der Tat ein bisschen mehr Ware werden, schätze ich, weil wir an den Weihnachtstagen so was wie den Club der einsamen Herzen eröffnen.«

Max blinzelte irritiert. Ein Kranz feiner Fältchen plissierte sich um seine Augen.

»Was? Einen Klub? Hier im Edelweiß? Ja, bist komplett vogelwild jetzat?«

»Ferien für Singles«, erläuterte sie ihre Idee. »Also für Leute, die niemanden haben oder«, sie schaute zu ihrem Vater, »die Weihnachten lieber allein verbringen, weil sie nicht gewillt sind, dem Weihnachtsfrieden zuliebe all die Probleme mit ihren Eltern unter den Teppich zu kehren.«

Damit lockte sie Oma Martha aus der Reserve. Ihre liebe, gütige Oma Martha, deren Äpfelchengesicht auf einmal blass wurde.

»Jeder sollte vor seiner eigenen Tür kehren, Anni! Wer hat denn mit diesem Mann, diesem Berenson, herumpoussiert, der den Oberleitnerhof kaufen will? Bist ihm ja fast um den Hals gefallen, dem G'schwurf!«

Keine Frage, jeder internationale Geheimdienst hätte sich die Finger nach einer Topspionin wie Oma Martha geleckt. Wie machte sie das? Wieso konnte sie ihre Augen überall haben?

»Das darf doch nicht wahr sein!« Wütend warf Alois Stadlmair sein Brötchen auf den Teller, von wo es zur Kirschmarmelade segelte und schließlich am Butterfässchen strandete. »Erst fängst du was mit diesem Oberleitnersohn an, und dann auch noch mit dem Berenson? Zwei Männer, Anna? Und dann noch zwei komplett falsche?«

Ich hätte da sogar noch einen dritten in petto, dachte Annabelle, er heißt Simon und ist der beste Koch der Welt. Eure verlogene Heimlichtuerei geht mir übrigens voll auf den Zeiger.

»Und wenn's so wäre, Papa? Lieber Fehler machen als gar nichts machen. Du siehst ja, alles kann schneller enden, als man denkt. Die Berenson ist bald die reichste Frau auf dem Friedhof, und was hat sie davon? Gar nichts. Bevor ich in die Grube fahre, will ich jedenfalls mein Leben leben. Ohne deine Vorschriften.« Sie stand auf. »Ich schreibe jetzt die Liste.«

Nachdem sie sich ein Brötchen geschnappt hatte, lief sie aus der Gaststube mit dem Gefühl, dass sie zwar nichts Spektakuläres rausbekommen, aber zumindest einen Anhaltspunkt gewonnen hatte. Alois Stadlmair war ein lebenslustiger Mann. Zu lebenslustig? Sogar ihre Freunde wussten, dass im Edelweiß der Haussegen schiefhing. Und auch in Therese Stadlmairs humorigem Kommentar am ersten Abend, als alles noch eitel Sonnenschein schien, versteckte sich womöglich ein Hinweis: *Alois, mit sechzig bist du immer noch jung genug für Dummheiten, aber endlich so reif, dir die richtigen auszusuchen.*

Annabelle legte schon die Hand ans Treppengeländer, als sie von Hauptkommissar Andernach ausgebremst wurde, der in Begleitung seines Kollegen, beide in voller Uniform, die Treppe hinunterspazierte.

»Holla? So eilig unterwegs?«

»Jaja, das Fräulein Stadlmair ist eine ganz flotte Motte.« Polizeiwachtmeister Trampert hob eine Hand. »Grüß Gott und servus. Alles gut überstanden soweit?«

»Sie haben hier übernachtet?«, fragte Annabelle verblüfft.

»Gelitten«, brummte der Hauptkommissar.

»Mehr oder weniger«, fügte Kollege Trampert hinzu. »Die Matratzen sind ja leider ein Graus, aber ich hab mir überlegt – wenn ich ungefähr zehn Zentimeter kleiner wäre, vielleicht auch nur sieben, dann hätte es irgendwie gepasst, und ich hätte ein, zwei Stunden länger …«

»Trampert!« Hauptkommissar Andernach gab seinem Untergebenen einen kleinen Stoß mit dem Ellenbogen. »Wir stehen unter Zeitdruck! Morgen ist Heiligabend, und den lass ich mir nicht durch den Puxdorfer Mörder verderben! Also, Frau Stadlmair, irgendwas beobachtet, irgendwas gesehen oder gehört?«

Annabelle tat so, als dächte sie sehr angestrengt nach.

»Leider nichts. Zum Zeitpunkt des Mordes war ich in der Gaststube, wie Sie wissen.«

»Wo es diese köstlichen Bisonburger gab, herrlich, die waren so saftig!« Kollege Trampert schmatzte mit den Lippen. »Bittschön, Fräulein Stadlmair, könnten Sie mir vielleicht ein bisserl davon einpacken, falls Sie noch Reste haben? Damit ein einsamer Junggeselle am Heiligabend …«

»Ab in die Gaststube, Trampert, Frühstück ermitteln«, blaffte Hauptkommissar Andernach. »Lassen Sie mir was übrig!«

»Viel Spaß, mit Knäckebrot kann man's richtig krachen lassen«, witzelte Annabelle matt.

»Und Sie, Frau Stadlmair, halten sich für unsere Nachfragen bereit!«, setzte der Kommissar hinzu.

»Könnte ich denn«, sie bohrte ihre Fingernägel in die Handflächen, »vielleicht netterweise schon mal meinen Pass haben?«

Die blaugeäderten Hängebäckchen des Hauptkommissars bebten im Takt mit, als er heftig den Kopf schüttelte.

»Völlig unmöglich. Frühestens nächste Woche. Tut mir leid.«

Er sah überhaupt nicht so aus, als täte ihm irgendetwas leid. So ein Spack.

»Bitte«, flehte sie, »am achtundzwanzigsten soll mein Flieger nach Singapur abheben.«

»Das wird er auch, das wird er auch«, brummelte Hauptkommissar Andernach. »Fragt sich nur, ob Sie drinsitzen.«

Oje. Annabelle legte den Kopf schräg.

»Und da kann man gar nichts machen?«

»Bringen Sie mir den Mörder, Frau Stadlmair, und Sie können fliegen, wohin Sie wollen.«

So stellte er sich das also vor? Dass andere seinen Job erledigten, damit sein Weihnachtsfest daheim gesichert war? Wer in aller Welt konnte denn … oh – da war sie, die absolut obergenialste Eingebung von allen.

»Herr Hauptkommissar, haben Sie eigentlich schon meine Oma vernommen?«

Der Beamte machte ein Gesicht, als hätte Annabelle ihm allen Ernstes empfohlen, er solle doch mal Lieschen verhören. Er kniff ein Auge zu, das andere entsandte einen geradezu feindseligen Blick.

»Ihre Oma.«

»Aber ja! Sie sieht alles und hört alles! Sie ist eine Art Supercop mit Seniorentarnung! Batgirl mit Dauerwelle! Catwoman im Kittel! Ich kann sie Ihnen nur empfehlen für eine rasche Aufklärung dieser Fälle!«

Ein mitleidiges Lächeln drängte die Hängebäckchen zur Seite.

»Als Köchin sind Sie eine Wucht, Frau Stadlmair, aber als Amateurpolizistin? Und dann gar Ihre Großmutter – nein, nein. Trotzdem verbindlichsten Dank.«

Mit zackigen Gesten bedeutete er Annabelle, dass er an ihr vorbeiwollte, und sie ließ ihn innerlich geladen weitergehen. Was dieser Mann veranstaltete, musste man als Freiheitsberaubung bezeichnen. Wer konnte denn schon vorhersagen, wann der Mörder gefasst wurde? Und ob er überhaupt jemals ins Netz der polizeilichen Ermittlungen ging?

Gratulation, damit rückt Singapur in immer weitere, ja unerreichbare Fernen, überlegte sie entmutigt, während sie die Treppen hinaufstieg. Oder sollte ich tatsächlich auf eigene Faust ermitteln? Spitzenidee. Hab ja auch sonst nichts zu tun. Leider ist es die beste Idee, die mir zur Verfügung steht.

Anna Sherlock Stadlmair, angetreten! Ab jetzt wirst du jede Spur verfolgen, jeden unter die Lupe nehmen, jedem auch nur leisen Verdacht nachgehen, bis der vermaledeite Mörder gefasst ist. So wahr ich Anna Elisabeth Maria Stadlmair heiße, nächste Woche fliege ich nach Singapur!

Kapitel 27

Zurück in ihrem Zimmer, brütete Annabelle erst einmal über der Karte des heutigen Abends, danach über dem mehrtägigen Weihnachtsschmaus – vom Finger-Food bis zum Festtagsbraten, vom Mitternachtssüppchen bis zum anspruchsvollen Frühstück. Mit all ihrer komprimierten kulinarischen Kompetenz ersann sie ganze Speisenfolgen und kleine Schmankerl, listete die Zutaten auf, berechnete die Mengen. Doch immer wieder wurde sie abgelenkt. Du lieber Himmel, wie sollte man gleichzeitig detektivischen Überlegungen nachgehen und eine ausgefeilte Einkaufsliste schreiben?

Sie war fast fertig, als ihr Handy eine Nachricht ankündigte.

Lust auf ein spätes Frühstück? Treffen uns alle bei mir. Toni bringt brisantes Videomaterial mit! Liebe Grüße von Ferdi. Peace

Und wie Annabelle Lust bekam. Das trockene Brötchen hatte nur ihren ärgsten Hunger gestillt, jetzt verspürte sie Appetit auf ein anständiges, ein echtes Frühstück. Müsli gab es bestimmt bei Ferdi, mit etwas Glück auch Spiegelei. Was für ein brisantes Material Toni dazu servieren würde, stand einstweilen in den Sternen. Soweit Annabelle wusste, waren seine Kameradrohnen noch nicht ausgeschwärmt, als Isabel Berenson ihren gewaltsamen Weg ins Nirwana angetreten hatte. Was also gab es da vorzuführen?

Komme, so schnell ich kann, danke!, schrieb sie zurück.

Die Beantwortung einer Nachricht, die kurz danach eintrudelte, gestaltete sich hingegen komplizierter.

Danke fürs Kondolieren. Und für deine lieben Worte. Ich habe sehr viel zu tun, doch meine Gedanken fliegen permanent zu dir. Haben Zeit und Raum überhaupt eine Bedeutung für zwei Menschen wie uns? Zärtlicher Kuss. ☺

Was sollte man dazu sagen? Was sollte man darauf antworten? Es gab da so gewisse Widersprüche, die sie erst genauer ergründen musste. Später. Auf dem Weg zu Ferdi.

Mit Hochdruck stellte Annabelle die Einkaufsliste fertig. Dann zog sie sich winterfest an, einschließlich einer alten schwarzen Thermohose, die sie im Kleiderschrank gefunden hatte und über ihren Overall streifte. Als sie Andis Kaschmirschal umband (bei Tageslicht entpuppte er sich als weinrot), musste sie lächeln. Was für ein süßes Präsent. Und so aufmerksam. Die Farbe harmonierte sogar mit ihrer beigefarbenen Daunenjacke. Im selben Moment wurde ihr bewusst, dass es ein ziemlich intimes Geschenk war. Als ob Andi ihr auf seine Weise nahe sein wollte, an ihren Hals geschmiegt, weich ihre Haut umschmeichelnd.

Eine Gänsehaut überlief sie, trotz des wärmenden Schals. Noch auf der Treppe ins Erdgeschoss (diesmal trat sie besonders fest auf die knarrenden Stufen, schon aus Trotz) dachte sie weiter darüber nach. Eigentlich dachte sie über Andi nach. Die Weihnachtstage würde er bei seinen Eltern verbringen, danach flog er sicherlich zurück nach Hongkong. Aus war's dann mit dieser schönen Erfahrung. Und Fabian? Schön und gut, dass sie in seinem Kopf gemeinsam tanzten, doch wo er sich jetzt gerade herumtrieb, hatte er genauso wenig präzisiert wie den Tag seiner glorreichen Wiederkehr nach Puxdorf.

Andi. Fabian. Gerade waren sie einander nähergekommen, sehr nahe sogar, bald würden sie wieder in alle Winde zerstreut sein. Und Simon stand in New York am Herd. Schien so etwas wie ihr Schicksal zu sein. Was war das für ein Leben, in dem Menschen rund um den Globus reisten, einander trafen, wieder auseinandergingen und womöglich die besten Momente verpassten?

Leicht melancholischer Stimmung legte Annabelle unten im Flur den Einkaufszettel auf das Rezeptionstischchen (eine Liste, lang wie der Stau vor der Brooklyn Bridge am Montagmorgen). Dabei fiel ihr auf, dass jemand das Gästebuch entstaubt hatte. Richtig saubergewischt. Na, wenigstens eine Sache, die Mama noch interessiert, dachte sie. Wie kann ich sie nur auftauen, damit sie mir endlich ihr Herz ausschüttet und sich alles von der Seele redet, was sie bedrückt?

Draußen empfing Annabelle ein kühler, bedeckter Morgen. Blassgrau hing der Himmel über den Berggipfeln. Die Helligkeit hatte etwas seltsam Milchiges, hinter den diesigen Wolkenschleiern konnte man die Sonne nur ahnen. Auch die Spitze des Drachensteins hüllte sich in dunstigen Nebel. Als sei nichts gewesen, ragte der Hausberg hoch über dem Dorf auf; als hätte er nicht wie flüssige Lava geglüht am vorherigen Abend und damit, laut Sepp, ein böses Vorzeichen nach Puxdorf geschickt.

Gespannt auf Tonis Enthüllungen, lief Annabelle an Schneehaufen und eingeschneiten Autos vorbei die Dorfstraße entlang. Das war halt das Mobilitätskonzept von Puxdorf: zu Fuß gehen. Und anders als in New York, tat man es nicht mit auf den Asphalt gehefteten Augen, ängstlich darauf bedacht, niemanden anzuschauen (jeder Kontakt mit Fremden konnte in New York unerfreulich enden). Nein, auf dem Dorf nutzte man den Fußweg für allerlei Beobachtungen. Der Schneemann in Fannys Vorgarten hatte zu seiner Coladosennase noch zwei Kronkorkenaugen bekommen. Vor dem Hof der Sennhubers stand ein Trecker mit einem fremden Kennzeichen nebst Viehanhänger – vermutlich wurde gerade eine weitgereiste Kuh mit Nachwuchs beglückt (von eben jenem temperamentvollen Stier, der Isabel Berenson, sie ruhe in Frieden, auf die Hörner genommen hatte). Auf dem Dorfplatz unterhielten sich Leute mit vollen Brötchentüten, am Bürgermeisteramt hing heute keine Fahne. Keine Fahne?

Annabelle wusste, dass Randolf Egertaler, der Amtsinhaber, jeden Morgen um acht eine weiß-blaue Bayernflagge hisste – die er um elf wieder einholte, wenn er seinen Nachhauseweg antrat. Jetzt war es halb neun. Möglicherweise saß der Bürgermeister ja beim Oberleitner statt ordnungsgemäß an seinem Schreibtisch und heckte neue Pläne aus? Selbstredend lukrative?

Korruption ist die Maut-Autobahn neben dem Dienstweg, sagte ihr Vater immer, es kommt teurer, geht aber schneller. Er musste es wissen. Für den Ausbau des Hotels auf drei Stockwerke hatte er vor vielen Jahren tief in die Tasche greifen müssen; kurze Zeit später war Randolf Egertaler mit einem funkelnagelneuen Mercedes durchs Dorf kutschiert.

Sie zog noch einmal ihr Handy aus der Jackentasche und las erneut Fabians Nachricht. Was die Textanalyse kniffliger Nachrichten betraf, konnte es Annabelle mit jedem Detektiv aufnehmen. Zu Beginn das Kondolieren anzusprechen, war schon mal ganz schlecht (obwohl sie mit ihrer eigenen Nachricht dummerweise dazu beigetragen hatte). Dass er *sehr* viel zu tun hatte, klang wie die Ausrede eines verheirateten Mannes, der seine Geliebte abwimmelte. Seine Gedanken *flogen* zu ihr, sehr schön. Aber *permanent*? Es gab Permanent-Make-up, permanente Probleme, die Permanenz politischer

Verhältnisse. In einer Liebesbotschaft hatte dieses herzlose Wort nichts zu suchen. Gar nichts.

Und seine philosophische Betrachtung über Zeit und Raum? Heiße Luft, fand Annabelle. Zeit und Raum hatten sehr wohl eine Bedeutung. Sie bedeuteten sogar alles für Liebende! Hallo? Wenn man sich zeitlich oder räumlich *permanent* verpasste, wurde nämlich nichts aus der Liebe. Einzig der *zärtliche* Kuss versöhnte Annabelle ein wenig. Antworten würde sie diesmal aber nicht sofort. Sollte er doch ruhig selbst darüber nachdenken, was er mit seinen Sätzen bewirkte. Pure Begeisterung war es nicht.

Zwei Minuten später schob sie die Holzpforte auf, hinter der Ferdi Ramsauers Grundstück lag. Umgeben von alten Obstbäumen, schmiegte sich das über und über mit Efeu bewachsene Bauernhaus in eine anmutige Mulde (wie Andis Schal an Annabelles Hals). Schneebedeckte Schaukeln, zwei vereiste Kinderrutschen, fünf Holzschlitten sowie diverse Schneemänner (ökologisch korrekt mit Mohrrübennasen versehen) kündeten vom reichen Kindersegen des Hausherrn. Annabelle befand sich noch auf halber Entfernung zum Eingang, als im ersten Stock ein Fenster aufgerissen wurde.

»Tür ist offen! Wir sind hier auf dem Land!«

Ja, Letzteres war ihr auch schon aufgefallen. In sich hineinlächelnd absolvierte sie die letzten Meter zum Hauseingang, vor dem eine ganze Sammlung schneefester Stiefel stand. Ihre Freunde waren also bereits eingetroffen. Neben der Tür hing ein handgetöpfertes Schild: *Hier leben, lieben und lachen die sieben Ramsauers! Naturbelassen und biologisch abbaubar!* Darunter grinste ein gelb bemalter Smiley die Besucher an.

Der Herrgott hat einen großen Tiergarten, sagte Alois Stadlmair immer, und in Puxdorf haben wir sogar eine ganze Menagerie. Was genau er damit meinte, hatte Annabelle nie verstanden, jetzt erschloss sich ihr der Sinn: Die Puxdorfer mochten extrem traditionsverhaftet sein, doch sie duldeten eine staunenswerte Vielfalt in ihrer kleinen Gemeinde. Klar, es wurde geklatscht, was das Zeug hielt. Andererseits ließ man jeden gewähren, sofern er nicht mutwillig den Dorffrieden störte (so wie Gerhard Oberleitner). Weder Toni, der nerdige Bastelfreak, die tätowierte, gepiercte Mitzi noch der radikal antikapitalistische Öko-Ferdi eckten wirklich an.

Und da stand er auch schon in der Tür, Ferdi Ramsauer, in einer erbsengrünen Cordhose und einem handgestrickten, leicht asymmetrisch geratenen Pullover mit rotbraunem Zickzackmuster.

»Servus Anna, komm rein.« Er warf seinen Zopf nach hinten über die Schulter. »Möchtest du Tee? Hab grünen Tee, Roibuschtee, Brennnesseltee, Salbei, Minze …«

»Roibusch, vielen Dank.«

Annabelle stieg aus ihren Moonboots und tappte auf Socken hinter Ferdi her, eine abgebeizte geölte Holztreppe empor. Oben angekommen, staunte sie nicht schlecht. So wie in Tonis Bauernhof hatte sich auch hier mit der nächsten Generation so gut wie alles verändert. Nichts erinnerte mehr an die vielen kleinen Zimmerchen von einst, in denen sie als Kind manchmal mit Ferdi Verstecken gespielt hatte. Schrägstehende rohe Holzbalken stützten das Spitzdach eines hohen Raums, der sich über die gesamte Grundfläche des Hauses erstreckte. Die abgezogenen kiefernhellen Bodendielen waren mit naturfarbenen Teppichen und weichen bunten Sitzkissen bedeckt, am Firstbalken hingen asiatische Windspiele mit kleinen Glöckchen. Seitlich unter den Schrägen gab es Spielecken mit Kisten voller Bauklötze, Bilderbücher, Holzautos, Stoffpuppen, zwischen denen drei graugetigerte Katzen herumsprangen. Es roch nach Räucherstäbchen und exotischen Gewürzen. An der Stirnwand thronte ein fast lebensgroßer Buddha aus poliertem Messing, der so huldvoll lächelte wie Ferdi in seinen entspanntesten Momenten.

»Hier findet übrigens unsere Yogagruppe statt«, erklärte er. »Immer freitags um fünf. Namasté. Du bist herzlich eingeladen.«

»Ja, äh, besten Dank soweit.«

Annabelle staunte weiter. In der alternativ-rustikalen Wohnlandschaft lagerten Betty, Mitzi, Fanny und Toni, mehr liegend als sitzend, mit Teetassen in der Hand und einem Gesichtsausdruck, als befänden sie sich mitten in einer Wurzelbehandlung. Vor allem Toni, der ein graues Kapuzenshirt zur Jeans trug, hatte aufgrund seiner Leibesfülle sichtlich Mühe, eine einigermaßen bequeme Position zu finden.

»Dies ist ein wunderbarer Morgen, um sich der Sinnlosigkeit des dorfpolitischen Daseins zu widmen!« Ferdi, der seitlich in einer Kochnische herumhantierte, hob seine linke Faust in die Luft. »Der Bürgermeister hat mir gestern eine Mail geschickt, hab sie erst eben gelesen. Man nehme Anstoß an meinen Bisons, schreibt er. Der Emissionsausstoß sei zu hoch! Methangase, versteht ihr? Dabei bekommen meine Bisons nur biologisch erzeugtes Futter, ohne Antibiotika, ohne Fischmehl oder andere tierische Zusätze. Die pupsen schadstoffmäßig einwandfrei.«

»Du Ferdi, in meiner Tasse schwimmt eine Spinne«, sagte Betty.

»Iiih, wie eklig!«, juchzte Fanny, klein und blass in Jeans und weißer Rüschenbluse.

»Mach dir nichts draus.« Ferdi vollführte eine lässig wegwerfende Handbewegung. »In vielen indigenen Kulturen sind Insekten ein äußerst beliebtes Nahrungsmittel. Wusstest du, dass sie fast nur aus Proteinen bestehen?«

»Hey, wie wär's mit gegrillter Grille zum Abendessen?«, alberte Mitzi herum. Sie zeigte auf ihr dunkles T-Shirt, auf dem schwarze Pailletten in Schmetterlingsform klebten. »Oder Ameisenbrei an frittierten Schmetterlingsflügeln?«

Fanny zog einen Schmollmund.

»Ist ja sowieso komisch, Ferdi, dass du Tiere isst, wo du doch so auf Öko machst.«

»Wieso? Ich bin Secondhand-Vegetarier. Meine Bisons fressen das Gras, ich esse das Bisonfleisch.«

Alle lachten, Toni stöhnte vernehmlich.

»Mann, Mann, nicht so laut. Den frühen Vogel wurmt der schwere Kopf. Hab mir gestern Abend ganz schön die Karten gelegt.« Umständlich langte er zu einem Laptop, der neben ihm auf dem Teppich lag. »Leute, ich muss euch was zeigen. Was wirklich Unheimliches.« Feierlich klappte er den Laptop auf. »Oder lieber erst mal was Spaßiges?«

»Ja, was Spaßiges«, bat Betty, die mit einem Teelöffel nach der Spinne in ihrer Teetasse fischte.

»Wäre das auch was für meine Kinder?«, fragte Fanny.

Toni zog eine Grimasse, halb belustigt, halb gequält.

»Eher nicht. Die Leute da draußen lassen sich von Puxdorfs mörderischem Ruf inspirieren. Hier, das habe ich heute Nacht entdeckt: ein Online-Multiplayer-Spiel, bei dem es darum geht, Puxdorfs Kühe abzuschießen – äh«, er sah zu Ferdi, »liebevoll von der Alm ins Dorf zu geleiten.«

Betty, Mitzi und Fanny krochen auf allen vieren zu ihm. Ferdis Krabbelgruppe, wie herzig, dachte Annabelle, und rückte mit wackelndem Po ebenfalls näher zu Toni. Neugierig schaute sie über seine Schulter. Es war ein äußerst banales Ballerspiel, bei dem per Mausklick explodierende Kühe durch die Luft flogen – schmückte sich jedoch mit dem sensationslüsternen Titel *Scary Puxdorf*. Bevor Ferdi das geschmacklose Gemetzel sehen konnte, klickte Toni es weg.

»So, und jetzt haltet euch fest.« Er legte eine Kunstpause ein. »Es ist so: Die tote Berenson vorgestern Abend hat mich echt beunruhigt. Deshalb habe ich seit letzter Nacht drei Drohnen mit Nachtsichtkameras losgeschickt. Okay. Seht euch das an.«

Annabelle nahm den Roibuschtee sowie einen Müsliriegel von Ferdi in Empfang (das also war das *späte Frühstück*? Ein *Müsliriegel*? Heiliger Bimbam!), dann konzentrierten sich alle auf den Laptop. Auf dem Bildschirm erschien ein etwas verwackeltes Schwarzweißvideo, aus relativ niedriger Höhe über Puxdorf aufgenommen. Sofort erkannte Annabelle das Edelweiß.

»Du hast unser Hotel gefilmt?«, fragte sie konsterniert.

»Wart's ab«, brummte Toni.

Die Drohnenkamera zoomte näher heran. Ganz deutlich sah man einen Mann in einem dicken Daunenmantel schnellen Schritts zum Pferdestall hinter dem Edelweiß eilen. Wenig später eine kleinere Gestalt, mit Mütze und Daunenjacke, die ebenfalls zum Stall ging und darin verschwand. Der Timecode des Videos zeigte null Uhr siebzehn.

Fassungslos starrte Annabelle auf den Monitor. Toni hatte ihr heimliches Rendezvous dokumentiert. Ihre Entgeisterung steigerte sich, als eine dritte menschliche Gestalt ins Bild kam, vermummt, in etwas Ähnliches wie eine Decke gehüllt. Nach Lage der Dinge hätte es eigentlich nur Topspionin Oma Martha sein können, doch dieser Mensch – ob Mann oder Frau, war nicht auszumachen – bewegte sich flink wie ein Wiesel zum Stall, umrundete ihn zweimal, blieb eine Weile stehen, den Kopf an die Wand gelehnt, und sprintete wieder aus dem Bild.

Toni stoppte das Video. Es war totenstill. Nur die Glöckchen der Windspiele am Firstbalken klingelten leise. Alle schauten zu Annabelle, die sich an ihre Teetasse klammerte.

»W-was … war … d-das?«, stammelte Betty.

»Das warst du, Anna.« Mitzi zupfte an ihrem rechten Ohrläppchen, ihre

Piercings klimperten. »Hab dich genau erkannt. Du hast so einen krassen Gang, wenn du frierst, das kenne ich noch von früher – so staksig irgendwie …«

»… wie ein Storch im Salat«, nickte Fanny.

Toni spulte das Video ein Stück zurück und fror die Aufnahme ein, auf der Andi zu sehen war.

»Wer ist der Mann, Anna? Oberleitner Junior, richtig?«

»Das glaub ich ja nicht«, stieß Betty hervor. »Du triffst dich mit ihm? Nachts? Hinter unserem Rücken?«

»Es ist … kompliziert.« Annabelle nahm einen Schluck Tee, wobei sie sich kräftig die Zunge verbrannte. »Aber ich tue nichts, was die Interessen der Bürgerinitiative *Rettet Puxdorf* sabotiert. Ehrenwort. Ich wollte nur …«

»Nach allen Seiten offen bleiben?«, ätzte Mitzi.

»Andi ist nicht so, wie ihr denkt!«, rief Annabelle. »Und mit dem unseligen Verkauf des Hofs hat er auch nichts zu tun! Sein Vater ist derjenige, der das alles losgetreten hat!«

Diese Aussage barg zwar einige Unschärfen, denn Andi war ja ebenfalls an einem Verkauf interessiert, doch die Richtung stimmte. Er war kein Choleriker und aggressiver Störenfried wie sein Vater. Darum ging es.

»Anna.« Betty war gipsweiß wie ihre Bäckerschürze geworden, über der sie wieder die altrosa Strickjacke trug. »Langsam weiß ich nicht mehr, was ich glauben soll.«

»Dann sollten wir uns alle mit ihm treffen, und ihr könnt euch selbst von seiner Integrität überzeugen«, sagte Annabelle herausfordernd.

Unwillkürlich zog sie gleich darauf den Kopf ein, weil sie harten Protest erwartete. Entgegen ihren Befürchtungen blieb der Protest jedoch aus. Mitzi und Betty runzelten die Stirn, Fanny ließ die Worte mit einem hilfesuchenden Blick zum Buddha auf sich wirken, Ferdi hockte sich in den Schneidersitz, die Handflächen nach oben gekehrt.

»Ich atme da mal rein.« Zwei tiefe Atemzüge folgten. »Wir sollten Andi eine Chance geben. Die Schwingungen seiner Seele testen. Sehen, ob er kooperativ agiert. Falls er unsere Bürgerinitiative unterstützt, sei er willkommen.«

»Ein Gentlemen's Agreement?«, fragte Mitzi zweifelnd. »Das setzt voraus, dass er ein Gentleman ist.«

»Ist er«, versicherte Annabelle.

»Okay, von mir aus.« Toni zeigte auf den Monitor, auf dem er zu der vermummten Gestalt vorgespult hatte. »Doch was ist mit dem Kandidaten da? Wieso schleicht der um die Ecken? Könnte das der Mörder sein? Jemand eine Idee? Ist das einer aus dem Dorf?«

»Wie viele Leute leben eigentlich in Puxdorf?«, erkundigte sich Annabelle.

»Ungefähr ein Drittel, der Rest liegt quasi im Koma«, kicherte Mitzi.

»Nur Flausen im Kopf, unsere Mitzi«, lächelte Betty mit mimisch gespielter Strenge.

»Lass nur, Flausen im Kopf sind ein Airbag für die Seele«, entgegnete Ferdi salbungsvoll, während er eine der Katzen streichelte, die zutraulich ihren Kopf an seinem Knie rieb.

Toni trommelte mit den Fingern auf den Rand des Laptops.

»Um die hundert Einwohner hat Puxdorf, wenn's hoch kommt. Eher so achtzig, die meisten Jugendlichen ziehen ja weg. Sagen wir – sechzig. Also, ich erkenne keinen aus unserem Ort auf dem Video.«

»Er ist klein«, sagte Betty nachdenklich. »Klein und wendig. Wer könnte das bloß sein?«

In das allgemeine angestrengte Nachdenken hinein meldete sich Fanny mit einer Theorie.

»Wir haben doch einmal im Monat diese Unterstützerversammlungen für unsere Bürgerinitiative. Wo dann die ganzen Leute aus den Nachbardörfern kommen. Bestimmt ist es einer von denen.«

»Möglich.« Gebannt starrte Toni auf die vermummte Gestalt. »Ja, könnte hinkommen. Da war mal so ein kleiner Krawallo, der hat dauernd davon geredet, gewaltfreier Widerstand sei zwecklos.«

Ein Handy klingelte. Das heißt, es spielte den alten John-Lennon-Song *Imagine*, die sehnsüchtig sanfte Hymne der Weltverbesserer. Fahrig wühlte Ferdi in der Hosentasche seiner erbsengrünen Cordhose.

»Beeil dich«, grinste Toni. »Sonst verpasst du noch den Anruf des Nobelpreiskomitees für ökologisch wertvolle Bisonpupse.«

»Geht mir vierspurig am Popo vorbei«, grinste Ferdi zurück. Dann hatte er endlich sein Handy aus der Hosentasche geklaubt und hielt es ans Ohr. »Hallo? – Ja? – Was? – Huhhhh … wirklich?«

Sichtlich erschüttert ließ er das Handy sinken. Seine Unterlippe zitterte. »Der Bürgermeister.« Er konnte kaum sprechen. »Sie haben ihn am, am – Bach gefunden. Tot.«

»Nein, nein, neiiin«, ächzte Betty, untermalt von Mitzis gepresstem »Scheiße, Scheiße, Scheiii-ße«.

Fanny saß nur mit schreckgeweiteten Augen da und stöhnte.

»Wie, um Gottes willen?«, schrie Toni. »Wie ist er umgekommen?«

Ferdi schloss die Augen und begann, entrückt vor sich hinzumurmeln, wobei er seinen Oberkörper rhythmisch vor und zurück wiegte.

»Der dreht ab«, flüsterte Mitzi. »Macht er immer so, wenn ihn was überfordert.«

Annabelle rieb sich über die Augen. Der Alptraum nahm einfach kein Ende. Wieder eine Leiche. Wieder eine schaurige Sensation. Wieder Menschenansammlungen und Polizeibefragungen und Unruhe in diesem Dorf, das immerhin ihr Heimatdorf war. Sie wollte das alles nicht mehr.

Unterdessen hackte Toni wie ferngesteuert auf seinen Laptop ein.

»Drei Drohnen sind seit heute Morgen um sechs unterwegs, nur mit minimalen Unterbrechungen für den Akkutausch! Ich sichte mal, was die aufgenommen haben. Verdammt, da muss doch was zu finden sein!«

Im Schnelldurchlauf startete er ein Video mit taghellen Aufnahmen. Endlose Schneelandschaften zogen auf dem Monitor vorbei, einzelne Gehöfte kamen in Sicht, Skilangläufer zogen ihre Bahnen durch ein Fichtenwäldchen, zwei Spaziergänger liefen ihrem Hund hinterher. Alles unauffällig, alles nicht aufschlussreich. Auch die Kamerabilder der anderen beiden Drohnen brachten keinerlei Erleuchtung. Nur Szenen aus dem Dorf, die alle schnell ermüdeten, jedoch nicht die Gegend am Bach zeigten.

»Ich schalte mal auf Echtzeit«, knurrte Toni.

Ein neuerlicher Bildwechsel folgte. Mit Hilfe seines Handys dirigierte Toni die dazugehörige Drohne in Richtung Bach. Es dauerte nicht lange, bis die Kamera über dem Tatort kreiste. Einzelne Menschen und Grüppchen von Leuten strömten zum bizarr zu Eis erstarrten Wasserfall am Ortseingang, wo ein bewegungsloser Mann im Schnee lag. Ein weiterer Mann, Hauptkommissar Andernach, hatte sich bereits neben ihm niedergelassen, Polizeioberwachtmeister Trampert stand mit hängenden Schultern daneben und knetete seine Dienstmütze. Obwohl die Aufnahmen keinen Ton mitlieferten, meinte Annabelle ein gebrülltes »Trampert!« zu hören.

Toni drückte auf die Stopptaste, er war hochrot vor Aufregung geworden.

»Ab jetzt fliegen meine Drohnen im Dauereinsatz. Ich krieg den Kerl.«

»Dein Wort in Buddhas Ohr«, raunte Ferdi, der immer noch wie in Trance seinen Oberkörper bewegte.

»Was ist denn nun genau passiert?«, wollte Fanny wissen.

Es bedurfte einiger weiterer Verneigungen, zusammengelegter Hände und gemurmelter Mantras, bis Ferdi antwortete.

»Der Bürgermeister ist im eiskalten Bach ertrunken, wie mir der Sennhubersohn soeben mitgeteilt hat. Zwei Jugendliche, die Schlittschuh laufen wollten, haben den Egertaler heute Morgen gefunden. Möge seine Seele in Liebe wiedergeboren werden.«

Bleich, aber gefasst rappelte sich Betty auf und knöpfte ihre Strickjacke zu.

»Vergiftet. Ertrunken. Was für ein Monster bringt so was fertig?« Sie strich ihr weißblondes Haar hinter die Ohren, dann setzte sie ihr Käppi mit dem Schriftzug *Backen ist aus Teig geformte Liebe* ♥ auf. »Das Beste, was wir tun können, ist weitermachen. Wir lassen uns nicht einschüchtern, gerade jetzt! Das Leben hier darf nicht zum Erliegen kommen! Puxdorf braucht das Edelweiß! Toni, hast du die neue Website für das Edelweiß gebaut? Und Mitzi, was ist mit den Instagram-Postings?«

»Erledigt«, antworteten beide im Chor, wenn auch immer noch deutlich verstört.

»Ich schicke dir gleich mal die Zugangsdaten für die Website, Anna«, sagte Toni, »es gibt nämlich schon weitere Interessenten für die Weihnachtstage.«

»Und ich gebe dir die Daten für den Instagram-Account.« Mitzi schlang ihre tätowierten Arme um den schlanken Körper. »Betty hat recht. Wir machen weiter. Heute um vier im Edelweiß?«

»Könnte ich wieder meine Kinder mitbringen?«, fragte Fanny.

»Ihr Kinderlein kommet, so kommet doch all«, summte Annabelle.

Toni klappte den Laptop zu, und er sah hoch zu den zart klingelnden

Windspielen oben am First des Raums, bevor er einen tiefen Seufzer von sich gab.

»Es gibt wirklich nur eins, was schlimmer ist als Mord und Totschlag, Anna: dein Gesang.«

Kapitel 28

Als Annabelle am nächsten Morgen die Gaststube betrat, stand ein deckenhoher Tannenbaum in der Ecke neben dem Kamin. Ihr Herz machte einen freudigen Hüpfer. Sie hatte viele Weihnachtsbäume gesehen in ihrem bewegten Leben. Große und kleine, edel designte und kitschig überladene; den gigantischen Weihnachtsbaum neben der Eisfläche des New Yorker Rockefeller Center, mehr als zwanzig Meter hoch und mit fünfzigtausend kleinen Lämpchen bestückt; die künstlichen Weihnachtsbäume von Dubai, deren buntblinkende Lichterketten im heißen Wüstenwind schaukelten. Doch es gab für sie nur diesen einen wahren Weihnachtstannenbaum, von Kindheit an geliebt – schlicht geschmückt mit Strohsternen und rotbackigen kleinen Äpfeln –, an dessen Zweigen bei der Bescherung ringförmige Zuckerplätzchen an roten Schleifen hingen.

»Zufrieden?«, fragte Alois Stadlmair, der auf einer Leiter stand, um die Tannenbaumspitze mit einem goldenen Hütchen zu krönen.

»Wunderschön.« Annabelle verschränkte die Arme, die von einem dunkelblauen Wollpullover gewärmt wurden. »Wo ist Mama?«

»Sie fühlt sich nicht wohl, schon seit gestern.«

»Ist mir nicht entgangen.«

Ihre Mutter befand sich quasi auf Tauchstation. Seit dem Frühstück des Vortags hatte sie sich zurückgezogen, angeblich wegen einer Migräne, und niemanden zu sich gelassen, sooft Annabelle auch an die Wohnungstür im ersten Stock geklopft hatte. Selbst abends in der Gaststube, in der die Gäste bis weit nach Mitternacht den neuerlichen Mord diskutiert hatten, war sie unsichtbar geblieben.

»Dann hoffen wir mal, dass sich die Resi rechtzeitig zur Bescherung erholt«, brummte Alois Stadlmair. »Vielleicht steht sie noch unter Schock, wegen des Bürgermeisters. Ertrunken im eisigen Wasser, was für ein fürchterlicher Tod.«

Annabelle schüttelte sich. Sie hatte die halbe Nacht wachgelegen und über diesen eiskalten Mord nachgegrübelt. Dass der Bürgermeister getötet worden war, bedeutete eine neue Dimension des Grauens. Kein Zugereister, nein, ein Puxdorfer war ums Leben gekommen.

»Wir müssen umso fester zusammenhalten«, sprach ihr Vater aus, was alle Puxdorfer zurzeit sagten (obwohl das Ableben des bekanntermaßen bestechlichen Mannes nicht gerade von übermäßiger Trauer begleitet wurde). »Auch unsere Familie. Mama, Oma Martha, Max, wir sollten näher zusammenrücken.«

Jetzt ist die Gelegenheit für ein Vieraugengespräch, überlegte Annabelle. Jetzt oder nie.

»Papa, was hast du Mama angetan?«, fragte sie rundheraus.

»Wie?« Schwerfällig kletterte ihr Vater die Leitersprossen hinunter und strich seinen grauen Lodenjanker glatt. »Wie meinst du das?«

»So wie ich es gefragt habe. Mama leidet. Sie hat es mir sogar geschrieben, in ihren Briefen. Dass du deiner Wege gehst, dass sich die Leute im Dorf das Maul darüber zerreißen. Hast du sie – betrogen?«

Alois Stadlmair klappte die Leiter zusammen und lehnte sie an die Wand neben dem Kamin. Auf seiner gebräunten Stirn erschienen Schweißtröpfchen.

»Anna, das verstehst du nicht. Hier auf dem Dorf ist es anders als in deiner großen weiten Welt, wo man tun und lassen kann, was man will. Mama und ich haben früh geheiratet. Bevor ich mir die Hörner abstoßen konnte. Als Gastwirt ist man dauernd Versuchungen ausgesetzt. Möglich, dass ich in den frühen Jahren der einen oder anderen Versuchung erlegen bin. Gute Stimmung, dazu der Alkohol, die Frauen umgarnen einen, wer würde da nicht manchmal schwach werden?«

Den Bruchteil einer Sekunde flackerte der irrwitzige Gedanke durch Annabelles zermürbtes Hirn, ob er Bettys heimlicher Lover sein könnte. Ausgeschlossen!, kreischte ihre innere Stimme. Bist du wahnsinnig? Nein, schon gut, war ja nur der Versuch, zwei Informationen zu einer zusammenzuschnüren: Papa auf Abwegen, Betty plus Geliebter, voilà, theoretisch hätte das Sinn ergeben. Ja, beschwerte sich ihre innere Stimme, in einem anderen, sehr theoretischen und gottlob nicht existenten Universum! Dein Vater steigt anderen Frauen nach, das ist hier das Thema! Lass Betty da raus!

»Und Mama?«, fragte Annabelle. »Musste das alles mit ansehen?«

Mit aufeinandergepressten Lippen warf Alois Stadlmair ein paar abgezwackte Tannenzweige in eine Holzkiste. Wie eine Sprechblase schwebte der Satz »Ich geb's ja zu, das war schuftig« über seinem schlohweißen Haar.

»Viele Ehen gehen schief, weil man sich nicht über die Teilnehmerzahl einigen kann. Und manchmal ist Verheiratetsein eine so schwere Bürde, dass man sie nur zu dritt tragen kann. Damit man's heil übersteht, muss sich die Frau eben ein bisschen blind stellen und der Mann ein bisschen taub, wenn's zum Streit kommt.«

»Papa? Ist das alles, was du zu sagen hast?«

Ein trotziger Zug trat in sein Gesicht.

»Willst du über mich richten? Was weißt du denn schon von der Ehe?«

»Nichts.« Annabelle sank auf einen Stuhl am Stammtisch. »Ich möchte nur, dass Mama wieder glücklich wird – falls sie es jemals war.«

»So leicht lässt sich das alles nicht wieder einrenken, fürchte ich. Dafür ist zu viel …« Er unterbrach sich. »Grüß Gott und willkommen im Edelweiß!«

Annabelle wandte den Blick zur Tür. Zwei junge Frauen und ein junger Mann in bunten Skijacken betraten die Gaststube, mit Koffern und Reisetaschen in der Hand.

»Ist das hier die *Single Jingle Christmas*?«

Herrje. Das konnte ja wohl nur auf Mitzis Mist gewachsen sein.

»Ich, äh …« Annabelle brauchte einige Sekunden, um über die *Single Jingle Christmas* hinwegzukommen. »Haben Sie … gebucht?«

»Drei Einzelzimmer«, antwortete der junge Mann, dessen hennarotes Haar stachelig vom Kopf abstand und in dessen Nase ein silberner Ring baumelte. »Ist ja voll die krasse Bude hier.«

Jepp, das klang nach Mitzi. Aber so was von.

»Steh ich mega drauf, wenn's so abgeratzt ist«, schwärmte eine der beiden jungen Frauen, die Fetzenjeans zu ihren Skijacken trugen. »Shabby-Chic. Cool.«

»Dann werden Sie die Zimmer lieben«, erwiderte Annabelle. »Wir haben alles im original Siebzigerlook gelassen. Ich checke Sie ein, ab zwölf gibt's eine Brotzeit – Chiasamenbrot, Bisonschinken, dazu eine Pfannkuchensuppe auf Rinderbasis im Oma-Martha-Style.«

»Wow.« Der junge Mann schaute seine Begleiterinnen an. »Meganummer hier.«

»Schäbbi Schick?«, wiederholte Alois Stadlmair verständnislos.

»Eine modische Umschreibung für Wir-haben-seit-hundert-Jahren-nicht-renoviert-und-betreten-Sie-die-Badezimmer-nur-mit-geschlossenen-Augen«, flüsterte Annabelle ihm verstohlen zu. Dann hob sie ihre Stimme wieder. »Also, auch von meiner Seite noch einmal ein herzliches Willkommen. Mein Name ist Annabelle. Bitte folgen Sie mir zur Rezeption.«

Sie ging voran, durch die Tür und den Flur entlang, umrundete das Rezeptionstischchen und setzte sich auf den wackeligen Stuhl dahinter. Als sie das Gästebuch aufschlug, fiel es von selbst auseinander, so dass eine bereits beschriebene Seite erschien. Dafür musste jemand mit großer Kraft den mittleren Falz eingedrückt haben. *Isabel Berenson*, stand in der Schönschrift ihrer Mutter oben auf der Seite, darunter eine doppelt unterstrichene Handynummer.

Annabelles Kopfkino schaltete auf Rückblende. Eine strassfunkelnde Clutch. Das klingelnde Handy der Berenson. Ihr rauschender Abgang aus der Gaststube. Der leblose Körper im Schnee. Jeder hätte diese Handynummer an sich bringen können. Jeder, der wusste, dass Therese Stadlmair ihr geliebtes Gästebuch mit gewissenhafter Akribie führte.

»Kann ich ein Zimmer mit Alpenblick haben?« Der junge Mann zückte eine Kreditkarte. »Und gibt's Cola light in der Minibar?«

Vollkommen durcheinander starrte Annabelle die Kreditkarte an. Wer hatte Isabel Berenson angerufen? Wer hatte sie in den Hinterhalt gelockt?

»Äh, keine Kartenzahlung, keine Minibar«, erwiderte sie mit zittriger Stimme. »Bitte zahlen Sie bar, im Voraus. Essen und Getränke in der Gaststube sind all inclusive.«

»Okay. Supi.«

Alle drei zogen ihre Portemonnaies hervor und blätterten mehrere Scheine auf den Rezeptionstisch. Dringend benötigtes Geld für die Warenlieferung, die jeden Moment kommen musste. Annabelle hatte noch einmal Lebensmittel nachbestellt, weil Toni und Mitzi mit ihrer Online-Aktion mehr Gäste als erhofft für die Weihnachtstage hatten gewinnen können. Das Edelweiß war ausgebucht. Alle zwanzig Zimmer.

Nachdem sie die Zimmerschlüssel übergeben hatte (schwere eiserne Schlüssel an klobigen Holzklötzen mit handschriftlich draufgepinselten Zimmernummern), wollte Annabelle in den ersten Stock gehen, um es noch einmal bei ihrer Mutter zu versuchen, als ihr Handy klingelte.

»Anna! Hier ist Toni. Ich stehe mit Ferdi vor der Tür, wir sind mit seinem Trecker unterwegs. Komm sofort raus! Wir haben was übersehen!«

Im Hinaushasten riss Annabelle ihre Daunenjacke vom Garderobenhaken und lief auf die Veranda. Vor dem Edelweiß stand ein uralter dunkelgrüner Traktor, dessen röhrender Motor aufheulte und tuckernd erstarb. Schnell sprang Annabelle die Treppe hinunter und kletterte ins Fahrerhaus des Treckers. Toni hatte schon die Beifahrertür geöffnet und rutschte ein Stück beiseite. Auf seinen Knien lag der aufgeklappte Laptop.

»Hier. Sieh dir das an.«

Das Video, in der Nacht von Randolf Egertalers Tod aus großer Höhe aufgenommen, zeigte neben vielem anderen einen dunklen Punkt im Schnee, der sich rasend schnell vorwärtsbewegte. Er beschrieb einen Bogen um das Dorf und steuerte den Bach an. Null Uhr fünfundfünfzig, verkündete der Timecode. Annabelles Herz begann zu stolpern.

»Kannst du das vergrößern, Toni?«

»Wird etwas unscharf, aber ja, das geht. Hab's schon vorbereitet und die Aufnahmen von drei Drohnen zusammengeschnitten, die das Dorfgebiet komplett abdecken.«

Er tippte auf die Tastatur. Ein anderes, wesentlich schwammigeres Video erschien. Der Punkt verwandelte sich in ein Snowmobil, auf dem eine vermummte Gestalt hockte. Am Bachufer stieg die Gestalt ab und wartete, bis wenig später eine zweite Gestalt hinzukam. Der Statur nach musste es Randolf Egertaler sein, den Gesten nach zu schließen, folgte eine kurze Unterhaltung. Der Fahrer des Snowmobils zog so etwas wie einen Flachmann hervor und reichte ihn dem Bürgermeister, der sich weit zurückbeugte, als er daraus trank. Währenddessen kam er dem Ufer immer näher, wo das Eis gefährlich dünn war. Er nahm einen zweiten Schluck. Tat einen weiteren Schritt rückwärts. Einen tödlichen Schritt. Hinterrücks stürzte er in die eisigen Fluten.

»Die Wassertemperatur muss knapp unter dem Gefrierpunkt gelegen haben, das überlebt man nicht«, flüsterte Toni.

»Ich hab's gegoogelt«, fügte Ferdi bleich hinzu. »Kälteschock und

Schwimmversagen. Eine tödliche Mischung. Dabei ist gar nicht die Unterkühlung die Todesursache. Fällt ein Mensch ins eiskalte Wasser, werden Kälterezeptoren in der Haut aktiv, er holt reflexhaft Luft – und ertrinkt meist schon beim ersten verzweifelten Atemzug.«

Toni deutete auf den Monitor.

»Außerdem – was auch immer in dem Flachmann war, mit Alkohol ist in solchen Extremsituationen der Ofen aus.«

Das Video lief weiter. Die vermummte Gestalt stieg auf das Snowmobil, wendete und raste davon, bis sie aus dem Blickfeld der Drohne geriet.

»Grauenhaft.« Annabelle legte eine Hand auf ihre pochende Brust. »Wer ist das? Der Typ, von dem Fanny gesprochen hat?«

»Wir fragen uns schon im Unterstützerkreis nach ihm durch«, antwortete Toni. »Leider weiß keiner, wer er ist und wie er heißt.«

Ratlos schauten sie alle drei durch die Windschutzscheibe nach draußen. Von ferne grüßte der Drachenstein, in sein diesiges Nebeltuch gehüllt, als gäbe es so einige Geheimnisse, die er für sich behalten wollte.

»Wir müssen die Videos der Polizei zeigen. Alle Videos.« Ferdi schlug den Kragen seines buntgemusterten Indianermantels hoch. »Es sei denn, Toni, du willst nicht, dass …«

»Ja?«, fragte Toni scharf.

»Na, du bekommst ja öfters Besuch von Betty …«

»Ich denke, wir sollten auf dem Boden der Tatsachen bleiben«, knurrte Toni.

Annabelle holte tief Luft.

»Und ich denke, auf dem Boden der Tatsachen muss dringend mal staubgesaugt werden. Dass eine Affäre in der Luft liegt, habe ich sofort gemerkt. Jeder merkt es, Toni. An Bettys Blicken. An der Art, wie du sie ansiehst. Keine Ahnung, wieso ihr es nicht besser unterm Deckel halten könnt. Ist mir sowieso egal. Ich finde heimliche Affären nicht toll, aber sie sind auch kein Verbrechen, solange niemand verletzt wird.«

»Wir haben keine Affäre«, widersprach Toni leise.

»Nein, haben sie nicht«, pflichtete Ferdi ihm bei.

»Haha. Und die Nacht ist nur so dunkel, damit man sie besser sieht.« Annabelle schaute wieder zum Drachenstein, leicht verstimmt über dieses hartnäckige Leugnen des allzu Offensichtlichen. »Was habt ihr dann?

Eine rein platonische Liebesbeziehung? Wie Brüderlein und Schwesterlein?«

Toni klappte den Laptop zu und stützte seine Ellenbogen auf das Armaturenbrett, das mit lauter Glücksbringern beklebt war. Vierblättrige Kleeblätter, Marienkäfer, Hufeisen, dazu Smileys, Buddhasticker und das Peacezeichen. Es gab eben viele Varianten des Aberglaubens.

»Wir *sind* Geschwister«, flüsterte er.

Annabelle blieb der Mund offen stehen. Was war das nun wieder für eine abenteuerliche Geschichte? Sie schaute zu Ferdi, dann zu Toni, der das Kinn mit seinen Händen abstützte.

»Das kann doch nicht sein.«

»Weil nicht sein kann, was nicht sein darf?« Toni zuckte mit den Schultern. »Mein Vater, der Herrgottsschnitzer, war ein grantiger Eigenbrötler und Einzelgänger, demnach unglücklich verheiratet. Für meine Mutter war das hart. Nur einmal hat sie ein kleines Stück vom großen Glück genascht: Auf einem Schützenfest sah sie Bettys Vater, charmant, gutaussehend, ebenfalls verheiratet.«

Er hatte Mühe zu atmen. Ferdi tätschelte seinen Rücken, Annabelle spürte eine plötzliche Enge in der Brust.

»Muss eine Amour fou gewesen sein«, fuhr Toni fort. »Mein Vater bekam es raus, als meine Mutter ein Kind erwartete. Hatten wohl schon Ewigkeiten nicht mehr miteinander geschlafen. Meine Mutter verheimlichte die Schwangerschaft im Dorf und brachte Betty ganz allein zur Welt. Damals war ich noch ein kleiner Junge. Ich habe meinen Vater belauscht, wie er meine Mutter anschrie, das Baby müsse aus dem Haus. Sofort. Niemals dürfe diese Schande rauskommen. Meine Mutter musste das Neugeborene ihrem verheirateten Geliebten bringen. Schrecklich. Darüber ist sie zugrunde gegangen, wenige Wochen nach der Geburt starb sie. Das Ende vom Lied kennt ihr. Mein Vater schnitzte die nackte Madonna und verbrannte sie auf dem Dorfplatz. Er solle sich zum Teufel scheren, hatte meine Mutter ihm noch kurz vor ihrem Tod gesagt. Was er dann ja auch getan hat.«

Eine unheilvolle Stille erfüllte die Fahrerkabine. Alle dachten an die unglücklich Liebende, an diese unfassbare Tragödie, die sich hinter Puxdorfs Mauern abgespielt hatte.

»Bettys Vater lebt noch, seine Frau ebenfalls«, fügte Ferdi hinzu. »Sie haben das Baby damals zur Adoption freigegeben, und Betty fand ein neues Zuhause bei der Familie des Dorfschmieds. Sie weiß Bescheid, Toni hat sie eingeweiht. Und sie liebt ihn – wie eine Schwester eben ihren Bruder liebt. Kümmert sich um ihn. Räumt auf. Bringt ihm was zu essen.«

Ein mikroskopisch kleines Lächeln erschien auf Tonis Gesicht.

»Gott schuf die Frau, weil Adam sonst nicht überlebt hätte. Betty ist meine Eva. Rein platonisch natürlich.«

»Verstehe ich das richtig?«, fragte Annabelle vollkommen entgeistert. »Damit es kein Gerede gibt wegen eurer auffälligen Nähe, tut ihr so, als *hättet* ihr eine Affäre? Wie irre ist das denn?«

»Das ist Puxdorf.« Toni lehnte sich ermattet zurück. »Du darfst fremdschnackseln, aber bei einem Kind hört der Spaß auf. Dann geht's los. Alle haben hier Grund und Boden, alles dreht sich um umfangreiche Erbschaften. Bettys leiblicher Vater ist Großgrundbesitzer, er hat zwei Söhne. Würde er Betty als Tochter anerkennen, müsste geteilt werden. Das wäre ein Skandal. Betty würde hier kein Bein mehr auf die Erde bekommen. Sie könnte dann auch gleich ihre Bäckerei dichtmachen und wegziehen.«

Ferdi umfasste das Lenkrad des Traktors so krampfhaft, dass seine Knöchel weiß hervortraten.

»Das ist alles gruselig, aber reden wir mal über die gruselige Gegenwart. Und über das Video. Wer hat eigentlich ein Snowmobil hier im Dorf?«

Erschöpft fuhr sich Toni mit dem Jackenärmel übers Gesicht.

»Ich hatte mal eins, hab ich mir selber zum Achtzehnten geschenkt. War aber nicht so mein Ding, durch den Schnee zu preschen. Bin ja nicht so das Sportass. Deshalb habe ich es Annas Vater verkauft.«

Womit er Annabelle die Karte zuspielte, die immer noch versuchte, Tonis Geschichte zu verarbeiten. Sie schreckte hoch.

»Das Snowmobil? Das steht in unserem Keller rum. Ist schon seit Jahren defekt. Und mein Vater«, sie schaute nacheinander in zwei sehr, sehr aufmerksame Augenpaare. »Ihr denkt doch nicht etwa …?«

»Streng kriminalistisch betrachtet, hatte der Alois Motiv und Gelegenheit«, gab Toni zu bedenken. »Aber nein, zutrauen würde ich es ihm nicht.«

Ferdi nickte zustimmend.

»Und bei der Ermordung der Berenson war er in der Gaststube.«

»Apropos …«, begann Toni.

Wieder durchzuckte es Annabelle wie ein Stromschlag. Es war ein Virus, dieses Apropos, das Mary-Jo-Apropos! Nahezu zärtlich lächelte sie ihn an.

»Ja, Toni?«

»Falls die Bitch eingeäschert wird, hätte ich eine Idee für einen Mördergag. Wir müssten nur drei Kilo Maiskörner in den Sarg schmuggeln.«

Toni lachte prustend über seinen eigenen Witz, womit er sich wohl so manches von der Seele lachte, was dunkel darin nistete. Ferdi ließ den Motor des Traktors an. Die gesamte Fahrerkabine begann zu vibrieren, die Scheiben klirrten.

»Und ich müsste mal meine Bisons füttern gehen.«

»Ich suche die Polizisten, damit ich ihnen die Videos zeigen kann«, sagte Toni, immer noch grinsend. »Bis später, Anna. Wann sehen wir uns in der Küche?«

The show must go on. Wie lange noch, Annabelle, wie lange hältst du das noch durch? Ihre Gedanken geisterten gerade durch den Keller, nicht durch die Küche.

»So gegen vier …?«, antwortete sie gedehnt. »Wir haben volles Haus, doch es gibt nur Kleinigkeiten, für eine ungezwungenere Atmosphäre als bei einem gesetzten Essen. Morgen geht's dann mittags mit einem großen Weihnachtsfestessen und abends mit einem warmen Buffet weiter.«

Restlos bedient öffnete sie die Beifahrertür, sprang hinunter in den Schnee und winkte, bis der Trecker röhrend davonfuhr.

In ihrem Kopf dröhnte es. Wie getrieben rannte sie los, hinein ins Edelweiß, hinter die Rezeption und zur Kellertür, die sie ungeduldig aufriss. Ihre Schritte polterten auf der Kellertreppe, dann rannte sie weiter, vorbei an Waschküche und Heizungskeller, bis sie vor der Brettertür des Abstellkellers stand.

Willst du wirklich wissen, was dich darin erwartet, Annabelle? Ich muss es wissen!

Mit der Schulter schob sie die Brettertür auf. Grabartige Dunkelheit gähnte ihr entgegen, ein muffig abgestandener Geruch nahm ihr den Atem. Zitternd tastete sie nach dem Lichtschalter. Wie in den anderen Kellerräumen flammte eine funzelige Glühbirne auf und beleuchtete ein schier unentwirrbares Gerümpel. Ausrangierte Gartenstühle, Tische mit abgebrochenen

Beinen, ein alter Rasenmäher, Säcke undefinierbaren Inhalts sowie mehrere stockfleckige Kartons türmten sich ineinander verkeilt bis zur niedrigen Decke. Ganz hinten neben dieser privaten Restmüllkippe wölbte sich ein Tuch über einem größeren Gegenstand. Das musste das Snowmobil sein.

Staubwolken wirbelten auf, als Annabelle das Tuch wegzog. Darunter kam ein verrostetes Motorrad zum Vorschein. Nicht etwa das Snowmobil. Überhaupt nicht das Snowmobil. Es gab kein Snowmobil in diesem Keller. Nicht mehr. Um nicht laut aufzuschreien, biss sie in ihre rechte Faust. Verdammt. Wo war das Ding? Wer raste damit durch Puxdorf und brachte Leute um?

Sie ließ das Tuch fallen, als verbrenne es ihre Hand, und hetzte wieder los, an den anderen Kellerräumen vorbei, die Treppe hoch bis zur sperrangelweit offen stehenden Kellertür, die sie mit einem Knall zuwarf. Hinter der Rezeption blieb sie außer Atem stehen. Zwei neue Gäste waren eingetroffen und schauten sich neugierig um.

»Nette Hütte«, lachte eine dunkelhaarige Frau mittleren Alters, während sie einen roten Webpelzmantel auszog, der farblich zum Gestell ihrer Brille passte. »Erinnert mich an die Jugendherbergen meiner besten Tage.«

»Vielleicht kommen die erst noch? Die besten Tage?«, scherzte ein Herr in einer edlen dunkelbraunen Wildlederjacke. Seine Schläfen waren bereits ergraut, doch seine Augen funkelten unternehmungslustig. »Gestatten? Robert Dankelmann.«

»Ellen. Sagen Sie einfach Ellen«, lächelte die Frau.

»Wir würden dann gern einchecken.« Der Mann namens Dankelmann beugte sich über das Rezeptionstischchen. »Zwei Einzelzimmer. Vorerst. Sind wir da bei Ihnen an der richtigen Adresse, Frau …?«

»Stadlmair.« Annabelles Kehle war vollkommen ausgetrocknet, ihr Atem flog, ihr Herz klopfte zum Zerspringen. »Willkommen im Edelweiß.«

Wie in Trance nahm sie zwei Schlüssel von der Wand neben der Rezeption und reichte sie den Gästen. Die Frau mit dem roten Webpelzmantel, die einen unkonventionellen Eindruck machte, bekam Zimmer elf, die Siebziger-Jahre-Bude mit dem psychedelischen lila Duschvorhang. Dem Herrn überreichte sie vorausschauenderweise den Schlüssel zur Hochzeitssuite.

»Können Sie uns schon etwas über das Unterhaltungsprogramm sagen?«, fragte er.

Mit Annabelles Beherrschung war es nicht mehr weit her. Wo ist das Snowmobil? Das war alles, woran sie denken konnte.

»Um achtzehn Uhr beginnt die Weihnachtsfeier. Entschuldigung, ich muss einen Schluck Wasser trinken. Bis später dann.«

Ohne weitere Erklärung sauste sie in die Gaststube, wo ihr Vater angeregt mit einer größeren Gästegruppe parlierte. Annabelles Ungeduld war zu groß, um ihn für eine vertrauliche Unterredung hinauszubitten.

»Papa, wo ist dein Snowmobil?«, platzte sie heraus.

»Kind! Wie schön!« Alois Stadlmair prostete ihr mit seinem Bierglas zu und wandte sich dann wieder an die Gäste, die ihn umringten wie die Jünger einer faszinierenden neuen Sekte. »Darf ich euch meine Tochter Anna vorstellen? Tüchtiges Mädchen, bin wirklich stolz auf sie! Nun, Anna fragte mich nach meinem Snowmobil. Das waren Zeiten, als ich noch damit über die Berge jagte, damals, als Jungspund! Ich kannte keine Gefahr! Und meine Flinte war immer dabei! Wenn ich ein Wolfsrudel sah …«

»Wolfsrudel?«, ertönte ein hingerissenes Echo.

Annabelle stand auf glühenden Kohlen. Papa und sein Jägerlatein. Den Gästen gefiel's, die betrachteten ihren Vater als knorriges Puxdorfer Original, als rustikale Zugabe zum Singleurlaub im Edelweiß. Für Annabelle war es nur eine Qual.

»Du hast das Snowmobil also nicht verkauft? Und es wurde auch nicht etwa gestohlen?«

»Himmelsakra, nein! Das liegt warm und gemütlich im Keller!« Alois Stadlmair lachte schelmisch. »Hier in Puxdorf ist die Welt doch in Ordnung! Hier passieren doch keine kriminellen Dinge!«

Schallendes Gelächter antwortete ihm. Jeder war durch die einschlägigen Hashtags bestens im Bilde über die drei, vielleicht sogar vier Morde, die das winzige oberbayerische Nest in Atem hielten. Annabelle hingegen war jetzt im Bilde, dass der Mörder im Keller des Edelweiß gewesen sein musste, um das Snowmobil zu entwenden. Ein Gast? Außer Peter McDormand und den Berensons war niemand hier gewesen. Ihre Eltern und Oma Martha schieden aus. Wer also?

»Hier im Edelweiß liegt aber keine Leiche rum, oder?«, krähte ein junger Mann im dunkelblauen Polohemd, der mit einem Strohhalm an seiner Fanta genuckelt hatte.

Die beste Tarnung ist immer noch die nackte Wahrheit, dachte Annabelle. Die glaubt kein Mensch.

»Ach wissen Sie, mit so was machen wir kurzen Prozess. Wenn hier ein Toter auftaucht, wirft meine Oma den Einmachofen an, dann wird die Leiche einfach eingeweckt.«

Unter dem tosenden Gelächter aller Anwesenden verabschiedete sie sich aus der Gaststube, um das vermutlich schwierigste Gespräch ihres Lebens zu führen. Mit ihrer Mutter. Seit Toni seine Familiengeschichte offenbart hatte, ahnte sie, was die Stadlmairs und die Oberleitners entzweite.

Kapitel 29

Ein Festtagsdirndl hing an Annabelles Kleiderschrank. Auf dem schimmernden Stoff in dunklem Violett erblühten zartgrüne Rosenknospen, deren Spitzen sich rosa färbten, mit winzigen silbernen Tautropfen bestickt. Das Dirndl war wunderschön. Leider war es auch eine weitere stumme Botschaft von Therese Stadlmair, die nach wie vor jegliche Kommunikation verweigerte. Stündlich, seit der Mittagszeit, hatte Annabelle an die Tür der Familienwohnung gebummelt, hatte ihre Mutter gerufen und angerufen, ohne jede Reaktion. Mittlerweile zweifelte Annabelle daran, dass sich ihre Mutter überhaupt noch im Hotel aufhielt.

Jeder Tag ist ein Geschenk, dachte sie, aber manche sind einfach mies verpackt.

Ihr Handy zeigte halb sechs an. Die Speisen waren vorbereitet, die Gaststube festlich eingedeckt, um sechs sollte der Heilige Abend gefeiert werden. Einige männliche Gäste stolzierten schon seit Stunden mächtig in Schale geworfen durchs Hotel, je nach Geschmack und Milieu in Seidenhemden oder gebügelten T-Shirts zur Jeans, in Anzügen, Pullovern, einer, der Herr mit den grauen Schläfen, sogar im Smoking. Die Damen zögerten ihren Auftritt noch hinaus, um den Effekt zu vergrößern, im Unterschied zu den Singleherren. Da und dort hatte Annabelle neckische Weihnachtsanstecker auf den Jackettrevers gesehen (Nikoläuse aus Strass waren sehr beliebt), weihnachtliche Krawatten (mit Tannenbaummuster) und Motto-T-Shirts mit unsäglichen Aufdrucken wie *Der Weihnachtsmann kommt … gewaltig!*

Sie störte das nicht. Weihnachten, und im Besonderen der Heilige Abend, gehörte nun einmal zu den absoluten emotionalen Tiefpunkten des Singlekalenders. Sofern man nicht Singlefreunde hatte oder in den Süden floh, saß man allein auf der heimischen Couch. Und wusste, dass alle anderen nach Hause fuhren, zu Eltern, Geschwistern, Großeltern, während sie *Driving Home For Christmas* schmetterten. Annabelle kannte das Gefühl. Sie hatte es oft genug erlebt. Viel zu oft.

Heute würde es anders sein. Sie empfand sich selbst als undankbar, dass ihr dennoch etwas zum Glück fehlte. Andi (nicht einladbar), Fabian (nicht greifbar), Simon (unerreichbar weit weg). Soweit die unerfüllten Wünsche. Aus ihrem Rucksack holte sie die Geschenke für ihre Familie. Zögerte. Dachte nach. Bisher war es ja nur eine Eingebung, was sie über die Oberleitners und die Stadlmairs herausgefunden hatte. Zwar täuschte ihre Intuition sie eigentlich nie, doch in diesem Falle …

Sie holte ihr Handy heraus. Vielleicht half ihr ja der unbekannte Tote weiter. Die erste Leiche. Andi hatte gesagt, er sei Anwalt gewesen. Womit hatte Andi ihn beauftragt? Und warum wollte er nicht sagen, worum es gegangen war?

Sie gab *Anwalt vermisst München* ins Suchfeld ein. Sofort erschienen mehrere Artikel zu diesem Thema.

Münchner Anwalt spurlos verschwunden. Alexander von Hülsen immer noch vermisst. Familie und Kollegen stehen vor einem Rätsel. Notarkanzlei Becker & von Hülsen gibt Erklärung ab: Mitinhaber A. von Hülsen war auf Dienstreise in Oberbayern unterwegs. Die Polizei bittet um Mithilfe. Ist Alexander von Hülsen Opfer eines Verbrechens geworden? Immer noch keine Spur von Alexander von Hülsen.

Sie googelte die Website der Kanzlei.

Becker & von Hülsen. Spezialisiert auf Familienrecht, Beglaubigungen, Erbschaftsangelegenheiten. Wir bringen Sie zu Ihrem Recht.

Ein Foto des Mitinhabers Alexander von Hülsen verschaffte Annabelle Gewissheit: Er war der Tote aus dem Straßengraben. Die Website informierte außerdem darüber, dass man die Klienten bei unklaren Verwandtschaftsverhältnissen unterstütze: Ahnenforschung, Gentests, weitere Recherchen. Im Kleingedruckten fand sie den Hinweis, dass sich das Honorar anteilig nach dem Gesamtwert der Erbschaft richte. Das musste ein lukratives Geschäft sein. Alexander von Hülsen hatte gute Gründe gehabt, in Puxdorf vorstellig zu werden. Dass er in ein Wespennest stechen würde, hatte er sicherlich nicht geahnt. Und dafür mit dem Leben bezahlt.

Annabelle legte das Handy beiseite. Andi hatte diesen Anwalt also wegen *unklarer Verwandtschaftsverhältnisse* konsultiert. Die dunkle Ahnung, die sich ihrer schon in der Fahrerkabine des Treckers bemächtigt hatte, verfestigte sich damit zu einem handfesten Verdacht und reichte aus, ihre Welt in den Grundfesten zu erschüttern. Einiges, was sie bisher für unverrückbare Tatsachen gehalten hatte, wurde jetzt hinweggefegt wie Schneeflocken von stürmischen Winterwinden. Im unwirklichen Zustand schockhafter Klarheit saß sie auf dem Bett.

Großer Gott, Andi. Das also ist dein Geheimnis? Unser Familiengeheimnis? Der Grund für die Todfeindschaft zwischen den Oberleitners und den Stadlmairs?

Ein letztes Mal musste sie versuchen, ihre Mutter zu sprechen, bevor der Weihnachtstrubel ausbrach. In Windeseile kleidete sie sich an. Dann ging sie auf den Flur hinaus, stellte sich vor die Tür der Familienwohnung und klopfte.

»Mama. Es ist der Heilige Abend. Bitte mach auf. Bitte!«

Die Tür öffnete sich, und das verweinte Gesicht ihrer Mutter erschien im Türspalt.

»Anna, ich kann nicht.«

»Doch, kannst du.«

Sanft schob Annabelle die Tür auf. Wie bebendes Espenlaub sank Therese Stadlmair in ihre Arme.

»Ich weiß alles«, flüsterte Annabelle. »Andi ist Papas Jugendsünde.«

Ihre Mutter sagte nichts, doch durch ihren Körper rollte eine Welle neuerlichen Bebens.

»Seit wann weißt du es?«, wisperte Annabelle in ihr Ohr.

»Geahnt habe ich es immer schon.« Die Stimme ihrer Mutter war nur ein ersticktes Schluchzen. »Doch dann, vor einem Jahr, traf ich die Frau vom Oberleitner in Bettys Bäckerei. Andi war dabei. Sofort erkannte ich dich in ihm, Anna. Er ist dein Halbbruder. Die gleichen Augen, die gleichen Gesichtszüge. Und die Oberleitner hatte diesen Blick. Mitleidig, schuldbewusst, traurig.«

Annabelle drückte sie zart an sich.

»Das muss furchtbar für dich gewesen sein.«

»Ich konnte mich ja niemandem anvertrauen. Papa hat alles abgestritten, der redet seitdem kaum noch mit mir. Bei Oma Martha habe ich es erst gar nicht versucht, weil ihr die Familienehre über alles geht. Ich bin sicher, dass sie es weiß, doch sie würde sich eher eine Hand abhacken, als es zuzugeben. Von da an war es, als hätte jemand bei mir den Stecker gezogen.

Keine Kraft mehr, keine Energie. Ich verlor jede Lebenslust. Und dann«, wieder erbebte sie, »tauchte dieser Anwalt hier auf. Er führe im Auftrag eines Klienten Nachforschungen durch.«

»Dieser Klient – war Andi.«

»Er ist Papas Sohn, Anna. Er würde das Edelweiß zur Hälfte erben, wenn alles offiziell würde.«

Annabelle geriet ins Taumeln. Jetzt war sie es, die sich an ihrer Mutter festhielt. Andi war es um Geld gegangen? Um das Erbe? Sie mochte das nicht glauben.

»Wie ging es weiter?«, fragte sie.

»Papa hat diesen Anwalt rausgeschmissen, Oma Martha hat ihn verflucht. Er kam nie wieder.«

Familiengeheimnisse. Tödliche Geheimnisse. Weder die Oberleitners noch die Stadlmairs konnten daran interessiert sein, dass Andis wahrer Vater publik wurde. Nicht in Puxdorf, wo Ehre, Stolz und eine untadelige Fassade alles bedeuteten, ganz so, wie Andi es formuliert hatte. Annabelle war starr vor Schreck. Hatte Gerhard Oberleitner den Anwalt auf dem Gewissen? Alois Stadlmair? Ihre Mutter? Nein, das lag außerhalb des Vorstellbaren.

»Mama, es ist Weihnachten. Ich möchte Andi einladen.«

»Bist du wahnsinnig?« Ihre Mutter stieß sie von sich. Ihr verweintes Gesicht zuckte, ihre geröteten Augen waren weit aufgerissen. »Das darfst du uns nicht antun!«

»Was hat euch das Verschweigen denn gebracht, Mama? Nur Kummer und Leid. Ich weiß, dass die Uhren in Puxdorf anders ticken. Doch wäre es nicht an der Zeit für die Wahrheit? Für einen Neubeginn? Würde dir nicht eine riesige Last von den Schultern fallen?«

Therese Stadlmair zauderte, hinter ihrer Stirn arbeitete es.

»Und das Edelweiß? Willst du es etwa mit diesem Andi teilen?«

»Ich kenne ihn schon ein bisschen, Andi ist nicht raffgierig«, beteuerte Annabelle. »Vermutlich wollte er einfach wissen, wer sein Vater ist. Einen Privatdetektiv konnte er nicht schicken, das wäre aufgefallen in Puxdorf. Also hat er einen Anwalt beauftragt. Ich lade ihn ein. Sonst werden wir nie Frieden finden.«

»Also gut.« An der Schläfe ihrer Mutter pochte eine feine bläuliche Ader. »Setzen wir diesem ganzen Spuk ein Ende.«

»Danke, Mama.«

Behutsam umarmte Annabelle ihre Mutter noch einmal, und sie spürte deutlich, dass ein Bann gebrochen war. Die Liebe konnte wieder fließen. Es gab nichts mehr, was sie trennte.

»Was machen wir denn nun heute Abend?«, erkundigte sich Therese Stadlmair zaghaft.

»Um sechs haben wir Bescherung in der Gaststube. Das Hotel ist voll, lauter Singles. Meine Freunde mit ihren Familien sind auch dabei. Und Andi, das wäre jedenfalls mein größter Weihnachtswunsch.«

Ihre Mutter nickte bedächtig. In ihren Augen klarte es auf wie nach einem langen Regen, wenn die Sonne durch die Wolken brach.

»Der Wunsch sei dir erfüllt. Ich ziehe mich um, Anna. Bis gleich.«

Unglaublich. Das Weihnachtswunder von Puxdorf hatte sich ereignet. Nun ging Annabelle auch auf, warum ihre Gefühle für Andi so ganz anders waren als die Gefühle für Fabian. Von Anfang an hatte sie eine familiäre Verbundenheit mit ihm empfunden, keine himmelstürmende Verliebtheit wie bei Fabian.

Sie schloss die Tür und lief in ihr Zimmer, wo sie sich so schwer aufs Bett fallen ließ, dass Herr Huber auf und nieder hüpfte. Verwirrt und erleichtert presste sie ihn an sich.

Ich habe einen Bruder, Herr Huber! Nach fünfunddreißig Jahren habe ich erfahren, dass ich kein Einzelkind bin!

Gratulation, brummte er, wie wär's, wenn du es ihm schreibst? Und ihn einlädst?

Ihr wurde heiß und kalt, als sie zu ihrem Handy griff und eine Nachricht tippte.

Lieber Andi, ich möchte dich gern ins Edelweiß einladen. Ich weiß, dass du Weihnachten mit deinen Eltern verbringen möchtest, doch ich fände es schön, wenn wir wenigstens ein Stündchen teilen würden an diesem Heiligen Abend. In Liebe, deine Schwester Annabelle.

Die Antwort kam binnen Sekunden.

Du weißt es? O Gott, Anna, ich bin so froh! Gern komme ich vorbei. Dein Bruder Andi. PS Ebenfalls in Liebe.

Annabelle starrte die Nachricht an, dann wählte sie seine Nummer.

»Hi Andi, ich … ich bin so überwältigt.«

»Ich auch, Schwesterherz, ich auch. Wow. Wie hast du es rausgefunden?«

»Die kurze Fassung? Meine Mutter hat es mir gestanden. Und wie bist du darauf gekommen?«

»Gespürt hatte ich schon lange, dass etwas nicht stimmte mit meinen Eltern, schreckte jedoch immer davor zurück, mir Klarheit zu verschaffen. Geht ja auch ans Eingemachte, wenn du es plötzlich schwarz auf weiß hast, dass dein Vater nicht der Mann ist, der dich großgezogen hat.«

Sie schluckte mehrmals.

»Nur eines muss ich noch wissen, Andi. Dieser Anwalt, den du nach Puxdorf geschickt hast – ging es dabei auch um deine Erbansprüche? Um das Edelweiß?«

»O nein, nein, wofür hältst du mich?«, protestierte er. »Für mich war das nie relevant. Ich bin ein erfolgreicher Unternehmer, Anna, das Edelweiß hat mich überhaupt nicht interessiert, nur die Frage, wer mein Vater ist.« Er atmete heftig. »Leider war dieser Anwalt, Alexander von Hülsen, furchtbar geldgierig. Zunächst hat er deine Familie besucht, unauffällig das Bierglas deines Vaters mitgehen lassen und es per Express zum DNS-Abgleich nach München geschickt. Von da an verselbständigte sich die ganze Angelegenheit. Ihm ging es um eine saftige Provision, denn euer Hotel und das dazugehörige Grundstück sind immer noch eine Menge wert. Er bestand darauf, dass ich alles offiziell regele, damit er seine Provision bekommt – was ich ablehnte. Von da an machte er einfach auf eigene Faust weiter.«

»Indem er sich sein Stillschweigen vergolden lassen wollte? Und drohte, er würde sonst alles an die ganz große Puxdorfer Glocke hängen?«

»Ja, ich vermute, er hat unsere Familien erpresst.«

»Was ihm nicht gut bekommen ist«, erwiderte Annabelle trocken. Mit der freien Hand strich sie über das schüttere Fell von Herrn Huber. »Entschuldige bitte, Andi – aber könnte dein Vater, also dein offizieller Vater, diesen von Hülsen …?«

»Mein Dad, ein Mörder?« Andi lachte leise. »Niemals. Der ist zänkisch und verbittert, und er fuchtelt auch gern mit seinem Schrotgewehr herum; aber Hunde, die bellen, beißen bekanntlich nicht. Im Grunde seines Herzens ist mein Dad nicht der Action Hero, den er so gern markiert. Nur ein schwacher, ausgebrannter alter Mann.«

Annabelle schloss die Augen. Sie war es so müde, sich immer wieder den

Kopf über den Mörder zu zerbrechen. War es nicht wichtiger, dass sie einen Bruder hatte, den sie von Herzen mochte? Ergriffen räusperte sie sich.

»Du, Andi, ich wollte dir noch etwas sagen – ich freue mich riesig, dass du mein Bruder bist.«

»Frag mich mal. Ich hab mir immer eine Schwester wie dich gewünscht.«

»Dann bis gleich, Andi. Bruderherz.«

Weihnachten, das Fest der Liebe, dachte Annabelle, nachdem sie das Gespräch beendet hatte. Konnte es eine sinnigere Bezeichnung geben für das, was hier geschah? Und genau in diesem Moment trudelte auch noch eine Message von Fabian ein.

Fröhliche Weihnachten, liebe Annabelle! Egal, wo du bist, egal, wo ich bin, wenn du zum Himmel schaust, weißt du immer, dass wir dieselben Sterne anschauen. Tausend Küsse, ☺

Annabelles Freudentaumel verflüchtigte sich ein wenig. Sie las die Nachricht noch einmal. Aha. Zeit und Raum dehnten sich also inzwischen bis ins Universum aus. Warum schrieb Fabian nicht klipp und klar, wann er nach Puxdorf zu kommen geruhte? Oder litt er etwa an Dezidophobie? Gut, tausend Küsse waren kein Pappenstiel. Doch sie wäre schon mit einem einzigen Kuss zufrieden gewesen. Dem magischen ersten Kuss.

Ihr Handy zeigte drei Minuten vor sechs. Eilig zupfte sie ihre Dirndlbluse zurecht, legte die Kette mit den silbernen Münzen an, die sie von ihren Eltern einst zum achtzehnten Geburtstag bekommen hatte, und machte sich auf den Weg zur Gaststube. Zur Weihnachtsstube.

Ein unwirklicher Glanz lag über dem Raum, gespannte Erwartung auf den Gesichtern. Die schadhafte Einrichtung war vergessen im Schein der Lichter, im Knistern des Kaminfeuers, im Duft der Tannennadeln. Das war der Zauber der Weihnacht. Selbst die ramponierteste Hütte wurde zum Festsaal.

Diesen Heiligen Abend würde so schnell niemand vergessen. Fast alle Tische hatten sich bereits gefüllt, nur auf dem Stammtisch lag ein handgeschriebener Zettel: *Für die Familie.* Oma Martha zündete die Kerzen des Weihnachtsbaums an, Max zapfte Bier, Alois Stadlmair gab Anekdoten (wahre und erfundene) aus seinem bewegten Leben zum Besten und schenkte nebenbei Sekt aus. Am Tresen saßen Annabelles Freunde in Festtagstracht. Betty mit ihrem Mann, einem freundlichen Riesen, Ferdi mit einem sommersprossigen Rotschopf (ein zartes Persönchen, das Annabelle an Mary-Jo erinnerte), außerdem Toni, Mitzi und Fanny. Aufgeregt wuselten die vielen Kinder zwischen den Tischen herum.

Nur die beiden Polizeibeamten fehlten. Hatten ihre Zelte vermutlich weihnachtsbedingt abgebrochen, was man ihnen nachsehen musste. Armer Kollege Trampert, dachte Annabelle. Hätte ich ihn einladen sollen?

Punkt sechs kam Sepp zur Tür herein. Er trug ein großes Tablett mit gefülltem Blätterteiggebäck (Kräuterfrischkäse, Lachs, Cayennepfeffer, eine Kreation von Simon) und ging damit von Tisch zu Tisch. Das war das Startsignal. Das Weihnachtsfest hatte offiziell begonnen, die Gäste genossen es schon in vollen Zügen. Obwohl sie letztlich mit Wildfremden am Tisch saßen, war das Eis längst gebrochen. Alle unterhielten sich, erwärmt von der festlich durchfunkelten Atmosphäre.

»Anna, du musst eine Rede halten«, flüsterte Betty.

»Ja, eine Rede«, nickte Ferdi.

»Aber bitte nicht singen«, stöhnte Toni.

Annabelle zählte die Minuten. Wenn Andi sich beeilte, könnte er jeden Augenblick hier sein. Ihre Mutter hatte sich noch nicht gezeigt. Ob Therese Stadlmair wirklich über ihren Schatten springen würde?

Ja, sie tat es, und konsequenter als erhofft. In ihrem schönsten Dirndl, einem Traum in schimmerndem Silbergrau und Rosa, betrat sie gemeinsam mit Andi die Gaststube. Offensichtlich hatten sie miteinander gesprochen, denn sie warfen sich einen Blick des Einverständnisses zu, bevor Therese Stadlmair am Stammtisch Platz nahm und Andi den Tresen ansteuerte. Annabelles Freunde zogen skeptische Mienen, ihre Großmutter erstarrte, als hätte der Teufel dem Christkind den Hals umgedreht.

Mit unverhohlener Wut reagierte Annabelles Vater auf den neuen Gast. Hochrot im Gesicht, mit verzerrtem Mund, marschierte er quer durch die Gaststube auf Andi zu und fuchtelte mit der Sektflasche vor seiner Nase herum.

»Darf ich Ihnen ein kühles gepflegtes Tschüss anbieten?«

»Herr Stadlmair, bitte«, Andi hob beschwichtigend die Hände, »Anna hat mich eingeladen.«

»Jetzt ist aber mal Feierabend«, zischte Annabelles Vater. »Raus!«

»Es ist doch Heiligabend …«, versuchte Andi es aufs Neue.

»Welche Silbe von *raus* verstehst du nicht, Lümmel? Geh mit Gott, aber geh!«

Annabelle legte eine Hand auf die Schulter ihres Vaters.

»Papa, darf ich dich um einen Moment Ruhe bitten?«

Geistesgegenwärtig nahm Ferdi einen Teelöffel vom nächststehenden Tisch und klopfte damit an sein Glas. Alois Stadlmair knirschte mit den Zähnen. Die hin und her wogenden Gespräche in der Gaststube ebbten ab, alle schauten zu Annabelle, die nervös an ihrer Kette spielte.

»Im Namen der Edelweiß-Crew möchte ich Sie noch einmal herzlich willkommen heißen. Wir freuen uns, dass die Single, äh …«

»… *Single Jingle Christmas*«, soufflierte Mitzi.

»… die *Single Jingle Christmas* so großen Anklang findet. Fröhliche Weihnachten! Ich könnte jetzt was singen, aber gegen eine kleine Spende lass ich's bleiben.«

»Danke.« Toni kramte sein Portemonnaie heraus und hielt ihr eine Euromünze hin. »Nur, damit keine Missverständnisse aufkommen: Das muss für alle drei Weihnachtstage reichen.«

Beiläufiges Lachen keckerte durch den Raum.

»Weihnachten ist das Fest der Familie«, setzte Annabelle wieder an. »Wir alle brauchen eine Familie, sei es die Blutsverwandtschaft oder eine Wahlfamilie aus guten Freunden. Entscheidend ist, dass wir zusammenrücken.«

Die Gäste verstanden ihre Botschaft, das las sie in den gelösten Mienen. Ihr Vater hingegen sah so aus, als stände er kurz davor, die gesamte Gaststube zu zerlegen. Was ihn betraf, war diese Rede zu halten wie jonglieren mit Dynamit.

»An diesem besonderen Abend«, ihr Blick glitt zu Andi, der in schwarzer Hose und weißem Oberhemd am Tresen lehnte, »möchte ich auch meinen Bruder Andreas im Kreise der Familie willkommen heißen.«

Die Gäste klatschten arglos, nicht wissend, was Annabelle da verkündet hatte, ihre Freunde gaben laute Rufe des Erstaunens (und leise des Entsetzens) von sich. Alois Stadlmair, der dastand wie vom Schlag getroffen, tauschte einen Blick mit Oma Martha. Die alte Dame saß auf einem der Ohrensessel am Kamin, mit einem sphinxhaften Gesichtsausdruck, den Annabelle so wenig deuten konnte wie ägyptische Hieroglyphen. Unendlicher Kummer lag in ihren Augen, auch gebrochener Stolz.

»Anna«, die Stimme ihres Vaters knarrte wie mürbes Parkett, »was hast du getan?«

»Sie hat die alte Familienfehde begraben«, antwortete Andi schlicht. Er hielt Alois Stadlmair die rechte Hand hin. »Frieden?«

Geistesabwesend betrachtete Annabelles Vater die ausgestreckte Hand. Dann schaute er wieder zu seiner Mutter, unsicher wie ein kleiner Junge, dem verboten worden war, einen fremden Hund zu streicheln. Oma Martha glich nach wie vor einer Sphinx. Mit vollkommen ausdrucksloser Miene saß sie am Kamin, fast unheimlich beleuchtet vom flackernden Schein des Feuers. Danach richtete Annabelles Vater seinen Blick zum Familienstammtisch. Therese Stadlmair lächelte aufmunternd, und in diesem Lächeln lag zugleich die Vergebung all seiner Sünden, die fleischgewordene Jugendsünde im weißen Oberhemd inbegriffen.

Annabelle krampfte ihre Hände ineinander. Zum ersten Mal wurde ihr bewusst, dass Oma Martha so etwas wie die Graue Eminenz dieser Familie war. Und wie viel Macht sie besaß. Ihre Schwiegertochter war die ewige Zweite geblieben, der sie nur einen untergeordneten Platz in der Rangfolge zugestanden hatte. Jetzt musste sich Alois Stadlmair entscheiden. Wer war für ihn die entscheidende Instanz? Seine Mutter oder seine Frau? Schaute er in die Vergangenheit oder in die Zukunft?

»Willkommen in der Familie, mein Junge«, sagte er und ergriff Andis Hand.

Mit Tränen in den Augen stand Annabelle daneben, im Innersten erschüttert und befreit. Alle applaudierten, nur Oma Martha rührte keinen Finger. Gemessen erhob sie sich vom Ohrensessel. Soeben hatte sie den alles entscheidenden Machtkampf verloren, das letzte Gefecht sozusagen, und Annabelle fühlte mit ihr. Diese Niederlage würde sie schwer verwinden. Für Oma Martha war die Familienehre etwas Heiliges, Unantastbares, das es unter allen Umständen zu verteidigen galt. Sie dachte und handelte eben nach Prinzipien, die einer anderen Zeit entstammten, in der es noch in Stein gemeißelte Regeln gegeben hatte, in der sich selbst Erwachsene ihren Eltern unterordneten und Regelverstöße mit finsteren Flüchen geahndet wurden.

Sehr aufrecht durchquerte Martha Stadlmair die Gaststube, ihre Augen unverwandt zur Tür gerichtet. Annabelle wollte sie aufhalten, doch Oma

Martha ging einfach weiter, als nehme sie nichts mehr um sich herum wahr, und verschwand im Flur.

»Sie wird sich schon noch beruhigen«, sagte Betty. »Fröhliche Weihnachten, Anna. Das ist ja eine Sensation – Andi dein Bruder!«

»Hach, das beste Weihnachten ever«, seufzte Mitzi. »Und so viele potentielle Kunden! Lauter experimentierfreudige Singles!«

»Wie bitte?« Annabelle durchforstete ihren Gerüchtefundus. Erzählte man sich nicht, Mitzi verdiene ihr Geld mit Online-Strippen? »Was meinst du denn mit, äh, Kunden?«

»Ich entwerfe Intimschmuck«, kicherte Mitzi. »Da mein handwerkliches Geschick zu wünschen übriglässt, entstehen meine krassen Sachen in Tonis 3D-Drucker.«

»Und da sage noch einer, in Puxdorf sei die Zeit stehengeblieben«, grinste Ferdi.

Aus dem Augenwinkel sah Annabelle, wie sich Andi und ihr – gemeinsamer – Vater an den Kamin zurückzogen. Ein erstes Gespräch schien sich da anzubahnen, vorsichtig noch, aber immerhin. Unterdessen hatte Max das Nachschenken übernommen, und Toni half ihm dabei.

»Also, für mich wäre das nichts«, bekannte Fanny. »Intimschmuck und so.«

»Ja, aber für unseren Schlüpferstürmer Xaver war das eine Erleuchtung!«, lachte Mitzi.

»Irgendwie fehlt er mir.« Ferdi nahm ein Sektglas von dem Tablett, das Toni ihm hinhielt. »Wir sollten Xaver noch eine Chance geben. Er hat mir heute Morgen geschrieben, es tue ihm alles furchtbar leid. Ich sehe das so: Wer einen Fehler nicht zugibt, macht ihn zweimal. Wer es aber tut und ihn ausbügeln will, ist ein wahrer Held.«

»Ruf ihn bitte an und lade ihn ein«, sagte Annabelle. »Er gehört doch dazu, auch wenn er nie ein Mitglied unseres Puxdorfer Sixpacks war. Wahrscheinlich hat er sich immer gewünscht, in unsere Clique aufgenommen zu werden.«

»Anna?« Betty zupfte sie am Ärmel ihrer Dirndlbluse. »Ich glaube, da will jemand zu dir.«

Annabelle drehte sich um. Sie hatte nur einen winzigen Schluck Sekt getrunken, dennoch schien sie zu halluzinieren. Ein weiterer Gast war hereingekommen, in einer neongelben Winterjacke, die seine wilden, dunklen Locken eindrucksvoll zur Geltung brachte. Sämtliche weiblichen Anwesenden betrachteten ihn fasziniert, als er ihr einen etwas ungeschickten Kuss auf die Wange gab.

»Hi Darling. Überraschung gelungen? Hab im letzten Moment noch einen Flug von New York nach München erwischt. Und? Was gibt's zu essen?«

Kapitel 30

25. Dezember, 1. Weihnachtstag, noch sechs Tage bis Silvester

Die Uhr zeigte weit nach Mitternacht, als Annabelle endlich mit Simon allein war, das erste Mal seit seiner Ankunft. Ein wenig befangen standen sie in der dekorativ verwüsteten Küche zwischen leeren Töpfen, abgefutterten Edelstahlplatten und Bergen schmutzigen Geschirrs. Annabelle hatte Sepp zum Feiern in die Gaststube geschickt, Simon wollte es sich nicht nehmen lassen, ein unvergessliches Weihnachtsdessert zu zaubern. Etwas nie Dagewesenes. Ein Fest der Sinne.

Komisch, irgendwie haben wir unseren Moment verpasst, ging es Annabelle durch den Kopf – den erlösenden Moment des Wiedersehens, wenn man sich mit hurra um den Hals fällt und alles vorherige Bangen und Zweifeln einfach wegküsst. Leidenschaftlich wegküsst. Ja, genau das hatte gefehlt: Der Hallo-Dornröschen-ich-küss-dich-wach-und-alles-alles-wird-gut-Kuss, und danach entführte der Prinz seine Prinzessin zu einer rauschenden Liebesnacht aufs Schloss. Happy End, Vorhang zu, keine weiteren Fragen, danke, liebes Karma.

So märchenhaft war es allerdings nicht gelaufen. Als Simon plötzlich in der Gaststube aufgetaucht war, noch dazu vor Publikum, hatte die Begrüßung eigenartig geklemmt: wackelige Pirouette plus linkische Umarmung plus Lippen, die einander verfehlten wie abgelenkte Trapezkünstler. Danach war Simon herumgereicht worden, als sei er ein rosaglitzerndes Einhorn, dessen Existenz man durchaus erwünscht, aber nicht ernsthaft für möglich gehalten hatte: Hey, Annabelle hat tatsächlich einen Freund! Und noch dazu so einen Knallertypen!

Ja, Simon war definitiv ein Knallertyp, das musste Annabelle zugeben. Er sah aus wie die perfekte Mischung aus einem italienischen Heiratsschwindler und einem antiken griechischen Athleten: schwarzer Lockenkopf, durchtrainierter Körper, dunkle Glutaugen. Als sei das nicht genug, war er charmant, überaus witzig und eines dieser seltenen männlichen Exemplare, das sogar andere Männer auf Anhieb sympathisch fanden (statt neidisch auf seine unübersehbaren Vorzüge zu sein). Zudem sprach Simon exzellent Deutsch, was seinen Lehrjahren in Hamburg und Wien zu verdanken war.

Nahezu im Handumdrehen hatten Annabelles Freunde ihn quasi adoptiert. Oma Marthas Holunderschnaps war in Strömen geflossen, weil jeder mit ihm Brüderschaft trinken wollte. Man hatte ihn mit Fragen bestürmt, über seine New Yorker Anekdoten gelacht und einander versichert, es sei mindestens hundert Jahre her, dass ein so netter Typ nach Puxdorf gekommen sei. Die weiblichen Single-Jingle-Gäste, wie konnte es anders sein, waren einfach nur hingerissen gewesen. Sie hatten unzählige Selfies mit Simon geschossen, und es stand zu vermuten, dass diese Fotos demnächst in hundertfacher Vergrößerung daheim über ihren Betten hängen würden.

Auch Alois Stadlmair hatte Simon mit offenen Armen empfangen. Mehr als das. Offenkundig sah er sich bereits als Schwiegervater in spe. Nach dem zweiten Bier hatte er Simon eine Zigarre, eine Stelle als Koch sowie Annabelle als Ehefrau angeboten und dann versucht, ihn unter den Tisch zu trinken. Die Folgen dieser allgemeinen Glücksbesoffenheit waren inzwischen so unübersehbar wie Simons Vorzüge. Er hatte ziemlich getankt, wie Annabelle bei einem Blick in seine glasig glänzenden Augen feststellen musste. Bereits in der Gaststube hatte er dem Alkohol reichlich zugesprochen. Jetzt stand ein neues Glas Wein auf der Arbeitsfläche, neben zwei riesigen Schüsseln, in denen das Dessert entstehen sollte.

Himmel, was nun? Schon seit Stunden lag eine trockene Hitze auf Annabelles Wangen. Selbstverständlich freute sie sich, Simon zu sehen. Dennoch wollte es sich nicht einstellen, das Gefühl, am Ziel aller Träume zu sein, wiedervereint mit einem Mann, den sie von Herzen liebte. Die vergurkte Begrüßung war kein Zufall gewesen. Irgendetwas stimmte nicht mehr zwischen ihnen. Irgendetwas war zerbrochen, vielleicht lange schon. Küssen wäre die perfekte Methode gewesen, um das vertrackte Gespräch zu vermeiden, das sich jetzt ankündigte. Doch für spontanes Küssen mit allem Drum und Dran (Augenverdrehen, Kontrollverlust, Happy End) war es nun zu spät. Die Luft war raus, Annabelle spürte es. Und weil das so schrecklich weh tat und sie auch Simon nicht weh tun wollte, versuchte sie verzweifelt, ihren Schmerz zu überspielen.

»Also wirklich, der absolute Wahnsinn, dass du gekommen bist! Den ganzen weiten Weg! Die Überraschung ist dir gelungen! Ich freu mich ja so, echt, ich freu mich riesig!«

Simon trennte erst einmal ungefähr zwanzig Eier, schlug die Eigelbe mit einem Schneebesen auf und gab großzügig Zucker hinein. Das dauerte eine Weile. Dann schaute er auf.

»Freuen wie – du bist die Liebe meines Lebens, lass uns für immer zusammenbleiben? Oder freuen wie – okay, echt nett, einen alten Bekannten zu treffen?«

Oha. Liebe geht durch den Magen, und mir ist schlecht, dachte Annabelle. Sie hatte Simon wirklich geliebt, mochte ihn immer noch sehr und wollte ihn nicht verlieren. Wäre toll, wenn man sich den Ex zur besten Freundin umarbeiten könnte, überlegte sie. Vielleicht beschwöre ich erst einmal unsere glorreiche Vergangenheit? Damit diese Unterhaltung glimpflich ausgeht?

»Weißt du noch, Simon, wie alles anfing? Es war diese Zeit, als man im Imperial Ambassador Ziegenkäse mit Feigensenf auf Schieferplatten servierte, und dann hast du …«

»… dann habe ich dir die Bluse mit dem Feigensenf bekleckert.« Er lächelte durchtrieben. »War ein super Kennenlernding. Und übrigens Absicht.«

Auch Annabelle lächelte, froh, dass sie einstweilen über Unverfängliches sprachen.

»Ach nee. Dann muss ich ja unsere Geschichte umschreiben! Aber das Bœuf bourguignon war Zufall, oder? Damit hast du ja gaaar nichts beabsichtigt? Die Rose lag auch ganz aus Versehen auf dem Tablett?«

Simon holte nicht weniger als zehn Becher Schlagsahne aus dem Kühlschrank, und Annabelle verkniff sich die Bemerkung, dass sämtliche Becher für den Weihnachtskuchen am nächsten Tag bestimmt waren. Der Schneebesen rasselte in der zweiten großen Schüssel, in der Simon die Sahne aufschlug. Kleine Tröpfchen flogen durch die Luft.

»Simon?«

»Ich überlege gerade, wer von uns beiden der schlechtere Lügner ist«, sagte er, in einem fort die Sahne quirlend.

Erschrocken zog Annabelle die Schultern hoch.

»Wie meinst du das denn?«

»Du hast mir gerade so viele Wahrheiten erzählt, damit ich die Schwindelei dahinter schlucke, stimmt's?«

»Eine, na ja, sehr beängstigende Frage, wenn man näher darüber nachdenkt«, erwiderte sie beklommen.

Er unterbrach das Sahneschlagen und griff zu seinem Glas.

»Im Wein liegt die Wahrheit. Da darf man die Suche nicht gleich nach den ersten Gläsern aufgeben.« Es folgte ein großer Schluck. »Gibt es einen anderen, Belle?«

Volltreffer. Sie taumelte einen Schritt rückwärts und landete auf der Kühltruhe. Auf *der* Kühltruhe. Das war umso grausiger, als es nun auch einen Namen für den Toten gab, dessen Arm so vorwitzig herausgehangen hatte. Aber sie musste Simons Frage beantworten, deshalb schwenkten ihre Gedanken von Alexander von Hülsen zu Fabian Berenson, was nun wirklich ein extrem großer Gedankensprung war. Fabian. Wie sehr sie ihn vermisste. Und wie sehr sie ein eindeutiges Zeichen von ihm ersehnte. Noch war gar nichts klar zwischen ihnen, außer dieser überirdischen Anziehungskraft, dem Schalk in seinen Augenwinkeln und dem Fast-Kuss.

»Einen anderen?« Ihre baumelnden Füße hämmerten an die Truhe. »So würde ich das nicht sagen.«

»Und warum höre ich dann diese Stimme in meinem Kopf, die flüstert: Belle hat was Neues am Start?«

Zweiter Volltreffer. Es war aber auch ein zu gemeines Verhör, mit allen psychologischen Raffinessen. Hauptkommissar Andernach und Polizeioberwachtmeister Trampert hätten eine Menge von Simon lernen können.

»Ja, okay«, gab sie zu, »da ist ein Mann, der mir ein bisschen den Kopf verdreht hat. Aber siehst du ihn hier irgendwo? Nein. Er zieht es vor, Weihnachten mit was weiß ich wem zu verbringen. Egal. Nächste Woche fliege ich sowieso nach Singapur. Mein Aufenthalt in Puxdorf ist nur ein kurzes Gastspiel, schließlich bin ich hier nicht mehr zu Hause.«

»Sagt die Frau im Dirndl.« Simon steckte einen Finger in die halb steifgeschlagene Sahne und leckte ihn ab. »Hmm. Sehr gute Qualität. Jetzt ist die Aromatisierung dran. Du hast mir doch mal von der Holundermarmelade deiner Oma erzählt.«

Ein gelungener Themenwechsel. Annabelle atmete auf. Los, erzähl ihm alles über Holunder, dann kannst du den Fortgang dieses peinigenden Verhörs ein wenig aufschieben.

»Ja, meine Oma hat's mit dem Holunder. Eingelegte Holunderblüten, Holunderschnaps, Holundersekt, Holunderbeerenmarmelade, es gibt nichts, was Oma Martha nicht aus diesem besonderen Gewächs macht …«

Sie rutschte von der Kühltruhe und ging zum Vorratsschrank, dem sie ein Weckglas mit Holunderblütengelee und ein angebrochenes Glas Holunderbeerenmarmelade entnahm. Neugierig schnupperte Simon an beidem.

»In den USA kennt man das nicht. Hm, interessant, leicht bitter, sehr fruchtig. Perfekt für das Dessert. Deine Oma scheint ja ganz vernarrt in diesen ›Holunder‹ zu sein.«

»Nicht allein aus geschmacklichen Gründen.« Annabelle hievte ihren Po auf die Arbeitsfläche und schaute zu, wie Simon einige Löffel vom Gelee und sodann auch von der Marmelade in die Zucker-Ei-Mischung rührte. »Oma Martha wohnt in einem dunklen, dunklen Kosmos des Aberglaubens. Zum Beispiel darf man nie einen Holunderbusch fällen, weil eine Hexe darin wohnt, deren Blut dann rausfließt. Bringt Unglück. Deshalb gibt es auch keine Möbel aus Holunderholz.«

»Bringt Unglück«, ergänzte Simon.

»Genau. Wenn man ein Baby in eine Wiege aus Holunderholz legen würde, käme Frau Holle, um es zu holen.«

»Sagt deine Oma«, grinste Simon amüsiert.

»Schlimmer, Oma Martha glaubt daran. Früher war nur die Peitsche des Totenkutschers aus Holunderholz geschnitzt …«

»… weil's einer Leiche kein Unglück mehr bringen kann. Die ist ja schon tot«, lachte Simon und schaute in die Schüssel. »Oh my god. Ich kriege ein bisschen Angst vor dem Zeug.«

»Na ja, es hat auch Heilwirkungen. Holundertee hilft gegen Halsschmerzen, senkt das Fieber, stärkt das Immunsystem. Bei Kinderlosigkeit soll man einen Holunderbusch umarmen, und schwupps …«

Simon legte den Löffel beiseite und sah sie scharf an.

»Rede mit mir. Was ist los?«

Seine direkte Frage traf Annabelle weitgehend unvorbereitet. Gerade wollte sie sich in aller Ausführlichkeit über Oma Marthas Aberglauben auslassen, und nun wurde sie unversehens zur Rede gestellt. Doch wenn sie etwas gelernt hatte in Liebesdingen (und nicht zuletzt ganz aktuell durch Fabian), dann die Tatsache, dass ein klares Nein leichter zu ertragen war als ein ständiges (nein: *permanentes)* Vielleicht.

»Es tut mir so leid, Simon, sei mir nicht böse, ich glaube, es ist vorbei. Nicht alles natürlich, lass uns …«

»… Freunde bleiben?«

Es hatte sie immer schon gewundert, wie Simon imstande war, ihre Sätze zu vollenden. Obwohl man zugestehen musste, dass speziell dieser Satz so etwas wie ein unrühmlicher Klassiker war.

»Weißt du, Belle, eigentlich bin ich den weiten Weg hergekommen, um dir einen Antrag zu machen.«

Das hatte Annabelle nun gar nicht erwartet.

»Oh.« Sie schluckte. »Aha.«

»Ich merke schon, du schäumst über vor Freude«, sagte Simon gleichmütig, während er die Zucker-Eigelb-Holunder-Masse mit Zimt und Kardamom verfeinerte. »Doch vielleicht ist das heute gar nicht das verpatzte Happy End eines romantischen Films, vielleicht stimmte schon etwas mit unserer Story nicht. Könnte gut sein, dass du nicht das in mir gesehen hast, was ich bin, sondern das, was du aus mir machen wolltest.«

Heiliger Holunder! So offen hatte er noch nie mit ihr gesprochen.

»Das wäre – was?«

»Ein Mann zum An- und Ausknipsen, Belle. Wärme, Nähe, Zärtlichkeit auf Knopfdruck – wenn's dir gerade in den Kram passt. Dann wieder Coolness und Distanz – wenn du arbeiten musst. Oder willst. Offen gestanden fällt es mir schwer, den Unterschied zwischen Müssen und Wollen bei dir zu erkennen.«

Genau so war es. Annabelle fiel es wie Schuppen von den Augen. Simon hatte präzise analysiert, wie sie diese Beziehung aufgefasst hatte: als Option bei Bedarf, wobei sie selbst den Bedarf steuern wollte. So nach der Devise: Komm mir nicht zu nahe, ich habe mein eigenes Leben, aber gib mir gefälligst Nähe, wenn ich sie brauche. Halte dich im Hintergrund, aber komm mit nach Singapur. Sei dies, sei das für mich, aber sei nicht du selbst. Jetzt erkannte sie das Muster. Simon war nicht nur ein exzellenter Koch, er war auch ein brillanter Amateurpsychologe.

»Hast du dich deshalb in den Alkohol geflüchtet? Weil der immer für dich da war?«, flüsterte sie.

Er betrachtete sein fast geleertes Glas.

»Möglich. Ja, wahrscheinlich ist es so.«

Annabelle spürte, wie ihr die Tränen kamen.

»Warum führt man die wirklich erhellenden Beziehungsgespräche eigentlich immer erst, wenn's zu spät ist? Ich hätte so gern früher …«

Simon ließ den Löffel sinken.

»Komm her«, sagte er sacht, »lass dich in den Arm nehmen.«

Sie flog geradezu in seine Umarmung, genoss die Vertrautheit, die Nähe, das Wohlwollen. Es fühlte sich ähnlich an wie bei Andi – eine geschwisterliche Liebe, ohne erotische Nebenwirkungen.

»Na, das nenne ich ja mal eine schöne Bescherung«, erklang plötzlich eine Männerstimme, die Annabelle unter Tausenden erkannt hätte.

Sie zuckte zusammen. Eilig entwand sie sich Simons Armen und starrte zu Tode erschrocken Fabian an, der an der Küchentür stand, die eine Hand auf die Klinke gelegt, in der anderen ein Päckchen mit Schleife. So musste sich eine Nahtoderfahrung anfühlen.

»Wir … äh, wir haben uns gerade getrennt«, rief sie mit einer hohen, dünnen Stimme, die irgendwie gar nicht zu ihr gehörte.

»Dann hast du eine sehr eigenartige Vorstellung von einer Trennung.« Erbittert schaute Fabian zu Simon. »Sie können sie haben. Fröhliche Weihnachten.«

Die Küchentür knallte zu, mit einer Endgültigkeit, die das letzte bisschen Hoffnung in Annabelle ausradierte. Sie hatte es versiebt. Komplett. Ganz gleich, was sie Fabian erzählte, sein Blick hatte ihr genügt, um zu wissen, dass er ihr gar nichts mehr glaubte. Wonach sah es denn auch aus? Erst wurde er Zeuge, wie sie sich mit Andi verabredete, jetzt hatte er sie in inniger Umarmung mit einem schwarzgelockten Adonis ertappt. Es war ein Desaster.

Sie wollte sich nur noch in ihrem Zimmer verkriechen, die Bettdecke über den Kopf ziehen und nie wieder mit irgendeinem Mann auch nur ein einziges Wort reden. Es war, als ob sie über einem Abgrund balancierte, als sie zur Küchentür tappte.

»Das Dessert ist gleich fertig, ich muss nur noch die geschlagene Sahne unterheben!«, rief Simon. »Wo willst du denn hin?«

»Ich geh mich jetzt umbringen.«

Mit einem federnden Spurt lief er hinter ihr her und hielt sie am Arm fest.

»Das war aber ein Scherz, oder, Belle? Man hört ja irre Dinge aus diesem Puxdorf. Ich möchte auf keinen Fall nachträglich Witwer werden!«

»Na ja, ich bin gerade selber so was wie eine Witwe geworden«, schniefte Annabelle. »Soeben ist eine Liebe gestorben, bevor sie überhaupt richtig angefangen hat.«

»Darling«, lächelnd strich Simon ihr übers Haar. »In Wirklichkeit läuft das etwas anders. Da ist es besser, der zweite Mann einer Witwe zu sein als ihr erster.«

Kapitel 31

27. Dezember, noch vier Tage bis Silvester

Gab es einen trostloseren Tag im Jahr als den Tag nach Weihnachten? Wenn Vorfreude, Erwartungen und Wünsche sich dem Test der Realität stellen mussten und der Weihnachtszauber verflog wie ein flüchtiger Duft? Für Annabelle war der siebenundzwanzigste Dezember von jeher wie der Kater nach dem Rausch gewesen. Der Tannenbaum fing an zu nadeln, das Geschenkpapier landete im Müll (so wie manch komplett unbrauchbares Geschenk), und unaufhaltsam rückte Silvester näher, das nächste Schreckensdatum aller Singles. Doch dieser siebenundzwanzigste Dezember übertraf all seine Vorgänger hinsichtlich Trübsinn und Leere.

Niedergeschlagen fegte sie die Gaststube, entfernte die weihnachtliche Tischdekoration und hob ein paar runtergefallene Strohsterne auf. Was blieb ihr noch?

Simon war frühmorgens abgereist. In aller Freundschaft hatten sie sich voneinander verabschiedet und steten Kontakt gelobt. Wie man das eben so machte, obwohl man schon ahnte, dass sich dieser Kontakt irgendwann auf Weihnachts- und Geburtstagsgrüße via Facebook beschränken würde.

Auch die Gäste waren weg, erfüllt mit Erinnerungen an unvergessliche Momente in Puxdorf, Oberbayern; bereits in aller Frühe hatten sie eine ganze Kolonne von Taxen bestiegen. Neben opulenten Tafelfreuden war ihnen ein abwechslungsreiches Programm geboten worden: eine Schneewanderung zum Drachenstein, von Xaver kundig geführt (zum Entzücken der Damen); die Besichtigung von Tonis Gruselkabinett mit »original bayerischen Schnitzereien«, die zahlreiche Käufer gefunden hatten; der Kochkurs am ersten Weihnachtstag, durch den sich einige Singles noch näher gekommen waren; der Backkurs am zweiten Weihnachtstag, bei dem Betty die Gäste in die Geheimnisse von Dinkel-Mohrrüben-Torte und Chiasamenbrot eingeweiht hatte; Mitzis Mitternachtssession für Mutige, mit einer Präsentation ihres wirklich sehr gewagten Intimschmucks; und eine ökologisch wertvolle Führung durch Ferdis Ställe mit anschließendem Verkauf von Bisonschinken (er warb jetzt mit dem Slogan: *Glückliche Bisons vom freidrehenden Bauern*).

Nicht zuletzt wegen dieser Programmpunkte war die *Single Jingle Christmas* ein durchschlagender Erfolg geworden. Zugleich konnte sich Annabelle damit für den grandiosen Einsatz ihrer Freunde revanchieren. Alle Gäste hatten für Xaver, Toni, Betty, Mitzi und Ferdi großzügig in die Tasche gegriffen. Überdies hatte Annabelle die unermüdliche Fanny und den wacker durchhaltenden Sepp (die beiden mauserten sich langsam zu einem unschlagbaren Zweierteam) an den üppigen Trinkgeldern beteiligt, so dass wirklich jeder auf seine Kosten gekommen war.

Ja, die Singleurlaube im Hotel Edelweiß versprachen ein Dauerbrenner zu werden. Auch das Silvesterwochenende war bereits ausgebucht. So konnte es weitergehen – nur für Annabelle ging gar nichts weiter. Nicht in Puxdorf, nicht in puncto Herzensangelegenheiten. Ihr Koffer war gepackt. Sie musste nur noch ihren Pass zurückbekommen, dann würde sie am späten Nachmittag nach München fahren, am nächsten Morgen losfliegen und ihre Freunde zurücklassen, ihre Familie, ihren Bruder Andi. Und Fabian.

Am Tag zuvor hatte sie ihm doch noch geschrieben. Sie wollte das schreckliche Missverständnis nicht auf sich sitzen lassen, bevor sie aus Puxdorf verschwand.

Lieber Fabian, du wurdest Zeuge eines Moments freundschaftlicher Nähe, als Simon und ich unsere Trennung beschlossen – wir waren in New York zwei Jahre lang zusammen. Ich kann noch nicht mal behaupten, dass ich irgendetwas bedauere. Außer dem unterirdischen Timing, das dich just in diesem Moment in die Küche führte.

Es war ein Abschied, Fabian. Mehr nicht. Dass du das verstehen wirst, ist eine Illusion, die mich nicht aufheitern kann. Deshalb verabschiede ich mich nun auch von dir, bevor ich morgen nach Singapur fliege. Du sollst nur wissen, dass ich an dich denke. Mit reinem Gewissen und pochendem Herzen. A

PS Permanent PPS Denke ich an dich.

Wie zu erwarten hatte Fabian nicht geantwortet. Annabelle seufzte. Abschiede konnten so weh tun, dass man sich fast wünschte, es hätte nie ein Hallo gegeben. Sie stellte den Besen in die Ecke, mit dem sie die Gaststube gefegt hatte, und setzte sich an den Stammtisch. Irgendwann würde sie sich an Fabian nur noch als eine verunglückte Episode erinnern. Oder?

Ach, Fabian. Im nächsten Leben finde ich dich früher. Jetzt, wo ich weiß, wie man es nicht macht, probier ich dann die richtige Variante.

Geistesabwesend schaute sie zur Uhr. Viertel nach neun. Jetzt erst fiel ihr auf, dass die Frühstücksgedecke auf dem Stammtisch noch unberührt waren. Wo blieben ihre Eltern? Wo blieben Max und Oma Martha? Ihre Großmutter hatte sich in den letzten beiden Tagen kaum noch blicken lassen. Zu tief saß wohl die Schmach, das Regiment in diesem Haus verloren zu haben.

Schritte auf dem Flur ließen Annabelle aufhorchen. Schwere, feste Schritte.

»Grüß Gott, Frau Stadlmair!«, rief Hauptkommissar Andernach. In seinem dunkelblauen Parka betrat er leicht watschelnd die Gaststube. »Drei Tage ganz ohne Tote in Puxdorf, das sollte mit Rotstift im Kalender vermerkt werden!«

Polizeioberwachtmeister Trampert folgte ihm mit deutlich weniger Enthusiasmus. Er hob die Hand zu einem matten Winken und ließ sich auf einen Barhocker am Tresen fallen.

»Grüß Gott, Fräulein Stadlmair, dürfte ich vielleicht ausnahmsweise ein Bier haben? Bin ja irgendwie so homöopathisch orientiert. Da heilt man Gleiches mit Gleichem.«

»Nicht lieber einen Kaffee?«, fragte Annabelle mitfühlend. »Um Ihre Leber zu überraschen?«

»O nein, wissen S', in meiner Magensäure könnt man eine Leiche auflösen. Deshalb wäre ein Bier jetzt genau das Richtige.« Er sank ein bisschen in sich zusammen. »Weihnachten so ganz allein, das ist nichts für mich.«

»Herrje, wo bei anderen die Gehirnlappen sitzen, haben Sie einen Jammerlappen.« Ungehalten schnalzte Hauptkommissar Andernach mit der Zunge. »Wir sind im Dienst, Trampert! Da trinken wir keinen Alkohol! Es gibt Polizeibeamte, die sind für solche Pflichtvergessenheiten schon geflogen!«

»Apropos fliegen«, Annabelle zwang sich zu einer aufrechten Haltung, »ich hätte ganz gern meinen Pass zurück. Schließlich haben Sie mich doch genug ausgefragt, und als Täterin komme ich ja auch nicht mehr in Betracht.«

O Wunder! Ohne sich groß zu zieren, holte Hauptkommissar Andernach das sehnsuchtsvoll vermisste Reisedokument aus seiner Uniformjacke unter dem Parka.

»Der Pass sei Ihnen zugestanden. Ihr Freund Toni hat uns die Drohnenvideos gezeigt, da setzen wir mit unseren weiteren Ermittlungen an. Als Erstes spüren wir dieses Snowmobil auf. Wir haben beim Landeskriminalamt um einen Hubschrauber gebeten, mit dem wir uns gleich auf die Suche machen. Müsste jeden Moment landen, der Hubschrauber.«

Grenzenlos erleichtert nahm Annabelle ihren Pass in Empfang.

»Dann viel Glück. Ich hoffe, Sie finden den Mörder.«

»Wissen Sie, was ganz und gar merkwürdig ist?« Kollege Trampert riss sich vom Anblick des Zapfhahns los. »Wir waren ja nicht untätig. Der Kommissar hat über Weihnachten nachgedacht, was ihm wirklich sehr liegt. Ich für meine Wenigkeit habe einen Zeitplan aufgestellt, für sämtliche Morde – außer für Ihre erfundene Leiche natürlich.«

Annabelle hatte keinen Schimmer, worauf er hinauswollte.

»Und? Was ist daran merkwürdig?«

»Wir haben jeden Puxdorfer unter die Lupe genommen«, antwortete Polizeioberwachtmeister Trampert bedächtig, »haben alle Einwohner befragt oder antelefoniert und die Aussagen gegengecheckt. Die einzige Person in Puxdorf, die kein Alibi für die Zeit des Mordes an Isabel Berenson hat, ist Ihre Frau Großmutter. Außerdem hat die Überprüfung der Verbindungsdaten von Isabel Berensons Handy ergeben, dass der letzte eingehende Anruf aus dem Hotel Edelweiß kam. Wenige Minuten vor ihrem Tod.«

Genial. Annabelle unterdrückte ein Kichern.

»Sie meinen, meine zweiundachtzigjährige Oma, die seit ihrer Hüftoperation Probleme mit dem Laufen hat, rennt hinter der Berenson her, um sie zu vergiften? Und mitten in der Nacht schwingt sie sich auf ein Snowmobil und ertränkt den Bürgermeister?«

»Meine Oma fährt im Hühnerstall Motorrad!«, lachte Hauptkommissar Andernach lauthals los, nahm sich jedoch gleich wieder dienstlich zusammen. »Trampert, Ihre kleinen Spekulationen in allen Ehren, aber wir sind doch schon weiter. Es muss ein externer Täter sein, nicht die alte Da…«

Als hätte sie gehört, dass man über sie sprach, humpelte Oma Martha in die Gaststube, in einem ihrer steingrauen Kittel und mit ihrem liebenswürdigsten Lächeln.

»Grüß Gott, die Herren. Schon so früh unterwegs? Darf ich Ihnen vielleicht eine Kleinigkeit zu essen anbieten? Eine Semmel oder eine Butterbrezel?«

Polizeioberwachtmeister Trampert deutete sitzend eine Verbeugung an, während er vermutlich zerknirscht darüber nachdachte, ob sie seine abstruse Theorie aufgeschnappt haben könnte.

»Sehr nett, wirklich sehr nett, gnädige Frau. Jaja, im Edelweiß ist immer für das weibliche Wohl gesorgt. Äh, Verzeihung, für das leibliche Wohl. Jessas, so ein, zwei Semmeln tät ich schon nehmen, bevor ich in den Hubschrauber steigen muss. Mit Butter und Schinken, wenn's recht ist.«

»Für Sie auch eine Semmel?«, wandte sich Oma Martha an Hauptkommissar Andernach.

Sie hatte nur Augen für die Polizeibeamten, das war offensichtlich. Annabelle hingegen ließ sie links liegen. Es würde wohl noch lange dauern, bis Oma Martha ihrer Enkelin die Aufdeckung der illegitimen Vaterschaft von Alois Stadlmair verzeihen würde. Annabelle nahm sich vor, sich noch vor ihrer Abreise mit ihrer über alles geliebten Großmama auszusöhnen. Anders ging's ja gar nicht. Doch jetzt war nicht der passende Augenblick. Sie erhob sich.

»Ich muss leider gehen, um mich von meinen Freunden zu verabschieden. War angenehm, Ihre Bekanntschaft zu machen, meine Herren.«

»Sehr angenehm«, fügte Polizeioberwachtmeister Trampert mit seinen treuherzigen Bernhardineraugen hinzu. »Um nicht zu sagen: überaus angenehm.«

Hauptkommissar Andernach strafte ihn mit einem missbilligenden Blick.

»Na, na, Kollege Trampert …«

»Weiß schon, bloß nicht emotional werden«, hüstelte sein Untergebener und schaute zum ausgestopften Wildschweinkopf (warum ausgerechnet dahin, würde wohl immer sein Geheimnis bleiben). »Das Fräulein Stadlmair interessiert mich natürlich nur im Rahmen des dienstlich gebotenen Interesses. Also, interessehalber.«

Damit hatte er sich so richtig verfranst. Eine peinliche Pause entstand, in der Oma Martha zur Küche humpelte, um die versprochenen Brötchen zu holen, und Annabelle ihre Jacke sowie Mütze, Handschuhe und Schal anzog (neuerdings nur einen Schal, den von Andi).

»Hier, Fräulein Stadlmair, für den Notfall.« Polizeioberwachtmeister Trampert fingerte eine zerknitterte Visitenkarte aus seiner Hosentasche. »Bitte schön.«

Ja, klar. Wenn ich in Singapur bin, ist die Karte natürlich von großem Nutzen, dachte Annabelle halb gerührt, halb amüsiert, und griff danach.

»Tja, dann ...«, während sie die Visitenkarte in ihrer Jackentasche versenkte, ertastete sie schaudernd den würfelförmigen Manschettenknopf, »gutes Gelingen für, hm, alles.«

Und jetzt nichts wie raus. Sonst vermisste sie am Ende sogar noch die beiden Polizeibeamten.

Im Flur verharrte sie einen Moment. Überhaupt, dieses Vermissen ... Allmählich hatte sie es satt, immer genau dann zu verschwinden, wenn so etwas wie eine Bindung entstand. Warum war sie zu einem Leben der Abschiede verdonnert?

Als sie am Rezeptionstischchen vorbeitrottete, sprang ihr wieder das Gästebuch ins Auge. Oma Martha als Täterin musste man selbstredend als eine an den Haaren herbeigezogene Theorie betrachten. Allerdings wäre es ein Leichtes für sie gewesen, an Isabel Berensons Handynummer zu kommen. Sie kannte ja die akribische Gästebuchführung ihrer Schwiegertochter. Annabelle schüttelte den Kopf. Absurde Theorie. Sofort vergessen, befahl sie sich.

Mit gemischten Gefühlen trat sie nach draußen. Ja doch, sie freute sich auf Singapur, auf ihren Job, auf einen Neuanfang. Aber ihr Herz, dieses arg gebeutelte Organ, schlug für ihre Familie, ihre Freunde, für das Edelweiß. Und für Fabian, das spürte sie immer deutlicher. Nur dass sie es ironischerweise war, die jetzt an- und ausgeknipst wurde. Aber stimmte das überhaupt? Ein Satz von Mary-Jo kam ihr in den Sinn: Wir sehen die Dinge nicht, wie sie sind, sondern so, wie *wir* sind. Vielleicht schätzte sie Fabian falsch ein? Und beging den Fehler ihres Lebens, indem sie abreiste?

Nein, du hast die richtige Entscheidung getroffen: auf und davon, hin zu neuen Ufern, widersprach eine ganz neue innere Stimme sehr resolut. Knick nicht ein. Du kannst nicht ewig auf Fabian warten. Und in einem winzigen Dorf am Ende der Welt willst du auch nicht versauern.

Leider gab sich Puxdorf alle Mühe, Annabelle den Abschied noch schwerer zu machen als sowieso schon. Es war ein herrlicher Tag. Unwirklich vergissmeinnichtblau wölbte sich der Himmel über dem verschneiten Gebirge. Wie ein weißes Juwel leuchtete der Drachenstein in der Sonne, der überfrorene Schnee glitzerte wie mit Milliarden Strasssteinen übersät. Komm schon, jetzt bloß nicht an der Scholle kleben, sagte sie sich, wickelte Andis Schal zweimal um den Hals und marschierte los. Als Erstes besuchte sie Fanny, die draußen am Zaun Schnee schippte und in Tränen ausbrach, als Annabelle ihr auf Wiedersehen sagte.

»Du hast uns aus unserem Dornröschenschlaf erweckt«, schluchzte Fanny. »Wir sind alle wieder näher zusammengerückt. Ich kann nicht glauben, dass du wirklich gehst.«

»Ich komme ja wieder, irgendwann«, versuchte Annabelle sie zu trösten und nahm schleunigst Reißaus, um nicht selber zu weinen.

Wenig später, in Bettys überfüllter Bäckerei, war es dann um ihre Contenance geschehen. Annabelle wollte gefasst und zuversichtlich wirken, doch als sie Betty traurig lächelnd hinter dem Glastresen stehen sah, mit dem herzigen Käppi und der gestärkten Bäckerschürze, stürzten ihr heiße Tränen in die Augen. Schon nach wenigen Sekunden lagen sie einander weinend in den Armen, inmitten staunender Puxdorfer, die für Brötchen gekommen waren und nun ein herzzerreißendes Schauspiel geboten bekamen.

Abschied ist ein scharfes Schwert – wer hatte noch diesen Schmachtfetzen zum Besten gegen? Es musste ein rettungsloser Optimist gewesen sein, denn diese Abschiede bohrten sich wie mit rostigen Klingen in Annabelles Herz. Tränenblind stolperte sie aus der Bäckerei, die Straße entlang, dann über das verschneite Grundstück mit den Schaukeln und Rutschen, fand das Haus leer vor und suchte Ferdi in den Ställen dahinter.

Im dritten Stall wurde sie fündig. Wie ein Zwerg in Gummistiefeln stand Ferdi vor den riesigen Tieren mit den gedrungenen, fellbewachsenen Schädeln und den mächtigen Hörnern. Es roch nach Heu, warmem Dung und diesem typischen Stallaroma, das Annabelle von Kind an gemocht hatte. Ein Duft, der mindestens so starke Gefühle wie Night Fever in ihr auslöste, wenn auch ganz andere: Heimatgefühle.

»Ferdi …«

Er ließ seinen Futtereimer fallen, der mit einem blechernen Geräusch über den Steinboden rollte, lief auf Annabelle zu und drückte sie sacht an sich.

»Du willst wirklich abreisen?«

»Wer weiß, vielleicht komme ich nächste Weihnachten wieder«, erwiderte sie vage. »Bitte, Ferdi, mach es mir nicht so schwer, ja?«

Tiefer Kummer furchte sein Gesicht.

»Buddha sagt, wir müssen Menschen loslassen. Aber er hat nichts von Schubsen gesagt. Beim Buddha, bleib hier, Anna! Du bist …«, seine Stimme brach.

»Ich muss weiter, zu Toni«, schniefte Annabelle.

Nachdem sie Ferdi ein letztes Mal umarmt hatte, floh sie aus dem Stall, an Schaukeln und Rutschen vorbei und in Richtung Drachenstein. Mittlerweile erschien ihr diese tränenreiche Abschiedstour wie ein Gang zum Schafott. Als sei sie drauf und dran, etwas in sich abzutöten, das nur umso mächtiger seine Stimme erhob: Das hier ist deine Heimat! Hier gehörst du hin! Merkst du es denn immer noch nicht? Heimat ist ein Gefühl!

Auf halbem Wege zu Tonis Hof entdeckte sie Mitzi, die ihr schon von weitem aufgeregt zuwinkte, gut erkennbar an ihrem kanariengelben Strickmantel.

»Hey Anna«, rief sie außer Atem, »willst du auch zu Toni?«

»Ja, wieso?«

»Hat er dich nicht erreicht? Toni sagt, er hätte was absolut Irres für uns!«

Verwundert blieb Annabelle stehen und holte ihr Handy heraus, das sie auf stumm gestellt hatte. Sechs entgangene Anrufe. Einer von Toni, zwei von ihrer Mutter, drei von Fabian. Von – Fabian? Mit zitternden Fingern tippte sie die Nummer an, hörte jedoch nur eine leiernde Ansage, der Teilnehmer sei nicht erreichbar. Anschließend wählte sie die Handynummer ihrer Mutter, die sofort abnahm.

»Anna, stell dir vor, Fabian Berenson war hier! Er will jetzt doch den Oberleitnerhof kaufen! Und er hat nach dir gefragt!«

Er hat nach mir gefragt. Engelschöre begannen zu singen, Schmetterlingsschwärme flatterten auf, der Drachenstein verwandelte sich in flüssiges Silber.

»Was heißt – *war* hier?«, schrie Annabelle ins Handy.

»Kind, reg dich nicht auf, bitte. Er kommt ja wieder. Eigentlich wollte Herr Berenson hier im Edelweiß auf dich warten, dann hat er sich's anders überlegt, weil Oma Martha ihm eine kleine Wanderung zum Drachenstein vorgeschlagen hat. War ihm ganz recht, sich nach der langen Autofahrt die Beine zu vertreten. Oma Martha hat ihm auch die Abkürzung gezeigt – also nicht den Weg durchs Dorf, sondern den kleinen Pfad hinter den Gärten, direkt hoch auf den Berg.«

Annabelle begann zu hyperventilieren.

»Wie lange ist das her?«

»Ungefähr eine Dreiviertelstunde.«

So was Dummes. Sie mussten sich ganz knapp verpasst haben. Aber warum hatte er sich plötzlich doch noch zu dem Kauf entschlossen? Zu welchen Bedingungen? Und hatte seine Entscheidung ir-gend-et-was mit Anna Elisabeth Maria Stadlmair zu tun?

»Komm, Toni sagte, es ist dringend«, mahnte Mitzi zur Eile.

Gemeinsam legten sie die restliche Strecke bis zu Tonis Hof zurück, das Gartentor öffnete sich von selbst, dann lief ihnen auch schon der Hausherr entgegen.

»Gut, dass ihr da seid. Es ist unfassbar. Rein mit euch, schnell.«

Nacheinander trappelten sie den Flur entlang, finster beäugt von den geschnitzten Hexen und Teufeln, bis sie hechelnd im Wohn-Arbeits-Ess-Zimmer-plus-Kommandozentrale standen. Toni hastete zu seinem Schreibtisch und aktivierte den Laptop. Ein Video erschien. Es zeigte das Hotel Edelweiß von oben, im Dunkeln, und eine Frau, die in olympiareifem Tempo aus dem Hinterausgang der Küche stob. Flink wie ein Wiesel rannte sie zum Heuschober, kam Sekunden später mit einem Snowmobil wieder heraus, jetzt mit dicken Tüchern vermummt. Schnee spritzte auf, als sie davonraste. Der Timecode zeigte null Uhr fünfzig an, für jene Nacht, in der Randolf Egertaler umgekommen war.

»Meine Augen waren völlig überreizt vom stundenlangen Sichten der Videos, deshalb habe ich es erst heute gesehen.« Toni stoppte das Video. »Den gruseligen Rest kennt ihr – Bürgermeister, Sturz in den Bach, Exitus.«

Totenstille. Annabelle meinte, ohnmächtig zu werden. Die Frau auf dem Video war Oma Martha. Es gab nicht den leisesten Zweifel. Oma Martha in einer quicklebendigen, wieselschnellen Version. Aber wie konnte das sein?

»Krass. Hatte deine Oma nicht eine Hüftoperation?«, fragte Mitzi verblüfft.

Auch Toni wirkte völlig geplättet.

»Sie saß doch zwischendurch sogar im Rollstuhl?«

»Ja, in genau dem Rollstuhl, den mein Vater für seine Darbietung als Todkranker benutzt hat.« Fieberhaft ging Annabelle in Gedanken die Briefe ihrer Mutter durch. »Wartet, danach war Oma Martha in einer Reha. Meine Mutter schrieb mir, dass sie dort große Fortschritte mit dem Laufen gemacht habe.«

»Gehumpelt hat sie trotzdem«, wandte Mitzi ein.

Toni spulte die Aufnahmen vor und zurück, immer wieder. Dann drosch er auf die Stopptaste ein.

»Stimmt, aber erst seit ein paar Tagen. Jetzt fällt's mir wieder ein! Neulich habe ich Oma Martha auf dem Dorfplatz beobachtet, ganz frühmorgens, mit einer Brötchentüte. Sie ging so flott wie eine junge Frau. Ich erinnere mich deshalb daran, weil ich sie zunächst nur von hinten sah und dachte: Hallo, wer ist das denn Schnuckliges? Erst als ich sie einholte, sah ich, dass es Oma Martha war. Ihr kennt ja den Spruch: Hinten Lyzeum, vorne Museum.«

Annabelle spürte, wie ihr der Schweiß ausbrach.

»Und das heißt?«

»Motiv und Gelegenheit«, brummte Toni. »Deine Oma hatte definitiv Gründe, Peter McDormand und Isabel Berenson zu beseitigen, weil die den Oberleitnerhof wollten und damit das Edelweiß zum Abschuss freigegeben hätten. Und der Bürgermeister wollte sowieso unter allen Umständen das Megaresort durchdrücken, mit demselben Ergebnis. Seine ertüchtigende Rede nach dem Mord an der Bitch – wisst ihr noch? Am anderen Morgen ist er ertrunken aufgefunden worden.«

Die Engelschöre waren längst verstummt, dafür schrillten in Annabelles Ohren Alarmglocken.

»Du glaubst doch nicht allen Ernstes, dass Oma Martha …?«

Mitzi hockte sich auf die Tischkante, kreideweiß und mit bebenden Lippen.

»Deine Oma ist doch so krass abergläubisch – vielleicht war das so eine Art Kampf gegen das Böse?«

»Wie in Star Wars«, knurrte Toni, während er die Yoda-Figur auf seinem Schreibtisch anstarrte. »Der Zweck heiligt die Mittel. Oder, wie Luke Skywalker sagen würde: Ich werde nie zur dunklen Seite gehören.«

In Annabelle überstürzten sich die Gedanken. Oma Martha hatte Alexander von Hülsen eingeweckt. Auch ermordet? Zumindest wäre ein starkes Motiv vorhanden gewesen. Schließlich hatte der Anwalt gedroht, Alois Stadlmair als leiblichen Vater von Andi zu outen, wenn er nicht zahlte – was in Ermangelung finanzieller Reserven todsicher passiert wäre. Bei Peter McDormand hätte Oma Martha ebenfalls ein starkes Motiv und leichtes Spiel gehabt; sein Faible für Hochprozentiges lud geradezu ein, ihm eine Schnapsflasche mit tödlichem Gift in die Hand zu drücken (sofern man die Kunst professionell trainierter Freundlichkeit beherrschte). In jedem Falle konnte Oma Martha den Stier aus dem Sennhuberstall entführt und auf Isabel Berenson gehetzt haben (die »Kuhflüsterin«, die mit Tieren redete wie der heilige Franz von Assisi).

Beim Tod des Bürgermeisters wiederum könnten als Inspiration die vielen Schauergeschichten gedient haben, die im Dorf kursierten: Immer wieder waren unvorsichtige Teenager beim Schlittschuhlaufen auf dem dünnen Eis eingebrochen, und selbst geübte Schwimmer hatten es aufgrund des Kälteschocks nicht ans Ufer geschafft. Annabelle versuchte, sich an jene Nacht zu erinnern. Die Nacht von Randolf Egertalers Tod, die Nacht mit Andi im Pferdestall. Zurück im Zimmer, hatte sie ein Brummen gehört – das musste das Snowmobil gewesen sein, das ihre Großmutter vermutlich hinter den Strohballen des Heuschobers versteckt hatte.

Nun fiel Annabelle auch wieder ein, wie oft sie als Kind schaudernd zugeschaut hatte, wie Oma Martha Gänsen und anderem Federvieh den Garaus machte oder Rattengift im Heuschober ausstreute. Der Tod war kein Unbekannter in einem ländlichen Ort wie Puxdorf, er gehörte zum Alltag. So wie für Oma Martha auch Hexen und Teufel zu den alltäglichen Begleitern gehörten, denen man den Kampf ansagen musste.

Plötzlich, wie ein Peitschenschlag, traf Annabelle eine entsetzliche Erkenntnis. Wenn das alles zutraf, gab es einen weiteren Gschwurf auf Oma Marthas Liste.

»Toni«, japste sie, »sind deine Drohnen unterwegs?«

»Alle drei. Wieso?«

»Fabian, also Fabian Berenson, wandert auf den Drachenstein! Oma Martha hat ihm den Weg gezeigt!«

»Hm. Will er denn überhaupt noch den Oberleitnerhof?«, fragte Mitzi.

»Jaaa!« Annabelle kreischte fast. »Das hat er vor ungefähr einer Stunde meiner Mutter erzählt! Und Oma Martha!«

Toni hatte sich schon wieder umgedreht und tippte wie besessen auf der Tastatur seines Laptops herum. Das Monitorbild zeigte den Dorfplatz, dann, nach einer weiteren Stakkatoattacke auf die Tastatur, drehte die Drohne ab in Richtung Drachenstein. Alle drei beugten sie sich jetzt über den Monitor und suchten die Bilder ab. Schnee, nichts als Schnee. Einzelne Fichten. Da und dort wedelten Skiläufer eine abgesteckte Piste entlang. Von Fabian keine Spur.

»Du musst ihn finden«, wimmerte Annabelle.

»Der Drachenstein ist kein Kuhhaufen, das sind Tausende Quadratmeter, verdammt!«, fluchte Toni. »Warte, ich geh mal rüber zur Höllenklamm.«

Mitzi zog und zuppelte so heftig an ihren Ohrpiercings, dass ihre Ohrläppchen schon ganz rot waren.

»Vielleicht geht er ja nicht so weit. Ist doch kein Kletteräffchen, dieser Fabian. Nur ein Flachlandtiroler.«

Annabelle bekam feuchte Hände. Höllenklamm hieß eine Schlucht, die sich am Westhang des Drachensteins auftat. Gefährliches Terrain für Ortsunkundige, denn im Winter bedeckten verschneite Eisbretter die Kante der Schlucht. Nachdem mehrere Bergwanderer dort verunglückt waren, gab es eine improvisierte Absperrung – wenig mehr als ein paar Stöcke im Schnee, zwischen denen ein weiß-rotes Band gespannt war. Toni dirigierte eine zweite Drohne zum Drachenstein.

»Nein, nein, nein!«, brüllte er. »Was macht deine Oma denn da?«

Die Drohnenkamera schwebte unmittelbar über der Höllenklamm. Die vermummte Gestalt raste auf dem Snowmobil heran, riss die Stöcke aus dem Schnee und nahm auch die Absperrbänder mit. Dabei flog das Tuch weg, das sich der Fahrer um Mund und Nase gewunden hatte. Die *Fahrerin*. Es gab keinen Zweifel mehr: Oma Martha plante den nächsten Mord, mit einer Umsicht und Präzision, die Annabelle das Blut in den Adern gefrieren ließ.

Mitzi stöhnte auf, Toni tippte mit zwei Fingern auf die Tastatur, und die Drohne schwenkte nach weiter unten zum Berghang. Eine winzige Gestalt stapfte durch die Schneewüste, immer geradewegs auf die Höllenklamm zu. Es war Fabian.

Kapitel 32

Die Panik kam in Wellen. Zuerst erzeugte sie ein reißendes Rauschen in den Ohren, dann nahm sie Annabelle die Luft zum Atmen, um schließlich in einem stimmlosen Schrei zu kulminieren – wie in Alpträumen, wenn man um Hilfe rufen wollte und die Kehle nichts hergab, nicht den leisesten Ton. Der Schweiß lief ihr in Strömen über den Körper, gleichzeitig fror sie, als hätte man sie in einen eisigen Fluss geworfen.

»Wir müssen ihn warnen!«, keuchte Toni. »Wir müssen verdammt noch mal irgendwie da hoch und Fabian Berenson warnen!«

Mit angezogenen Beinen kauerte Mitzi neben ihm auf einem Hocker.

»Wie denn? Er ist schon zu weit oben!«

Annabelle umklammerte ihr Handy und wählte Fabians Nummer, einmal, zweimal, dreimal.

»Kein Netz«, jammerte sie.

Wieder starrten sie alle drei auf die Drohnenbilder. Es war zum Verzweifeln – sie konnten nur untätig zuschauen, wie sich die Situation zuspitzte. Dort hinaufzugelangen, wo Fabian entlangwanderte, würde zu Fuß mindestens eine halbe Stunde dauern, wenn nicht länger. Dann hätte er längst den Abgrund erreicht, und Oma Martha könnte ihn überrumpeln. Ein paar ablenkende Worte, ein Schluck aus dem Flachmann, und Fabian stürzte in die Tiefe.

Auf einmal legte Mitzi horchend den Kopf schräg.

»Hört ihr das?«

»Was denn?«, fragte Toni, ohne den Blick vom Monitor zu wenden.

»Da knattert was.« Mitzi grub ihre Finger in Annabelles Arm. »Das ist ein Hubschrauber!«

Nun hörte Annabelle es auch, dieses Geräusch über dem Haus, das eine hektisch scheppernde Kettenreaktion in ihr auslöste. Hubschrauber. Suchaktion. Polizisten! Mit schweißnassen Fingern klaubte sie die Visitenkarte von Kollege Trampert aus ihrer Jackentasche. Es ging um Sekunden. Nur im Dorf gab es ein Netz, am Drachenstein herrschte das telekommunikative Nirwana. Zweimal vertippte sie sich, dann ertönte die gemütvolle Stimme von Polizeioberwachtmeister Trampert, verzerrt durch das maschinengewehrartige Knattern des Hubschraubers.

»Hallo? Es ist so laut hier! Schön, dass Sie sich melden, Fräulein Stadlmair! Aber ich kann jetzt nicht telefonieren! Hallo?«

»Sie müssen … Oma Martha … er, also Fabian … ach was, zu kompliziert!« In Annabelles Kopf kugelte alles durcheinander. Ganze Sätze waren nicht drin. »Bitte umkehren! Landen … auf dem Dorfplatz! Sofort! Auf Leben und Tod! Ich steige dazu und … bitte, sofort wenden! Erkläre Ihnen dann alles!«

»Tut mir leid, Fräulein Stadlmair, wir …«

Die Verbindung riss ab, doch Annabelle rannte einfach los, nicht wissend, ob ihr hirnloses Gestammel irgendetwas bewirkt hatte oder nicht. Falls sie Kollege Trampert etwas bedeutete (so einiges sprach dafür) und falls er ihren wirren Äußerungen die unbedingte Dringlichkeit des Anliegens hatte entnehmen können, bestand zumindest eine Chance.

»Wo willst du denn hin?«, rief Mitzi ihr hinterher.

»Zum Hubschrauber!«

»Was?«

Vor Annabelles Augen zerplatzten kleine Bläschen, als sie durch Tonis Garten rannte, geblendet von der grellen Helligkeit des sonnenbeschienenen Schnees. Sie kniff die Lider zusammen, Zweige peitschten ihr ins Gesicht. Weiter! Ihr Atem flog, die eisige Luft schmerzte in ihren Lungen, dennoch rannte sie immer weiter, stolperte, stand wieder auf, während ihr Herz hämmerte, als wollte es ihr die Rippen brechen. Zwischendurch suchte sie den Himmel nach dem Hubschrauber ab, lauschte angestrengt in die schneewattierte Stille, hörte einen Trecker, eine Motorsäge, ein Auto, sonst nichts.

Kurz vor dem Dorfplatz kam ihr Betty entgegen, mit schiefem Käppi und wehender Schürze.

»Ich konnte mich nicht eher aus der Bäckerei loseisen! Was ist denn los?«

»Fabian!«, rief Annabelle. »Er ist in Gefahr!«

Und dann liefen ihr Tränen der Erleichterung über die Wangen, als das heißersehnte Geräusch an ihr Ohr drang. Ja, der Hubschrauber kam zurück. Viel zu langsam, quälend langsam, aber er war tatsächlich umgekehrt, Kollege Trampert sei Dank. Schnee wirbelte auf, als der Helikopter mitten auf dem Dorfplatz zur Landung ansetzte. Wie in Zeitlupe senkten sich die Kufen auf das vereiste Kopfsteinpflaster, eine Tür öffnete sich, und Polizeioberwachtmeister Trampert winkte heraus. Geduckt lief Annabelle auf die gläserne Pilotenkanzel zu, zwei Hände zogen sie hinein, und schon hob der Hubschrauber wieder ab.

Es war alles so schnell gegangen, dass sie gar nicht gemerkt hatte, dass ihr jemand dick gepolsterte Kopfhörer übergestreift hatte. Erst als sie Hauptkommissar Andernachs metallisch näselnde Stimme hörte, tastete sie unwillkürlich zu ihren Ohren.

»Sie wissen ja, was auf missbräuchliches Antelefonieren von Polizisten steht, oder, Frau Stadlmair?«

In Annabelles Herz erhob sich ein Sturm, denn erst jetzt wurde ihr schockhaft klar, dass Fabians Rettung mit Oma Marthas Untergang erkauft sein würde. Annabelle liebte ihre Großmama über alles. Selbst jetzt noch. Oma Martha war keineswegs böse oder skrupellos. Sie hatte sich lediglich in einen unheilvollen Wahn hineingesteigert, das Böse vernichten zu müssen. Doch was halfen diese Überlegungen schon? Jetzt stand Fabian in ihrem Fadenkreuz, und Annabelle drehte fast durch bei dem Gedanken, dass er das nächste Opfer von Oma Marthas Feldzug gegen das Böse sein könnte. Damit war die Entscheidung gefallen. So rasch sie konnte, setzte sie die beiden Beamten über die sich anbahnende Katastrophe in Kenntnis.

»Potz Blitz! Also so was!«, hallte es rumpelnd in ihrem Kopfhörer, »dann hatte ich also doch recht mit meinem Verdacht! Die Oma war's!«

Annabelle hob einen Daumen. Weiter eingehen konnte sie nicht auf Kollege Tramperts Bemerkung, denn all ihre Gedanken kreisten nur noch um Fabian, der nichtsahnend durch den Schnee wanderte, geradewegs in sein Verderben. In knappen Worten beschrieb sie dem Piloten die Lage der Höllenklamm und bat ihn inständig, alles aus seiner Kiste rauszuholen.

Der Pilot nickte, dann beschleunigte er den Helikopter. In beachtlichem Tempo flogen sie am Berg entlang, bogen am Beginn der Schlucht ab und gewannen stetig an Höhe.

Völlig aufgelöst reckte Annabelle den Hals, suchte mit fiebrigen Augen alles ab, blieb an jedem Baum, jedem Strauch hängen, allerdings ohne Fabian zu entdecken. Dort unten war sie als Kind oft gerodelt, obwohl man es ihr streng verboten hatte – laut Oma Martha war der Drachenstein verflucht. Gerade deshalb war das Rodeln auf diesem Berg natürlich äußerst beliebt bei den Dorfkindern gewesen, und im Tiefschnee bekam man auch die besten »Adler« hin, wenn man sich mit ausgebreiteten Armen rückwärts hineinfallen ließ.

Lag Fabian etwa schon irgendwo dort im Schnee? Oder zerschellt tief unten in der Höllenklamm? Ein ungeordneter Bilderstrom durchflutete Annabelle. Fabian im Bus, sein schalkhaftes Lächeln beim ersten Wortwechsel. Das magische Wiedersehen in der Gaststube. Die Begegnung hinter dem Hotel, als er sie heimlich fotografiert hatte. Das innige Gespräch in der Hochzeitssuite. Der vibrierende Moment absoluter Glückseligkeit in der Nische hinter der Rezeption, die überwältigende Vorfreude auf den ersten Kuss. Schließlich die Rücklichter des Geländewagens, mit dem er die Dorfstraße hinabjagte.

»Da vorn rechts!«, schnaufte Hauptkommisar Andernach. »Das muss er sein!«

Annabelle spähte aus dem rechten Seitenfenster. Mit hochgezogenen Schultern, die Hände in den Jackentaschen vergraben, stapfte Fabian den Berg hinan, gefährlich nah am Abgrund der Höllenklamm. Von weiter oben näherte sich das Snowmobil. Oma Martha machte sich nicht einmal mehr die Mühe, ihr Gesicht zu verbergen, nur Maxens rot-weiße Pudelmütze bedeckte ihre graumelierten Dauerwellen. Geschickt lenkte sie ihr Gefährt an die Kante der Schlucht und bremste mit einer eleganten kleinen Kurve davor ab.

»Runtergehen!«, brüllte der Kommissar.

Die Pilotenkanzel wackelte und dröhnte, dann setzte der Hubschrauber nach einem magenunfreundlich raschen Sinkflug auf. Das Gesicht von Fabian, als Annabelle mitsamt den Beamten hinauskletterte – unbezahlbar. Die Miene von Oma Martha – grenzenloses Erstaunen.

Ein eisiger Wind pfiff Annabelle ins Gesicht, und sie hatte das Gefühl, als würden sogar ihre Wimpern frieren. Aber was machte das schon? Vor dem atemberaubenden Bergpanorama stand der Mann, an den sie *permanent* gedacht, über dessen Zuneigung sie unablässig nachgegrübelt und um dessen Leben sie gebangt hatte. Während ihr Herz voreilig jubelte (Herzen koppelten sich in solchen Momenten einfach vom Kopf ab), preschte sie durch den hohen Schnee und warf sich in seine Arme.

»O Gott, Fabian.«

Hauptkommissar Andernach und Polizeioberwachtmeister Trampert nahmen Oma Martha in die Mitte.

»Gnädige Frau, durch unser ermittlungstechnisches Geschick wurden Sie des mehrfachen Mordes überführt«, sagte Kollege Trampert feierlich.

»Nun geben Sie mal nicht so an, Trampert«, brummte Hauptkommissar Andernach. »Frau Stadlmair senior, wir müssen Sie aufgrund starker Verdachtsmomente und zahlreicher belastender Indizien in polizeilichen Gewahrsam nehmen.«

Fabian hatte Annabelles ungestüme Umarmung mit einem Ausdruck erfreuter Überraschung, vermischt mit einem Hauch Argwohn, über sich ergehen lassen, nun musterte er verständnislos die Polizisten.

»Wie – polizeilicher Gewahrsam? Wollen Sie mich veräppeln? Ist das hier ein Streich mit versteckter Kamera oder so was?«

»Junger Mann«, sagte Kollege Trampert mit allem gebotenen Ernst, »Sie sind soeben einem Mordanschlag entgangen.«

Ungläubig tippte sich Fabian an die Stirn, während der Schalk in seinen Augenwinkeln zu blitzen begann.

»Und für so einen Humbug zahle ich Steuern?«

Annabelle hängte sich bei ihm ein, überglücklich, todunglücklich, erleichtert und immer noch schockiert.

»Oma Martha hat leider ihre ganz eigenen Methoden, Probleme zu lösen. So nach dem Mensch-ärgere-dich-nicht-Prinzip: Wer sich ihr in den Weg stellt, wird rausgewürfelt.«

»Herr Berenson, Sie stehen vor einer Mörderin«, kam es dumpf von Hauptkommissar Andernach.

»Was Sie nicht sagen.« Offenbar konnte es Fabian immer noch nicht glauben. »Was ich sehe, ist eine freundliche alte Dame, die bemerkenswert vital ist. Seid ihr denn alle verrückt geworden?«

Oma Martha hatte bisher geschwiegen. Ihr leicht entrückter Blick ging in die Ferne, zu den Gebirgsketten, die strahlend und rein in den unwirklich blauen Himmel ragten. Als kehre sie aus einer anderen Welt zurück (oder erwache aus einem Nickerchen), entrang sich ihr ein tiefer Seufzer.

»Ich wollte doch nur das Beste für alle«, erklärte sie zerknirscht. »Ich musste doch verhindern, dass unser schönes Puxdorf in die Hände von teuflischen Mächten fällt.«

Annabelle konnte sich eines gewissen Respekts nicht enthalten. Keine Ausflüchte, kein Flehen, kein Winseln. Nein, Oma Martha übernahm Verantwortung für ihre Taten, getreu dem Puxdorfer Motto: Lieber aufrecht sterben als kniend leben. Man konnte Oma Martha verabscheuen für die Morde, aber sie bewies Haltung. Dennoch, so ganz verstand es Annabelle immer noch nicht. Viele Menschen waren abergläubisch. Klebten sich wie Ferdi Glückskleeblätter ins Auto, hatten Maskottchen und Talismane, weigerten sich, ein Hotelzimmer mit der Nummer Dreizehn zu beziehen und vermieden es, unter einer angelehnten Leiter durchzugehen. Aber Mord?

»Oma Martha, warum hast du das alles …?«, fragte sie, unfähig, den Satz zu vollenden. Nein, das Wort Mord brachte sie nicht über die Lippen.

»Ach, Anni, mein Kind, ich hab's auch für dich getan.« Die Augen ihrer Großmutter wurden feucht. »Ich musste unsere Familie vor den Dämonen beschützen. Vor der Hexe. Vor dem Fluch. Den hat mein Alois auf uns geladen, als er mit der Frau vom Oberleitner ein Kind zeugte. Er hat gefrevelt, und Gott strafte ihn, strafte uns alle. Dagegen musste ich doch ankämpfen, damit unsere Familie nicht vom Teufel geholt wird – der Alois, die Resi und unser Goldkind, die Anni. Ich hab's nur gut gemeint.«

Sie hat also nicht gemordet, jedenfalls nicht in ihrem Universum, begriff Annabelle, nein, Oma Martha hat gekämpft. Gegen Teufel und Hexen, für ihre Familie. Gefangen in ihrem Wahn, ist diese gottesfürchtige alte Frau dafür über Leichen gegangen. Wie furchtbar. Aber auch unverzeihlich?

»Sie haben es *gut gemeint*?«, rief Hauptkommissar Andernach erbittert. »Sind Sie noch ganz bei Trost?«

»Ich dachte halt, wenn ich gegen das Böse angehe, wird Gott meinem Alois verzeihen«, flüsterte Oma Martha mit gesenktem Blick.

»Na, da sind Sie aber wohl ein bisschen übers Ziel hinausgeschossen«, grummelte Polizeioberwachtmeister Trampert. »Wie haben Sie das alles überhaupt hingekriegt?«

»Hexenelixier«, wisperte Oma Martha und zog einen silbernen Flachmann aus ihrer Jacke. »Holunderschnaps, mit Rotem Fingerhut versetzt. Damit hat man schon früher die Dämonen vertrieben. Im Sommer sammele ich die Blüten in der Höllenklamm.«

»Wollten Sie mir etwa einen Schluck anbieten?«, fragte Fabian erschrocken.

»Ja, freilich«, lächelte sie entschuldigend. »Der Teufel zeigt sich halt in wechselnder Gestalt.«

»Oma, er ist kein Teufel.« Annabelle strich mit dem Handrücken über Fabians von der Kälte gerötete Wangen. »Schau, ich fasse ihn an, und nichts passiert.«

»Na, ein bisschen was passiert schon dabei«, schmunzelte er. »Könntest du das bitte noch einmal machen?«

Kollege Trampert wandte sich an seinen Vorgesetzten.

»Herr Hauptkommissar, unsere Täterin hat weder aus Habgier, Mordlust noch Heimtücke gehandelt«, legte er ein gutes Wort für Oma Martha ein. »Sie fühlte sich tödlich bedroht. Es war sozusagen – Notwehr.«

»Notwehr.« Hauptkommissar Andernach blitzte ihn vorwurfsvoll an. »Da könnte ja jeder kommen und sagen: Hallo, meine Frau ist zufälligerweise eine Hexe, halleluja, dafür darf ich sie abmurksen.«

»Ich würde es nicht wieder tun, auf Treu und Glauben«, beteuerte Oma Martha.

»Ja, weil Ihre Dämonen bereits alle im Orkus verschwunden sind«, höhnte Hauptkommissar Andernach.

»Ich werde für ihre armen Seelen beten, damit sie nicht in der Hölle schmoren müssen.« Oma Martha bekreuzigte sich. »Außerdem werde ich in der Kapelle Kerzen anzünden. Für alle vier, die …«

»Drei«, fiel Annabelle ihr ins Wort, um den Disput über ein weiteres Opfer zu vermeiden.

»Klarer Fall von Reue«, kam Kollege Trampert ihrer Großmutter ein weiteres Mal zu Hilfe. »Reue plus mildernde Umstände wegen religiösen Fanatismus – könnten wir in diesem sehr besonderen Fall nicht eine, na ja, inoffizielle Bewährungsstrafe in Betracht ziehen, Herr Kommissar?«

»Trampert, Trampert, was sind Sie bloß für ein Polizist?«, kam es brummig retour.

»Das ist halt der menschliche Faktor.« Polizeioberwachtmeister Trampert warf Annabelle einen treuherzigen Blick zu. »Der gehört auch dazu bei einem guten Kriminaler.«

»Könnte man diese Todesfälle nicht als bedauerliche Versehen betrachten?«, schaltete sich Fabian ein, womit er nicht nur diplomatisches Geschick, sondern auch unendlichen Großmut bewies, denn immerhin gehörte seine eigene (wenn auch ungeliebte) Schwester zu den Opfern. »Alte Leute verwechseln schon mal was. Schnapsflasche, Giftflasche, ohne Brille ist das nicht immer auseinanderzuhalten.«

Annabelle hätte ihn küssen können für diese Einlassung, Polizeioberwachtmeister Trampert grinste ihn erleichtert an, bevor er das Wort an Oma Martha richtete.

»Gell, Sie brauchen eine Brille, gnädige Frau? Wo ist sie denn eigentlich, Ihre Brille?«

»Ja, mei«, ächzte sie, »ich hab gar keine. Dabei sagt der Alois schon seit Jahren, dass ich zum Augenarzt soll, weil ich so schlecht sehe. Besonders bei Lampenlicht erkenne ich kaum noch was. Neulich hat mir der Max etwas zum Einwecken in den Keller gebracht, und ich …«

»Oma!«, rief Annabelle panisch. »So ausführlich wollen wir das gar nicht wissen!«

(Allerdings klärte sich jetzt auch, wie der Manschettenknopf mit den traurigen Überresten von Alexander von Hülsen ins Einweckglas gekommen war – eindeutig ein Fall altersbedingter Sehschwäche.)

»Frau Stadlmair«, richtete der Hauptkommissar das Wort an Annabelle, »ich überlasse es Ihnen, Herrn Berenson über die genaueren Umstände seiner Gefährdung zu informieren. Wir werden Ihre Frau Großmutter jetzt mit dem Hubschrauber nach unten bringen. Mehr Plätze sind leider nicht frei – schaffen Sie es zu Fuß?«

Bloß nicht! Ich friere ja jetzt schon wie ein Koalabär in der Arktis!

»Nun ja, denke schon«, antwortete Annabelle sehr tapfer, weil sie sich vor Fabian keine Blöße geben wollte. Falls ihr Herz recht behielt, würde er noch früh genug die eine oder andere Phobie an ihr entdecken.

»Und Abflug«, ordnete Hauptkommissar Andernach an. »Somit sollte die Puxdorfer Mordserie ein Ende gefunden haben, und meine Gattin und ich dürften einen gemütlichen Silvesterabend verbringen.« Er griente erleichtert. »Zwischen Weihnachten und Silvester zu arbeiten wäre übrigens gar nicht so schlimm. Zwischen Silvester und Weihnachten zu arbeiten, das ist schlimm!«

»Die Was-machen-wir-Silvester-Saison wäre damit eröffnet«, stöhnte Polizeioberwachtmeister Trampert. »Wahrscheinlich werde ich wieder zu Hause rumsitzen, das alte Jahr zuschütten und mir Mut fürs neue antrinken.«

»Kommen Sie doch ins Edelweiß«, entgegnete Annabelle verbindlich. »Da gibt's eine Singleparty, also das wäre sicher was für Sie, Herr Trampert.«

»Ach, sind Sie auch dabei?«

»Nein«, sie tauschte einen kurzen Blick mit Fabian, »ich fliege morgen früh nach Singapur.«

»Wohlverdient, wohlverdient«, sagte Hauptkommissar Andernach. »Dann gute Reise.«

»Grüßen Sie bitte unbekannterweise Ihre Frau.«

»Wenn ich zu Hause mal zu Wort komme, tue ich das gern«, scherzte er.

»Und was geschieht jetzt mit meiner Großmutter?«, fragt Annabelle ängstlich.

Es brach ihr fast das Herz, wie klein und kläglich Oma Martha im Schnee stand, eine tapfer liebende Großmama, die Annabelle nie anders als wohlwollend und gütig erlebt hatte.

Hauptkommissar Andernach schien Ähnliches durch den Kopf zu gehen. Er musterte Oma Martha von der Seite, bevor er antwortete.

»Wir bringen Ihre Großmutter ins Edelweiß, Frau Stadlmair. Von einer Anzeige sehe ich ab, muss jedoch betonen, dass dies nur unter Vorbehalt gilt. Sofern ein weiterer Toter auftaucht, wandert die alte Dame schnurstracks in Sicherheitsverwahrung.«

»Danke, Herr Kommissar, dass Sie Gnade vor Recht ergehen lassen«, hauchte Annabelle.

»Betrachten Sie es als nachträgliches Weihnachtsgeschenk.«

»Gott schütze Sie«, flüsterte Oma Martha und bekreuzigte sich ein weiteres Mal. »Ich werde Sie und Ihren Kollegen in meine Gebete einschließen.«

»Könnten S' bitte auch eine Kerze für mich anzünden? Damit ich endlich eine nette Frau kennenlerne?«, fragte Kollege Trampert.

»Die Einladung steht«, bekräftigte Annabelle. »Willkommen zum Single-silvester ins Edelweiß. Wir sind spezialisiert auf Deckel für Pfannen.«

»Das verstehe, wer will«, wunderte sich Fabian.

Die beiden Beamten hakten Oma Martha unter, halfen ihr in den Helikopter und stiegen selbst ein. Als der Motor ansprang und die Rotorblätter sich zu drehen begannen, wirbelte Schnee auf, der Annabelle und Fabian in ein weißglitzerndes Inferno tauchte. Fabian klopfte ihr den Schnee von der Jacke, was sie als höchst angenehm empfand.

»Und was machen wir jetzt?«, lächelte er.

»Willst du denn gar nichts über Oma Marthas mörderischen Feldzug gegen das Böse erfahren?«, erkundigte sie sich verblüfft.

»Später, Annabelle. Komm her«, er zog sie an sich, »du frierst ja so, dass man es gar nicht mit ansehen kann.«

»Cheimaphobie, gewöhn dich schon mal dran.«

»Warum sollte ich das tun? Du fliegst morgen weg.«

Ein fader Geschmack lag plötzlich auf ihrer Zunge. Ja, dies waren ihre letzten Stunden in Puxdorf. Konnte man mehr verlangen, als diese Stunden mit einem sehr liebenswerten Mann zu verbringen? Nein, sagte ihr Kopf. Doch, kann man!, funkte ihr Herz aufgebracht dazwischen.

»Tja, Singapur, ich bin ein Glückspilz«, erwiderte sie obenhin.

»Darf ich trotzdem den Arm um dich legen, wenn wir den Berg runterstiefeln?«

»Von mir aus.«

Arm in Arm begannen sie den Abstieg, in sicherer Entfernung zum Abgrund der Höllenklamm. Rechts und links des kleinen Trampelpfads, dem sie abwärts folgten, lag der Schnee fast schulterhoch, und der Wind blies stetig stärker. Unaufhaltsam kroch die Kälte heran, unter Annabelles Daunenjacke, unter ihre Jeans, sogar in ihre Moonboots. Der Anblick der majestätischen Berglandschaft würde sie nicht mehr lange dafür entschädigen können, dass sie quasi zu Eis erstarrte.

Unterdessen schaute Fabian sie immer wieder von der Seite an, bis er in Lachen ausbrach.

»Herrje, du siehst aus, als ob du schon erfroren wärst. Man weiß ja gar nicht mehr, ob man sich als Arzt, Psychologe oder Gerichtsmediziner über dich beugen sollte.«

»Des is ghupft wie gsprunga.«

Annabelle hatte absichtlich Dialekt gesprochen, um ihn ein bisschen zu ärgern. Komisch. In Fabians Gegenwart war es immer ein bisschen wie in der Schule, wo die Jungs die Mädchen neckten und die Mädchen es ihnen mit gleicher Münze heimzahlten.

»Wenn du nicht morgen nach Singapur fliegen würdest, hätte ich jetzt so einiges Unvorsichtiges gesagt«, lächelte er.

»Ach ja?« Sie erwiderte sein Lächeln, weil alles andere viel zu anstrengend gewesen wäre. Gleichgültigkeit mimen, beispielsweise.

Seine Hand, die auf ihrer Schulter lag, streichelte ihren Oberarm.

»Die Betonung liegt auf wenn, Annabelle. Also. Wenn ich eine Katze wäre, würde ich alle neun Leben mit dir verbringen.«

Damit brachte er sie prompt aus dem Takt des Gleichschritts, in den sie intuitiv verfallen waren, und sie machte halt, um ihm geradewegs ins Gesicht zu schauen.

»Wenn ich ein Hund wäre, würde ich dir jeden Abend die Hausschuhe apportieren.«

Sein lautes, herzhaftes Lachen erzeugte auf der gegenüberliegenden Felswand ein Echo, das in Annabelles Ohren klingelte wie ein Weckruf. Achtung! Jetzt bloß nicht sentimental werden!

»Und wenn ich ein Fisch wäre, würde ich dich mit Blubberblasen erfreuen«, alberte sie weiter.

»Wenn ich du wäre, hätte ich einen Vogel«, revanchierte er sich.

»Wie war das?« Sie streckte ihm die Zunge raus. »Du bist so frech.«

»Du bist so süß …«

Er streifte einen Handschuh ab und hob ihr Kinn an. In seinen Augen lag der Widerschein des blendend weißen Schnees, doch fast schien es, als leuchteten sie auch von innen.

»Wenn du nicht im Begriff wärst, in ein neues Leben zu starten, würde ich dich jetzt glatt küssen.«

Sie wollte es so sehr. Sehnsüchtig betrachtete sie seinen Mund und die kleine rosa Zungenspitze, die zwischen den ebenmäßigen Zähnen spielte. Eine unerklärliche Wärme breitete sich in ihrem Brustkorb aus. Anna Elisabeth Maria Stadlmair, was machst du hier? Stehst kurz vor der endgültigen Abreise und dem sicheren Kältetod, willst einen Mann küssen, den du nie wiedersehen wirst, und dann wird dir auch noch warm ums Herz? Hast du noch alle Schrauben im Schrank?

»Küssen ist immer eine gute Idee«, flüsterte sie. »Doch nicht, dass mir Klagen kommen, wenn ich in Singapur bin. Ich werde dort sehr viel zu tun haben.«

Sein Lächeln lockte jetzt auch noch den Schalk in seinen Augenwinkeln hervor. Musste dieser Mann unbedingt alle Register ziehen?

»Eigentlich kenne ich dich noch gar nicht, Annabelle«, auch seine Stimme lächelte, »aber eins ist mir schon klargeworden: Du hast wirklich für jede Lösung ein Problem.«

»Dann pass bloß auf, dass du nie meine Lösung wirst.«

So, diese Antwort hatte sie noch einigermaßen hinbekommen. Doch wie ging es jetzt weiter? Sollte, durfte sie ihm gestehen, wie groß die Anziehungskraft war, die sie wie eine Magnetnadel auf ihn ausrichtete, so dass sie ihn immer anschauen musste? *Man darf nie als Erster seine Zuneigung zeigen, schon gar nicht als Frau? So bleibt man auf jeden Fall interessanter? Und für immer allein?* Annabelle wollte nicht interessant sein (und allein schon gar nicht, haha). Sie wollte Zuneigung, mehr war ja nach wenigen Tagen Bekanntschaft gar nicht zu erwarten, und mehr konnte sie auch gar nicht gebrauchen, da sie gerade ihre Zelte abbrach. Doch Annabelle wollte auch Gewissheit, ob diese Zuneigung seinerseits überhaupt existierte.

»Was«, sie räusperte sich, »motiviert dich denn zu einem eventuellen – na ja, Kuss?«

Um seine Mundwinkel zuckte pures Amüsement.

»Schwierige Sache. Dafür gibt's nämlich keine Worte, das könnte ich nur durch Küssen vermitteln. Ist ja auch irgendwie eine Sprache.«

»Und du hast jetzt Sprechstunde?«, recycelte Annabelle Tonis Witz aus der Küche.

Der Wind zerrte an ein paar Haarsträhnen, die unter seiner Mütze hervorlugten, seine Scheinwerferaugen strahlten sie an.

»Hm, ob eine Stunde ausreicht, kann ich nicht vorhersagen. Könnte ein bisschen länger dauern. Wenn's richtig schlecht läuft, ein ganzes Leben lang.«

Damit hatte er sie. Annabelle spürte die Kälte nicht mehr. Nur, wie sich ihr Herz auf links drehte, ihre Knie nachgaben und ihre Augen zuklappten wie bei diesen altmodischen Puppen, die man nur in die Waagerechte kippen musste, damit der Mechanismus einsetzte. Behutsam legte Fabian seine Arme um sie, und ein Gefühl samtener Geborgenheit hüllte sie ein. Sein Atem streifte ihr Kinn. Sie erschauerte. Unversehens war es wieder da, das Stückchen zitternder Ewigkeit, das ekstatisch aufgeladene Vakuum, das sie einsaugte, von Sternenstaub umflort, Umkehr unmöglich, Umtausch ausgeschlossen. Ihre Lippen öffneten sich. Ewigkeit. Jaaaa. Jetzt.

Es geschah, obwohl sie bis zur letzten Sekunde befürchtet hatte, dieser heilige Moment könnte erneut zerstört werden. Kalte Lippen senkten sich auf ihre Lippen, sie atmete den Duft seiner Haut ein, fühlte seine Zunge, die so oft bewunderte Zunge in ihrem Mund, und sie war warm, so wie sein Mund, den sie mit überschwänglichem Pioniergeist erforschte. Ein wahrer Glücksrausch erfasste sie, denn alles fühlte sich an, als ob Feuerwerksraketen explodierten, mit einem anfänglichen Knalleffekt, der in einem Sternenregen verglühte, um sofort einen neuen Sternenregen erblühen zu lassen. Es gab überhaupt nichts anderes mehr auf der Welt als diesen Kuss, der eine Welt in sich war.

Epilog

Nein, Annabelle war nicht nach Singapur geflogen. Sie hatte auch um keinen weiteren Aufschub gebeten. Sich nur tausend Mal bei der Direktion des Mandalay Bay Hotel entschuldigt, als Grund ihrer Absage dringende Familienangelegenheiten genannt und sich danach einen Keks gefreut, in Puxdorf bleiben zu dürfen. Bei ihrer Familie, ihren Freunden, bei Fabian. Nach wie vor wohnte sie im Edelweiß, arbeitete im Edelweiß und – neuerdings liebte sie auch im Edelweiß. Es fühlte sich an wie Express-Flitterwochen. Ein Honeymoon, süßer als der aromatische Almblütenhonig, den der Dorfimker in Bettys Bäckerei verkaufte.

Natürlich gingen sie und Fabian die Sache vorsichtig an. Immer schön auf dem Teppich bleiben, sagte sich Annabelle allmorgendlich, wenn sie neben ihm aufwachte. Ein Vorsatz, der nie sonderlich lange anhielt (so ungefähr zwei Sekunden), bevor sie sich dann dem Taumel der Leidenschaft hingaben.

An diesem Silvestermorgen war es nicht anders. Ein grauer, diesiger Nebeldunst, gefiltert durch ein halbtransparentes weißes Stoffrollo, sorgte für kosmetisches Dämmerlicht. Gnädig verschluckte dieses Licht alles, was eine Frau Mitte dreißig von einer makellosen Zwanzigjährigen unterschied. Doch das war ohnehin ein Thema, das nur Annabelle zuweilen beschäftigte. Fabian interessierte sich nicht die Bohne für Oberschenkeldellen oder andere kleine Makel, die Frauen an sich selbst nervös machten. Er sagte immer: Wir lieben jemanden nicht, weil er schön ist, sondern wir finden jemanden schön, weil wir ihn lieben. Das wiederum war einer dieser Sätze, für die Annabelle ihn liebte.

Ja, Fabian war ein besonderer Mann, und sie begehrte ihn wie keinen Mann zuvor. Er lag neben ihr auf dem Rücken, schlafend, doch seine Wimpern begannen schon leicht zu flattern. Fasziniert betrachtete sie sein Profil, den Bartschatten auf seinen Wangen, horchte auf sein zufriedenes Seufzen. Im Aufwachen drehte er sich auf die Seite, seine Hand tastete nach ihr, erwischte ihre linke Hüfte und fing an, sie sacht zu streicheln.

Annabelle wand sich unter seinen Berührungen. Sie waren zwar erst seit vier Tagen zusammen, dennoch staunte sie, dass der Zauber solcher Zärtlichkeiten einfach nicht nachließ, sondern sich sogar steigerte, jeden Tag ein bisschen mehr. Nach dem ersten Rausch stellte sich allmählich eine Vertrautheit ein, das selige Fallenlassen ineinander. Leise stöhnend drehte sie sich ebenfalls auf die Seite. Fabian hatte die Augen noch halb geschlossen, doch eine kurze Besichtigung südlicherer Gefilde ergab, dass seine Männlichkeit bereits kraftvoll erwacht war. Wie sie diesen Anblick liebte!

Vorsichtig streckte Annabelle eine Hand aus und kraulte mit den Fingerspitzen Fabians Rücken. Mittlerweile wusste sie, dass es da diese sehr empfindliche Stelle oberhalb der Pogrübchen gab, die ihn schon bei geringstem Druck in den Wahnsinn trieb. Annabelle nannte es die Rambazamba-Zone. Ganz egal, was sich andere Leute darunter vorstellten, sie fand, es sei eine sehr betreffende Bezeichnung für das, was zuverlässig folgte: absolute Raserei.

Eine schwindelerregende Sternenreise später lagen sie eng umschlungen in dem Doppelbett, das seit wenigen Tagen in Annabelles Zimmer stand. Es war nicht die einzige Veränderung. Sie hatte die Wände in zartem Gelb gestrichen (eigenhändig, mit Feuereifer) und dem Raum mit kleinen Details eine intime Note verliehen. Das Stoffrollo war neu, so wie der flauschige hellblaue Teppich vor dem Bett. Die Kristallschale auf dem Tisch, in der Rosenblüten schwammen, und die hübsch bemalten hölzernen Kerzenleuchter daneben hatte Annabelle auf dem Speicher gefunden. Eine Stehlampe im Barockstil, deren Glühfadenbirne man dimmen konnte, sowie neue cremefarbene Seidenbettwäsche rundeten die Neugestaltung ab. Dies war kein Kinderzimmer mehr, es war ein Liebesnest.

Leicht benommen kuschelte sie sich an ihn. Fabian hatte einen Arm um sie gelegt, seine Lippen streiften ihre Stirn. Mit einer großen Zehe kitzelte Annabelle seine Wade.

»Gut geschlafen?«

»Herr Huber hat wieder geschnarcht«, murmelte er. »Es ist die Hölle, hier zu übernachten.«

»Ich weiß. Die reine Folter. Geht mir genauso.«

Verliebt strahlten sie sich an. Die kleinen Kabbeleien gehörten zu ihrem persönlichen Liebescode. Wer dieses Paar nichtsahnend belauschte, hätte einen jahrelang schwelenden Ehestreit vermutet, doch glücklicherweise verfügte Fabian über sehr viel Sinn für Ironie und Sarkasmus, womit er haargenau Annabelles Humor traf.

»Ich finde dich ja auch so gar nicht erotisch«, raunte er, während seine Lippen ihr verwuscheltes Haar streiften.

Seit dem Tag zuvor trug Annabelle es weißblond, weil es keinen Friseur in Puxdorf gab und Betty traditionell alles färbte, was weiblich und über fünfzehn war (man munkelte, auch einige in die Jahre gekommene Herren begäben sich heimlich in Bettys Hände). Die Achtziger-Jahre-Gedächtnis-Frise störte Annabelle überhaupt nicht. In New York hätte sie sich nirgends damit blicken lassen können, in Puxdorf war es okay. Man achtete zwar auf sich, aber es gab nicht wie in New York und speziell im Imperial Ambassador den kritischen Blick der Geschlechtsgenossinnen, die nur darauf warteten, dass eine Frau die falsche Haarfarbe, die falsche Rocklänge oder die falsche Lippenstiftfarbe zur Schau trug. Puxdorf war anders. Man schaute einander in die Augen und von dort direkt ins Herz.

»Soso, ich bin also gaaar nicht sexy«, knüpfte sie an Fabians Neckerei an. »Dann passen wir ja perfekt zusammen, schließlich hast du die Erotik eines schlabbrigen Toastbrots.«

»Dafür singst du nachts im Schlaf, dauernd bekomme ich Alpträume«, lachte er.

»Ja, und jetzt fragst du dich bestimmt, wo ich all die Jahre gewesen bin und wie du ohne mich auskommen konntest.« Sie küsste seinen Hals. »Es heißt übrigens permanent, nicht dauernd.«

»Frechdachs.«

»Vorlauter Kerl.«

Glücklich drängten sie sich aneinander. Ob das mit uns Bestand haben wird?, überlegte Annabelle. Nicht nur fünf Tage, nein, fünf Jahre, fünfzehn, möglicherweise sogar fünfzig? Geht das überhaupt? Mit dieser Unbeschwertheit? Noch machten sie einen großen Bogen um Zukunftsfragen. Ohne, dass sie groß darüber sprachen, wollten sie die Leichtigkeit erhalten. Keine Pläne schmieden, nur den Moment genießen. Das Leben. Die Liebe. Täglich versicherten sie einander, man solle nichts überstürzen.

Doch Annabelle wäre nicht Annabelle gewesen, wenn sie nicht auch an die Zukunft gedacht hätte. Manchmal ertappte sie sich jetzt wieder bei dem

Gedanken an Kinder. Auch dafür war es letztlich noch viel zu früh. Aber mit fünfunddreißig tickte die Uhr lauter als ihr alter verbeulter Wecker.

»Wie weit bist du eigentlich mit dem Oberleitner-Vertrag?«, fragte sie. Ein listiger Ausdruck trat in sein Gesicht.

»Ach so, du schläfst nur mit mir, weil du mich aushorchen willst. Verstehe. Hat Herr Huber dich dazu angestiftet? Ich glaube, ich muss mal ein ernstes Wort mit meinem Nebenbuhler reden.«

Sie richtete sich halb auf und stützte einen Ellenbogen aufs Kopfkissen (was ihr ganz nebenbei einen exzellenten Blick auf sein hinreißend vom Schlaf zerknautschtes Gesicht bescherte).

»Ohne Spaß, Fabian – geht das weiter mit dem Hotelprojekt? Was hast du vor?«

Schon an der Art und Weise, wie er Luft holte, erkannte Annabelle, dass er nun etwas Gewichtiges von sich geben würde.

»Es war ein hartes Stück Arbeit, die Anwälte trotz der Feiertage davon zu überzeugen, alle Verträge noch einmal durchzugehen und gewisse Passagen zu streichen – das Edelweiß betreffend.« Gedankenverloren spielte er mit ihren Haaren. »Diese hirnrissigen Pläne konnte ich Gerhard Oberleitner zum Glück ausreden, doch es war ein Kampf. Wusstest du, dass er Andi enterben wollte, als er erfuhr, dass er nicht der genetische Vater ist? Gott sei Dank hat sich alles eingerenkt. Andis Mutter geht es auch wieder viel besser.«

»Familiengeheimnisse«, seufzte Annabelle und dachte an Mary-Jo. Seit Tagen konnte sie ihre Freundin nicht telefonisch erreichen. »Erst wenn die Geheimnisse ans Licht kommen, lösen sich die Blockaden.«

Das beste Beispiel dafür bot Therese Stadlmair. Ihre Trauer war verflogen, ihre Antriebsschwäche, ihre Resignation. Auch die Eheprobleme schienen sich zu lichten. Einmal war sie mit ihrem Alois sogar erst um halb zehn zum Frühstück erschienen, errötend wie ein Teenager. Annabelles Vater hatte erklärt, wer einatme, müsse auch ausatmen, und wer einschlafe, müsse auch ausschlafen; ihre Mutter hatte verlegen vor sich hin gesummt (leider hielt sich ihr Gesangstalent wie bei Annabelle in Grenzen).

»Ich brauche natürlich einen Bodyguard, wenn ich mich weiter in Puxdorf aufhalte«, grinste Fabian. »Du hast bestimmt das Mördergen von deiner Oma geerbt, könnte also gut sein, dass ich eines Morgens neben dir aufwache und tot bin.«

»O bitte, erinnere mich nicht daran«, stöhnte Annabelle.

Selbst ihr Humor kannte Grenzen, und die Puxdorfer Mordserie lag ihr immer noch schwer im Magen.

»Entschuldige, Schatz, tut mir aufrichtig leid.« Fabian nahm ihre Hand und hauchte einen Kuss darauf. »Kommt nicht wieder vor. Doch es beschäftigt mich nun einmal. Was soll ich sagen – nicht jeder kann von sich behaupten, eine Rächerin des Bösen in der Familie zu haben, oder?«

Nachdenklich schaute Annabelle zum Familienfoto an der Wand, das eine nette kleine Familie zeigte, mit einer lieben Oma, deren gütige Miene noch den aufmerksamsten Betrachter in die Irre geführt hätte. Doch es gab halt auch die dunkle Seite dieser alten Dame, für die Hexen und Teufel so selbstverständlich existierten wie Sonne, Mond und Sterne. Mit den besten Absichten hatte sie schreckliche Dinge getan, die sie inzwischen aufrichtig bereute.

»Wir leben in einer anderen Welt, Fabian. Wir sind aufgeklärt, verlassen uns auf Informationen und Fakten, auf wissenschaftliche Erkenntnisse. Oma Martha fürchtete sich vor dem Bösen. Bis eine dämonische Besessenheit daraus wurde.«

»Mit der Pointe, dass sie wohl erst durch den Aberglauben das Böse in ihr Leben eingeladen hat«, erwiderte Fabian versonnen.

Damit traf er den Nagel auf den Kopf. Es erstaunte Annabelle immer wieder, wie hellsichtig er Menschen analysierte (okay, und sie hatte Lust, stolz auf ihn zu sein).

»Das ist jetzt vorbei«, sagte sie mit Nachdruck. »Ich habe mich mit Oma Martha ausgesprochen, und auch unsere beiden Ermittler haben sie noch einmal ins Gebet genommen. Seitdem geht sie jeden Tag in die Kapelle und gedenkt der vier, also, hm, der drei Verstorbenen. Der Kerzenverbrauch in der Kapelle ist auch deutlich gestiegen.«

»Sogar bei mir hat sie sich entschuldigt.« Fabians Blick glitt zum Fenster. »Gestern, draußen auf der Veranda. Als Wiedergutmachung hat sie mir eine Schweinshaxe, eine *Mensch-ärgere-dich-nicht*-Session und einen Holunderschnaps angeboten. Bis auf den Schnaps habe ich das akzeptiert. Ich mag sie, ehrlich.«

Aufatmend schmiegte sich Annabelle in seine Arme. Nein, nachtragend war Fabian nun wirklich nicht. Sie liebte ihn für seinen Großmut sowie für seine Lebensklugheit.

»Lassen wir die Toten für immer ruhen. Heute ist Silvester, das perfekte Datum für einen Neustart, oder?«

Einmal noch schwebte eine dunkle Wolke durch den Raum, dann löste sie sich auf. Annabelle und Fabian seufzten synchron. Ja, es war vorbei.

»Was ist denn nun mit dem Resort und mit Andi?«, wechselte sie ganz ohne Apropos das Thema.

Fabian langte nach seinem Handy, warf einen kurzen Blick auf die vielen Nachrichten, die sein Display anzeigte, und legte es auf den Nachtschrank zurück.

»Ich gebe zu, anfangs konnte ich Andi nicht ausstehen. Mittlerweile habe ich einen guten Draht zu ihm. Zusammen entwickeln wir meine Idee eines ökologisch korrekten Hotelresorts weiter. Isabel war ja strikt dagegen. Die wollte nur das schnelle Geld, egal, was das für die Umwelt und die Menschen hier bedeutet hätte. Doch unter den neuen … na ja, Voraussetzungen habe ich freie Bahn.«

Wow. Jetzt wurde Annabelle richtig wach. Sie rutschte ein wenig höher und stopfte sich das Kopfkissen in den Rücken.

»Für so eine Idee hättest du hier im Dorf großartige Unterstützer! Ferdi sprach auch schon von einem Ökoresort. Ihr könntet kooperieren, schließlich liegt er mit seinen naturbelassenen Bisons ganz vorn. Betty kann dir vollwertiges Brot und Brötchen liefern, und Mitzi – hm, Intimschmuck passt vielleicht nicht ganz ins Konzept, oder?«

Fabian drehte sich auf den Bauch und bettete seinen Kopf auf die gekreuzten Unterarme. Schräg von unten lächelte er sie an.

»Wenn ich einen nachträglichen Weihnachtswunsch äußern dürfte – bitte kein Intimschmuck. Nicht an dir, nicht, autsch, an mir. Und falls ich noch einen weiteren Wunsch frei habe, gäbe es eine Wunschkandidatin für mein Projektteam.«

»Lass mich raten. Fanny?«

»Nein, ich spreche von einer Person, die nichts draufhat, alles besser weiß und so unsexy ist, dass …«

Zack, schon hatte er Annabelles Kissen am Kopf, das postwendend zurückkam. Nach einer übermütigen Kissenschlacht nahm Fabian sie in den Schwitzkasten.

»Du bist verhaftet!« Er verstärkte den Druck seiner Arme. »O sorry, keine makabren Scherze mehr. – Liebes, könntest du dir vorstellen, im Team zu sein? Das Ökoresort mit zu planen und anschließend zu managen?«

Ein Glücksschauer überlief Annabelle. Was Fabian ihr gerade anbot, war nicht einfach ein Job. Es war wie ein Versprechen, dass er mit ihr zusammenbleiben wollte.

Sie deutete auf ihren Unterarm.

»Schau mal, ich habe Gänsepeter vom Feinsten. Klingt wirklich verlockend. Andererseits ist dir ja bekannt, dass ich an Dezidophobie leide. Also? Könntest du mir die Entscheidung bitte erschweren? Wo ist der Haken?«

Sein verschmitztes Lächeln wurde breiter.

»Du müsstest mich jeden Tag sehen. Jeden Tag mit mir sprechen. Das Leben mit mir teilen.«

»Hm. Ein ziemlich großer Haken.«

Mit beiden Händen zog er ihren Kopf zu sich heran und tupfte zärtliche Küsse auf ihr Gesicht.

»Annabelle, wir stehen ganz am Anfang, das wissen wir beide. Ich habe ein sehr gutes Gefühl, doch es gibt keine Garantien …«

»Nur für Toaster und Waffeleisen«, zitierte sie Mary-Jo.

»Immerhin, ich habe es schon im Bus gespürt – einen Gleichklang, eine besondere Verbundenheit, als ob wir uns ewig kennen würden. Wollen wir es versuchen? Gemeinsam?«

Ihre Antwort bestand aus einem langen Kuss, und Fabian besiegelte den Kontrakt, indem er ihren Kuss erwiderte. Im selben Moment ging Annabelle auf, was für ein Sechser im Lotto ihr da möglicherweise in den Schoß fiel. Eine harmonische Balance zwischen Arbeiten und Leben. Eine Beziehung, in der man einander nicht an- und ausknipste, sondern füreinander da war. Und das alles in einem Umfeld, in das auch Kinder passten. Puxdorf mochte winzig sein, ländlich, abgeschieden, für Kinder war es das Paradies. Sie konnten draußen spielen, unkompliziert Freunde treffen, und die Eltern waren jederzeit erreichbar.

»Woran denkst du?«, fragte Fabian zwischen zwei weiteren Küssen.

Annabelle verschwieg ihm wohlweislich, wie weit in die Zukunft ihre Gedanken gerade geflogen waren. Eins nach dem anderen.

»Ich denke gerade darüber nach, wie viel Zeit uns bis zum Frühstück bleibt«, lächelte sie und berührte die Rambazamba-Zone.

*

Noch eine halbe Stunde bis Mitternacht. Die Tische in der überfüllten Gaststube waren beiseitegeschoben worden, alle Gäste tanzten, und der Holzboden erzitterte unter dem Getrappel der vielen Füße, die sich im Rhythmus der mitreißenden Musik bewegten. Sogar der ausgestopfte Wildschweinkopf an der Wand wackelte. Von der Decke hingen Luftschlangen, aufgedrehte Kinder warfen mit Konfetti, aus den Lautsprecherboxen röhrte Barry Whites samtweiche Stimme *You're the first, my last, my everything.* Annabelle, die ein Tablett mit Biergläsern vor sich hertrug, sang aus voller Brust mit (was bei dem Geräuschpegel zum Glück nicht weiter auffiel). Kein Zweifel: Die Singlesilvesterparty im Hotel Edelweiß näherte sich dem Höhepunkt.

Sie schaute zu ihren Eltern. Auch Therese und Alois Stadlmair tanzten, jedoch etwas verhaltener und trotz der fetzigen Musik eng aneinandergeschmiegt. Es schien ganz so, dass sie einen zweiten Frühling ihrer Ehe erlebten. Andi tanzte mit Betty, die sich in ein tief dekolletiertes Glitzerkleid geworfen hatte, Toni vollführte waghalsige Hebefiguren mit der kreischenden Mitzi (in ihrem hautengen lila Catsuit wäre sie an den Türstehern jedes angesagten New Yorker Clubs vorbeigekommen). Fanny, deren tomatenrotes Dirndl ihrer Blässe etwas Nobles verlieh, wurde hingebungsvoll von Sepp herumgeschwenkt. Ferdi, in einem buntbestickten indischen Gewand der Paradiesvogel dieser Party, tanzte mit seiner Frau, sehr ruhig, sehr selbstvergessen, Xaver becircte eine kurvige Singledame aus der Gästeschar, die verzückt an seinen Lippen hing.

Das Puxdorfer Sixpack war zu neuem Glanz auferstanden. Schon das Schnippeln und Brutzeln nachmittags in der Küche hatte sich wie eine Party angefühlt. Alle hatten mitgeholfen, die vollzählige Clique. Sie waren wieder eine verschworene Gemeinschaft geworden und hatten Xaver in ihre Mitte aufgenommen. Jetzt wechselten sie sich im Halbstundentakt mit dem Servieren der Getränke ab. Auch Max, der am Zapfhahn stand, wurde regelmäßig abgelöst (er verschwand dann im Familienzimmer, weil sämtliche Kinder *Mensch ärgere dich nicht* mit ihm und Oma Martha spielen wollten).

Sogar Kollege Trampert war erschienen, in einem dunklen Anzug mit rot-weiß gestreifter Fliege. Es hatte nicht lange gedauert, bis er eine weibliche Fangemeinde um sich versammelt hatte, die er mit gemütvoll erzählten Mordgeschichten unterhielt. Jetzt tanzte er schlenkernd mit einer Dame, deren langes dunkles Haar im Takt der Musik wippte.

Es gab nur einen einzigen Wermutstropfen für Annabelle: Nach wie vor konnte sie Mary-Jo nicht erreichen. Deren Handy war tot, auf dem Anruf-beantworter der Praxis lief nur ein Band, sie sei bis auf weiteres im Urlaub. Annabelle hatte bereits Simon gebeten, sich auf die Suche nach Mary-Jo zu begeben, bisher ohne Erfolg.

»Hey Anna, schon gemerkt?«, rief Toni ihr zu. »Xaver hat was Neues am Start! Der quatscht die arme Frau total zu! Ganz schön mutig, nachdem seine letzte Liaison tödlich ausging.«

Kichernd hing Mitzi an seiner Schulter.

»Xaver ist ja nicht blöd, er hat nur etwas Pech beim Nachdenken. Dafür segeln Fanny und Sepp so langsam ins Meer der Gefühle.«

Ja, die beiden hatten sich offensichtlich gesucht und gefunden. Fannys Kopf lag auf Sepps Schulter, er tätschelte hingebungsvoll ihren Nacken. Es passt einfach, dachte Annabelle beglückt. Topf, Deckel, fertig ist das Leib-gericht, so wunderbar leicht geht das manchmal.

Hände griffen nach den Bieren auf ihrem Tablett, und nachdem es sich geleert hatte, schob sie sich durch die Tanzenden bis hinter den Tresen. Fa-bian, der zur Feier des Abends ein hellgraues Jackett zur Jeans trug, hielt sich wacker mit dem Bierzapfen. Er zwinkerte ihr zu, während er sich Mühe mit einer besonders prächtigen Schaumkrone gab. In einen ganz neuen Ge-danken vertieft, holte Annabelle Sektgläser aus dem Regal und stellte sie auf die Theke.

»Was hältst du davon, wenn wir im Edelweiß Single-Urlaube mit Kind anbieten?«, fragte sie. »Fanny könnte das Unterhaltungsprogramm über-nehmen und ihre eigenen Kinder mitbringen. Damit verdient sie sich was dazu, und bestimmt wäre sie glücklich, fest im Team zu sein.«

»Kinder …«, Fabians Lächeln verbündete sich mit dem Schalk in seinen Augenwinkeln, »damit sich das lohnt, sollten wir vielleicht auch unseren Beitrag dazu leisten?«

Hatte er ihre geheimsten Gedanken erraten? Annabelle wurde rot. Schnell ging sie in die Hocke, um einige Sektflaschen aus dem Kühlschrank unter dem Tresen zu holen.

»Darüber unterhalten wir uns nächstes Jahr. Ich finde, in diesem Jahr ist schon genug passiert.«

»Es ist kurz vor zwölf.« Er lachte spitzbübisch. »Wir haben noch ungefähr zehn Minuten, uns gegenseitig das Herz zu brechen, danach gibt es kein Entrinnen mehr. Im neuen Jahr werde ich nämlich nicht lockerlassen, bis sich die Frau mit der Dezidophobie endgültig für mich entscheidet.«

»Dezidophobie?«, ertönte eine weibliche Reibeisenstimme. »Hier ist wohl psychologische Betreuung vonnöten!«

Annabelle schoss so schnell in die Höhe, dass Sternchen vor ihren Augen herumtanzten.

»Mary-Jo?«

Sie war es wirklich. Auf ihrem schwarzen Mantel lag ein Kragen aus Schneeflocken, ihr rotes Haar verbarg ein Basecap mit der Aufschrift *Vorsicht, nicht therapierbar.* Im Laufschritt umrundete Annabelle den Tresen und stürzte in die ausgebreiteten Arme ihrer Freundin.

»Hey, hey.« Mary-Jo klopfte ihr auf die Schulter. »Lass dich erst einmal anschauen. Ist das etwa eins dieser sagenhaften Dirndl, von denen du mir erzählt hast?«

Annabelle drehte sich einmal im Kreis.

»Ja, mein Festtagsdirndl – man beachte die eingestickten silbernen Tautropfen auf den Rosenblüten. Ach, Mary-Jo, ich kann gar nicht glauben, dass du wirklich da bist!«

»Na ja, ich dachte, bevor wir schon wieder ein Jahr älter sind …«

»… und noch erwachsener«, lachte Annabelle.

Mary-Jo zog den Mantel aus, unter dem sie ihr kobaltblaues Strickkleid zu hohen schwarzen Stiefeln trug.

»Älter werden ist unvermeidlich, erwachsen werden optional, Belle.« Sie sah sich scheu um und senkte ihre Stimme. »Ich war wirklich in Sorge um dich. Was ist mit den drei Leichen?«

»Es sind inzwischen vier«, flüsterte Annabelle. »Doch der Mörder ist gefasst. Die Mörderin, besser gesagt.«

»Vier …? Du liebe Güte, Belle!«

Unterdessen hatte Fabian die Sektgläser gefüllt. Toni und Betty verteilten sie unter den Gästen, die in Erwartung des unmittelbar bevorstehenden Jahreswechsels zum Tresen drängten.

»Es ist gleich so weit!«, rief Toni. »Wir zählen runter!«

»Zehn, neun, acht …«, erschallte es aus den Kehlen. »… drei, zwei, eins – frohes neues Jahr!«

Dann geschah so vieles gleichzeitig, dass Annabelle fast den Überblick verlor. Sepp küsste Fanny, was schon mal eine kleine Sensation war. Fabian drückte sie an sich und legte ihr eine Kette um, an der ein kleiner silberner Hubschrauber baumelte (»weil du mich gerettet hast, in jeder Hinsicht«). Toni startete eine wild blinkende Minidrohne, die auf ihrem Flug durch die Gaststube Glitzerstaub regnen ließ, Mitzi überraschte ihn mit einem saftigen Kuss auf die Stirn.

Am aufregendsten aber fand Annabelle den Blick, den Andi und Mary-Jo tauschten. Mittlerweile war sie ja so was wie eine Expertin auf dem Gebiet der magischen Momente, und die Art und Weise, wie sich die beiden mit den Augen aneinander festsaugten, haute sie einfach nur um. Mary-Jo, die überaus reflektierte, alles hin und her wendende Psychologin, spontan fasziniert? Vielleicht sogar schockverliebt?

Ein Strudel aus Neujahrswünschen, Umarmungen und neuerlichen Tanzeinlagen riss Annabelle mit, so dass sie nicht weiter darüber nachdenken, geschweige denn weitere zweckdienliche Beobachtungen anstellen konnte. Erst als alle draußen auf der Veranda standen und das farbenprächtige Feuerwerk bewunderten, das Toni abbrennen ließ, nahm sie ihre Freundin beiseite.

»Verrätst du mir endlich, was dich die ganze Zeit über so bedrückt hat?«

Mary-Jo holte eine Zigarettenschachtel aus ihrer Manteltasche, betrachtete sie unschlüssig und steckte sie wieder ein.

»Ich muss dir etwas beichten«, erwiderte sie leise. »Etwas Furchtbares, ehrlich gesagt. Aus irgendeinem Grund hatte ich mich in Simon verrannt.«

»Verrannt?«

Der Widerschein des Feuerwerks färbte Mary-Jos Gesicht grün, blau und gelb.

»War wahrscheinlich eine Projektion, weil ich mich zu sehr mit dir identifiziert habe, Belle. Noch bin ich nicht ganz sicher, ob sich darin ein unsicher-vermeidendes oder ein unsicher-ambivalentes Interaktions- und Bindungsmuster zeigt, mit dem ich meine Explorationsbedürfnisse transformiert habe.«

Annabelle ließ sich keineswegs von diesem psychologischen Kauderwelsch ablenken.

»Also hast du dich in ihn – verliebt?«, stellte sie entgeistert fest.

»Es war schrecklich, ich bestand nur noch aus Schuldgefühlen.« Mary-Jo presste kurz die Lippen aufeinander. »Dauernd bin ich im Imperial Ambassador essen gegangen, um Simon zu sehen. Ich habe ihn sogar auf Tinder gestalkt. Als er sagte, er fliege zu dir, um dir einen Antrag zu machen, wäre ich am liebsten an dem Hummer erstickt, der gerade auf meinem Teller lag.«

Das musste Annabelle erst einmal sacken lassen. Seltsamerweise spürte sie weder Enttäuschung noch Eifersucht. Nur Mitleid für ihre psychologisch versierte Freundin, die vollkommen hilflos ihrem Gefühlschaos erlegen war. Der Schuster hatte eben die schlechtesten Schuhe. Eine Kaskade bengalischer Lichter tauchte Mary-Jo in einen grünlich wabernden Schein.

»Als Simon nach New York zurückkam und von eurer Trennung berichtete, war die Obsession plötzlich vorbei. Einfach weg! Ich sah nur noch Simon, deinen Exfreund, nicht mehr Simon, den Mann, in den ich unglücklich verliebt war. Kannst du dir vorstellen, wie unendlich froh ich darüber war?«

Annabelle schaute hoch zur dunklen Leinwand des Nachthimmels, auf die Toni mit glühenden Farben sein Feuerwerk malte. Auch Gefühle konnten ein Feuerwerk abbrennen, das so schnell erlosch, wie es aufflammte. Im selben Moment wusste sie, dass ihre Liebe zu Fabian anders war. Dass diese Liebe tiefer ging. Hinter all dem Flirren und Flirten hatte von Anfang an eine intuitive Verbindung gestanden. Sie waren füreinander geschaffen. Annabelle legte einen Arm um ihre Freundin.

»Danke, dass du es mir gestanden hast, Mary-Jo. Übrigens kein Grund, den Kopf hängen zu lassen. Eine kluge Frau sagte mir mal: Ohne die Steine, die man dir in den Weg legt, würdest du nie über deine Stärken stolpern. Gestolpert bist du schon – wie wär's jetzt mit fliegen?«

Ein glitzernder Sternenregen ging über Puxdorf nieder, das grandiose Finale des Feuerwerks. Alle auf der Veranda applaudierten, auch Annabelle und Mary-Jo. Was für ein Jahresauftakt. Eine elektrisierende Aufbruchstimmung lag in der Luft, so wie bei Annabelles Abschiedsparty in New York. Mit dem Unterschied, dass sie keinerlei Melancholie verspürte, nur überschäumende Vorfreude auf alles, was das neue Jahr bringen würde.

»Hallo Ladys, ich möchte unbedingt weitertanzen.« Mit einem vagen Lächeln tauchte Andi vor ihnen auf. »Anna, Schwesterherz, bist du so freundlich und stellst mir die junge Dame vor?«

»Ich bin nicht jung!« – »Sie ist keine Dame!«, sagten Annabelle und Mary-Jo wie aus einem Mund.

Alle drei lachten los, bevor Andi die Hand ihrer Freundin ergriff und sie mit sich zog, ohne weitere Fragen zu stellen.

Annabelle sah ihnen noch hinterher, als Fabian zu ihr trat, in seiner fellgefütterten Lederjacke, mit zwei Sektgläsern in den Händen.

»Ich habe mich gerade mit Ferdi unterhalten. Sehr sympathischer Typ. Weißt du, was er mir mitgab?«

Sie nahm ihm ein Glas ab und beobachtete die kleinen Schaumperlen darin.

»Bestimmt eine seiner Buddhaweisheiten.«

»Du frierst, mein Liebes.« Fabian legte ihr seine Jacke um, zusätzlich zu ihrer Daunenjacke. »Nein, das hat Buddha natürlich nicht gesagt. Dafür etwas, was unser Mantra fürs neue Jahr werden könnte. Ich weiß nämlich, dass du«, er lächelte amüsiert, »*permanent* darüber nachdenkst, wie es mit uns weitergeht.«

»Hast du etwa hinter meinem Rücken mit Herrn Huber gesprochen?«

»Ich liebe dich, Anna Elisabeth Maria Stadlmair.« Fabians Stimme klang sanft und warm wie eine Frühlingsbrise. »Und ich bin nicht so verrückt, zu sagen: für immer, obwohl ich fest daran glaube. Ich würde alles für dich tun, Annabelle. Die Sterne vom Himmel holen, Schneemänner für dich bauen, den dicksten Pullover der Welt für dich stricken.«

Annabelle schloss die Augen und lehnte sich an ihn.

»Stricken. Interessant, hört sich wirklich nach Ferdi an. War's das schon? Das Mantra?«

»Kommt jetzt, aufgepasst: Unsere Verabredung mit dem Leben findet im gegenwärtigen Augenblick statt. Und der Treffpunkt ist genau da, wo wir uns gerade befinden.«

»Wirklich schön.« Sie rieb ihren Kopf an seiner Schulter. »Ich würde auch eine Menge für dich tun, sofern ich für den Rest meines Lebens mit dir einschlafen und aufwachen darf.«

Er lachte leise.

»Du weißt aber schon, dass du mit diesem Bekenntnis die gesamte sexuelle Revolution auf den Kopf stellst?«

»Ist mir egal.«

Sie öffnete die Augen und sah, dass er sie begehrlich anfunkelte. Oh, sie kannte diesen Blick. Ihre Knie wurden weich.

»Lust auf einen Quickie?«, fragte er.

Annabelle kicherte kokett.

»Ja, tschüss.«

Lachend nahm er sie in den Arm.

»Das war der schnellste Quickie meines Lebens.«

Ihre Kehle wurde trocken. Sie trank einen Schluck Sekt, der auf ihrer Zunge prickelte wie das Glücksbrausepulver in ihrem Bauch.

»Klingt ja echt spannend – und so was Irres habe ich verpasst?«

Auch er trank einen Schluck, dann stellte er sein Glas auf die Verandabrüstung. Aus der Gaststube erschallte Musik und Stimmengewirr.

»Du hast jetzt übrigens eine Verabredung mit dem Leben, Annabelle. Tanzen wir? Bis zum frühen Morgen?«

Sie schaute noch einmal zum verheißungsvollen Nachthimmel, und das Glücksgefühl in ihrem Bauch schwappte durch ihren ganzen Körper. Vom Scheitel bis zur Sohle bestand sie praktisch nur noch aus diesem überwältigenden Gefühl.

»Ich dachte schon, du fragst nie.«

Dank

Mein großer Dank gilt jenen wunderbaren Menschen, die Annabelles Geschichte begleitet haben. Allen voran meiner unschlagbaren Lektorin Stefanie Werk vom Aufbau Verlag, deren untrügliches Gespür und hohe Professionalität mich immer wieder begeistern. Danken möchte ich darüber hinaus dem gesamten Aufbau-Team, das mich seit vielen Jahren grandios unterstützt: Nora Friedrich, Katja Kühler, Martin Lorentz, Silke Ohlenforst, Solveig Pobuda, Oliver Pux, Tanja Schmidt, Christine Seiler und natürlich dem Verleger Reinhard Rohn. Meiner Agentur Graf & Graf möchte ich ebenfalls danken: Karin Graf und Heinke Hager, die mir stets mit Rat und Tat zur Seite stehen, sowie Hanna Dürholt, Stefan Lingg und Christian Schirle. Ich schätze mich glücklich, in einem ebenso engagierten wie liebenswerten Dreamteam zu arbeiten, ohne das meine Bücher nicht vorstellbar wären.

Einen Extradank möchte ich allen treuen Leserinnen und Lesern aussprechen. Was wäre ich ohne Euch? Besonders freut mich der lebendige Austausch in den Leserunden auf Lovelybooks und in Euren Beiträgen auf meiner Website www.ellen-berg.de! Ich danke allen, die sich mit Lob oder Kritik an mich wenden. Am schönsten ist es ehrlich gesagt, wenn ich höre: Ellen, ein Buch von Dir zu lesen, ist wie nach Hause kommen. Dann weiß ich – so kann's weitergehen!

KAPITEL EINS

In jenem Frühjahr kam der Regen in so schweren Sturm-
böen, dass er an den Dächern der Häuser riss und lärmte. Das
Wasser drang bis in die kleinsten Ritzen und untergrub noch
die stärksten Fundamente. Land, das die sichere Heimat mehrerer Generationen gewesen war, brach auf und häufte sich zu
Schlackebrocken auf den tieferliegenden Straßen, riss Häuser und Autos und Swimmingpools mit sich. Bäume stürzten um, krachten auf Stromleitungen. Flüsse traten über ihre
Ufer, überfluteten Gärten und zerstörten Häuser. Menschen,
die einander liebten, gerieten in Streit miteinander. Unterdessen fiel der Regen unablässig, und das Wasser stieg weiter.

Leni war nervös. Sie war neu in der Schule, nur ein unbe-
kanntes Gesicht in der Menge – ein rothaariges Mädchen mit
Mittelscheitel, das keine Freunde hatte und jeden Tag allein
zur Schule ging.

Sie saß auf ihrem Bett, die Knie umschlungen, die mageren
Schenkel an die flache Brust gedrückt. »Unten am Fluss« lag
aufgeschlagen neben ihr, eine Taschenbuchausgabe voller Esels-
ohren. Durch die dünnen Wände des Hauses hörte sie ihre
Mutter sagen: *Ernt, Baby, bitte nicht. Hör doch …*

Dann die verärgerte Stimme ihres Vaters: *Lass mich zufrieden, verdammt noch mal.*

Es ging wieder los. Das Streiten. Das Gebrüll.

Bald würde es Tränen geben.

Wetter wie dieses brachte die dunkle Seite ihres Vaters zum Vorschein.

Leni schaute auf die Uhr an ihrem Bett. Wenn sie sich jetzt nicht auf den Weg machte, käme sie zu spät zur Schule. Sie würde auffallen, und das war das Einzige, was noch schlimmer war, als auf der Mittelschule die Neue zu sein. Zu dieser Erkenntnis war sie auf die harte Tour gelangt. In den letzten vier Jahren war sie auf fünf Schulen gewesen, und auf keiner war es ihr geglückt dazuzugehören. Doch sie gab nicht auf und hoffte noch immer, dass sie es eines Tages schaffen würde. Sie atmete tief durch und stand auf. Leise verließ sie ihr karg möbliertes Zimmer und überquerte den Flur. An der geöffneten Küchentür blieb sie stehen.

»Herrgott, Cora«, sagte Dad. »Du weißt doch, wie schwer es für mich ist.«

Ihre Mutter machte einen Schritt auf ihn zu und streckte die Hand nach ihm aus. »Du brauchst Hilfe, Baby. Es ist nicht deine Schuld. Die Alpträume –«

Leni räusperte sich, um auf sich aufmerksam zu machen. »Hey«, sagte sie.

Ihr Vater entdeckte sie und trat einen Schritt von Mom zurück. Leni erkannte, wie müde er aussah, wie abgekämpft.

»Ich ... ich muss zur Schule«, sagte Leni.

Mom griff in die Brusttasche ihrer rosafarbenen Kellnerinnenuniform und holte ein Päckchen Zigaretten heraus. Sie wirkte erschöpft. Hinter ihr lag die Spätschicht und vor ihr die Mittagsschicht. »Lauf los, Leni. Sonst kommst du zu spät.« Ihre Stimme war ruhig, sanft und ebenso zart, wie sie selbst es war.

Leni wollte weder bleiben noch gehen, das eine wäre so unerfreulich wie das andere. Es war sonderbar, vielleicht sogar ein bisschen albern, aber manchmal kam es ihr vor, als wäre sie der ausgleichende Ballast, der das schlingernde Allbright-Schiff auf Kurs hielt, fast so etwas wie die einzige Erwachsene in ihrer Familie. Ihre Mutter war seit geraumer Zeit auf der Suche nach sich selbst. In den vergangenen Jahren war sie allen möglichen Theorien gefolgt, um ihr Entwicklungspotenzial auszuschöpfen, wie sie es nannte. Sie hatte es mit Überlebenstraining versucht und mit dem Human Potential Movement, mit spiritueller Unterweisung, auch mit Unitarismus. Sogar mit dem Buddhismus. Überall hatte sie mitgemacht und sich das Beste für ihre Selbstfindung herausgepickt. Nach Lenis Eindruck waren es vor allem T-Shirts und markige Phrasen, die sie mitgenommen hatte. Sätze wie *Was ist, ist, und was nicht ist, ist nicht.* Letztlich schien nichts davon einen Unterschied zu machen.

»Geh«, sagte Dad.

Leni nahm ihren Rucksack vom Küchenstuhl und lief zur Haustür hinaus. Als sie hinter ihr ins Schloss fiel, begann es drinnen von neuem.

Herrgott, Cora –

Bitte, Ernt, hör mir zu –

So war es nicht immer gewesen. Zumindest behauptete das ihre Mutter. Vor dem Krieg seien sie glücklich gewesen, sagte sie, damals, als sie in Kent im Wohnwagenpark wohnten und Dad eine gute Stelle als Mechaniker und Mom stets ein Lachen auf den Lippen getragen und beim Kochen zu »Piece of My Heart« getanzt hatte. In Lenis Erinnerung an diese Zeit war nur noch das Bild ihrer tanzenden Mutter lebendig.

Dann wurde ihr Vater eingezogen. Er ging nach Vietnam, wo er kurz darauf abgeschossen und gefangen genommen wurde. Ohne ihn an ihrer Seite zu wissen, verlor Mom ihren Halt. Damals begriff Leni zum ersten Mal, wie zerbrechlich ihre Mutter war. Eine Zeitlang zogen sie umher, Leni und ihre Mutter, von Job zu Job, von Ort zu Ort, bis sie zuletzt in Oregon in einer Kommune unterkamen. Dort kümmerten sie sich um die Bienenstöcke und fertigten Lavendelsäckchen, um sie auf dem Bauernmarkt zu verkaufen. Sie demonstrierten gegen den Krieg in Vietnam, und Mom passte sich ihrem politisch engagierten Milieu an.

Als ihr Vater zurückkehrte, erkannte Leni ihn kaum wieder. Der gutaussehende, lachende Schemen ihrer kindlichen Erinnerung war ein seinen Launen hilflos ausgelieferter Mann geworden, den mal Wutanfälle plagten, dann wieder blieb er kühl und distanziert. Alles an der Kommune schien ihm verhasst zu sein, und schon bald zogen sie fort. Und wieder fort. Und wieder. Und nie war etwas so, wie er es haben wollte.

Nachts konnte er nicht schlafen, am Tage konnte er keinen seiner Jobs behalten, obwohl Mom schwor, dass er der beste Mechaniker sei, den es je gegeben habe.

Darüber hatten sie und er an diesem Morgen gestritten. Ihm war wieder einmal gekündigt worden.

Leni zog sich die Kapuze ihrer Jacke über den Kopf. Auf ihrem Schulweg lief sie durch Straßen mit gepflegten Häusern und machte einen Bogen um ein dunkles Gehölz; von dem musste sie sich fernhalten, man wusste nie, was einem dort zustoßen konnte. Sie kam an dem Fastfood-Restaurant vorbei, wo die Schüler der Highschool sich am Wochenende trafen, und an einer Tankstelle, wo die Autos in einer Schlange darauf warteten, Benzin für vierzig Cent den Liter zu tanken. Das war etwas, was die Gemüter aller erregte – die hohen Benzinpreise.

Eigentlich waren ohnehin alle Erwachsenen unentwegt gereizt, jedenfalls empfand Leni es so. Und es war auch kein Wunder. Der Vietnamkrieg hatte das Land gespalten. Tag für Tag verkündeten die Schlagzeilen der Zeitungen neue Grausamkeiten: Mal waren es Bombenanschläge der linksradikalen Weathermen, dann wieder die der IRA, Flugzeuge wurden genauso entführt wie Menschen, etwa die Erbin Patty Hearst, die von einer terroristischen Guerillatruppe gefangen genommen worden war. Das Massaker bei den Olympischen Spielen in München hatte die ganze Welt erschüttert, eben dies schien sich auch bei der Watergate-Affäre abzuzeichnen. Und seit kurzem verschwanden im Bundesstaat Washington immer wieder junge Frauen, ohne eine Spur zu hinterlassen. Die Welt war gefährlich geworden.

Was hätte Leni darum gegeben, eine richtige Freundin zu haben. Es war ihr größter Wunsch. Sie wollte mit jemandem reden können.

Doch würde es ihr letztlich irgendetwas bringen, wenn sie mit jemandem über ihre Sorgen sprechen könnte? Wozu jemandem ihr Herz ausschütten? War es nicht einfach so, dass ihr Vater manchmal die Kontrolle verlor und herumbrüllte und sie nie genug Geld hatten und dauernd umzogen, um ihren Gläubigern zu entkommen? So war ihre Familie nun einmal, aber immerhin liebten sie einander.

Aber dann gab es Tage, solche wie diesen, an denen Leni Angst hatte. Es war ihr, als stünde ihre Familie an einem tiefen Abgrund, wo der Boden unter ihren Füßen jeden Augenblick nachzugeben und abzubrechen drohte und sie wie die Häuser an den aufgeweichten Hängen von Seattle in die Tiefe stürzen würden.

Nach der Schule lief Leni durch den Regen nach Hause. Allein.

Das flache, schlauchartige Haus, in dem sie wohnten, stand in einer Sackgasse, umgeben von deutlich gepflegteren Anwesen. Es war außen dunkelbraun und mit leeren Blumenkästen versehen, die Regenrinne war verstopft, das Garagentor ließ sich nicht schließen und stand stets halb offen. Zwischen den verrottenden grauen Dachpfannen wucherten Unkrautbüschel.

Leni entdeckte ihren Vater in der Garage. Er saß auf der Werkbank neben dem ramponierten Mustang ihrer Mutter. Das Dach des Mustang war mit Klebeband geflickt. An den Wänden der Garage reihten sich die Umzugskartons, gefüllt mit den Sachen, die sie seit ihrer Ankunft in Seattle noch nicht ausgepackt hatten.

Wie üblich trug ihr Vater seine abgewetzte Armeejacke und zerschlissene Levi's. Er saß gekrümmt, die Ellbogen auf die Knie gestützt. Sein langes schwarzes Haar war ein strähniges Durcheinander, und der Schnurrbart hätte dringend geschnitten werden müssen. Er hatte keine Schuhe an, und seine Füße waren verschmutzt. Doch selbst in diesem Aufzug und trotz seines erschöpften Gesichtsausdrucks hatte er immer noch das Aussehen eines Filmstars. Das sagten alle.

Er legte den Kopf schief, strich seine Haare zurück und schaute Leni an. Wenngleich sein Lächeln etwas angestrengt war, hellte es dennoch sein Gesicht auf. Und das war das Problem mit ihrem Vater: Er mochte launisch und jähzornig sein, mitunter sogar furchterregend, doch das war er nur, weil er Gefühle wie Liebe und Verlust und Enttäuschung so intensiv erlebte. Vor allem die Liebe. »Lenora«, sagte er mit seiner heiseren Raucherstimme. »Ich habe auf dich gewartet. Es tut mir leid. Heute früh war ich einfach außer mir. Ich habe meinen Job verloren. Du musst schrecklich enttäuscht von deinem Vater sein.«

»Nein, Dad.«

Leni wusste, wie leid es ihm tat. Sie konnte es von seinem Gesicht ablesen. Als sie noch kleiner war, hatte sie sich manchmal gefragt, wozu die vielen Entschuldigungen gut sein sollten, wenn sich doch nie etwas an seinem Verhalten änderte. Mom hatte es ihr erklärt. Der Krieg und die Gefangenschaft hatten in ihrem Vater etwas zerbrochen. *Stell dir vor, er wäre verletzt*, sagte sie. *Und einen Menschen, der leidet, hört man nicht einfach auf zu lieben. Im Gegenteil, man selbst wird stärker, damit er Halt bei einem finden kann. Er braucht mich. Uns.*

Leni setzte sich zu ihrem Vater. Er legte einen Arm um sie und zog sie an sich. »Die Welt wird von Verrückten regiert. Das ist nicht mehr mein Land. Ich möchte …« Er ließ den Satz unbeendet. Leni sagte nichts. Sie war diese Traurigkeit ihres Vaters, seine Enttäuschung von der Welt, gewöhnt. Ständig brach er mitten im Satz ab, als fürchtete er, sonst etwas allzu Beängstigendes oder Deprimierendes von sich zu geben. Leni verstand diese Verschlossenheit. Sie hatte längst begriffen, dass es oftmals besser war zu schweigen.

Ihr Vater griff in seine Jackentasche und zog ein zerdrücktes Päckchen Zigaretten hervor. Er steckte sich eine an. Leni stieg der vertraute beißende Geruch in die Nase.

Sie wusste, wie groß das Leid war, das er mit sich herumtrug. Manchmal wurde sie nachts von seinem Weinen geweckt, hörte, wie ihre Mutter ihn zu beruhigen versuchte. *Ganz ruhig, Ernt, es ist vorbei, du bist zu Hause, in Sicherheit.*

Dad schüttelte den Kopf und stieß eine blaugraue Rauchwolke aus. »Ich möchte einfach … mehr – verstehst du? Nicht nur einfach einen Job. Ein Leben. Ich möchte über die Straße gehen, ohne Angst haben zu müssen, dass mich irgendjemand ein imperialistisches Schwein oder einen Kindermörder nennt. Ich will …« Er seufzte. Lächelte. »Mach dir keine Sorgen. Alles wird gut. Wir schaffen das.«

»Du findest einen neuen Job«, sagte Leni.

»Natürlich, Rotfuchs. Morgen ist ein neuer Tag.«

Das sagten ihre Eltern immer.

❦

An einem trüben und kalten Morgen Mitte April wurde Leni früh wach. Sie stand auf, hockte sich auf ihren Platz auf dem durchgesessenen Sofa mit dem Blumenmuster und stellte die *Today Show* an. Auf der Suche nach einem vernünftigen Bild richtete sie die beiden Antennenstäbe aus. Als das Bild endlich scharf war, hörte sie die Moderatorin Barbara Walters sagen: »Auf diesem Foto sieht man Patricia Hearst, die sich jetzt Tania nennt, bei einem kürzlich erfolgten Banküberfall in San Francisco mit einem Gewehr. Augenzeugen berichten, dass die neunzehn Jahre alte Enkeltochter des Medienmoguls William Randolph Hearst, die im Februar von der Symbionese Liberation Army entführt wurde …«

Leni war wie gebannt und konnte noch immer nicht glauben, dass eine »Armee« einfach in eine Wohnung marschieren und eine Neunzehnjährige mitnehmen konnte. Wie sollte man sich in einer solchen Welt noch sicher fühlen? Und wie wurde aus einer reichen jungen Frau eine Revolutionärin namens Tania?

»Es wird Zeit, Leni«, rief ihr ihre Mutter aus der Küche zu. »Mach dich für die Schule fertig.«

Die Haustür flog auf.

Dad kam herein und strahlte auf eine Weise, die es Leni unmöglich machte, ihn nicht auch anzulächeln. Der niedrige triste Flur mit seinen grauen Wänden voller Stockflecken stand in keinem Verhältnis zu seiner energischen, kraftvollen Erscheinung, er wirkte beinah überlebensgroß. Wasser tropfte aus seinem Haar.

Mom stand am Herd und briet Frühstücksspeck.

Dad stürmte in die Küche und stellte das Kofferradio auf dem Küchentresen lauter. Ein kratziger Rocksong ertönte. Er lachte und nahm ihre Mutter in die Arme.

Leni hörte, wie er: »Es tut mir leid. Verzeih mir«, zu ihr sagte.

»Immer«, antwortete Mom und umschlang ihn, als hätte sie Angst, er würde sie fortstoßen.

Er legte einen Arm um ihre Taille, führte sie zum Küchentisch und zog einen Stuhl hervor. »Leni, komm zu uns«, rief er.

Es bedeutete Leni viel, wenn ihre Eltern sie einbezogen. Sie verließ das Sofa und setzte sich zu ihrer Mutter. Dad zwinkerte ihr zu und überreichte ihr ein Taschenbuch von Jack London, »Ruf der Wildnis«. »Das wird dir gefallen«, sagte er.

Er ließ sich ihrer Mutter gegenüber nieder, rückte dicht an den Tisch heran und lächelte wie immer, wenn er irgendetwas vorhatte. Leni kannte dieses Lächeln. Offenbar hatte er wieder eine Idee, wie sie ihr Leben ändern könnten. Es hatte schon viele solcher Pläne gegeben. Einmal hatten sie alles verkauft und waren den Highway am Big Sur an der Westküste entlanggefahren, um dort zu zelten. Ein ganzes Jahr lang. Ein anderes Mal hatten sie Nerze gezüchtet, was ein echter Horror gewesen war. Als Nächstes hatte ihr Vater beschlossen, nach Kalifornien zu gehen und den Gärtnern dort Samentütchen zum Verkauf anzubieten.

Nun griff er in seine Jackentasche, holte einen zusammen-gefalteten Brief heraus und knallte ihn triumphierend auf den Küchentisch. »Erinnerst du dich an meinen Freund Bo Harlan?«

Mom dachte einen Moment lang nach, bevor sie antwortete. »Aus Vietnam?«

Dad nickte. Zu Leni sagte er: »Bo Harlan war der Crew Chief und ich der Bordschütze. Wir gaben uns gegenseitig Rückendeckung, immer. Wir waren auch zusammen, als sie unseren Hubschrauber runtergeholt haben und wir gefangen genommen wurden. Wir sind zusammen durch die Hölle gegangen.«

Bei diesen Worten fing er an zu zittern. Er hatte die Ärmel seines Hemds hochgerollt, und Leni konnte die Brandmale sehen, tiefe Furchen, die sich von den Handgelenken bis zu den Ellbogen zogen, mit runzliger, verunstalteter Haut, die nie bräunte. Leni wusste nicht, wie diese Narben entstanden waren. Ihr Vater hatte es ihr nie erklärt und sie nie danach gefragt, doch sie war zu dem Schluss gekommen, dass er sie den Männern, die ihn gefangen genommen hatten, verdankte. Auch sein Rücken war von Narben bedeckt, die Haut voller Schwielen und Knubbel.

»Sie haben mich gezwungen, dabei zuzusehen, wie er starb.«

Leni warf ihrer Mutter einen Blick zu. Darüber hatte ihr Vater bisher nie gesprochen. Es war verstörend, sich so etwas vorzustellen.

Dad begann mit dem Fuß einen Takt zu schlagen und trommelte dazu mit den Fingern auf den Tisch. Dann entfaltete er den Brief, strich ihn glatt und drehte ihn so, dass Leni und ihre Mutter den Text lesen konnten.